수능전략

과·학·탐·구·영·역

생명과학 I

BOOK 1

KB088087

본책인 BOOK 1과 BOOK2의 구성은 아래와 같습니다.

BOOK 1
1주, 2주

BOOK 2
1주, 2주

BOOK 3
정답과 해설

주 도입

본격적인 학습에 앞서, 재미있는 만화를 살펴보며 이번 주에 학습할 내용을 확인해 봅니다.

1일

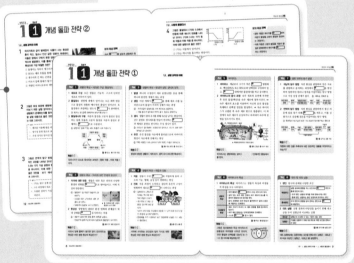

개념 돌파 전략
수능을 대비하기 위해 꼭 알아야 할 핵심 개념을 익힌 뒤, 간단한 문제를 풀며 개념을 잘 이해했는지 확인해 봅니다.

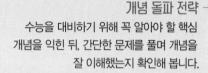

2일, 3일

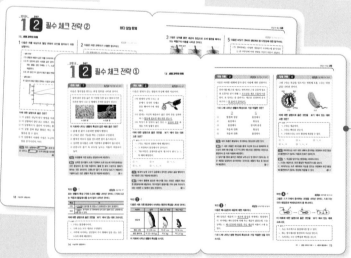

필수 체크 전략
기출 문제에서 선별한 대표 유형 문제와 쌍둥이 문제를 함께 풀며 문제에 접근하는 과정과 해결 전략을 체계적으로 익혀 봅니다.

본 책에서 다룬 대표 유형과 그 해결 전략을 집중적으로
연습할 수 있도록 권두 부록을 구성했습니다.
부록을 뜯으면 미니북으로 활용할 수 있습니다.

주 마무리 학습

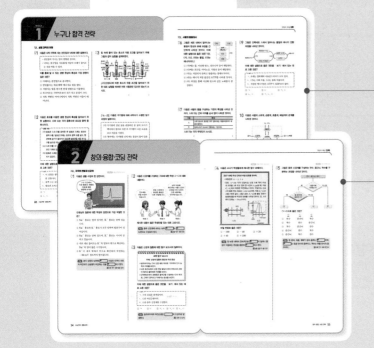

누구나 합격 전략
수능 유형에 맞춘 기초 연습 문제를 풀며
학습 자신감을 높일 수 있습니다.

창의·융합·코딩 전략
수능에서 요구하는 융복합적 사고력과
문제 해결력을 기를 수 있습니다.

권 마무리 학습

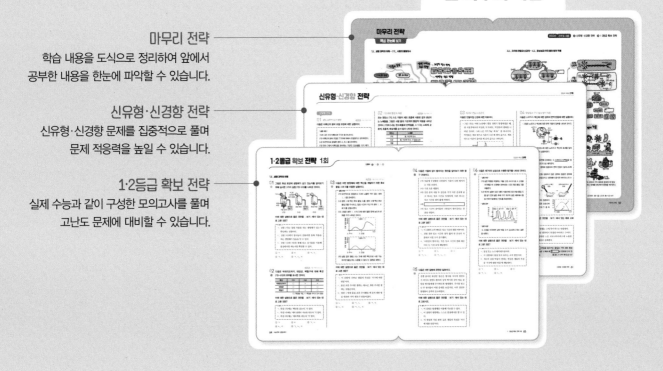

마무리 전략
학습 내용을 도식으로 정리하여 앞에서
공부한 내용을 한눈에 파악할 수 있습니다.

신유형·신경향 전략
신유형·신경향 문제를 집중적으로 풀며
문제 적응력을 높일 수 있습니다.

1·2등급 확보 전략
실제 수능과 같이 구성한 모의고사를 풀며
고난도 문제에 대비할 수 있습니다.

이 책의 차례

BOOK 1

파이팅!!

1강_ 생명 과학의 이해

2강_ 사람의 물질대사

세포 내에서 포도당이 물과 이산화 탄소로 분해되는 세포 호흡 과정에서 ATP가 생성돼. ATP는 다시 ADP와 무기 인산으로 분해되면서 에너지를 방출하고, 이 에너지는 근육 운동, 정신 활동과 같은 다양한 생명 활동에 사용되지.

개념 돌파 전략 ①

개념 1 생물의 특성 – 세포로 구성, 물질대사

1 **세포로 구성** 모든 생물은 기능적·구조적 단위인 세포로 이루어져 있다.

2 **물질대사** 생명체 내에서 일어나는 모든 화학 반응으로 물질의 전환과 에너지의 출입이 일어난다. 또 물질대사 과정에는 반드시 ❶ [   ]가 관여한다.

　예 효모는 포도당을 분해하여 에너지를 얻는다.

3 **물질대사의 구분** 저분자 물질을 고분자 물질로 합성하는 동화 작용과 고분자 물질을 저분자 물질로 분해하는 ❷ [   ]으로 구분된다.

　예 광합성은 동화 작용, 세포 호흡은 이화 작용이다.

답 ❶ 효소 ❷ 이화 작용

확인 Q 1
암모니아가 요소로 합성되는 과정은 (동화 작용 , 이화 작용)이다.

개념 2 생물의 특성 – 자극에 대한 반응과 항상성

1 **자극에 대한 반응** 생물은 내부 혹은 외부의 다양한 환경의 변화를 ❶ [   ]으로 받아들이고, 이에 적절히 반응한다.

　예 · 혈당량이 증가하면 인슐린이 분비된다.
　　 · 운동을 하면 근육에서 세포 호흡이 증가한다.
　　 · 빛에 따라 동공의 크기가 변한다.

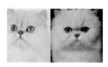
▲ 빛 자극에 따른 고양이 동공의 크기 변화

2 **항상성** 생명체의 내외부 환경 변화와 관계없이 체내 상태를 ❷ [   ] 유지하려는 작용

　예 · 체온이 올라가면 땀을 흘려 체온을 낮춘다.
　　 · 인슐린과 글루카곤에 의해 일정하게 혈당량이 유지된다.

답 ❶ 자극 ❷ 일정하게

확인 Q 2
미모사 잎에 물체가 닿으면 잎이 오므라드는 현상은 어떤 생명 현상의 특성인가?

개념 3 생물의 특성 – 발생과 생장, 생식과 유전

1 **발생** 하나의 수정란이 세포 분열(난할) 등을 통해 하나의 완전한 개체가 되는 과정

2 **생장** 어린 개체가 ❶ [   ]을 통해 세포 수를 늘려감으로써 몸집이 커지며 성체가 되는 과정

　예 · 개구리알이 올챙이를 거쳐 개구리로 성장한다.
　　 · 식물 종자가 발아하여 뿌리, 줄기, 잎으로 분화한다.

3 **생식** 생물이 종족 유지를 위해 자손을 남기는 현상이며, 감수 분열로 생식세포를 만들어 번식하는 ❷ [   ]과 체세포 분열로 번식하는 무성 생식이 있다.

　예 대장균과 짚신벌레는 분열법으로 번식하고, 히드라, 효모 등은 출아법으로 번식한다.

4 **유전** 유전 물질을 자손에게 물려줌으로써 어버이의 형질이 자손에게 전해지는 현상

　예 적록 색맹인 어머니로부터 적록 색맹인 아들이 태어난다.

답 ❶ 세포 분열 ❷ 유성 생식

확인 Q 3
발생과 생장은 생물의 (개체 유지 , 종족 유지)에 관한 특성이다.

개념 4 생물의 특성 – 적응과 진화

1 **적응** 생물이 주변 ❶ [   ]에 적합하게 몸의 구조와 기능, 형태, 습성 등이 변화하는 현상

2 **진화** 적응 과정이 누적되고 집단의 유전적 구성이 변화하여 새로운 ❷ [   ]이 나타나는 과정

　예 · 갈라파고스 군도의 핀치새는 먹이에 따라 부리 모양이 다르다.
　　 · 개구리의 긴 혀는 곤충을 잡아먹기에 알맞다.
　　 · 낙타는 콧구멍을 자유롭게 여닫을 수 있어 모래 먼지가 많은 환경에 살기에 적합하다.
　　 · 항생제를 자주 사용하다 보면 항생제에 내성을 지닌 세균이 출현한다.

곤충을 먹는 새 / 선인장을 먹는 새 / 나뭇잎을 먹는 새 / 씨를 먹는 새

답 ❶ 환경 ❷ 종

확인 Q 4
사막에 서식하는 선인장의 잎이 가시로 변한 현상은 어떤 생명 현상의 특성인가?

개념 **5** 바이러스

1 바이러스 세균보다 크기가 작은 ❶[   ] 병원체로, 핵산(DNA 또는 RNA)과 단백질로 구성되어 있고, ❷[   ] 내에서만 물질대사를 하고 증식한다.

2 바이러스의 증식 과정 숙주 세포의 표면에 부착한 후 유전 물질(핵산)을 숙주 세포에 침투시킨다. ➡ 숙주 세포의 효소를 이용하여 자신의 유전 물질을 복제하고 단백질 껍질을 합성한다. ➡ 자손 바이러스가 조립된 후 숙주 세포 밖으로 방출된다. 이 과정에서 숙주 세포가 손상되거나 파괴되어 숙주에 질병을 일으키기도 한다.

▲ 박테리오파지의 구조와 증식

🔑 ❶ 감염성 ❷ 숙주 세포

확인 Q 5

바이러스는 생명체와는 달리 (   ) 안에서만 물질대사를 한다.

개념 **6** 바이러스의 특성

1 바이러스의 특성 바이러스는 생물적 특성과 비생물적 특성을 모두 나타낸다.

생물적 특성	• 유전 물질인 ❶[ ](DNA 또는 RNA)이 있다. • 살아 있는 숙주 세포 안에서 숙주 세포의 효소를 이용하여 물질대사와 증식을 한다. • 증식 과정에서 유전 현상과 돌연변이가 일어나 환경에 적응하고 진화한다.
비생물적 특성	• 세포 구조가 아니다. ➡ 세포 분열을 통해 증식하지 않는다. • 숙주 세포 밖에서는 입자(결정체)로 존재한다. • 스스로 ❷[ ]를 할 수 없다.

🔑 ❶ 핵산 ❷ 물질대사

확인 Q 6

그림은 짚신벌레와 독감 바이러스의 공통점과 차이점을 나타낸 것이다. '유전 물질과 단백질을 갖는다.'는 ㉠ ~㉢ 중 어디에 해당하는가?

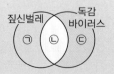

개념 **7** 생명 과학의 탐구 방법

1 귀납적 탐구 방법 자연 현상을 관찰하여 얻은 자료를 종합하고 분석하는 과정에서 ❶[   ]을 발견하여 일반적인 원리나 법칙을 이끌어내는 탐구 방법으로 가설 설정 단계가 없다. 예 세포설, 진화론 등

자연 현상 관찰 → 문제 인식 → 관찰 등 자료 수집 방법 고안 → 자료 수집 → 자료 해석 → 규칙성 발견 및 결론 도출

2 연역적 탐구 방법 자연 현상을 관찰하면서 생긴 의문에 답을 찾기 위해 ❷[   ]을 세우고, 이를 실험적으로 검증해 결론을 이끌어내는 탐구 방법

예 플레밍의 페니실린 발견, 파스퇴르의 탄저병 백신 개발 등

🔑 ❶ 규칙성 ❷ 가설

확인 Q 7

의문에 대한 답을 추측하여 내린 잠정적인 결론을 무엇이라고 하는가?

개념 **8** 변인 및 대조 실험

1 변인 탐구와 관계된 다양한 요인

독립변인	실험 결과에 영향을 주는 요인으로 ❶[ ] 변인과 통제 변인이 있다. • 조작 변인: 실험의 목적을 위해 변화시키는 변인 • 통제 변인: 실험하는 동안 일정하게 유지하는 변인
종속변인	조작 변인의 영향을 받아 변하는 변인으로 ❷[ ]에 해당한다.

2 대조 실험 실험 결과의 타당성을 높이기 위해 대조군을 두어 실험군과 비교하는 실험

대조군	실험군과 비교할 수 있는 기준이 되는 집단
실험군	가설을 검증하기 위해 의도적으로 어떤 요인을 변화시킨 집단

🔑 ❶ 조작 ❷ 실험 결과

확인 Q 8

대조 실험에서는 검증하려는 요인을 변화시킨 (실험군 , 대조군)과 비교 대상인 (실험군 , 대조군)을 설정한다.

개념 1 세포의 생명 활동과 에너지

1 **물질대사** 반드시 ❶ [ ] 출입이 함께 일어난다.
  - 동화 작용: 에너지 흡수(흡열 반응)
  - 이화 작용: 에너지 방출(발열 반응)

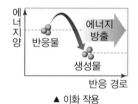

▲ 동화 작용   ▲ 이화 작용

2 **세포 호흡** 세포 내에서 영양소를 분해하여 생명 활동에 필요한 ❷ [ ]를 얻는 반응으로, 주로 미토콘드리아에서 일어난다.

> 포도당＋산소 → 이산화 탄소＋물＋ATP＋열에너지

답 ❶ 에너지 ❷ 에너지

확인 Q 1

포도당이 이산화 탄소와 물로 분해되는 과정을 ( ) 이라고 하며, 그 결과 ATP와 열에너지가 방출된다.

개념 2 에너지 전환과 이용

1 **ATP** 생명 활동에 이용되는 에너지 저장 물질로, 아데노신(아데닌＋리보스)에 3개의 인산기가 결합된 구조이다.
2 **에너지 전환** 영양소에 저장된 화학 에너지는 세포 호흡에 의해 ❶ [ ]의 화학 에너지로 전환된다.
3 **에너지의 이용** ATP의 ❷ [ ] 에너지는 여러 형태로 전환되어 발성, 정신 활동, 체온 유지, 근육 운동, 생장 등 다양한 생명 활동에 이용된다.

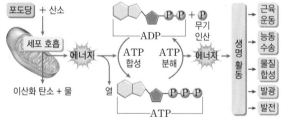

답 ❶ ATP ❷ 화학

확인 Q 2

1분자당 에너지의 크기는 ATP가 ADP보다 (크다 , 적다).

개념 3 영양소의 흡수와 이동 - 소화계

1 **세포 호흡에 필요한 물질** 영양소, 산소
2 **영양소의 소화** 녹말, 단백질, 지방 등 크기가 큰 영양소는 체내로 흡수되기 위해 소화계에서 ❶ [ ]에 의해 작은 분자로 분해된다.

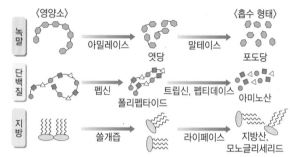

3 **영양소의 흡수와 이동** 소장에서 최종 소화된 영양소는 소장 융털의 모세 혈관과 암죽관으로 흡수되어 순환계를 통해 심장으로 이동한 후 온몸의 ❷ [ ]로 공급된다.

▲ 융털의 구조

답 ❶ 소화 효소 ❷ 조직 세포

확인 Q 3

소화계에서 소화액을 만드는 기관은 침샘, 위, 간, 이자, 소장이다. (○ , ×)

개념 4 산소의 흡수 - 호흡계

1 **산소의 흡수** 호흡계를 통해 ❶ [ ]에 필요한 산소를 흡수한다.
2 **기체 교환** 호흡계를 통해 흡수된 산소는 폐포에서 모세 혈관으로 이동한 후 다시 조직 세포로 이동한다.
  - 기체 교환은 ❷ [ ]에 의해 일어나므로 ATP가 소모되지 않는다.

폐포에서의 기체 교환	조직 세포에서의 기체 교환
폐포 $\xrightarrow{O_2}$ 모세 혈관 폐포 $\xleftarrow{CO_2}$ 모세 혈관	모세 혈관 $\xrightarrow{O_2}$ 조직 세포 모세 혈관 $\xleftarrow{CO_2}$ 조직 세포

답 ❶ 세포 호흡 ❷ 확산

확인 Q 4

산소는 (폐포 / 모세 혈관)에서 (폐포 / 모세 혈관)으로 에너지의 소모 없이 이동한다.

개념 5 물질의 운반 – 순환계

1 영양소와 산소의 운반 순환계는 소장 융털에서 흡수한 영양소와 폐에서 흡수한 산소를 ❶ [   ]에 공급한다.

- 영양소: 혈액의 혈장에 의해 운반된다.
- 산소: ❷ [   ](헤모글로빈)에 의해 운반된다.

2 폐순환과 온몸 순환

- 폐순환: 우심실 → 폐동맥 → 폐포의 모세 혈관 → 폐정맥 → 좌심방
- 온몸 순환: 좌심실 → 대동맥 → 온몸의 모세 혈관 → 대정맥 → 우심방

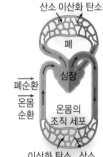

답 ❶ 조직 세포 ❷ 적혈구

확인 Q 5

폐순환은 혈액이 심장에서 (   )로 이동하는 순환이고, 온몸 순환은 혈액이 심장에서 (   )으로 이동하는 순환이다.

개념 6 노폐물의 생성과 배설 – 배설계

1 노폐물의 생성과 배설 영양소가 세포 호흡으로 분해되면 이산화 탄소, 물, ❶ [   ]와 같은 노폐물이 생성되고, 노폐물은 순환계에 의해 호흡계와 배설계로 운반되어 몸 밖으로 나간다.

- 배설계: 세포 호흡 결과 생긴 노폐물을 걸러 ❷ [   ]의 형태로 몸 밖으로 내보낸다.

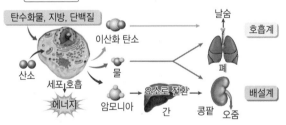

영양소	노폐물	기관	배설 경로
탄수화물, 지방, 단백질	이산화 탄소	폐	날숨
	물	폐, 콩팥	날숨, 오줌
단백질	암모니아(→ 요소)	콩팥	오줌

답 ❶ 암모니아 ❷ 오줌

확인 Q 6

요소는 소화계인 (   )에서 합성되어 순환계를 따라 배설계인 (   )으로 이동하여 오줌의 형태로 배출된다.

개념 7 기관계의 통합적 작용

1 기관계의 통합적 작용 소화계, 순환계, 호흡계, 배설계는 에너지 생성에 필요한 ❶ [   ]와 산소를 조직 세포에 공급하고 노폐물을 몸 밖으로 배출하는 등 고유의 기능을 수행하면서 서로 협력하여 통합적으로 작용한다.

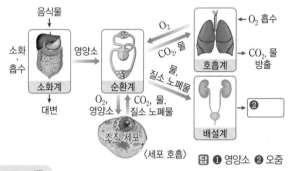

〈세포 호흡〉

답 ❶ 영양소 ❷ 오줌

확인 Q 7

세포 호흡으로 만들어진 노폐물인 물은 (   )로 이동해 오줌으로, (   )로 이동해 날숨으로 배출된다.

개념 8 대사성 질환과 에너지 균형

1 대사성 질환 체내의 ❶ [   ]의 이상으로 발생하는 질환

- 대사성 질환의 종류: 당뇨병, 고혈압, 고지혈증, 지방간, 구루병 등

2 에너지 대사의 균형

- 기초 대사량: 체온 조절, 심장 박동 등 생명 현상을 유지하는 데 필요한 최소한의 에너지양
- 활동 대사량: 신체 활동으로 소모되는 에너지양
- 1일 대사량: 하루 동안 생활하는 데 필요한 총 에너지양

1일 대사량=❷ [   ]+활동 대사량+음식물의 소화·흡수에 필요한 에너지양

에너지 부족	균형	에너지 과다
섭취량＜소비량 체중 감소 및 면역력 하락	섭취량＝소비량 체중 변화 없음	섭취량＞소비량 체중 증가 및 대사성 질환 발생률 증가

답 ❶ 물질대사 ❷ 기초 대사량

확인 Q 8

에너지 섭취량이 에너지 소비량보다 많을 때 사용하고 남은 에너지가 체내에 축적되어 (   )이 될 수 있다.

개념 돌파 전략 ②

1강_ 생명 과학의 이해

1 파리지옥과 같이 벌레잡이 식물이 사는 환경은 흙이 적고, 질소나 인산 같은 양분이 부족하다. 이들은 땅에서 구하지 못한 양분을 벌레를 잡아 먹으며 발달했다. 이를 통해 알 수 있는 생명의 특성으로 가장 적절한 것은?

① 올챙이는 자라서 개구리가 된다.

② 효모는 세포 호흡을 통해 에너지를 얻는다.

③ 개구리의 긴 혀는 곤충을 잡아먹기에 알맞다.

④ 미모사 잎에 물체가 닿으면 잎이 오므라진다.

⑤ 색맹인 어머니로부터 색맹인 아들이 태어난다.

문제 해결 전략

주변 ❶[   ]에 알맞게 생명체의 형태와 기능, 습성 등이 변하는 현상을 ❷[   ]이라고 한다.

🔑 ❶ 환경 ❷ 적응

2 그림은 화성 토양에 생명체가 존재하는지를 알아보기 위한 실험 장치이다. 이화 작용을 하는 생명체가 존재하는지를 알아보기 위해 수행해야 할 실험 내용으로 옳은 것만을 |보기|에서 있는 대로 고르시오.

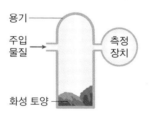

┌─ 보기 ─────────────────────────────────┐
│ ㄱ. 램프를 이용해 빛을 비춘다. │
│ ㄴ. 방사성 동위 원소로 표지된 영양소를 주입한다. │
│ ㄷ. 측정 장치로 방사성 동위 원소로 표지된 기체의 유무를 측정한다. │
└───────────────────────────────────────┘

문제 해결 전략

• 동화 작용 확인 실험: 화성 토양에 ❶[   ]를 넣고 빛을 비춘 후, 용기 속 기체를 제거하고 가열하여 방사능 계측기로 측정한다.

• 이화 작용 확인 실험: 화성 토양에 방사성 동위 원소로 표지된 ❷[   ]를 넣은 후 방사능 계측기로 $^{14}CO_2$의 유무를 검출한다.

🔑 ❶ 방사성 기체($^{14}CO_2$) ❷ 영양소

3 그림은 연역적 탐구 방법의 일반적인 과정을 나타낸 것이다. (가)와 (나)는 각각 가설 설정과 탐구 설계 중 하나이다. 이에 대한 설명으로 옳은 것만을 |보기|에서 있는 대로 고르시오.

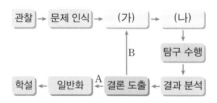

┌─ 보기 ─────────────────────────────────┐
│ ㄱ. (가)는 탐구 설계 단계이다. │
│ ㄴ. (나) 과정에서 대조 실험을 위한 대조군 설정을 한다. │
│ ㄷ. 도출된 결과가 가설과 일치하면 A 경로를, 일치하지 않으면 B 경로를 따른다. │
└───────────────────────────────────────┘

문제 해결 전략

연역적 탐구 방법은 자연 현상을 관찰하고, 관찰한 현상에 의문이 생겨, 그 의문을 해결할 수 있는 잠정적인 답인 ❶[   ]을 설정한 후 이를 실험적으로 검증하는 과정이다. 이때 타당성을 높이기 위해 ❷[   ]을 수행한다. 결론이 가설과 일치하지 않으면 다시 가설을 설정하고, 일치하면 보편적이고 객관적인 원리를 이끌어 내기도 한다.

🔑 ❶ 가설 ❷ 대조 실험

2강_ 사람의 물질대사

4 그림은 물질대사 (가)와 (나)에서 반응에 따른 에너지 변화를 나타낸 것이다. (가)와 (나)는 각각 동화 작용과 이화 작용 중 하나이다. 이에 대한 설명으로 옳은 것은?

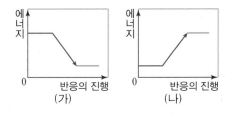

① (가)는 식물에서 일어난다.

② (가)는 에너지를 흡수하는 반응이다.

③ (나)는 동화 작용으로 ATP가 생성된다.

④ (나)에서 발생하는 에너지는 ATP로 저장된다.

⑤ ATP가 ADP로 분해되는 과정은 (나)의 예에 해당한다.

문제 해결 전략

• 동화 작용은 에너지를 **❶**[   ]하여 저분자 물질을 고분자 물질로 합성하는 과정이다.

• 이화 작용은 고분자 물질을 저분자 물질로 분해하면서 에너지를 **❷**[   ]하는 과정이다.

답 ❶ 흡수 ❷ 방출

---

5 그림은 사람 몸에 있는 각 기관계의 통합적 작용을 나타낸 것이다. A~C는 배설계, 소화계, 호흡계를 순서 없이 나타낸 것이다. 이에 대한 설명으로 옳은 것만을 | 보기 | 에서 있는 대로 고른 것은?

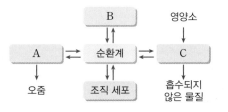

┌ 보기 ┐
ㄱ. A는 배설계로 요소가 합성된다.
ㄴ. B에서 산소가 순환계로 이동할 때 에너지가 소비되지 않는다.
ㄷ. C를 통해 대사 노폐물이 외부로 배출된다.
└────┘

① ㄴ   ② ㄷ   ③ ㄱ, ㄴ
④ ㄴ, ㄷ   ⑤ ㄱ, ㄴ, ㄷ

문제 해결 전략

• 섭취한 영양소는 **❶**[   ]에서 분해·흡수되어 순환계를 통해 조직 세포로 이동한다.

• 조직 세포에서 세포 호흡으로 만들어진 노폐물은 순환계를 통해 **❷**[   ]와 호흡계로 이동하여 배출된다.

답 ❶ 소화계 ❷ 배설계

---

6 사람의 에너지 대사와 균형에 관한 설명으로 옳은 것만을 | 보기 | 에서 있는 대로 고른 것은?

┌ 보기 ┐
ㄱ. 사람의 호흡 운동에 에너지가 사용된다.
ㄴ. 기초 대사량은 연령, 성별에 따라 달라진다.
ㄷ. 섭취하는 에너지양과 소비하는 에너지양이 비슷하면 대사 증후군이 나타날 가능성이 높아진다.
└────┘

① ㄴ   ② ㄷ   ③ ㄱ, ㄴ
④ ㄱ, ㄷ   ⑤ ㄱ, ㄴ, ㄷ

문제 해결 전략

대사성 질환은 체내 **❶**[   ]의 이상으로 발생하는 질환이다. 물질대사 조절에 관여하는 효소나 호르몬 등의 이상이나 생활 습관에 따른 에너지 불균형이 지속되면 발생할 수 있다. 에너지 섭취량이 소비량보다 **❷**[   ], 체지방 축적량이 증가하고 체중이 증가하여 당뇨, 고혈압 등의 발생률이 증가한다.

답 ❶ 물질대사 ❷ 많으면

대표 기출 **1**

2017 7월 학평 1번 유사

다음은 청국장을 만드는 과정 일부를 나타낸 것이다.

> 물에 불린 콩을 삶은 후 미생물 X를 넣고 발효시키면 독특한 향이 나고 실 형태의 끈적한 물질이 생긴다.

▲ 불린 콩

▲ 발효 콩

이 자료에 나타난 생물의 특성과 같은 예로 옳은 것은?

① 봄에 핀 꽃이 수분되면 열매가 맺힌다.
② 근육은 같은 기능을 하는 근섬유로 구성된다.
③ 펼쳐진 미모사 잎을 건드리면 잎이 움츠러든다.
④ 섭취한 음식물은 소화 기관에서 분해되어 흡수된다.
⑤ 단풍나무 줄기 속 포도당 농도는 겨울이 여름보다 높다.

Tip 미생물에 의한 발효는 물질대사에 해당한다.

풀이 섭취한 음식물이 소화 기관에서 소화 효소에 의해 분해되는 것은 물질대사 중 이화 작용이다. 봄에 핀 꽃의 수분으로 열매가 맺히는 것은 생식이다. 단풍나무 줄기 속 포도당 농도가 여름보다 겨울에 높은 것은 생물의 특성 중 적응에 해당한다. **답** ④

확인 **①**-1

2020 3월 학평 1번

표는 생물의 특성 (가)와 (나)의 예를 나타낸 것이다. (가)와 (나)는 적응과 물질대사를 순서 없이 나타낸 것이다.

특성	예
(가)	ⓐ강낭콩이 발아할 때 영양소가 분해되면서 열이 발생한다.
(나)	ⓑ하마는 콧구멍이 코 윗부분에 있어 몸이 물에 잠긴 상태에서도 숨을 쉴 수 있다.

이에 대한 설명으로 옳은 것만을 |보기|에서 있는 대로 고르시오.

> 보기
> ㄱ. (가)는 물질대사이다.
> ㄴ. ⓐ와 ⓑ는 모두 세포로 구성된다.
> ㄷ. 사막에 서식하는 선인장이 가시 형태의 잎을 갖는 것은 (나)의 예에 해당한다.

대표 기출 **2**

2022 수능 1번

다음은 벌새가 갖는 생물의 특성에 대한 자료이다.

> (가) 벌새의 날개 구조는 공중에서 정지한 상태로 꿀을 빨아먹기에 적합하다.
> (나) 벌새는 자신의 체중보다 많은 양의 꿀을 섭취하여 ㉠ 활동에 필요한 에너지를 얻는다.
> (다) 짝짓기 후 암컷이 낳은 알은 ㉡ 발생과 생장 과정을 거쳐 성체가 된다.

이에 대한 설명으로 옳은 것만을 |보기|에서 있는 대로 고른 것은?

> 보기
> ㄱ. (가)는 적응과 진화의 예에 해당한다.
> ㄴ. ㉠ 과정에서 물질대사가 일어난다.
> ㄷ. '개구리알은 올챙이를 거쳐 개구리가 된다.'는 ㉡의 예에 해당한다.

① ㄱ   ② ㄷ   ③ ㄱ, ㄴ
④ ㄴ, ㄷ   ⑤ ㄱ, ㄴ, ㄷ

Tip 벌새의 날개 구조가 공중에서 정지한 상태로 꿀을 빨아먹기에 적합한 것은 적응에 해당한다.

풀이 ㉠에서 활동에 필요한 에너지를 얻는 과정은 생물의 특성 중 물질대사에 해당하며, 개구리알이 올챙이를 거쳐 성체 개구리가 되는 과정은 ㉡ 발생과 생장 과정이다. **답** ⑤

확인 **②**-1

다음은 서로 다른 환경에서 서식하는 펭귄의 특징을 나타낸 것이다.

서식지	남극	위도 45° 부근	적도 부근
생김새			
평균 신장	약 120 cm	약 67 cm	약 50 cm
평균 몸무게	약 22~50 kg	약 6 kg	약 2.5 kg

이 자료에 나타난 생물의 특성을 쓰시오.

대표 기출 3 2018 7월 학평 1번 유사

다음은 마라톤 대회에 참가 중인 사람에 대한 설명이다.

> 달리기할 때 근육 세포는 반복적인 근육 운동에 필요한 ATP를 얻기 위해 ㉠ 포도당을 세포 호흡에 이용한다. 또 달리는 중 올라가는 체온을 일정하게 유지하고자 ㉡ 땀 분비가 일어난다.

㉠과 ㉡에 나타난 생물의 특성으로 가장 적절한 것은?

	㉠	㉡
①	발생과 생장	물질대사
②	물질대사	항상성
③	물질대사	생식과 유전
④	적응과 진화	항상성
⑤	적응과 진화	물질대사

Tip 세포 호흡은 물질대사, 땀 분비는 항상성과 관련 있다.

풀이 ㉠ 세포 호흡은 포도당을 물과 이산화 탄소로 분해하여 포도당의 화학 에너지를 ATP의 화학 에너지로 전환하는 과정으로, 물질대사 중 이화 작용에 해당한다.
㉡ 달리기를 통해 올라간 체온을 낮추고자 땀 분비가 일어나는 것은 체온을 일정하게 유지하려는 것이므로 생물의 특성 중 항상성에 해당한다. 답 ②

확인 3 -1 2016 10월 학평 1번 유사

다음은 페니실린과 세균에 대한 자료이다.

> 페니실린은 세균의 ㉠ 세포벽 합성을 억제하는 항생제이다. 과거에는 페니실린에 의해 죽는 세균이 많았는데, 오늘날에는 ㉡ 페니실린에 내성을 지닌 세균의 비율이 크게 늘었다.

㉠과 ㉡에 나타난 생명 현상의 특성으로 가장 적절한 것을 각각 쓰시오.

대표 기출 4 2021 3월 학평 4번 유사

그림 (가)는 독감을 일으키는 병원체 X를, (나)는 대장균을 나타낸 것이다.

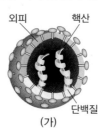
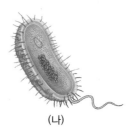

(가)　　　　　　　(나)

이에 대한 설명으로 옳은 것만을 |보기|에서 있는 대로 고른 것은?

> **보기**
> ㄱ. (가)는 세균이다.
> ㄴ. (나)는 핵산을 갖는다.
> ㄷ. (가)와 (나)는 모두 환경에 적응할 수 있다.

① ㄱ　　　② ㄴ　　　③ ㄱ, ㄷ
④ ㄴ, ㄷ　　　⑤ ㄱ, ㄴ, ㄷ

Tip 바이러스는 숙주 세포 내에서 증식하는 과정에서 유전 현상과 돌연변이가 일어나 적응과 진화가 일어난다.

풀이 ㄱ. 독감을 일으키는 병원체는 바이러스이다.
ㄴ. (나)는 세균으로, 유전 물질인 핵산(DNA)을 갖는다.
ㄷ. 바이러스는 숙주 세포에서 자손을 만드는 과정에서 유전 물질에 돌연변이가 일어나 환경에 적응할 수 있다. 답 ④

확인 4 -1 2017 4월 학평 1번 유사

그림은 A가 B에서 증식하는 과정을 나타낸 것이다. A와 B는 각각 대장균과 박테리오파지 중 하나이다.

이 자료에 대한 설명으로 옳은 것만을 |보기|에서 있는 대로 고르시오.

> **보기**
> ㄱ. A는 독자적으로 물질대사를 할 수 있다.
> ㄴ. B는 생식세포를 형성하여 자손을 만든다.
> ㄷ. A와 B는 모두 단백질과 핵산을 갖는다.

대표 기출 5   2022 수능 6번

다음은 어떤 과학자가 수행한 탐구이다.

> (가) 바다 달팽이가 갉아 먹던 갈조류를 다 먹지 않고 이동하여 다른 갈조류를 먹는 것을 관찰하였다.
> (나) ㉠ 바다 달팽이가 갉아 먹은 갈조류에서 바다 달팽이가 기피하는 물질 X의 생성이 촉진될 것이라는 가설을 세웠다.
> (다) 갈조류를 두 집단 @와 ⓑ로 나눠 한 집단만 바다 달팽이가 갉아 먹도록 한 후, @와 ⓑ 각각에서 X의 양을 측정하였다.
> (라) 단위 질량당 X의 양은 ⓑ에서가 @에서보다 많았다.
> (마) 바다 달팽이가 갉아 먹은 갈조류에서 X의 생성이 촉진된다는 결론을 내렸다.

이에 대한 설명으로 옳은 것만을 |보기|에서 있는 대로 고른 것은?

> ┌ 보기 ┐
> ㄱ. ㉠은 (가)에서 관찰한 현상을 설명할 수 있는 잠정적인 결론(잠정적인 답)에 해당한다.
> ㄴ. (다)에서 대조 실험이 수행되었다.
> ㄷ. (라)의 @는 바다 달팽이가 갉아 먹은 갈조류 집단이다.

① ㄱ   ② ㄷ   ③ ㄱ, ㄴ
④ ㄴ, ㄷ   ⑤ ㄱ, ㄴ, ㄷ

Tip 가설을 설정하고, 대조 실험을 통해 가설을 검증하였으므로 연역적 탐구 방법에 따라 수행되었다.

풀이 ㄱ. ㉠ 가설은 자연 현상을 관찰하면서 생긴 의문에 대한 답을 추측하여 내린 잠정적인 결론이다.
ㄴ. 갈조류를 두 집단으로 나눠 한 집단은 바다 달팽이가 갉아 먹도록 하고(실험군), 다른 한 집단은 그대로 두고(대조군) 실험하였으므로 대조 실험이 수행되었다. 대조 실험은 실험 결과의 타당성과 신뢰성을 높이기 위해 대조군을 설정하여 실험하는 것을 말한다.
ㄷ. 바다 달팽이가 갉아 먹은 갈조류에서 X의 생성이 촉진된다는 결론을 내렸으므로 단위 질량당 X의 양이 많은 ⓑ가 바다 달팽이가 갉아 먹은 갈조류 집단이다.   **답 ③**

확인 5 -1

다음은 어떤 학생이 수행한 탐구이다.

> | 가설 | 맹금류의 목이 짧고 꼬리가 긴 모습을 보면 닭은 회피 행동을 할 것이다.
> | 탐구 설계 및 수행 | 닭을 집단 A와 B로 나누고 A 집단의 닭 머리 위에 목이 짧고 꼬리가 긴 조류 모형을 회전시키고, B 집단은 목이 길고 꼬리가 짧은 조류 모형을 회전시킨다. 이후 회피 행동 여부를 관찰한다.
> | 결과 | ㉠
> | 결론 | 닭은 목이 짧고 꼬리가 긴 조류에 대해서 회피 행동을 한다.

이 자료에 대한 설명으로 옳은 것만을 |보기|에서 있는 대로 고르시오.

> ┌ 보기 ┐
> ㄱ. ㉠은 'A 집단은 회피 행동을 보이고, B 집단은 보이지 않았다.'이다.
> ㄴ. 이 현상과 관련된 생명 현상으로는 '맛있는 음식을 보면 침이 고인다.'이다.
> ㄷ. 이 실험에서는 대조 실험을 수행하였으며, A는 대조군, B는 실험군이다.

확인 5 -2

다음은 생명 과학의 탐구 방법에 대한 자료이다.

> (가) 카로 박사는 오랜 시간 동안 가젤 영양이 공중으로 뛰어오르며 하얀 엉덩이를 치켜드는 뜀뛰기 행동을 다양한 상황에서 관찰하였다. 관찰된 특성을 종합한 결과 가젤 영양은 포식자가 주변에 나타나면 엉덩이를 치켜드는 뜀뛰기 행동을 한다는 결론을 내렸다.
> (나) 에이크만은 건강한 닭들을 두 집단으로 나누어 현미와 백미를 각각 먹여 기른 후 각기병 증세의 발생 여부를 관찰하였다. 그 결과 백미를 먹인 닭에서는 각기병 증세가 나타났고, 현미를 먹인 닭에서는 각기병 증세가 나타나지 않았다. 이를 통해 현미에는 각기병을 예방하는 물질이 들어 있다는 결론을 내렸다.

(가)와 (나)는 각각 귀납적 탐구 방법과 연역적 탐구 방법 중 어떤 탐구 방법에 대한 사례인지 쓰시오.

대표 기출 **6**

2013 7월 학평 1번

다음은 철수가 수행한 탐구 과정이다.

| 가설 |

침 속에는 녹말을 분해하는 효소가 들어 있을 것이다.

| 탐구 설계 및 수행 |

같은 양의 녹말 용액이 들어 있는 시험관 Ⅰ～Ⅲ을 준비한 후 표와 같은 조건으로 물질을 첨가하고 37 ℃에서 반응시킨다.

시험관	Ⅰ	Ⅱ	Ⅲ
첨가한 물질	㉠	㉡	녹말 분해 효소

| 결과 |

시험관 Ⅱ, Ⅲ에서 녹말이 분해되었다.

| 결론 |

침 속에는 녹말을 분해하는 효소가 들어 있다.

다음 중 이 탐구 과정의 결과와 결론을 얻기 위해 첨가한 ㉠과 ㉡으로 가장 적절한 것은? (단, 제시된 조건 이외의 모든 실험 조건은 같다.)

	㉠	㉡
①	증류수	침＋증류수
②	증류수	녹말＋증류수
③	침＋염산	녹말＋증류수
④	침＋증류수	증류수
⑤	침＋증류수	침＋염산

Tip 대조 실험을 위해서 대조군은 실험 결과를 비교해 볼 수 있는 기준이 되도록 조작 변인을 가하지 않아야 한다.

풀이 가설에서 침의 유무가 조작 변인이며 녹말의 분해 여부가 종속변인임을 알 수 있다.

실험 결과 시험관 Ⅱ와 Ⅲ에서 녹말이 분해되었다. 이때 시험관 Ⅲ에는 녹말 분해 효소가 첨가되었으므로 녹말이 확실히 분해되는 대조군이다. 따라서 시험관 Ⅱ가 실험군이며, 시험관 Ⅰ은 녹말이 분해되지 않았으므로 증류수를 넣은 대조군이다. **답** ①

확인 **6**-1

다음은 어떤 학생이 수행한 탐구 과정의 일부이다.

| 가설 |

배즙에는 단백질을 분해하는 물질이 들어 있다.

| 탐구 설계 및 수행 |

표와 같이 실험을 구성하고 일정 시간이 지난 후 아미노산 검출 반응을 실시하였다.

구분	넣은 물질	온도
시험관 A	㉠	㉢
시험관 B	㉡	27 ℃

| 결과 |

시험관 A에서만 아미노산이 검출되었다.

| 결론 |

배즙에는 단백질을 분해하는 물질이 들어 있다.

이에 대한 설명으로 옳은 것만을 | 보기 |에서 있는 대로 고른 것은? (단, 나머지 모든 조건은 같다.)

| 보기 |

ㄱ. 시험관 A는 대조군, B는 실험군이다.

ㄴ. ㉠에는 달걀흰자와 증류수가, ㉡에는 달걀흰자와 배즙이 들어 간다.

ㄷ. ㉢은 모든 시험관에서 같게 유지하는 통제 변인이다.

① ㄱ   ② ㄴ   ③ ㄷ

④ ㄱ, ㄷ   ⑤ ㄱ, ㄴ, ㄷ

확인 **6**-2

다음은 '히스타민의 농도가 높아지면 체온이 상승한다.'는 가설을 검증하기 위해 설계한 실험이다.

건강한 사람 20명을 각각 10명씩 A와 B 두 집단으로 나눈 뒤 아래 표와 같이 주사한 다음 체온을 측정한다. ㉠과 ㉡은 히스타민과 생리 식염수를 순서 없이 나타낸 것이다.

집단	A	B
조건	㉠ 10 mL	㉡ 10 mL

집단 A와 B에 알맞은 조건 ㉠과 ㉡은 각각 무엇인지 쓰시오. (단, A는 실험군, B는 대조군이며, 주사하는 약물 이외의 나머지 모든 조건은 같다.)

필수 체크 전략 ②

1강_ 생명 과학의 이해

1 다음은 쥐를 대상으로 혈압 변화의 요인을 알아보기 위한 실험이다.

> **실험 과정**
> (가) 성별과 체중이 같은 쥐를 20마리씩 집단 A와 B로 나눈다.
> (나) 두 집단에 같은 사료를 같은 양씩 먹일 때마다 집단 A 에는 물을, 집단 B에는 1 % 소금물을 같은 양씩 각각 제공한다.
> (다) 3주 동안 두 집단의 평균 혈압 변화를 조사한다.
>
> **실험 결과**
> 두 집단의 평균 혈압 변화는 다음과 같았다.

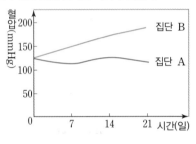

이에 대한 설명으로 옳은 것은?

① 이 실험은 귀납적 탐구 방법을 사용하였다.
② 이 실험에서 집단 A는 실험군, 집단 B는 대조군이다.
③ 이 실험에서 두 집단이 서식하는 환경은 달라야 한다.
④ 이 실험 결과 평균 혈압은 먹는 사료에 의해 변하지 않음을 알 수 있다.
⑤ 이 실험에서 사용한 가설은 '소금의 지속적 섭취는 혈압을 증가시킨다.'이다.

> **Tip** 대조 실험에서 **❶** 은 조작 변인을 처리하지 않은 것이고, **❷** 은 조작 변인을 처리한 것이다.
> **답** ❶ 대조군 ❷ 실험군

2 다음은 어떤 과학자가 수행한 탐구이다.

> (가) 딱총새우가 서식하는 산호의 주변에는 산호의 천적인 불가사리가 적게 관찰되는 것을 보고, 딱총새우가 산호를 불가사리로부터 보호해 줄 것이라고 생각했다.
> (나) 같은 지역에 있는 산호들을 집단 A와 B로 나눈 후, A에서는 딱총새우를 그대로 두고, B에서는 딱총새우를 제거하였다.
> (다) 일정 시간 동안 불가사리에게 잡아먹힌 산호의 비율은 ㉠에서가 ㉡에서보다 높았다. ㉠과 ㉡은 A와 B를 순서 없이 나타낸 것이다.
> (라) 산호에 서식하는 딱총새우가 산호를 불가사리로부터 보호해 준다는 결론을 내렸다.

이에 대한 설명으로 옳은 것만을 |보기|에서 있는 대로 고른 것은?

> **보기**
> ㄱ. 집단 ㉡은 A이다.
> ㄴ. 산호와 딱총새우는 기생 관계이다.
> ㄷ. (다)에서 불가사리에게 잡아먹힌 산호의 비율은 종속변인이다.

① ㄱ   ② ㄷ   ③ ㄱ, ㄷ
④ ㄴ, ㄷ   ⑤ ㄱ, ㄴ, ㄷ

> **Tip** 서로 다른 두 종이 서로에게 이익을 얻는 상호 작용을 **❶** 이라 하고, 약한 종이 이익을 얻고 강한 종이 손해를 보는 것을 **❷** 이라고 한다. **답** ❶ 상리 공생 ❷ 기생

3 그림은 상처를 통한 세균의 침입으로 모세 혈관을 빠져나오는 백혈구의 이동을 나타낸 것이다.

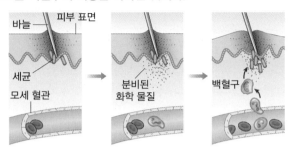

바늘
피부 표면
세균
모세 혈관
분비된 화학 물질
백혈구

이 현상과 가장 관련이 깊은 생물의 특성은?

① 까치가 총소리에 놀라 날아간다.
② 어머니가 적록 색맹이면 아들도 적록 색맹이다.
③ 나비는 알, 애벌레, 번데기 시기를 거쳐 성충이 된다.
④ 살충제를 사용한 후 저항성이 생긴 벌레가 나타난다.
⑤ 녹색 식물은 태양의 빛에너지를 이용해 광합성을 한다.

> **Tip** 분비된 화학 물질로 인해 백혈구가 상처 부위로 이동하는 것은 **❶**[ ](=화학 물질)에 대한 **❷**[ ]이다.
> 답 ❶ 자극 ❷ 반응

4 그림은 사람의 몸에서 일어나는 생명 활동의 일부를 나타낸 것이다.

혈당량 증가 → 시상 하부 → 이자에서 인슐린 분비 → 혈당량 감소

이 같은 생명 현상의 특성과 가장 관련이 깊은 것은?

① 구더기가 파리의 알에서 생긴다.
② 격렬한 운동을 하면 땀 분비가 활발해진다.
③ 효모는 발효를 통해 필요한 에너지를 얻는다.
④ 얼룩소끼리 교배하였더니 얼룩송아지가 태어났다.
⑤ 기존의 항생제에 내성이 있는 신종 세균이 출현하였다.

> **Tip** 자극은 생물 외부와 내부의 **❶**[ ] 변화이다. 혈당량 변화에 따른 인슐린 분비는 이런 자극에 대한 **❷**[ ]에 해당한다.
> 답 ❶ 환경 ❷ 반응

2013 3월 학평 4번 유사

5 다음은 바닷가 갯바위 생태계의 종 다양성에 대한 탐구이다.

> (가) 갯바위에는 다양한 생물종이 서식하는데 불가사리는 종 다양성에 어떤 영향을 미칠지 의문이 생겼다.
> (나) 가설 ㉠을 설정했다.
> (다) 구역을 A와 B로 나눠 A는 불가사리를 그대로 두고, B는 불가사리를 지속적으로 제거하며 2년마다 서식하는 종 수를 조사하였다.
> (라) 8년간 조사하여 표와 같은 결과를 얻었다.
>
> (단위: 종)
>
> | 장소\조사시기 | 처음 | 2년 후 | 4년 후 | 6년 후 | 8년 후 |
> |---|---|---|---|---|---|
> | A | 16 | 17 | 18 | 19 | 20 |
> | B | 16 | 6 | 5 | 3 | 2 |
>
> (마) 탐구 결과는 가설을 지지하지 않았다.

이 자료에 대한 설명으로 옳은 것만을 │보기│에서 있는 대로 고른 것은?

┌─ 보기 ┌
ㄱ. (가)는 문제 인식 단계이다.
ㄴ. 구역 A는 대조군, 구역 B는 실험군이다.
ㄷ. '불가사리는 갯바위의 종 다양성을 감소시킨다.'는 ㉠에 해당한다.

① ㄱ
② ㄴ
③ ㄷ
④ ㄱ, ㄷ
⑤ ㄱ, ㄴ, ㄷ

> **Tip** 가설에는 **❶**[ ]에 의한 **❷**[ ]의 변화와 같이 두 변인이 잘 나타난다.
> 답 ❶ 조작 변인 ❷ 종속변인

대표 기출 1
2022 수능 2번

그림은 사람에서 일어나는 물질대사 과정 (가)와 (나)를 나타낸 것이다.

아미노산 →(가)→ 단백질
㉠ 암모니아 →(나)→ 요소

이에 대한 설명으로 옳은 것만을 |보기|에서 있는 대로 고른 것은?

┌ 보기 ┐
ㄱ. (가)에서 동화 작용이 일어난다.
ㄴ. 간에서 (나)가 일어난다.
ㄷ. 포도당이 세포 호흡에 사용된 결과 생성되는 노폐물에는 ㉠이 있다.
└────┘

① ㄱ   ② ㄴ   ③ ㄷ
④ ㄱ, ㄴ   ⑤ ㄴ, ㄷ

Tip 저분자 물질을 고분자 물질로 합성하는 과정은 동화 작용이다.

풀이 ㄱ. 아미노산은 단백질을 구성하는 기본 단위이다. 따라서 (가)는 동화 작용이다.
ㄴ. 암모니아는 간에서 요소로 전환된다.
ㄷ. 암모니아는 아미노산(단백질)이 세포 호흡에 사용된 결과 생성되는 노폐물이다. 포도당이 세포 호흡에 사용되면 물과 이산화 탄소가 생성된다. **답** ④

대표 기출 2
2021 4월 학평 2번 유사

그림은 물질 (가)와 (나) 사이의 전환을 나타낸 것이다. (가)와 (나)는 각각 ATP, ADP 중 하나이다.

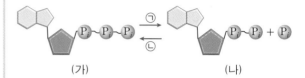

(가)   (나)

이에 대한 설명으로 옳은 것만을 |보기|에서 있는 대로 고른 것은?

┌ 보기 ┐
ㄱ. (가)는 (나)보다 에너지를 더 많이 갖고 있다.
ㄴ. 과정 ㉠에서 방출된 에너지는 단백질 합성 과정에 사용된다.
ㄷ. ATP에는 인산 결합이 있다.
└────┘

① ㄱ   ② ㄴ   ③ ㄷ
④ ㄱ, ㄷ   ⑤ ㄱ, ㄴ, ㄷ

Tip 단백질의 합성은 ATP가 소비되는 동화 작용이다.

풀이 ATP는 아데노신(아데닌＋리보스)에 3개의 인산기가 결합된 구조이며, 인산기와 인산기 사이에는 많은 에너지가 저장되어 있다. (가)는 ATP, (나)는 ADP이다. ATP는 ADP보다 저장된 에너지가 더 크다. ATP가 ADP와 무기 인산으로 분해될 때 방출되는 에너지는 물질 합성 등 여러 가지 생명 활동에 이용된다. **답** ⑤

확인 ①-1

그림은 세포 호흡 과정에서 물질과 에너지의 변화를 나타낸 것이다.

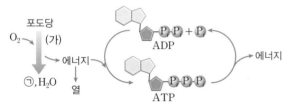

이에 대한 설명으로 옳은 것만을 |보기|에서 있는 대로 고르시오.

┌ 보기 ┐
ㄱ. (가)는 동화 작용이다.
ㄴ. (가)에서 방출된 에너지 중 일부는 ATP에 저장된다.
ㄷ. ㉠은 배설계를 통해 체외로 배출된다.
└────┘

확인 ②-1
2020 7월 학평 3번 유사

그림은 ATP와 ADP 사이의 전환을 나타낸 것이다. ㉠과 ㉡은 각각 ATP와 ADP 중 하나이다.

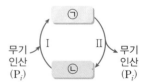

무기 인산 (P_i)   무기 인산 (P_i)

이에 대한 설명으로 옳은 것만을 |보기|에서 있는 대로 고르시오.

┌ 보기 ┐
ㄱ. ㉠은 ATP이다.
ㄴ. I은 미토콘드리아에서 일어난다.
ㄷ. 근육 수축 과정에는 II에서 방출된 에너지가 사용된다.
└────┘

대표 기출 **3**   2021 7월 학평 4번 유사

그림은 사람에서 일어나는 물질대사 과정의 일부를 나타낸 것이다. 물질대사 과정에서 만들어지는 노폐물 ⊙~ⓒ은 각각 물, 요소, 이산화 탄소 중 하나이다.

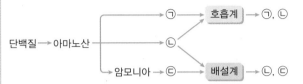

이 자료에 대한 설명으로 옳은 것만을 |보기|에서 있는 대로 고르시오.

┌─ 보기 ──────────────────────────┐
ㄱ. ⊙은 수소(H)를 포함한다.
ㄴ. ⓒ은 배설계에서 재흡수된다.
ㄷ. ⓒ의 합성은 소화계에서 일어난다.
└──────────────────────────────┘

Tip 아미노산이 세포 호흡에 의해 분해되었을 때 생성되는 노폐물은 물, 이산화 탄소, 암모니아이다.

풀이 암모니아는 소화계의 간에서 요소로 합성되어 배설계에서 배출된다. 대사 노폐물 중 물은 호흡계와 배설계를 통해 몸 밖으로 배출된다. ⊙은 이산화 탄소, ⓒ은 물, ⓒ은 요소이다. 배설계에 속하는 콩팥에서 물의 재흡수가 일어난다.   **답** ㄴ, ㄷ

대표 기출 **4**   2019 7월 학평 3번 유사

그림은 사람의 체내에서 일어나는 물질대사 과정 일부와 물질의 이동을 나타낸 것이다. A와 B는 각각 콩팥과 소장 중 하나이고, ⊙~ⓒ은 각각 CO_2, 요소, 아미노산 중 하나이다.

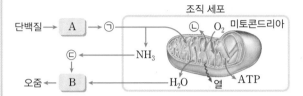

이에 대한 설명으로 옳은 것만을 |보기|에서 있는 대로 고르시오.

┌─ 보기 ──────────────────────────┐
ㄱ. A는 배설계에 속한다.
ㄴ. ⓒ은 호흡계를 통해 배출된다.
ㄷ. 소화계에는 ⓒ이 생성되는 기관이 있다.
└──────────────────────────────┘

Tip 암모니아가 요소로 합성되는 곳은 소화계의 간이다.

풀이 ㄱ. A는 단백질을 소화하여 흡수하는 소장이므로 소화계에 속한다.
ㄴ. ⊙은 단백질의 최종 분해 산물인 아미노산이다. 아미노산이 세포 호흡으로 분해되면 H_2O, CO_2, NH_3가 생성되므로 ⓒ은 CO_2이며, 호흡계를 통해 배출된다.
ㄷ. 암모니아는 간에서 요소(ⓒ)로 합성된 후 콩팥(B)에서 오줌으로 배출된다.   **답** ㄴ, ㄷ

확인 **3**-1   2014 9월 모평 6번 유사

그림은 사람에게서 일어나는 에너지 대사 과정의 일부와 물질 ⊙~ⓒ의 이동을 나타낸 것이다. ⊙~ⓒ은 이산화 탄소, 산소, 포도당 중 하나이다.

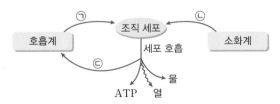

이에 대한 설명으로 옳은 것만을 |보기|에서 있는 대로 고르시오.

┌─ 보기 ──────────────────────────┐
ㄱ. ⊙은 헤모글로빈에 의해 운반된다.
ㄴ. 혈액 속 ⓒ의 양이 많아지면 이자에서 글루카곤이 분비된다.
ㄷ. ⓒ은 ⓒ이 분해될 때 생성된다.
└──────────────────────────────┘

확인 **4**-1   2017 10월 학평 2번 유사

표 (가)는 구성 원소와 이를 포함하는 물질 ⓐ~ⓓ를, (나)는 기관계 ⊙과 ⓒ 각각에 속하는 기관 중 하나를 나타낸 것이다. ⓐ~ⓓ는 물, 이산화 탄소, 암모니아, 단백질 중 하나이다.

구성 원소	물질
질소(N)	ⓐ, ⓒ
산소(O)	ⓐ, ⓑ, ⓓ
수소(H)	ⓐ, ⓒ, ⓓ

(가)

기관계	⊙	ⓒ
기관	콩팥	위

(나)

이에 대한 설명으로 옳은 것만을 |보기|에서 있는 대로 고르시오.

┌─ 보기 ──────────────────────────┐
ㄱ. ⓓ는 ⊙을 통해 몸 밖으로 배출된다.
ㄴ. ⊙에는 ⓒ를 요소로 합성하는 기관이 있다.
ㄷ. ⓒ에서 ⓐ를 ⓑ, ⓒ, ⓓ로 분해하는 세포 호흡이 일어난다.
└──────────────────────────────┘

대표 기출 5

2022 9월 모평 4번 유사

표는 사람 몸을 구성하는 기관계의 특징을 나타낸 것이다. A~C는 배설계, 순환계, 소화계를 순서 없이 나타낸 것이다.

기관계	특징
A	오줌을 통해 노폐물을 몸 밖으로 내보낸다.
B	음식물을 분해하여 영양소를 흡수한다.
C	?

이에 대한 설명으로 옳은 것만을 |보기|에서 있는 대로 고른 것은?

┌ 보기 ┐
ㄱ. A에서 요소가 합성된다.
ㄴ. B에서 흡수된 물질은 C를 통해 운반된다.
ㄷ. C에는 심장이 포함된다.

① ㄱ ② ㄴ ③ ㄱ, ㄷ
④ ㄴ, ㄷ ⑤ ㄱ, ㄴ, ㄷ

Tip 순환계는 심장, 혈관, 혈액 등으로 구성된다.

풀이 A는 노폐물을 몸 밖으로 내보내는 배설계이고, B는 소화계, C는 순환계이다. 요소의 합성은 소화계의 간에서 일어난다. 순환계는 온몸을 돌면서 물질을 운반한다. **답 ④**

대표 기출 6

2017 9월 학평 3번 유사

그림은 사람의 몸에 있는 기관계의 통합적 작용을 나타낸 것이다. (가)~(라)는 각각 배설계, 소화계, 순환계, 호흡계 중 하나이다.

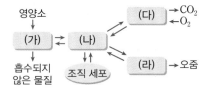

이에 대한 설명으로 옳은 것만을 |보기|에서 있는 대로 고른 것은?

┌ 보기 ┐
ㄱ. 대장은 (가)에 속하는 기관이다.
ㄴ. (나)에서 조직 세포로의 기체 교환은 에너지를 소비한다.
ㄷ. (다)와 (라)에서 대사 노폐물이 배출된다.

① ㄴ ② ㄷ ③ ㄱ, ㄴ
④ ㄱ, ㄷ ⑤ ㄱ, ㄴ, ㄷ

Tip 대사 노폐물인 이산화 탄소와 물은 호흡계에서, 요소와 물은 배설계에서 배출된다.

풀이 영양소를 분해하여 흡수하는 (가)는 소화계이다. 모든 기관으로 영양소와 노폐물을 이동시키는 (나)는 순환계이다. 산소를 얻고 이산화 탄소를 배출하는 (다)는 호흡계이며, 오줌을 배출하는 (라)는 배설계이다. **답 ④**

확인 5-1

2019 6월 모평 8번 유사

그림은 사람의 혈액 순환 경로를 나타낸 것이다. A와 B는 각각 간과 폐 중 하나이고, ㉠과 ㉡은 각각 폐동맥과 폐정맥 중 하나이며, ⓐ와 ⓑ는 각각 콩팥 동맥과 콩팥 정맥 중 하나이다. 이에 대한 설명으로 옳은 것만을 |보기|에서 있는 대로 고르시오.

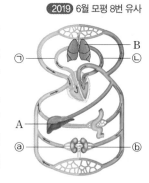

┌ 보기 ┐
ㄱ. A에서 포도당이 글리코젠으로 전환된다.
ㄴ. 혈액의 단위 부피당 CO_2의 양은 ㉡에서가 ㉠에서보다 많다.
ㄷ. 요소의 농도는 ⓐ에서가 ⓑ에서보다 높다.

확인 6-1

그림은 사람의 순환계와 기관계 A~C의 통합적 작용을 나타낸 것이다.

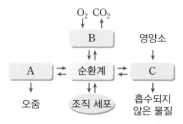

이에 대한 설명으로 옳은 것만을 |보기|에서 있는 대로 고르시오.

┌ 보기 ┐
ㄱ. 항이뇨 호르몬은 순환계를 따라 A로 이동한다.
ㄴ. B로 들어온 산소는 에너지 소비 없이 순환계로 이동한다.
ㄷ. 암모니아는 C에서 요소로 합성되어 배설계로 이동된다.

대표 기출 7
2021 수능 2번

표는 성인의 체질량 지수에 따른 분류를, 그림은 이 분류에 따른 고지혈증을 나타내는 사람의 비율을 나타낸 것이다.

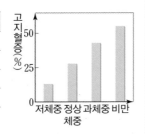

체질량 지수	분류
18.5 미만	저체중
18.5 이상 23.0 미만	정상 체중
23.0 이상 25.0 미만	과체중
25.0 이상	비만

$$*체질량\ 지수 = \frac{몸무게(kg)}{키의\ 제곱(m^2)}$$

이에 대한 설명으로 옳은 것만을 | 보기 |에서 있는 대로 고른 것은?

┌ 보기 ┐
ㄱ. 체질량 지수가 20.0인 성인은 정상 체중으로 분류된다.
ㄴ. 고지혈증을 나타내는 사람의 비율은 비만인 사람 중에서가 정상 체중인 사람 중에서보다 높다.
ㄷ. 대사성 질환 중에는 고지혈증이 있다.

① ㄱ   ② ㄴ   ③ ㄱ, ㄷ
④ ㄴ, ㄷ   ⑤ ㄱ, ㄴ, ㄷ

Tip 체질량 지수는 몸무게를 키의 제곱으로 나눈 값으로 기준치보다 작으면 저체중, 많으면 과체중이라 한다.

풀이 ㄱ. 표에서 체질량 지수가 18.5 이상 23.0 미만인 성인은 정상 체중으로 분류되므로, 체질량 지수가 20.0인 성인은 정상 체중으로 분류된다.
ㄴ. 고지혈증을 나타내는 사람의 비율은 정상 체중인 사람 중에서는 약 30 %인데 비해 비만인 사람 중에서는 약 60 %로 2배 정도 높다.
ㄷ. 고지혈증은 지질 대사가 정상적으로 일어나지 않아서 혈중 콜레스테롤이나 중성 지방이 높게 나타나는 질병으로, 대사성 질환의 일종이다.
답 ⑤

확인 7 -1
2022 6월 모평 4번 유사

그림은 사람 Ⅰ~Ⅲ의 에너지 소비량과 에너지 섭취량을, 표는 Ⅰ~Ⅲ의 에너지 소비량과 에너지 섭취량이 그림과 같이 일정 기간 지속할 때 Ⅰ~Ⅲ의 체중 변화를 나타낸 것이다. ㉠과 ㉡은 에너지 소비량과 에너지 섭취량을 순서 없이 나타낸 것이다.

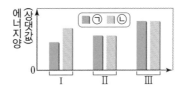

사람	체중 변화
Ⅰ	증가함
Ⅱ	변화 없음
Ⅲ	변화 없음

이에 대한 설명으로 옳은 것만을 | 보기 |에서 있는 대로 고르시오.

┌ 보기 ┐
ㄱ. ㉠은 에너지 소비량이다.
ㄴ. Ⅱ와 같이 에너지 부족이 오랫동안 지속되면 체중이 감소하고 면역력이 떨어진다.
ㄷ. 에너지 섭취량이 에너지 소비량보다 많은 상태가 지속되면 체중이 증가한다.

확인 7 -2
2021 9월 모평 4번 유사

그림 (가)와 (나)는 각각 사람 A와 B의 수축기 혈압과 이완기 혈압의 변화를 나타낸 것이다. A와 B는 정상인과 고혈압 환자를 순서 없이 나타낸 것이다.

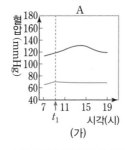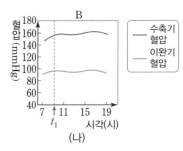

이에 대한 설명으로 옳은 것만을 | 보기 |에서 있는 대로 고르시오.

┌ 보기 ┐
ㄱ. 대사성 질환 중에는 고혈압이 있다.
ㄴ. t_1일 때 수축기 혈압은 A가 B보다 높다.
ㄷ. B는 고혈압 환자이다.

2강_ 사람의 물질대사

2022 9월 모평 7번 유사

1 그림 (가)는 녹말(다당류)이 포도당으로 되는 과정을, (나)는 미토콘드리아에서 일어나는 세포 호흡을 나타낸 것이다.

(가)   (나)

이에 대한 설명으로 옳은 것만을 │보기│에서 있는 대로 고른 것은?

┌ 보기 ┐
ㄱ. (가)에서 이화 작용이 일어난다.
ㄴ. (나)에서 생성된 노폐물에는 암모니아가 있다.
ㄷ. (가)와 (나) 과정에는 모두 효소가 이용된다.

① ㄱ   ② ㄴ   ③ ㄱ, ㄷ
④ ㄴ, ㄷ   ⑤ ㄱ, ㄴ, ㄷ

> **Tip** 녹말은 ❶[   ]계에서 포도당으로 소화되어 흡수된 후 조직 세포에서 ❷[   ]에 이용된다.
> 탑 ❶ 소화 ❷ 세포 호흡

2 표는 영양소 (가), (나), 지방이 세포 호흡에 사용된 결과 생성되는 노폐물을 나타낸 것이다. ⓐ~ⓒ는 이산화 탄소, 물, 암모니아 중 하나이다. 이에 대한 설명으로 옳은 것만을 │보기│에서 있는 대로 고른 것은?

영양소	노폐물
(가)	ⓐ, ⓑ, ⓒ
(나)	ⓐ, ⓒ
지방	ⓐ, ⓒ

┌ 보기 ┐
ㄱ. (가)는 단백질이다.
ㄴ. ⓐ는 간에서 요소로 전환된다.
ㄷ. ⓐ와 ⓒ는 호흡계를 통해 몸 밖으로 배출된다.

① ㄱ   ② ㄴ   ③ ㄱ, ㄷ
④ ㄴ, ㄷ   ⑤ ㄱ, ㄴ, ㄷ

> **Tip** 탄수화물과 지방이 세포 호흡에 사용되면 노폐물인 ❶[   ]와 물이 생성된다. 단백질의 경우 ❶[   ]와 물 그리고 ❷[   ]가 생성된다.
> 탑 ❶ 이산화 탄소 ❷ 암모니아

2019 3월 학평 5번 유사

3 그림 (가)는 광합성과 세포 호흡 사이에서 일어나는 에너지와 물질의 이동을, (나)는 ADP와 ATP 사이의 전환을 나타낸 것이다. ㉠과 ㉡은 각각 세포 호흡과 광합성 중 하나이다.

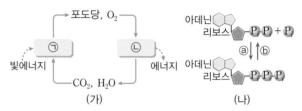

(가)   (나)

이에 대한 설명으로 옳은 것만을 │보기│에서 있는 대로 고른 것은?

┌ 보기 ┐
ㄱ. ㉠에서 빛에너지가 화학 에너지로 전환된다.
ㄴ. ㉡에서 방출된 에너지는 모두 ⓐ 과정에 사용된다.
ㄷ. 근육 운동에 ⓑ 과정에서 방출된 에너지가 사용된다.

① ㄱ   ② ㄴ   ③ ㄱ, ㄷ
④ ㄴ, ㄷ   ⑤ ㄱ, ㄴ, ㄷ

> **Tip** 광합성은 ❶[   ]를 이용하여 이산화 탄소와 물로부터 포도당을 합성하고 산소가 생성되는 과정이고, 세포 호흡은 산소를 이용하여 포도당을 이산화 탄소와 물로 분해하는 과정이다. 세포 호흡 과정에서 포도당의 화학 에너지의 일부는 ❷[   ]의 화학 에너지로 저장되고, 나머지는 열로 방출된다.
> 탑 ❶ 빛에너지 ❷ ATP

2012 11월 학평 13번 유사

4 그림은 여러 기관계에서 일어나는 물질의 이동 과정을 나타낸 것이다. (가)~(다)는 순환계, 호흡계, 배설계 중 하나이다.

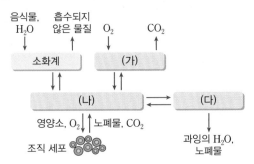

이에 대한 설명으로 옳은 것만을 | 보기 | 에서 있는 대로 고른 것은?

> **보기**
> ㄱ. (가)에서 기체 교환이 일어날 때 ATP가 사용된다.
> ㄴ. (나)는 배설계이다.
> ㄷ. (다)에서 이화 작용이 일어난다.

① ㄱ   ② ㄷ   ③ ㄱ, ㄷ
④ ㄴ, ㄷ   ⑤ ㄱ, ㄴ, ㄷ

> **Tip** 호흡계에서 산소와 이산화 탄소의 이동은 ❶   를 소비하지 ❷   고 일어난다.   **답** ❶ 에너지 ❷ 않

2022 수능 4번

5 그림은 사람 몸에 있는 각 기관계의 통합적 작용을 나타낸 것이다. A와 B는 배설계와 소화계를 순서 없이 나타낸 것이다. 이에 대한 설명으로 옳은 것만을 | 보기 | 에서 있는 대로 고른 것은?

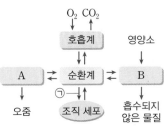

> **보기**
> ㄱ. 콩팥은 A에 속한다.
> ㄴ. B에는 부교감 신경이 작용하는 기관이 있다.
> ㄷ. ㉠에는 O_2의 이동이 포함된다.

① ㄱ   ② ㄷ   ③ ㄱ, ㄴ
④ ㄴ, ㄷ   ⑤ ㄱ, ㄴ, ㄷ

> **Tip** 배설계에 속하는 기관에는 ☐, 방광, 오줌관, 요도 등이 있다.   **답** 콩팥

6 그림은 인체에서 일어나는 물질대사 과정의 일부를 나타낸 것이다.

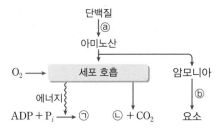

이에 대한 설명으로 옳은 것만을 | 보기 | 에서 있는 대로 고른 것은?

> **보기**
> ㄱ. ⓐ와 ⓑ는 모두 소화계에서 일어난다.
> ㄴ. ㉠은 인산 결합에 에너지를 저장한다.
> ㄷ. ㉡은 배설계를 통해 몸 밖으로 배출된다.

① ㄴ   ② ㄷ   ③ ㄱ, ㄷ
④ ㄴ, ㄷ   ⑤ ㄱ, ㄴ, ㄷ

> **Tip** 독성이 강한 암모니아로부터 독성이 약한 ❶   의 합성은 소화 기관인 ❷   에서 일어난다. **답** ❶ 요소 ❷ 간

2021 9월 모평 4번

7 표는 사람 몸을 구성하는 기관계의 특징을 나타낸 것이다. A~C는 배설계, 소화계, 신경계를 순서 없이 나타낸 것이다.

기관계	특징
A	오줌을 통해 노폐물을 몸 밖으로 내보낸다.
B	대뇌, 소뇌, 연수가 속한다.
C	㉠

이에 대한 설명으로 옳은 것만을 | 보기 | 에서 있는 대로 고른 것은?

> **보기**
> ㄱ. A에서 요소 합성이 일어난다.
> ㄴ. '음식물을 분해하여 영양분을 흡수한다.'는 ㉠에 해당한다.
> ㄷ. A와 C는 모두 B의 조절을 받는 기관이 있다.

① ㄱ   ② ㄴ   ③ ㄷ
④ ㄴ, ㄷ   ⑤ ㄱ, ㄴ, ㄷ

> **Tip** 신경계의 ❶   을 통해 소화 운동이 조절되고, 콩팥에서 물의 재흡수는 ❷   에 의해 일어난다.
> **답** ❶ 자율 신경 ❷ 항이뇨 호르몬(ADH)

1강_ 생명 과학의 이해

01 다음은 사막 지역에 사는 선인장과 낙타에 대한 설명이다.

> • 선인장의 가시는 잎이 변형된 것이다.
> • 낙타는 콧구멍을 자유롭게 여닫아 모래가 들어오는 것을 막을 수 있다.

이를 통해 알 수 있는 생명 현상의 특성과 가장 관련이 깊은 것은?

① 아메바는 분열법으로 증식한다.
② 반딧불이는 체내 화학 에너지로 빛을 낸다.
③ 지렁이는 빛을 받으면 반대 방향으로 이동한다.
④ 북극여우는 사막여우보다 귀가 작고 몸집이 크다.
⑤ 적록 색맹인 어머니에게서 적록 색맹인 아들이 태어난다.

02 다음은 효모를 이용한 생명 현상의 특성을 알아보기 위한 실험이다. ⓐ와 ⓑ는 각각 증류수와 포도당 용액 중 하나이다.

> **실험 과정**
> (가) 발효관 A와 B를 준비한 후 발효관 A에는 효모와 용액 ⓐ를, 발효관 B에는 효모와 용액 ⓑ를 넣고, 맹관부에 공기가 들어가지 않도록 발효관을 세운 후 입구를 솜으로 막는다.
> (나) A와 B를 37 ℃에서 일정 시간을 둔 후 맹관부에 모인 기체의 양을 측정한다.
> (다) 발효관 A에는 맹관부에 기체가 모였지만, B에는 모이지 않았다.

이에 대한 설명으로 옳은 것만을 | 보기 |에서 있는 대로 고른 것은?

> **보기**
> ㄱ. 이 실험은 생명 현상의 특성 중 물질대사를 이용한 실험이다.
> ㄴ. 용액 ⓐ는 증류수, 용액 ⓑ는 포도당 용액이다.
> ㄷ. 발효관 A에 모인 기체는 이산화 탄소이다.

① ㄱ   ② ㄴ   ③ ㄱ, ㄷ
④ ㄴ, ㄷ   ⑤ ㄱ, ㄴ, ㄷ

03 침 속에 들어 있는 효소의 작용 조건을 알아보기 위해 그림과 같이 실험을 설계하였다.

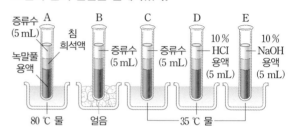

pH(산성도)에 따른 효소의 작용 조건을 알아보기 위한 대조 실험을 하려면 어떤 시험관만 있으면 되는지 쓰시오.

(   )

[04~05] 다음은 각기병에 대해 과학자가 수행한 탐구 과정의 일부이다.

> (가) 각기병에 걸린 닭을 관찰하던 중 닭의 모이가 백미에서 현미로 바뀐 후 각기병이 나은 모습을 보고 의문을 가졌다.
> (나) '현미에는 각기병을 낫게 하는 물질이 들어 있을 것이다.'라는 가설을 설정하였다.
> (다) 각기병에 걸린 닭 50마리를 집단 A와 B로 나누고 A에는 현미를, B에는 백미를 모이로 주었다.
> (라) 일정 시간이 지난 후 A와 B의 각기병 여부를 확인하였더니 B에서만 각기병이 관찰되었다.
> (마) 현미에는 각기병을 낫게 하는 물질이 들어 있다는 결론을 내렸다.

04 A와 B를 실험군과 대조군으로 구분하시오.

(   )

05 이 실험에서 (1) <u>조작 변인</u>과 (2) <u>종속변인</u>은 각각 무엇인지 쓰시오.

(   )

2강_ 사람의 물질대사

06 그림은 세포 내에서 일어나는 물질의 합성과 분해 과정을 간단하게 나타낸 것이다. 이에 대한 설명으로 옳은 것은? (단, (가), (나), (라)는 물질, (다)는 에너지이다.)

① (가)에는 물, 이산화 탄소, 암모니아 등이 해당된다.
② (나)에는 포도당, 아미노산, 지방산 등이 해당된다.
③ (다)는 저장되지 못하고 방출되는 열에너지이다.
④ (라)는 에너지 저장 물질인 ATP를 나타낸 것이다.
⑤ (마) 과정을 통해 이산화 탄소와 같은 노폐물이 생성된다.

07 다음은 사람의 몸을 구성하는 기관의 특징을 나타낸 것이다. A와 B는 간과 이자를 순서 없이 나타낸 것이다.

기관	특징
A	소화 효소와 호르몬 모두 분비되는 외분비샘이자 내분비샘이다.
B	암모니아가 요소로 전환되는 기관이다.

A와 B는 각각 무엇인지 쓰시오.

(　　　　　　　　　　　　　)

08 다음은 영양소 중 하나가 세포 호흡에 사용되어 에너지와 최종 노폐물이 생성되는 과정을 나타낸 것이다.

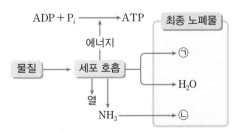

최종 노폐물 ㉠과 ㉡은 각각 무엇인지 쓰시오.

(　　　　　　　　　　　　　)

09 그림은 진핵세포 A에서 일어나는 물질과 에너지 전환 과정을 나타낸 것이다.

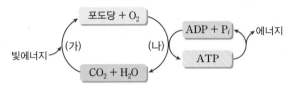

이에 대한 설명으로 옳은 것만을 | 보기 |에서 있는 대로 고른 것은?

┌─ 보기 ┌
　ㄱ. A에는 엽록체와 미토콘드리아가 모두 있다.
　ㄴ. (가)는 이화 작용, (나)는 동화 작용이다.
　ㄷ. 저장된 에너지양은 ATP가 ADP보다 많다.
└─────

① ㄱ　　　　② ㄷ　　　　③ ㄱ, ㄷ
④ ㄴ, ㄷ　　　⑤ ㄱ, ㄴ, ㄷ

10 다음은 사람의 소화계, 순환계, 호흡계, 배설계의 관계를 나타낸 것이다.

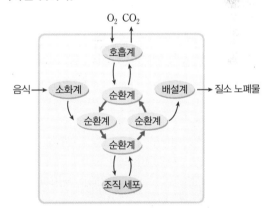

이에 대한 설명으로 옳은 것만을 | 보기 |에서 있는 대로 고른 것은?

┌─ 보기 ┌
　ㄱ. 각 기관계는 통합적으로 작용한다.
　ㄴ. 혈액이 순환계를 따라 이동하며 노폐물과 영양분을 운반한다.
　ㄷ. 섭취한 음식은 소화계에서 흡수 가능한 형태로 분해하여 흡수한다.
└─────

① ㄱ　　　　② ㄴ　　　　③ ㄱ, ㄷ
④ ㄴ, ㄷ　　　⑤ ㄱ, ㄴ, ㄷ

창의·융합·코딩 전략

1강_ 생명 과학의 이해

`2021` 6월 모평 1번 유사

01 표는 생물의 특성의 예를 나타낸 것이다. (가)와 (나)는 물질대사, 발생과 생장을 순서 없이 나타낸 것이다.

생물의 특성	예
적응과 진화	㉠
(가)	매미는 알에서 유충이 된 후 탈피 과정을 거쳐 성충이 된다.
(나)	ⓐ 효모는 산소가 없는 환경에서도 포도당을 이용해 에너지를 얻는다.

이 실험 결과에 대한 설명으로 옳은 것만을 | 보기 |에서 있는 대로 고른 것은?

┌ 보기 ┐
ㄱ. (가)는 발생과 생장이다.
ㄴ. ⓐ에는 효소가 이용되지 않는다.
ㄷ. '피그미해마는 주변의 산호와 유사한 모습으로 위장하여 살아간다.'는 ㉠에 해당한다.
└──────┘

① ㄱ   ② ㄴ   ③ ㄱ, ㄷ
④ ㄴ, ㄷ   ⑤ ㄱ, ㄴ, ㄷ

> **Tip** 하나의 수정란이 세포 분열을 통해 하나의 개체가 되는 과정을 ▭이라고 한다.   🔑 발생

02 다음은 학생들이 박테리오파지와 백혈구에 대해 나눈 대화 내용이다.

백혈구는 유전 물질로 DNA를 갖고 있어.

박테리오파지는 세포 분열을 통해 증식해.

박테리오파지와 백혈구는 모두 세포막을 가지고 있어.

학생 A   학생 B   학생 C

제시한 내용이 옳은 학생만을 있는 대로 고른 것은?
① A   ② B   ③ A, B
④ B, C   ⑤ A, B, C

> **Tip** 백혈구와 바이러스의 공통점은 단백질과 **❶** ▭을 갖는 것이며, 바이러스는 살아 있는 **❷** ▭에서만 증식이 가능하다.   🔑 ❶ 유전 물질(핵산) ❷ 숙주 세포

03 그림은 바이러스, 백혈구, 로봇 청소기를 분류하는 과정을 나타낸 것이다.

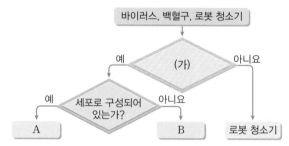

바이러스, 백혈구, 로봇 청소기

예 ← (가) → 아니요

예 ← 세포로 구성되어 있는가? → 아니요

A   B   로봇 청소기

이 실험 결과에 대한 설명으로 옳은 것만을 | 보기 |에서 있는 대로 고른 것은?

┌ 보기 ┐
ㄱ. '스스로 물질대사를 한다.'는 (가)에 적합하다.
ㄴ. A와 B는 모두 유전 물질을 갖는다.
ㄷ. B는 환경 변화에 적응하여 진화한다.
└──────┘

① ㄱ   ② ㄴ   ③ ㄱ, ㄷ
④ ㄴ, ㄷ   ⑤ ㄱ, ㄴ, ㄷ

> **Tip** 생명체는 세포로 구성되어 있지만, 바이러스는 단백질 껍질과 **❶** ▭로 구성된다. 바이러스는 효소가 없어 스스로 물질대사를 못하지만 숙주 세포 내에서는 물질대사와 **❷** ▭이 가능하다.   🔑 ❶ 유전 물질(핵산) ❷ 증식

04 그림은 두 종 A와 B의 상호 작용이 먹이 선호도에 미치는 영향을 알아보기 위한 실험의 결과를 나타낸 것이다. 그림 (가)는 두 종을 따로 키울 때, (나)는 두 종을 함께 키울 때이고, 설명은 종 간 상호 작용인 분서에 대한 것이다.

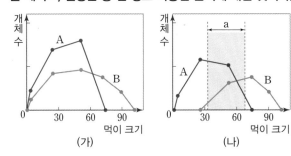

〈분서〉
먹이와 사는 장소가 같을 때 두 종 사이에서 경쟁이 일어나는 것을 피하는 방법으로, 사는 장소, 먹이의 크기, 생식 시기 등을 달리하는 것을 분서라고 한다.

이에 대해 옳게 설명한 학생을 있는 대로 고른 것은?

① A   ② B   ③ C
④ A, B   ⑤ A, B, C

> **Tip** 생태 지위가 같을 때 두 종 사이에서 [❶   ]이 일어나고, 이를 피하는 방법으로 먹이의 크기, 생식 시기 등을 달리하는 것을 [❷   ]라고 한다.   **답** ❶ 경쟁 ❷ 분서

05 그림은 연역적 탐구 방법의 순서를, 설명은 철수가 수행한 탐구 과정을 나타낸 것이다.

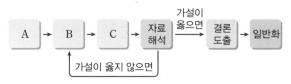

┌ 탐구 과정 ┐
(가) 철수는 세균을 배양하던 배지에서 ⓐ종이 자라는 곳 주변에 세균이 자라지 못하는 것을 보고, ⓐ종이 어떤 물질을 분비하여 세균의 성장을 방해할 것이라고 생각하였다.
(나) ⓐ종이 분비하는 물질을 추출하여 세균을 배양 중인 2개의 접시 중 하나에는 추출물을 넣고, 나머지 하나에는 추출물을 넣지 않았다.
(다) ⓐ종이 세균의 성장을 억제하는 물질을 분비한다는 결론을 내렸다.

이에 대한 설명으로 옳은 것만을 | 보기 |에서 있는 대로 고른 것은?

┌ 보기 ┐
ㄱ. (가) 단계는 A 과정이다.
ㄴ. B 과정은 가설 설정 단계이다.
ㄷ. (나) 단계에서 ⓐ종이 분비한 물질을 제외한 다른 조건은 같게 유지해야 한다.

① ㄱ   ② ㄴ   ③ ㄱ, ㄷ
④ ㄴ, ㄷ   ⑤ ㄱ, ㄴ, ㄷ

> **Tip** 대조 실험에서 [❶   ]은 조작 변인을 가하고, 대조군은 조작 변인을 가하지 않는다. 그 외 모든 변인은 같게 유지해 주어야 하는데 이를 [❷   ]라고 한다.   **답** ❶ 실험군 ❷ 변인 통제

2강_ 사람의 물질대사

2020 10월 학평 2번 유사

06 다음은 질병 중 당뇨병, 고지혈증, 감기를 분류하는 과정을 나타낸 것이다.

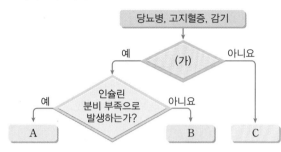

이에 대한 설명으로 옳은 것만을 | 보기 |에서 있는 대로 고르시오.

┌ 보기 ┐
ㄱ. A와 B는 물질대사에 이상이 생겨 발생하는 질병이다.
ㄴ. C는 고지혈증이다.
ㄷ. '감염성 질환인가?'는 (가)에 해당한다.

> **Tip** 대사성 질환에는 당뇨병, 고지혈증, ❶ ▢▢, 지방간 등이 있다. 이 중 당뇨병은 ❷ ▢▢▢ 분비 부족으로도 발생한다.
> 답 ❶ 고혈압 ❷ 인슐린

07 다음은 생물 수업 시간에 학생 A~C의 발표 내용이다.

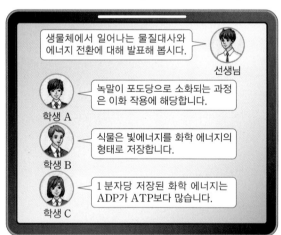

제시한 내용이 옳은 학생만을 있는 대로 고른 것은?
① B   ② C   ③ A, B
④ B, C   ⑤ A, B, C

> **Tip** 식물 세포에서 빛에너지는 ❶ ▢▢▢의 화학 에너지로, 다시 ❷ ▢▢▢의 화학 에너지로 전환되어 이용된다.
> 답 ❶ 포도당 ❷ ATP

08 다음은 효모를 이용한 물질대사 실험이다.

┌ 실험 과정 ┐
(가) 발효관 A와 B에 표와 같이 용액을 넣고 맹관부에 공기가 들어가지 않도록 발효관을 세운 후, 입구를 솜으로 막는다.

발효관	용액
A	증류수 20 mL + 효모액 10 mL
B	5 % 포도당 수용액 20 mL + 효모액 10 mL

(나) A와 B를 37 °C로 맞춘 항온기에 넣고 일정 시간이 지난 후 ㉠ 맹관부에 모인 기체의 양을 측정한다.

이에 대한 설명으로 옳은 것만을 | 보기 |에서 있는 대로 고른 것은?

┌ 보기 ┐
ㄱ. ㉠은 이 실험의 종속변인이다.
ㄴ. 입구를 솜으로 막는 이유는 효모의 유산소 호흡을 보기 위해서이다.
ㄷ. 실험 결과 맹관부 수면의 높이는 A가 B보다 낮다.

① ㄱ   ② ㄴ   ③ ㄱ, ㄷ
④ ㄴ, ㄷ   ⑤ ㄱ, ㄴ, ㄷ

> **Tip** 맹관부에는 효모의 발효로 생성된 ❶ ▢▢▢▢가 모인다. 물질대사(발효)가 활발히 일어나면 기체 발생량이 증가하여 맹관부의 수면의 높이는 ❷ ▢▢진다.
> 답 ❶ 이산화 탄소 ❷ 낮아

09 다음은 대사 노폐물인 이산화 탄소, 물, 암모니아를 분류하는 과정을 나타낸 것이다.

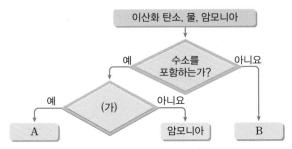

이에 대한 설명으로 옳은 것만을 │보기│에서 있는 대로 고르시오.

┌ 보기 ┐
ㄱ. '배설계에서 배출된다.'는 (가)에 해당된다.
ㄴ. A는 이산화 탄소로 호흡계를 통해 배출된다.
ㄷ. A와 B는 3대 영양소가 세포 호흡으로 사용될 때 공통으로 발생하는 노폐물이다.

Tip 질소 노폐물인 ❶ ▢▢▢ 는 ❷ ▢▢▢▢ 이 세포 호흡의 재료로 사용될 때 발생하는 암모니아가 간에서 전환된 것이다.
　　　　　　　　　　　　　　　 답 ❶ 요소 ❷ 단백질

10 다음은 사람의 기관계의 통합적 작용에 대한 학생 A~C의 대화 내용이다.

순환계는 다른 기관계로 영양소와 노폐물을 운반해.

소화계에서 흡수된 영양소 중 일부는 호흡계에서 사용돼.

배설계에서는 질소 노폐물을 배출하지.

학생 A　　학생 B　　학생 C

제시한 내용이 옳은 학생만을 있는 대로 고른 것은?
① B　　　　② C　　　　③ A, B
④ A, C　　　⑤ A, B, C

Tip 소화계에서 흡수한 ❶ ▢▢▢ 와 호흡계에서 흡수한 산소는 ❷ ▢▢▢ 를 통해 온몸의 조직 세포로 운반된다.
　　　　　　　　　　　　　　　 답 ❶ 영양소 ❷ 순환계

11 표는 사람 몸을 구성하는 기관계의 특징을 나타낸 것이다. A와 B는 소화계와 배설계를 순서 없이 나타낸 것이다.

기관계	특징
A	질소 노폐물을 배출한다.
B	암모니아를 요소로 전환해 주는 기관이 있다.
호흡계	?

이에 대한 설명으로 옳은 것만을 │보기│에서 있는 대로 고른 것은?

┌ 보기 ┐
ㄱ. A에는 항이뇨 호르몬의 표적 기관이 있다.
ㄴ. B에는 소화 효소와 호르몬을 모두 분비하는 기관이 있다.
ㄷ. 호흡계에서 일어나는 기체 교환은 에너지를 사용하지 않는다.

① ㄱ　　　　② ㄴ　　　　③ ㄱ, ㄷ
④ ㄴ, ㄷ　　　⑤ ㄱ, ㄴ, ㄷ

Tip 배설계에서는 물과 ❶ ▢▢▢ 이 배출되며, 호흡계에서는 물과 ❷ ▢▢▢ 가 배출된다.
　　　　　　 답 ❶ 질소 노폐물(요소) ❷ 이산화 탄소

3강_ 자극의 전달과 신경계

매운맛은 고추 속의 캡사이신이 세포를 눌러서 느끼는 통증이래.

아! 매워.

맞아.

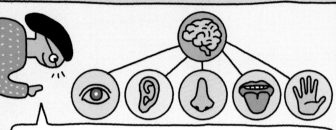

우리가 눈, 귀, 코, 혀, 피부에서 느끼는 다양한 감각들은 사실 외부에서 전해지는 자극을 신경계와 뇌가 인지한 결과야. 하지만 뇌가 온도와 촉각을 어떻게 인지하는 것인지는 오랫동안 미스터리였다고 해.

그런데 노벨생리의학상을 받은 줄리어스와 파타푸티언 교수가 열과 통증에 반응하는 수용체를 발견했대.

열 수용체

통증 수용체

생강차 맛있군

이 수용체에 캡사이신 같은 분자가 붙으면 이 자극이 전기 신호로 바꿔어 신경계를 통해 뇌까지 전달되고, 뇌는 어느 수용체가 활성화 되었는지를 감지해 열과 통증을 인식한대.

그렇구나. 그런데 전기 신호는 뭐야? 우리 몸에 전기가 흘러?

캡사이신

자극

Na^+ 통로가 열린다.

응, 신경의 축삭 돌기에는 나트륨 이온과 칼륨 이온을 이동시키는 초소형 펌프들이 있어서 자극을 받으면 전기 신호를 만들어 아주 빠르게 신호를 전달하고 있어. 우리 몸속에는 크리스마스 트리에 충분히 불을 밝힐 수 있을 정도의 전기 신경 에너지가 있다고 해.^^

1. 자극을 받으면 Na^+ 통로가 열리고 Na^+이 흘러 들어온다.

2. 전하의 변화가 일어나면서 보다 빨리 움직이는 전기 신호가 만들어진다.

시냅스

신경 세포체

전기 신호

3. 신호가 시냅스에 이르면, 아세틸콜린과 같은 신경 전달 물질을 분비해서 다음 신경에서 다시 신호를 일으킨다.

4강_ 항상성과 우리 몸의 방어 작용

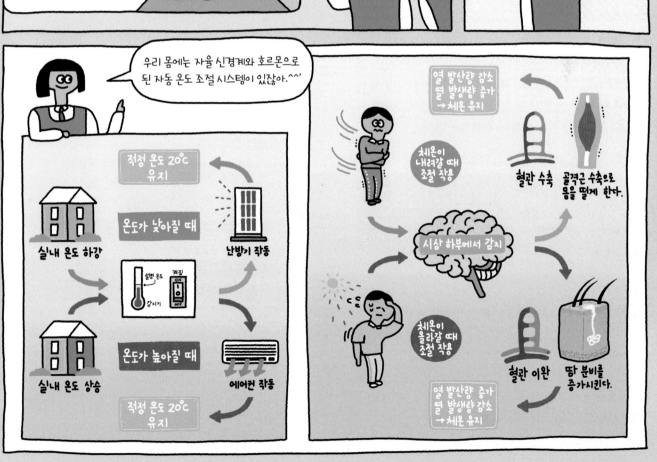

개념 1 뉴런의 구조

1 **뉴런** 신경계를 구성하는 기본 단위
- 신경 세포체: [❶   ]과 세포 소기관이 있으며, 물질대사를 담당한다.
- 가지 돌기: 신호를 받아들인다.
- 축삭 돌기: 다른 뉴런이나 세포로 신호를 전달한다.

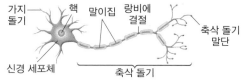

2 **뉴런의 종류**
- 말이집 유무에 따라: 말이집 신경, 민말이집 신경
- 기능에 따라: 감각 뉴런, [❷   ], 운동 뉴런

답 ❶ 핵 ❷ 연합 뉴런

확인 Q 1
도약전도가 발생해 흥분의 전도 속도가 민말이집 신경보다 빠른 신경은?

개념 2 활동 전위

1 **분극** 뉴런이 자극받지 않은 상태에서 세포 안팎의 이온 불균등으로 나타나는 현상, 이때의 막전위를 [❶   ]라고 한다. ➡ 분극 유지를 위해 ATP 필요
2 **활동 전위** 일정 수준 이상의 자극(역치)이 가해지면 세포막에 생기는 동일한 막전위의 변화

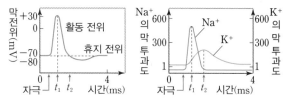

- 탈분극(자극~t_1): [❷   ]가 열리며 세포 안으로 Na^+ 확산 ➡ 막전위 상승
- 재분극(t_1~t_2): Na^+ 통로가 닫히고 K^+ 통로가 열리며 세포 밖으로 K^+ 확산 ➡ 막전위 하강
- 과분극: K^+ 통로가 느리게 닫혀, 휴지 전위보다 더 낮은 막전위까지 하강 후 휴지 전위 회복

답 ❶ 휴지 전위 ❷ Na^+ 통로

확인 Q 2
세포 안은 세포 밖과 비교할 때, Na^+의 농도는 (   ), K^+의 농도는 (   ).

개념 3 흥분 전도(전기적 신호)

1 **흥분 전도** 한 뉴런 내에서 연속적으로 탈분극이 일어나며 흥분이 이동하는 현상
2 **한 지점에서 시간에 따른 막전위 변화**

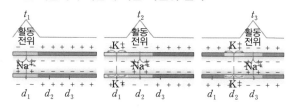

구분	t_1	t_2	t_3
d_1	활동 전위 발생	❶	휴지 전위 회복
d_2	휴지 전위	활동 전위 발생	재분극
d_3	❷	휴지 전위	활동 전위 발생

답 ❶ 재분극 ❷ 휴지 전위

확인 Q 3
어떤 뉴런의 지점 d에서 30 mV의 막전위를 보이고, 1 ms가 흐른 후 d에서 2 cm 떨어진 같은 뉴런의 한 지점에서 막전위가 30 mV가 되었다. 이 뉴런의 흥분 전도 속도는?

개념 4 흥분 전달(화학적 신호)

1 **시냅스** 뉴런의 [❶   ] 말단과 다른 뉴런의 가지 돌기나 신경 세포체 사이의 틈
2 **흥분의 전달 과정**

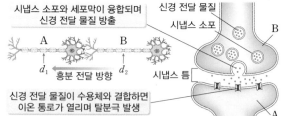

- 흥분 전달 방향: [❷   ] ➡ [❸   ]
- d_1에 자극을 주면 A의 양쪽으로 흥분이 전도되지만, A에서 B로 흥분의 전달은 일어나지 않는다.
- d_2에 자극을 주면 B의 양쪽으로 흥분이 전도되며, A로 흥분이 전달된다.

답 ❶ 축삭 돌기 ❷ B ❸ A

확인 Q 4
흥분의 전도와 흥분의 전달 중 속도가 더 빠른 것은?

개념 **5** 근육의 구조

1 근육의 종류
- 불수의근: 의지에 따라 움직일 수 없다.
  - **예** 심장근, 내장근 등
- 수의근: 의지에 따라 움직일 수 있다.
  - **예** **❶** ⬚ 등

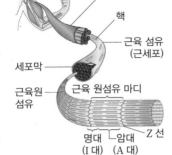

2 골격근의 구조
- 근육 섬유: 여러 개의 세포가 융합된 다핵 세포
- 근육 원섬유 마디(근절): 근수축의 기본 단위. I대(명대)와 **❷** ⬚ 가 반복적으로 나타난다.
- I대는 액틴 필라멘트만 있으며, A대는 마이오신 필라멘트만 있는 H대와 액틴 필라멘트와 마이오신 필라멘트가 겹쳐진 부분으로 구성된다.

답 ❶ 골격근 ❷ A대(암대)

확인 Q 5
골격근 수축 전과 후에 (I대 , A대)의 길이는 변하지 않는다.

개념 **6** 골격근 수축의 원리

1 활주설 액틴 필라멘트가 마이오신 필라멘트 사이로 미끄러져 들어가 근육 원섬유 마디의 길이가 짧아지면서 근육이 수축한다.

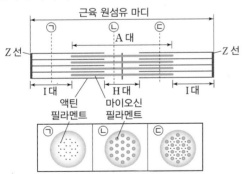

- 근육 원섬유 마디의 길이가 x만큼 줄었다면, 겹치는 부분은 **❶** ⬚ 만큼 증가, I대와 H대는 x만큼 감소

2 근수축의 에너지원 **❷** ⬚ 가 분해될 때 방출되는 에너지에 의해 근육이 수축한다.

답 ❶ x ❷ ATP

확인 Q 6
근육이 (수축 , 이완)할 때 ATP가 사용된다.

개념 **7** 중추 신경계

1 뇌
- 대뇌: 고등 정신 활동과 의식적 운동의 중추, 겉질은 회색질, 속질은 **❶** ⬚ 이다.
- 소뇌: 몸의 자세와 균형 유지
- 간뇌: 시상＋시상 하부(항상성 조절의 중추)
- 뇌줄기: 중간뇌(동공 반사, 안구 운동 조절), 연수(소화, 순환, 호흡의 중추), 뇌교(대뇌와 소뇌 사이의 정보 전달)로 구성

2 척수 뇌와 척수 신경 사이의 정보 전달, 겉질은 백색질이며, 속질은 **❷** ⬚ 이다.

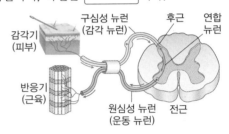

답 ❶ 백색질 ❷ 회색질

확인 Q 7
운동 신경은 (전근 , 후근)을 통해 나온다.

개념 **8** 말초 신경계

1 구심성 신경(감각 신경) 감각 기관에서 수용한 자극을 중추 신경계로 전달

2 원심성 신경(운동 신경) 중추 신경계의 명령을 전달
- 체성 신경: 골격근과 연결, 1개의 신경이 명령 전달, 신경 말단에서 아세틸콜린 분비
- 자율 신경: 내장근, 심장근, 분비샘에 명령 전달

교감 신경	• 신경절 이전 뉴런의 신경 세포체는 척수에 있다. • 심장 박동 촉진, 동공 확장, 호흡 촉진, 소화 억제, 침 분비 억제
부교감 신경	• 중간뇌, 연수, 척수와 연결 • 교감 신경과 길항 작용

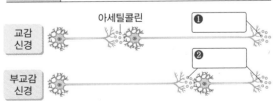

답 ❶ 노르에피네프린 ❷ 아세틸콜린

확인 Q 8
교감 신경의 흥분 발생 빈도가 증가하면 심장 박동은 (촉진 , 감소)된다.

개념 돌파 전략 ①

개념 1 항상성 유지 원리

1 **음성 피드백** 결과물의 양을 일정 수준으로 유지하기 위해 ❶ □□□ 을 조절하는 작용

　예 티록신의 분비 조절

2 **길항 작용** 같은 기관에 대해 서로 반대 효과를 나타내는 조절 작용

　예 혈당량 조절

· 혈당량을 감소시키는 호르몬: ❷ □□□

· 혈당량을 증가시키는 호르몬: 글루카곤, 에피네프린(부신 속질), 당질 코르티코이드(부신 겉질)

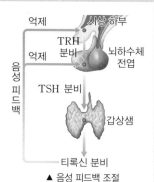

▲ 음성 피드백 조절

답 ❶ 원인 ❷ 인슐린

확인 Q 1

고혈당일 때 이자의 β세포에서 (　　　　)이 분비되어 간에서 포도당을 (　　　　)으로 합성하여 혈당량을 낮춘다.

개념 2 항상성 유지 – 체온 조절

1 **조절 중추** ❶ □□□ 의 시상 하부

2 **저온 자극** 티록신과 에피네프린 분비 증가로 물질대사가 촉진되고, 몸 떨림과 같은 근육 운동이 활발해져 열 발생량이 ❷ □□□ 하고, 교감 신경의 작용 강화로 피부 근처 모세 혈관 및 입모근 수축으로 체표면을 통한 열 발산량을 줄여 체온이 상승한다.

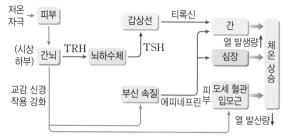

3 **고온 자극** 티록신 분비 감소로 물질대사 억제 ➡ 열 발생량 감소, 교감 신경 작용 완화로 피부 근처 혈관 확장, 땀 분비 촉진 ➡ 열 발산량 증가

답 ❶ 간뇌 ❷ 증가

확인 Q 2

더우면 물질대사를 억제하여 열 발생량을 감소시키며, 피부 근처 모세 혈관을 확장시켜 열 발산량을 (　　　　)시킨다.

개념 3 항상성 유지 – 삼투압 조절

1 **조절 중추** 간뇌의 시상 하부

2 **갈증 또는 짠 음식 섭취** 체내 수분량이 감소하거나 혈장 삼투압이 증가하면 ❶ □□□ 분비가 증가하여 콩팥에서 물의 재흡수 촉진 ➡ 혈장 삼투압 감소

3 **물을 많이 마시거나 소금 섭취가 적을 때** ADH 분비가 감소하여 콩팥에서 물의 재흡수가 적어지고 오줌 배출량 ❷ □□□ ➡ 혈장 삼투압 증가

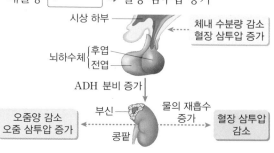

답 ❶ ADH ❷ 증가

확인 Q 3

갈증으로 체내 수분량이 감소하면 ADH 분비가 증가하여 물의 재흡수가 촉진되므로 오줌양이 (　　　　)한다.

개념 4 질병과 병원체

1 **질병의 구분** 비감염성 질병(병원체 없이 발생, 뇌졸중, 혈우병, 고혈압 등)과 감염성 질병(병원체에 의해 발생, 전염됨, 결핵, 독감, 무좀 등)으로 구분

2 **세균과 바이러스**

구분	세균	바이러스
차이점	숙주 없이 증식	숙주 필요, 숙주 안에서만 생명의 특성을 보인다.
공통점	유전 물질을 가지며, ❶ □□□ 가 일어난다.	

3 **기타 병원체**

원생생물	주로 물이나 곤충에 의해 매개됨, 말라리아, 수면병 등
균류	다세포성 생물로 생태계에서 분해자 역할, 무좀 등의 원인, ❷ □□□ 로 치료한다.
프라이온	비정상 단백질, 유전 물질이 없다.

답 ❶ 돌연변이 ❷ 항진균제

확인 Q 4

감기의 병원체인 바이러스는 돌연변이 속도가 빨라 백신이나 치료제인 (　　　　)의 개발이 어렵다.

개념 **5** 비특이적 방어 작용–선천적 면역

1 피부와 점막 피부의 각질층은 물리적 방어벽으로 작용, 땀, 침, 눈물, 호흡기나 소화관 안쪽의 점막에는 ❶[ ]이 포함되어 있어 세균의 침입을 막고, 위벽에서는 강한 산성을 띠는 위산을 분비하여 병원체를 제거한다.

2 식균 작용(식세포 작용) 대식 세포와 같은 백혈구가 병원체를 세포 안으로 끌어들여 분해하는 작용

3 염증 반응 손상된 부위의 비만 세포에서 히스타민(화학 신호 물질) 분비 ➡ 혈관 확장 ➡ 백혈구가 상처 부위로 모임 ➡ 식균 작용으로 병원체 제거
 • 염증 반응 증상: 발진, ❷[ ], 부종, 통증

답 ❶ 라이소자임 ❷ 발열

확인 Q 5

식세포 작용으로 병원체를 처리한 후 세포 표면에 항원을 제시하여 특이적 방어 작용을 시작하게 하는 세포는?

개념 **6** 특이적 방어 작용–후천적 면역

1 세포성 면역 병원체를 삼킨 대식 세포가 항원을 제시하면 보조 T 림프구가 활성화되어 세포독성 T 림프구를 활성화시킨다. 활성화된 세포독성 T림프구가 병원체에 감염된 세포나 암세포 등을 직접 제거한다.

2 체액성 면역 B 림프구는 항원을 만난 후, 보조 T 림프구의 도움으로 형질 세포로 분화하여 ❶[ ]를 생산한다. 1차 면역 반응과 2차 면역 반응이 있다.

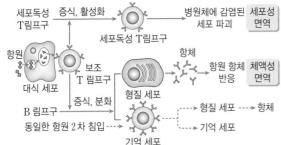

3 림프구의 성숙 B 림프구는 골수에서, T 림프구는 ❷[ ]에서 성숙한다.

답 ❶ 항체 ❷ 가슴샘

확인 Q 6

특정 항원에 노출된 후 특이적으로 개발되는 면역은?

개념 **7** 항원 항체 반응과 혈액의 응집 반응

1 항원 항체 반응 항체가 ❶[ ]과 결합하여 항원을 무력화하고 식균 작용을 촉진하는 작용
 • 항원 항체 반응의 특이성: 한 종류의 항체는 결합 부위가 맞는 특정 항원하고만 결합하여 반응한다.

2 혈액의 응집 반응 적혈구의 표면에 존재하는 응집원(항원)과 혈장에 존재하는 ❷[ ](항체)가 반응하는 것으로 항원 항체 반응의 일종이다.

3 ABO식 혈액형

구분		A형	B형	AB형	O형
응집원 (적혈구)		응집원 A	응집원 B	응집원 A 응집원 B	응집원 없음
응집소 (혈장)		응집소 β	응집소 α	없음	응집소 β 응집소 α

 • ABO식 혈액형의 판정: 항 A혈청과 항 B혈청에 대한 응집 반응으로 판정

답 ❶ 항원 ❷ 응집소

확인 Q 7

혈액형은 적혈구 표면에 있는 ( )에 의해 결정된다.

개념 **8** 백신의 원리

1 1차 면역 반응 특정 항원에 대한 ❶[ ]와 형질 세포가 생성되면서 항체가 만들어진다.

2 2차 면역 반응 기억 세포가 빠르게 증식되고, 형질 세포로 분화해 다량의 항체가 만들어진다.

3 백신 병원체의 독성을 약화하거나 제거하여 만든 것으로, 백신을 주사하면 1차 면역 반응이 일어나 그 병원체에 대한 기억 세포가 형성된다. 실제 병원체가 침입했을 때 ❷[ ]이 일어나 질병을 예방한다.

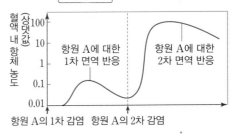

답 ❶ 기억 세포 ❷ 2차 면역 반응

확인 Q 8

알레르기는 면역계가 특정 ( )에 과민하게 반응하는 것으로, 음식물이나 꽃가루 등에 과민하게 반응하여 두드러기, 콧물, 천식 등의 증상이 나타난다.

개념 돌파 전략 ②

3강_ 자극의 전달과 신경계

1 그림은 자극을 주었을 때 시간에 따른 막전위의 변화를 나타낸 것이다. 이에 대한 설명으로 옳은 것만을 | 보기 |에서 있는 대로 고른 것은?

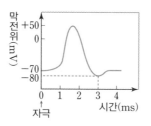

┌ 보기 ┐
ㄱ. 자극을 받기 전에는 세포막을 통한 이온의 이동은 없다.
ㄴ. 1 ms일 때, 탈분극이 일어나고 있다.
ㄷ. 3 ms일 때, K^+의 농도는 세포 안에서가 세포 밖에서보다 높다.

① ㄴ   ② ㄷ   ③ ㄱ, ㄴ
④ ㄴ, ㄷ   ⑤ ㄱ, ㄴ, ㄷ

문제 해결 전략

뉴런이 역치 이상의 자극을 받으면 탈분극 ⇒ 재분극의 과정이 일어나는 **❶** 가 발생한다.

• 탈분극: 역치 이상의 자극에 의해 Na^+ 통로가 열리고 Na^+이 세포 안으로 확산되어 막전위가 상승한다.
• 재분극: 막전위가 일정 이상이 되면 Na^+ 통로가 닫히고 **❷** 가 열리며 K^+이 세포 밖으로 확산하며 막전위가 하강한다.

답 ❶ 활동 전위 ❷ K^+통로

---

2 표는 골격근의 수축 과정에서 수축 전후의 각 부분의 길이를 나타낸 것이다. 수축 후, 한 개의 근육 원섬유 마디에서 액틴 필라멘트와 마이오신 필라멘트가 겹쳐진 부분의 길이는?

구분	수축 전	수축 후
근육 원섬유 마디	3.0 μm	2.2 μm
A대	1.6 μm	?
H대	1.0 μm	?

① 0.7 μm   ② 0.8 μm   ③ 1.4 μm
④ 1.6 μm   ⑤ 1.8 μm

문제 해결 전략

• A대는 **❶** 로 구성되며 수축 전후 길이의 변화가 없다.
• 근육이 수축하면 근육 원섬유 마디의 길이는 줄고 줄어든 길이만큼 겹쳐진 부분이 **❷** 한다.

답 ❶ 마이오신 필라멘트와 액틴 필라멘트 ❷ 증가

---

3 그림은 뇌와 자율 신경에 의한 동공 크기 조절 경로를 나타낸 것이다.

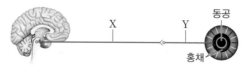

이에 대한 설명으로 옳은 것은?
① X는 중추 신경계에 속한다.
② X의 신경 세포체는 대뇌에 있다.
③ X 말단에서 분비되는 신경 전달 물질은 아드레날린이다.
④ Y 말단에서 분비되는 신경 전달 물질은 아세틸콜린이다.
⑤ Y에서 분비되는 신경 전달 물질에 의해 동공은 커진다.

문제 해결 전략

• 자율 신경은 **❶** 에 속하며 교감 신경과 부교감 신경이 있다.
• 자율 신경은 각각 두 개의 뉴런으로 구성되어 있으며, 교감 신경의 신경절 이전 뉴런의 신경 세포체는 **❷** 에 있고, 부교감 신경의 신경절 이전 뉴런의 신경 세포체는 중간뇌, 연수, 척수에 있다.

답 ❶ 말초 신경계 ❷ 척수

4강_ 항상성과 우리 몸의 방어 작용

4 그림은 체온 조절 과정의 일부를 나타낸 것이다. 이에 대한 설명으로 옳지 <u>않은</u> 것은?

① A는 교감 신경 작용 완화로 일어난다.
② A의 결과로 피부에서 열 발산량이 증가한다.
③ B는 호르몬에 의한 조절이다.
④ B는 외부 온도가 체온보다 낮을 때 활발하게 일어난다.
⑤ A와 B의 과정은 동시에 일어난다.

문제 해결 전략

• 체온이 정상보다 낮아졌을 때는 티록신과 같은 [❶_____]의 작용으로 물질대사를 촉진시켜 [❷_____]을 증가시키고, 교감 신경의 작용에 의해 입모근과 모세 혈관이 수축하여 열 발산량을 감소시켜 체온을 상승시킨다.

🔑 ❶ 호르몬 ❷ 열 발생량

5 그림은 병원체 X의 생활사를 나타낸 것으로, X는 세균이거나 바이러스이다.

병원체 X → 숙주 세포 밖에서 개체 수 증가 → 숙주 세포를 감염시킴 → 숙주 세포 안에서 개체 수 증가

이에 대한 설명으로 옳은 것을 있는 대로 고르면?

① X는 바이러스이다.
② X가 일으키는 질병으로 결핵, 충치 등이 있다.
③ X에 의한 질병은 주로 항생제로 치료할 수 있다.
④ X는 스스로 물질대사를 할 수 없다.
⑤ X는 자신의 유전 물질이 없어 숙주 세포에 의존한다.

문제 해결 전략

• 병원체: 사람에 병을 일으키는 감염 인자
• 세균: 원핵생물, [❶_____]로 치료
• 바이러스: 숙주 세포 필요, 항바이러스제로 치료
• 원생생물: 단세포, 말라리아 등
• 균류: 곰팡이에 의한 질병으로 무좀, 비듬이 있으며 항진균제로 치료
• [❷_____]: 비정상 단백질

🔑 ❶ 항생제 ❷ 프라이온

6 그림은 체내에 병원체가 침입했을 때 일어나는 방어 작용의 일부를 나타낸 것이다. 이에 대한 설명으로 옳은 것만을 |보기|에서 있는 대로 고른 것은?

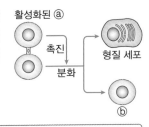

┌─ 보기 ─────────────────────────┐
ㄱ. 특이적 방어 작용에 해당한다.
ㄴ. ⓐ는 골수에서 만들어져 골수에서 성숙한다.
ㄷ. 병원체가 체내에 2차 침입할 때 ⓑ가 증식한다.
└──────────────────────────────┘

① ㄱ   ② ㄴ   ③ 3
④ ㄱ, ㄴ   ⑤ ㄱ, ㄷ

문제 해결 전략

• 비특이적 방어 작용: 물리적 방어(피부, 점막 등)와 화학적 방어(침, 눈물, 소화액 등)처럼 몸 안으로 병원체가 들어오지 못하도록 하거나, 백혈구에 의한 식균 작용이나 [❶_____]으로 체내의 병원체를 제거한다.
• 특이적 방어 작용: 항원에 노출된 후 시작되는 후천적 면역으로, 항체에 의한 [❷_____]과 세포독성 T림프구에 의한 세포성 면역이 있다.

🔑 ❶ 염증 반응 ❷ 체액성 면역

대표 기출 1

그림은 신경 세포 (가)와 (나)의 일부를, 표는 (가)와 (나)의 P지점에 역치 이상의 자극을 동시에 1회 주고 일정 시간이 지난 후 t_1일 때 두 지점 A, B에서 측정한 막전위를 나타낸 것이다. (가)와 (나) 중 하나는 민말이집 신경이고, 다른 하나는 말이집 신경이다.

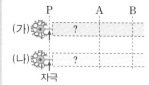

신경 세포	t_1일 때 측정한 막전위(mV)	
	A	B
(가)	−55	−55
(나)	−70	−75

이에 대한 설명으로 옳은 것만을 |보기|에서 있는 대로 고른 것은? (단, (가)와 (나)에서 흥분의 전도는 각각 1회 일어났고, 휴지 전위는 −70 mV이며, 말이집 유무를 제외한 나머지 조건은 동일하다.)

┌ 보기 ┐
ㄱ. (가)는 민말이집 신경이다.
ㄴ. t_1일 때 (가)의 A지점에서 탈분극이 일어나고 있다.
ㄷ. t_1일 때 (나)의 B지점에서 K^+의 농도는 세포 밖이 세포 안보다 높다.
└─────┘

① ㄱ ② ㄴ ③ ㄱ, ㄷ
④ ㄴ, ㄷ ⑤ ㄱ, ㄴ, ㄷ

Tip 말이집 신경은 민말이집 신경보다 흥분의 전도 속도가 빠르다.

풀이 ㄱ, ㄴ. (나)의 B지점의 막전위는 과분극, A는 휴지 전위를 회복했으며, (가)에서의 막전위는 −55 mV로 자극이 먼저 도착한 A는 재분극, B는 탈분극 중이므로 흥분 전도 속도는 (나)가 (가)보다 빠르다. 따라서 (가)는 민말이집 신경, (나)는 말이집 신경이다.
ㄷ. K^+의 농도는 세포 안이 세포 밖보다 항상 높다. **답** ㄱ

확인 1-1

그림은 어떤 뉴런에 역치 이상의 자극을 주었을 때, 이 뉴런 세포막의 한 지점 P에서 측정한 ㉠과 ㉡의 막 투과도를 시간에 따라 나타낸 것이다. ㉠과 ㉡은 각각 Na^+과 K^+ 중 하나이다. 이에 대한 설명으로 옳은 것만을 |보기|에서 있는 대로 고르시오.

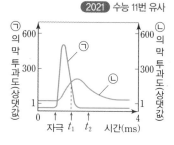

┌ 보기 ┐
ㄱ. t_1일 때, P에서는 재분극이 일어난다.
ㄴ. t_2일 때, ㉡의 $\frac{세포\ 안의\ 농도}{세포\ 밖의\ 농도} > 1$이다.
ㄷ. t_2일 때, 이온 통로를 통한 ㉡의 이동에는 ATP가 사용된다.
└─────┘

확인 1-2

그림 (가)는 말이집 신경의 지점 A~C를, (나)는 자극을 준 후, 2 ms 동안 A~C에서 동시에 측정한 막전위 변화로, ㉠~㉢은 각각 A~C에서 측정한 막전위 변화 중 하나이다.

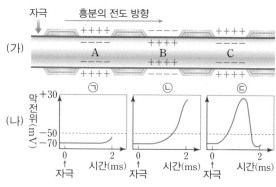

이에 대한 설명으로 옳은 것만을 |보기|에서 있는 대로 고르시오.

┌ 보기 ┐
ㄱ. ㉠은 A에서 측정한 막전위이다.
ㄴ. 2 ms일 때, B에서 K^+ 농도는 세포 밖보다 안에서 높다.
ㄷ. 2 ms 직후 ㉢에서는 세포막을 통한 Na^+ 유입량이 증가한다.
└─────┘

대표 기출 2 `2020 수능 15번`

다음은 민말이집 신경 A와 B의 흥분 전도에 대한 자료이다.

- 그림은 A와 B의 지점 $d_1 \sim d_4$의 위치를, 표는 ㉠ A와 B의 지점 X에 역치 이상의 자극을 동시에 1회 주고 경과한 시간이 2 ms, 3 ms, 5 ms, 7 ms일 때 d_2에서 측정한 막전위를 나타낸 것이다. X는 d_1과 d_4 중 하나이고, Ⅰ~Ⅳ는 2 ms, 3 ms, 5 ms, 7 ms를 순서 없이 나타낸 것이다.

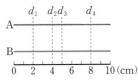

신경	d_2에서 측정한 막전위(mV)			
	Ⅰ	Ⅱ	Ⅲ	Ⅳ
A	?	−60	?	−80
B	−70	−80	?	−70

- A와 B의 흥분 전도 속도는 각각 각각 1 cm/ms, 2 cm/ms 중 하나이다.
- A와 B 각각에서 활동 전위가 발생하였을 때, 각 지점에서의 막전위 변화는 그림과 같다.

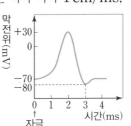

이에 대한 설명으로 옳은 것만을 | 보기 |에서 있는 대로 고르시오. (단, A와 B에서 흥분의 전도는 각각 1회 일어났고, 휴지 전위는 −70 mV이다.)

┌ 보기 ┐
ㄱ. Ⅱ는 3 ms이다.
ㄴ. B의 흥분 전도 속도는 2 cm/ms이다.
ㄷ. ㉠이 4 ms일 때 A의 d_3에서의 막전위는 −60 mV이다.

Tip 경과된 시간이 Ⅱ일 때 d_2에서의 막전위는 A가 −60 mV, B가 −80 mV로, A는 B보다 흥분의 전도 속도가 느리므로 A의 흥분 전도 속도는 1 cm/ms이다. B 신경의 흥분의 전도 속도는 2 cm/ms이므로 d_1에 자극을 주면 1 ms 후 흥분이 d_2에 도달한다. 따라서 2, 3, 5, 7 ms일 때 B의 d_2에서의 막전위는 시간에 따른 막전위 그래프의 1, 2, 4, 6 ms 시점에서의 막전위와 같으므로 경과한 시간 Ⅱ의 −80 mV가 나타나지 않는다. 따라서 자극을 준 지점은 d_1이 아니라 d_4이다.

풀이 ㄱ. B 신경의 d_4에 자극을 주면 2 ms 후 d_2에 도달하며, 3 ms 후 막전위는 −80 mV가 된다. 따라서 Ⅱ는 5 ms이다.
ㄴ. A의 흥분 전도 속도는 1 cm/ms이며, B는 2 cm/ms이다.
ㄷ. A 신경의 d_4에 자극을 준 후, 5 ms가 경과할 때 d_2에서의 막전위 −60 mV이다. d_3에서의 막전위는 d_2의 1 cm 앞의 막전위와 같으므로 A 신경의 d_4에 자극을 준 후 4 ms가 경과했을 때, d_3의 막전위는 −60 mV이다. **답 ㄴ, ㄷ**

확인 2 -1 `2017 수능 19번 유사`

다음은 민말이집 신경 A~C의 흥분 전도와 전달에 대한 자료이다.

- 그림은 A와 C의 지점 d_1으로부터 세 지점 $d_2 \sim d_4$까지의 거리를, 표는 ㉠A와 C의 d_1에 역치 이상의 자극을 동시에 1회 주고 경과한 시간이 6 ms일 때 $d_2 \sim d_4$에서 측정한 막전위를 나타낸 것이다.

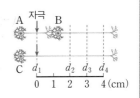

신경	6 ms일 때 측정한 막전위(mV)		
	d_2	d_3	d_4
B	−80	?	+30
C	?	−80	?

- B와 C의 흥분 전도 속도는 각각 1 cm/ms, 2 cm/ms 중 하나이다.
- A~C에서 활동 전위가 발생했을 때, 각 지점에서의 막전위 변화는 그림과 같다.

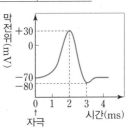

이에 대한 설명으로 옳은 것만을 | 보기 |에서 있는 대로 고르시오.

┌ 보기 ┐
ㄱ. B에서의 흥분 전도 속도는 2 cm/ms이다.
ㄴ. ㉠이 5 ms일 때, B의 d_3에서 탈분극이 일어나고 있다.
ㄷ. ㉠이 7 ms일 때, C의 d_2에서의 막전위는 −80 mV이다.

대표 기출 3 2020 10월 학평 5번 유사

다음은 골격근의 수축 과정에 대한 자료이다.

- 표는 골격근 수축 과정의 세 시점 t_1~t_3일 때 근육 원섬유 마디 X의 길이, ㉠, ㉡의 길이를, 그림은 t_3일 때 X의 구조를 나타낸 것이다. X는 좌우 대칭이다.

(단위: μm)

시점	X의 길이	㉠의 길이	㉡의 길이
t_1	3.2	0.2	?
t_2	?	0.5	0.5
t_3	?	?	0.3

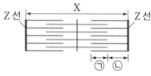

- 구간 ㉠은 마이오신 필라멘트와 액틴 필라멘트가 겹친 부분이며, ㉡은 액틴 필라멘트만 있는 부분이다.

이에 대한 설명으로 옳은 것만을 | 보기 |에서 있는 대로 고른 것은?

┌ 보기 ┐
ㄱ. t_1에서 t_2로 될 때, 액틴 필라멘트의 길이는 짧아진다.
ㄴ. X의 길이는 t_1일 때가 t_3일 때보다 1.0 μm 길다.
ㄷ. t_2일 때 A대의 길이는 1.6 μm이다.
└────────┘

① ㄱ   ② ㄴ   ③ ㄷ
④ ㄱ, ㄴ   ⑤ ㄴ, ㄷ

Tip 필라멘트의 겹친 부분 ㉠이 늘어날수록 I대인 ㉡의 길이는 감소한다.

풀이 ㄱ. 액틴 필라멘트의 길이는 변하지 않는다.
ㄴ. t_1에서 t_2일 때, ㉠이 0.3 μm 증가했으므로 X의 길이는 0.6 μm만큼 짧아진다. 또한 t_2에서 t_3일 때, ㉡이 0.2 μm 감소했으므로 X의 길이는 0.4 μm만큼 짧아진다.
ㄷ. t_2일 때, A대는 'X의 길이−2㉡'이므로 2.6−(2×0.5)= 1.6 (μm)이다. 시점에 따라 A대의 길이는 변하지 않는다. **답 ⑤**

확인 3-1

표는 골격근을 이루는 구조 ㉠~㉢에서 액틴 필라멘트와 마이오신 필라멘트의 유무를 나타낸 것이다. ㉠~㉢은 A대, I대, H대를 순서 없이 나타낸 것이다.

구조	㉠	㉡	㉢
액틴 필라멘트	○	○	?
마이오신 필라멘트	×	ⓐ	○

(○: 있음, ×: 없음)

이에 대한 설명으로 옳은 것만을 | 보기 |에서 있는 대로 고르시오.

┌ 보기 ┐
ㄱ. ㉠은 I 대이다.
ㄴ. ⓐ는 ○이다.
ㄷ. 근육이 수축할 때 $\dfrac{\text{㉡의 길이}}{\text{㉢의 길이}}$ 는 증가한다.
└────────┘

확인 3-2

그림은 골격근의 근육 원섬유 마디 X의 구조를 나타낸 것이며, 표는 두 시점 t_1, t_2일 때 각 부분의 길이를 나타낸 것이다.

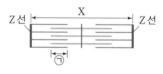

시점	X의 길이	㉠	H대의 길이
t_1	3.2 μm	0.2 μm	?
t_2	?	0.7 μm	0.2 μm

이에 대한 설명으로 옳은 것만을 | 보기 |에서 있는 대로 고르시오.

┌ 보기 ┐
ㄱ. H대의 길이는 t_2일 때보다 t_1일 때가 짧다.
ㄴ. t_1일 때 A대의 길이는 1.6 μm이다.
ㄷ. t_2일 때 X의 길이는 2.2 μm이다.
└────────┘

대표 기출 **4**

그림은 심장 박동을 조절하는 신경 경로 A와 B를, 표는 어떤 사람에서의 평상시와 운동 시의 심장 박출량을 나타낸 것이다. ㉠과 ㉡은 각각 연수와 척수 중 하나이며, 심장 박출량은 심장에서 1분 동안 방출되는 혈액량이다.

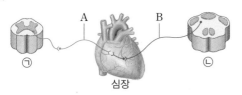

구분	심장 박출량(L/분)
평상시	5.8
운동 시	25.6

이에 대한 설명으로 옳은 것만을 | 보기 |에서 있는 대로 고른 것은?

┌ 보기 ┌
ㄱ. 단위 시간당 A의 신경절 이후 뉴런의 활동 전위 발생 횟수는 평상시가 운동 시보다 적다.
ㄴ. ㉡은 뇌줄기를 구성한다.
ㄷ. 뉴런 A와 B의 말단에서 분비되는 신경 전달 물질은 같다.

① ㄱ   ② ㄴ   ③ ㄱ, ㄴ
④ ㄱ, ㄷ   ⑤ ㄴ, ㄷ

Tip A는 ㉠에서 뻗어 나온 신경절 이전 뉴런이 신경절 이후 뉴런보다 짧으므로 교감 신경, B는 ㉡에서 뻗어 나온 신경절 이전 뉴런이 신경절 이후 뉴런보다 긴 부교감 신경이다. ㉠은 척수, ㉡은 연수이다.

풀이 ㄱ. 평상시보다 운동 시 심장 박출량이 많으므로 교감 신경 (A)의 활동 전위 발생 횟수가 많다.
ㄴ. ㉡은 연수이며, 연수는 뇌줄기를 구성한다.
ㄷ. A(교감 신경의 신경절 이후 뉴런)의 말단에서는 노르에피네프린이, B(부교감 신경의 신경절 이전 뉴런)의 말단에서는 아세틸콜린이 분비된다.

답 ③

확인 **4**-1

그림은 중추 신경계와 두 기관을 연결하는 자율 신경을 나타낸 것이다. ⓐ와 ⓑ 각각에 하나의 시냅스가 있고, ㉠과 ㉢의 말단에서 분비되는 신경 전달 물질은 서로 같다.

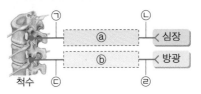

이에 대한 설명으로 옳은 것만을 | 보기 |에서 있는 대로 고른 것은?

┌ 보기 ┌
ㄱ. ㉠의 말단에서는 아세틸콜린이 분비된다.
ㄴ. ㉢이 흥분하면 방광은 이완한다.
ㄷ. ㉠, ㉢은 척수의 후근을 이룬다.

확인 **4**-2

그림 (가)는 심장 박동을 조절하는 신경 A와 B를, (나)는 A와 B 중 어느 하나를 자극했을 때 심장 세포에서 활동 전위가 발생하는 빈도의 변화를 나타낸 것이다.

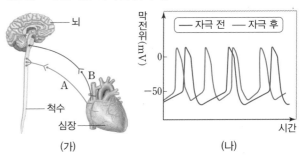

(가)   (나)

이에 대한 설명으로 옳은 것만을 | 보기 |에서 있는 대로 고른 것은?

┌ 보기 ┌
ㄱ. A와 B는 말초 신경계에 해당한다.
ㄴ. B의 신경절 이전 뉴런의 신경 세포체는 연수에 존재한다.
ㄷ. (나)는 A를 자극했을 때의 변화를 나타낸 것이다.

필수 체크 전략 ②

3강_ 자극의 전달과 신경계

2020 9월 모평 18번

1 그림은 어떤 뉴런의 A지점에 자극을 가한 후, B와 C에서 시간에 따른 막전위를 측정한 것이다. D는 이 뉴런의 축삭 돌기 말단이다.

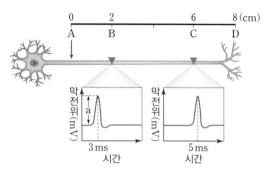

이에 대한 설명으로 옳은 것만을 |보기|에서 있는 대로 고른 것은?

> ┌─ 보기 ┐
> ㄱ. A 지점에 더 큰 자극을 주면 a가 커진다.
> ㄴ. 이 뉴런의 흥분 전도 속도는 2 cm/ms이다.
> ㄷ. A 지점에 자극을 준 뒤 6 ms 이후 D에서 신경 전달 물질이 방출된다.

① ㄱ   ② ㄴ   ③ ㄱ, ㄴ
④ ㄴ, ㄷ   ⑤ ㄱ, ㄴ, ㄷ

> **Tip** 활동 전위가 축삭 돌기 말단에 도달하면 ❶_____가 이동하여 세포막과 융합한 후 시냅스 소포에 들어 있던 신경 전달 물질이 ❷_____ 틈으로 분비된다.
> 🅰 ❶ 시냅스 소포 ❷ 시냅스

2022 9월 모평 2번 유사

2 그림은 무릎 반사가 일어날 때 흥분 전달 경로를 나타낸 것이다.

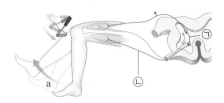

이에 대한 설명으로 옳은 것만을 |보기|에서 있는 대로 고르시오.

> ┌─ 보기 ┐
> ㄱ. ㉠은 말초 신경계에 속한다.
> ㄴ. ㉡의 신경 세포체는 척수의 회색질에 분포한다.
> ㄷ. ㉡이 흥분하면 다리는 a 방향으로 움직인다.

> **Tip** 무릎 반사의 중추는 ❶_____에 있으며, 골격근에 연결된 ❷_____에 의해 근육이 수축한다.
> 🅰 ❶ 척수 ❷ 체성 신경(운동 신경)

2017 6월 모평 6번 유사

3 그림은 동공 반사가 일어날 때의 흥분 전달 경로를 나타낸 것이다. A와 B는 각각 구심성 신경과 원심성 신경 중 하나이며, B의 말단은 홍채와 시냅스를 이루고 있다. 이에 대한 설명으로 옳은 것만을 |보기|에서 있는 대로 고르시오.

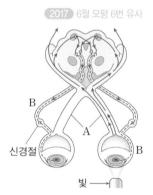

> ┌─ 보기 ┐
> ㄱ. A는 자율 신경계에 속한다.
> ㄴ. B의 신경절 이전 뉴런의 신경 세포체는 중간뇌에 있다.
> ㄷ. 빛을 비추면 B의 신경절 이후 뉴런의 말단에서 아세틸콜린이 분비된다.

> **Tip** 빛 자극은 ❶_____에 의해 중추 신경계로 전달되며, 부교감 신경에 의해 ❷_____가 이완해 동공의 크기를 조절한다.
> 🅰 ❶ 시신경(구심성 신경) ❷ 홍채

2020 3월 학평 15번 유사

4 그림 (가)는 뉴런 A의 지점 d_1으로부터 세 지점 $d_2 \sim d_4$까지의 거리를 나타낸 것이며, (나)는 A에서 활동 전위가 발생하였을 때 각 지점에서의 막전위 변화를 나타낸 것이다. d_1에 역치 이상의 자극 Ⅰ을 주고 경과된 시간이 ⓐ일 때 d_1에 역치 이상의 자극 Ⅱ를 주었다.

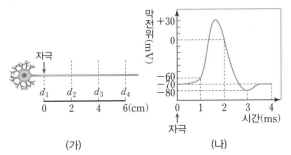

(가)   (나)

표는 자극 Ⅰ을 주고 경과한 시간이 6 ms일 때 $d_1 \sim d_4$에서 측정된 막전위를 나타낸 것이다.

지점	d_1	d_2	d_3	d_4
막전위(mV)	-60	-70	-70	-80

이에 대한 설명으로 옳은 것만을 |보기|에서 있는 대로 고른 것은?

┌─ 보기 ┐
ㄱ. ⓐ는 4 ms이다.
ㄴ. A의 흥분 전도 속도는 2 cm/ms이다.
ㄷ. 자극 Ⅰ을 주고 경과한 시간이 5 ms일 때 d_4에서 재분극이 일어나고 있다.
└─────────┘

① ㄱ   ② ㄴ   ③ ㄷ
④ ㄱ, ㄴ   ⑤ ㄴ, ㄷ

> **Tip** 일정 수준 이상의 자극이 가해졌을 때 세포막에 생기는 동일한 막전위 변화를 ❶[   ]라고 하며, 한 뉴런 내에서 연속적으로 탈분극이 일어나 흥분이 ❷[   ]된다.
> **답** ❶ 활동 전위 ❷ 전도

2021 수능 16번

5 다음은 골격근의 수축 과정에 대한 자료이다.

> • 그림은 근육 원섬유 마디 X의 구조를 나타낸 것이다. X는 좌우 대칭이다.
>
>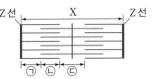
>
> • 구간 ㉠은 액틴 필라멘트만 있는 부분이고, ㉡은 액틴 필라멘트와 마이오신 필라멘트가 겹치는 부분이며, ㉢은 마이오신 필라멘트만 있는 부분이다.
> • 골격근 수축 과정의 시점 t_1일 때 ㉠~㉢의 길이는 순서 없이 ⓐ, $3d$, $10d$이고, 시점 t_2일 때 ㉠~㉢의 길이는 순서 없이 ⓐ, $2d$, $3d$이다.

이 자료에 대한 설명으로 옳은 것만을 |보기|에서 있는 대로 고른 것은?

┌─ 보기 ┐
ㄱ. 근육 원섬유는 근육 섬유로 구성되어 있다.
ㄴ. H대의 길이는 t_1일 때가 t_2일 때보다 길다.
ㄷ. t_2일 때 ㉠의 길이는 $2d$이다.
└─────────┘

① ㄱ   ② ㄴ   ③ ㄷ
④ ㄱ, ㄴ   ⑤ ㄴ, ㄷ

> **Tip** 골격근의 수축으로 근육 원섬유 마디가 $2d$만큼 감소하면, Ⅰ대는 ❶[   ]만큼 감소하며, H대는 $2d$만큼 ❷[   ]한다.
> **답** ❶ $2d$ ❷ 감소

필수 체크 전략 ①

4강_ 항상성과 우리 몸의 방어 작용

대표 기출 ①

2021 수능 19번 유사

다음은 티록신의 분비 조절 과정에 대한 실험이다.

┌─────────────────────────────┐
│ **| 실험 과정 |**

(가) 유전적으로 동일한 생쥐 A, B, C를 준비한다.

(나) B와 C는 각각 뇌하수체와 갑상샘 중 하나를 제거한다.

(다) A~C의 혈중 ㉠과 ㉡의 농도를 측정한다. ㉠과 ㉡ 은 각각 티록신과 TSH 중 하나이다.

(라) (다)의 B와 C에 ㉠을 주사한 후, A~C의 혈중 ㉡의 농도를 측정한다.

(마) (다)와 (라)에서 측정한 결과는 그림과 같다.

| 실험 결과 |

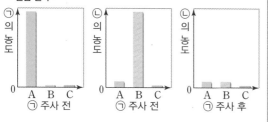
└─────────────────────────────┘

이에 대한 설명으로 옳은 것만을 |보기|에서 있는 대로 고른 것은? (단, 제시된 조건 이외는 고려하지 않는다.)

┌ 보기 ─────────────────────────┐
ㄱ. ㉠은 뇌하수체에서 분비된다.

ㄴ. B는 갑상샘이 제거된 생쥐이다.

ㄷ. 티록신의 분비는 음성 피드백에 의해 조절된다.
└─────────────────────────────┘

① ㄱ   ② ㄴ   ③ ㄱ, ㄷ
④ ㄴ, ㄷ   ⑤ ㄱ, ㄴ, ㄷ

Tip 티록신은 TSH(갑상샘 자극 호르몬) 자극에 의해 갑상샘에서 분비된다.

풀이 ㄱ. 갑상샘을 제거하면 티록신은 생성되지 않는다. 따라서 정상 생쥐 A에서 분비되는 ㉠은 티록신이고, ㉡은 TSH이다.

ㄴ. ㉡은 TSH로 뇌하수체가 제거된 생쥐는 TSH를 분비하지 못하므로 C이며, 갑상샘을 제거한 생쥐 B의 TSH 농도는 높다.

ㄷ. ㉠ 티록신을 주사하여 혈중 티록신의 양이 증가하면 생쥐 A와 B에서 모두 TSH의 분비량이 감소하는 것으로 보아 티록신의 분비는 결과가 원인을 억제하는 조절 방식인 음성 피드백에 의해 조절됨을 알 수 있다.

답 ④

확인 ①-1

2021 9월 모평 3번 유사

그림은 호르몬 분비 조절 과정을 나타낸 것이다. ㉠과 ㉡은 각각 TSH와 티록신 중 하나이다.

이에 대한 설명으로 옳은 것만을 |보기|에서 있는 대로 고르시오.

┌ 보기 ─────────────────────────┐
ㄱ. ㉠은 TSH이다.

ㄴ. TRH와 ㉠은 표적 기관에 대해 길항 작용을 한다.

ㄷ. 혈관에 ㉡을 주사하면 ㉠의 분비가 감소한다.
└─────────────────────────────┘

확인 ①-2

그림 (가)는 간에서 호르몬 X와 Y에 의해 일어나는 글리코젠과 포도당 사이의 전환 작용을 나타낸 것이다. X와 Y는 각각 글루카곤과 인슐린 중 하나이다. (나)는 사람의 활동에 따른 글리코젠 저장량을 나타낸 것이다.

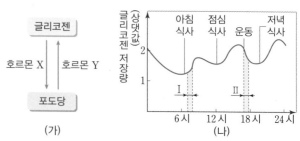

이에 대한 설명으로 옳은 것만을 |보기|에서 있는 대로 고르시오.

┌ 보기 ─────────────────────────┐
ㄱ. X는 이자섬의 β세포에서 분비된다.

ㄴ. 구간 I에서 호르몬 Y의 분비가 증가한다.

ㄷ. 글리코젠 합성량은 구간 II에서가 구간 I에서보다 많다.
└─────────────────────────────┘

대표 기출 2 〔2021〕 6월 모평 5번 유사

그림 (가)는 체온 조절 과정의 일부를, (나)는 정상인에게 저온 자극과 고온 자극을 주었을 때 ㉠의 변화를 나타낸 것이다. ㉠은 근육에서의 열 발생량과 피부 근처 모세 혈관을 흐르는 단위 시간당 혈액량 중 하나이다.

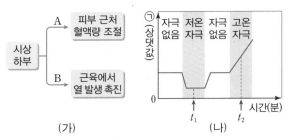

(가) (나)

이에 대한 설명으로 옳은 것만을 | 보기 |에서 있는 대로 고른 것은?

┌ 보기 ┐
ㄱ. ㉠은 근육에서의 열 발생량이다.
ㄴ. 피부 근처 모세 혈관을 흐르는 단위 시간당 혈액량은 t_2일 때가 t_1일 때보다 많다.
ㄷ. A는 교감 신경에 의한 조절이다.

① ㄱ   ② ㄴ   ③ ㄷ
④ ㄱ, ㄷ   ⑤ ㄴ, ㄷ

Tip 시상 하부는 고온 자극 시 체온을 낮추기 위해 열 발생량은 감소시키고 열 발산량은 증가시킨다.

풀이 ㄱ. 저온 자극이 주어지면 티록신의 분비량 증가, 몸 떨림 등으로 근육에서의 열 발생량이 증가하고, 피부 근처 혈관이 수축하여 피부 근처 모세 혈관을 흐르는 혈액량이 감소하여 피부를 통한 열 발산량이 감소한다. 반대로 고온 자극이 주어지면 근육에서의 열 발생량이 감소하고, 피부 근처 모세 혈관을 흐르는 혈액량이 증가하여 피부를 통한 열 발산량이 증가한다. ㉠의 값이 저온 자극 시 감소하고 고온 자극 시 증가하므로 ㉠은 피부 근처 모세 혈관을 흐르는 단위 시간당 혈액량이다.
ㄴ. 고온 자극 시, 피부 근처 모세 혈관을 흐르는 혈액량이 증가하면 열 발산량이 증가하여 체온이 떨어진다. 따라서 고온 자극을 받은 t_2일 때가 저온 자극을 받은 t_1일 때보다 피부 근처 모세 혈관을 흐르는 단위 시간당 혈액량이 많다.
ㄷ. A는 교감 신경의 작용으로, 교감 신경의 작용이 촉진되면 혈관이 수축하여 열 발산량을 줄이며, 교감 신경의 작용이 완화될 경우 혈관이 확장되어 열 발산량이 증가한다. **답** ⑤

확인 2-1 〔2021〕 9월 모평 8번 유사

그림 (가)는 당뇨병 환자 A와 B가 탄수화물을 섭취한 후의 혈중 인슐린 농도를, 그림 (나)는 탄수화물을 섭취한 후, 인슐린을 같이 주사했을 때 혈중 포도당 농도를 나타낸 것이다.

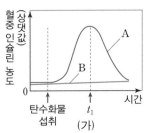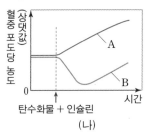

(가) (나)

이에 대한 설명으로 옳은 것만을 | 보기 |에서 있는 대로 고르시오.

┌ 보기 ┐
ㄱ. A는 이자의 β세포 이상이 원인이다.
ㄴ. B는 식사 후, 인슐린을 주사하는 것이 혈당량 유지에 도움이 된다.
ㄷ. t_1일 때 A의 혈중 포도당 농도는 정상인보다 높다.

확인 2-2 〔2017〕 수능 10번 유사

그림 (가)는 혈중 ADH 농도에 따른 ㉡의 삼투압에 대한 ㉠의 삼투압 비를, (나)는 정상인이 물을 섭취하였을 때 단위 시간당 오줌 생성량을 시간에 따라 나타낸 것이다. ㉠과 ㉡은 각각 혈장과 오줌 중 하나이다.

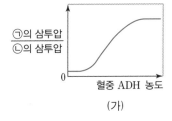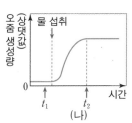

(가) (나)

이에 대한 설명으로 옳은 것만을 | 보기 |에서 있는 대로 고르시오.

┌ 보기 ┐
ㄱ. ㉠은 오줌이다.
ㄴ. 오줌의 삼투압은 t_1에서가 t_2에서보다 크다.
ㄷ. 혈중 ADH의 농도는 t_2에서가 t_1에서보다 높다.

대표 기출 3 2022 6월 모평 5번 유사

표는 병원체의 3가지 특징을, 그림은 사람의 질병 A~C의 병원체가 갖는 공통점과 차이점을 나타낸 것이다. A~C는 독감, 무좀, 말라리아를, ㉠~㉢은 병원체가 가진 특징을 순서 없이 나타낸 것이다.

특징
• 독립적으로 물질대사를 한다.
• 단백질을 갖는다.
• 곰팡이에 속한다.

이에 대한 설명으로 옳은 것만을 |보기|에서 있는 대로 고른 것은?

┌─ 보기 ─────────────────┐
ㄱ. A는 모기를 매개로 전염된다.
ㄴ. ㉡은 '단백질을 갖는다.'이다.
ㄷ. C는 무좀이다.
└──────────────────────┘

① ㄱ   ② ㄴ   ③ ㄱ, ㄷ
④ ㄴ, ㄷ   ⑤ ㄱ, ㄴ, ㄷ

Tip 독감은 바이러스, 무좀은 곰팡이, 말라리아는 원생생물인 병원체에 의한 질병이다. 병원체 중 3가지 특징을 모두 갖고 있는 C는 무좀, 2가지 특징을 갖는 A는 말라리아, 1가지 특징을 갖는 B는 독감이다.

풀이 ㄱ. A(말라리아)는 모기가 매개체가 되며 원생생물에 의해 발생한다.
ㄴ. '단백질을 갖는다.'는 세 병원체의 공통 특성이다.
ㄷ. 무좀의 병원체는 곰팡이이므로, C는 무좀이다. **답** ⑤

확인 ❸-1

그림 (가)~(다)는 각각 무좀, 독감, 결핵을 일으키는 병원체를 나타낸 것이다.

(가)   (나)   (다)

이에 대한 설명으로 옳은 것만을 |보기|에서 있는 대로 고르시오.

┌─ 보기 ─────────────────┐
ㄱ. (가)는 항생제로 치료할 수 있다.
ㄴ. (나)는 독립적으로 물질대사를 한다.
ㄷ. (가)~(다)는 모두 단백질을 가지고 있다.
└──────────────────────┘

대표 기출 4 2019 7월 학평 9번

표는 인체의 방어 작용과 관련된 세포 ㉠~㉢의 특징을, 그림은 세균 X에 노출된 적이 없는 어떤 사람의 체내에 X가 침입하였을 때 ㉠~㉢이 작용하여 생성되는 X에 대한 항체의 혈중 농도 변화를 나타낸 것이다. ㉠~㉢은 각각 대식 세포, 형질 세포, 보조 T 림프구 중 하나이다.

세포	특징
㉠	항체를 생성함
㉡	식균 작용을 함
㉢	가슴샘에서 성숙됨

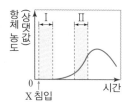

이에 대한 설명으로 옳은 것만을 |보기|에서 있는 대로 고르시오.

┌─ 보기 ─────────────────┐
ㄱ. ㉠은 형질 세포이다.
ㄴ. 구간 Ⅰ에서 ㉡은 X에 대한 정보를 ㉢에 전달한다.
ㄷ. 구간 Ⅱ에서 X에 대한 특이적 방어 작용이 일어난다.
└──────────────────────┘

Tip ㉠은 형질 세포이며, ㉡은 대식 세포, ㉢은 보조 T 림프구이다.

풀이 ㄱ. 항체는 형질 세포에서 생성된다.
ㄴ. 구간 Ⅰ에서는 대식 세포에 의한 식균 작용이 일어나며, 병원체 X에 대한 정보를 보조 T 림프구에 전달한다.
ㄷ. 구간 Ⅱ에서는 형질 세포에서 생성된 항체에 의해 X에 대한 항원 항체 반응이 일어나는 특이적 방어 작용이 일어난다. **답** ㄱ, ㄴ, ㄷ

확인 ❹-1 2015 수능 8번 유사

그림은 손상된 피부를 통해 세균 X가 첫 번째 침입했을 때 일어나는 면역 반응 Ⅰ과 Ⅱ를 나타낸 것이다.

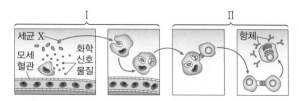

이에 대한 설명으로 옳은 것만을 |보기|에서 있는 대로 고르시오.

┌─ 보기 ─────────────────┐
ㄱ. X에 감염된 후 과정 Ⅰ에서 염증 반응이 일어난다.
ㄴ. X가 두 번째 침입할 때도 과정 Ⅰ과 Ⅱ의 방어 작용이 모두 나타난다.
ㄷ. 대식 세포는 과정 Ⅰ과 Ⅱ의 작용에 모두 관여한다.
└──────────────────────┘

대표 기출 **5**

2016 10월 학평 12번

그림은 항원 X를 주사한 생쥐 A의 혈액에서 성분 ㉠과 ㉡을 분리하여 각각 생쥐 B와 C에 주사하고 4개월 후 각각에 X를 주사하는 실험을, 표는 각기 다른 세 시점에서 B와 C의 X에 대한 항체의 농도를 나타낸 것이다. ㉠과 ㉡은 각각 기억 세포와 항체 중 하나이며, 실험 전 A~C는 X에 노출된 적이 없고, 유전적으로 동일하다.

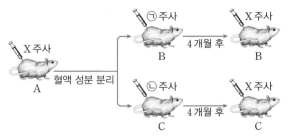

구분	혈액 성분 ㉠ 주사 직후	혈액 성분 ㉡ 주사 직후	X 주사 직후	X 주사 7일 후
B	++		+	++
C		−	−	++++

(+개수가 많을수록 항체의 농도가 높음. −: 항체가 없음)

이에 대한 설명으로 옳은 것만을 |보기|에서 있는 대로 고른 것은?

| 보기 |
ㄱ. ㉠을 주사한 직후 B에서 X에 대한 체액성 면역 반응이 일어난다.
ㄴ. X를 주사한 B에서 X에 대한 특이적 면역 반응이 일어난다.
ㄷ. X를 주사한 C에서 2차 면역 반응이 일어난다.

① ㄱ   ② ㄴ   ③ ㄱ, ㄷ
④ ㄴ, ㄷ   ⑤ ㄱ, ㄴ, ㄷ

Tip 혈액은 혈구와 혈장으로 구성되며, 혈구는 세포이고, 혈장에는 항체가 있다. X에 노출된 적이 없는 B에서 ㉠ 주사 직후 X에 대한 항체가 발견되었으므로 ㉠은 항체이며, ㉡은 기억 세포이다.

풀이 ㄱ. ㉠은 항원 X에 대한 항체이지만 B에는 항원 X가 존재하지 않으므로 X에 대한 체액성 면역 반응은 일어나지 않는다.
ㄴ. B에 X를 주사한 직후보다 7일 후에는 항체 농도가 증가하였는데 이것은 B 림프구가 형질 세포로 분화하여 항체를 생성하기 때문이다. 따라서 X를 주사한 B에서 X에 대한 특이적 면역 반응인 항원 항체 반응이 일어난다.
ㄷ. 7일 후 X를 주사한 C에서 항체의 농도가 급격히 증가하였는데, 이것은 2차 면역 반응이 일어났기 때문이다. 답 ④

확인 **5**-1

다음은 생쥐의 병원체 X, Y, Z에 대한 면역 반응 실험이다.

| 실험 과정 |

(가) X, Y, Z에 노출된 적이 없고 유전적으로 동일한 생쥐 ㉠~㉢을 준비한 후, ㉠에는 병원체 X를, ㉡에는 Y를, ㉢에는 Z를 각각 주사한다.

(나) 병원체 주사 2일 후와 7일 후에 생쥐에서 병원체 수, 병원체 특이적 세포독성 T림프구 수, 항체 농도를 측정한다.

| 실험 결과 |

생쥐 ㉠~㉢에서 측정한 결과는 그림과 같다.

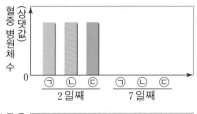

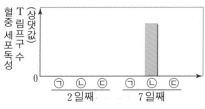

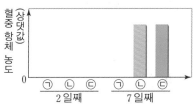

이에 대한 설명으로 옳은 것만을 |보기|에서 있는 대로 고른 것은?

| 보기 |
ㄱ. X는 ㉠에서 비특이적 면역 반응을 일으킨다.
ㄴ. ㉡에서는 Y에 대한 세포성 면역 반응이 일어난다.
ㄷ. 7일째 ㉢에서 2차 면역 반응이 일어난다.

① ㄱ   ② ㄴ   ③ ㄱ, ㄴ
④ ㄴ, ㄷ   ⑤ ㄱ, ㄴ, ㄷ

4강_ 항상성과 우리 몸의 방어 작용

2018 수능 9번

1 표 (가)는 사람 몸에서 분비되는 호르몬 A~C에서 특징 ㉠~㉢의 유무를, (나)는 ㉠~㉢을 순서 없이 나타낸 것이다. A~C는 인슐린, 글루카곤, 에피네프린(아드레날린)을 순서 없이 나타낸 것이다.

특징 호르몬	㉠	㉡	㉢
A	?	×	○
B	○	?	○
C	○	○	?

(○: 있음, ×: 없음)
(가)

특징 (㉠~㉢)
• 부신에서 분비된다.
• 혈당량을 증가시킨다.
• 순환계를 통해 표적 기관으로 운반된다.

(나)

이에 대한 설명으로 옳은 것만을 |보기|에서 있는 대로 고른 것은?

┌ 보기 ┐
ㄱ. ㉠은 '혈당량을 증가시킨다.'이다.
ㄴ. B는 간에서 글리코젠 분해를 촉진한다.
ㄷ. C는 에피네프린(아드레날린)이다.
└────┘

① ㄱ ② ㄷ ③ ㄱ, ㄴ
④ ㄴ, ㄷ ⑤ ㄱ, ㄴ, ㄷ

Tip 저혈당일 때, 교감 신경의 자극으로 부신 속질에서는 **❶**〔 〕이 분비되며, 이자의 **❷**〔 〕에서는 글루카곤이 분비된다. 답 ❶ 에피네프린 ❷ α세포

2 그림은 시상 하부 온도에 따른 열 발산량과 열 발생량을 나타낸 것이다. ㉠과 ㉡은 각각 열 발산량과 열 발생량 중 하나이다. 이에 대한 설명으로 옳은 것만을 |보기|에서 있는 대로 고르시오.

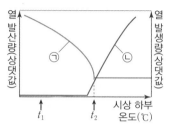

┌ 보기 ┐
ㄱ. ㉠은 열 발산량이다.
ㄴ. 근육에서 물질대사율은 t_1일 때가 t_2일 때보다 낮다.
ㄷ. 시상 하부 온도가 t_2 이상일 때, 체온 조절은 열 발생량보다 열 발산량의 변화로 일어난다.
└────┘

Tip 체온이 떨어지면 물질대사를 촉진하여, 열 발생량을 **❶**〔 〕시키고, 피부 모세 혈관 및 입모근 수축으로 **❷**〔 〕을 줄여 체온을 상승시킨다. 답 ❶ 증가 ❷ 열 발산량

2018 10월 학평 6번 유사

3 그림은 정상인에서 ㉠의 변화량에 따른 혈중 항이뇨 호르몬(ADH) 농도와 갈증을 느끼는 정도를 각각 나타낸 것이다. ㉠은 혈장 삼투압과 전체 혈액량 중 하나이다. 이에 대한 설명으로 옳은 것만을 |보기|에서 있는 대로 고르시오. (단, 제시된 자료 이외에 체내 수분량에 영향을 미치는 요인은 고려하지 않는다.)

┌ 보기 ┐
ㄱ. ㉠은 혈장 삼투압이다.
ㄴ. 오줌의 삼투압은 p_1일 때가 안정 상태일 때보다 낮다.
ㄷ. 단위 시간당 수분 재흡수량은 갈증의 강도가 ⓐ일 때가 ⓑ일 때보다 많다.
└────┘

Tip 혈장 삼투압이 증가하면 **❶**〔 〕에서 ADH를 분비하여 콩팥에서 수분의 재흡수를 **❷**〔 〕시킨다.
답 ❶ 뇌하수체 후엽 ❷ 촉진

4 그림은 생쥐 ㉠과 ㉡에 병원체 X에 대한 백신을 접종한 후 얻어낸 백혈구를 유전적으로 동일하고 X에 노출된 적이 없는 생쥐 Ⅰ, Ⅱ에 주입한 후, X를 감염시켜 일어나는 면역 반응을 나타낸 것이다. ㉠과 ㉡은 각각 정상 생쥐와 보조 T 림프구가 결여된 생쥐 중 하나이다.

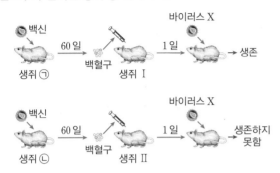

이에 대한 설명으로 옳은 것만을 │보기│에서 있는 대로 고른 것은?

│보기│
ㄱ. ㉠은 보조 T 림프구가 결여된 생쥐이다.
ㄴ. X에 대한 기억 세포는 ㉠에서가 ㉡보다 많다.
ㄷ. 생쥐 Ⅱ에서는 2차 면역 반응이 일어난다.

① ㄱ ② ㄴ ③ ㄷ
④ ㄱ, ㄴ ⑤ ㄱ, ㄷ

Tip 보조 T 림프구가 ❶_____와 세포독성 T림프구를 활성화하여 ❷_____ 면역 반응을 일으킨다.
답 ❶B 림프구 ❷특이적

5 표는 부모와 두 자녀 (가), (나)의 혈액을 혈장 ㉠~㉢과 섞었을 때의 ABO식 혈액형에 대한 응집 여부를 나타낸 것이다. 아버지의 ABO식 혈액형은 A형이며, 아버지, 어머니, 자녀 중 한 명의 혈장은 각각 ㉠~㉢ 중 하나이다. 이에 대한 설명으로 옳은 것만을 │보기│에서 있는 대로 고르시오.

구분	부	모	(가)	(나)
㉠	−	+	+	−
㉡	+	−	ⓐ	
㉢	−	−	−	ⓑ

(+: 응집함, −: 응집 안 함)

│보기│
ㄱ. ⓐ와 ⓑ는 모두 '+'이다.
ㄴ. 어머니의 혈액형은 B형이다.
ㄷ. (나)의 혈장과 어머니의 적혈구를 섞으면 응집 반응이 일어난다.

Tip AB형의 적혈구 막에는 응집원 A와 B가 있으며, 혈장에는 ❶_____가 없다. 반면 O형의 혈장에는 응집소 α와 ❷_____ 있다.
답 ❶응집소 ❷응집소 β

2012 수능 4번 유사

6 그림 (가)는 세균 X가 쥐에 침입했을 때 일어나는 방어 작용을, (나)는 쥐에서 시간에 따른 체내 X의 수를 나타낸 것이다. ㉠과 ㉡은 각각 대식 세포와 B 림프구 중 하나이고, ⓐ와 ⓑ는 각각 정상 쥐와 ㉡이 결여된 쥐 중 하나이다.

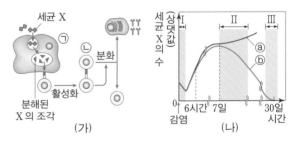

이에 대한 설명으로 옳은 것만을 │보기│에서 있는 대로 고르시오.

│보기│
ㄱ. ⓐ는 ㉡이 결핍된 쥐이다.
ㄴ. 구간 Ⅰ에서 X에 대한 식세포 작용은 ⓐ와 ⓑ에서 모두 일어난다.
ㄷ. 구간 Ⅱ와 Ⅲ에서 ⓑ는 X에 대한 기억 세포를 갖는다.

Tip 대식 세포는 ❶_____으로 병원체를 제거하며 이는 ❷_____ 방어 작용에 해당한다. 답 ❶식균 작용 ❷비특이적

누구나 합격 전략

3강_ 자극의 전달과 신경계

01 그림은 어떤 뉴런에 역치 이상의 자극을 주었을 때, 이 뉴런 세포막의 한 지점에서 측정한 이온의 막 투과도를 시간에 따라 나타낸 것이다.

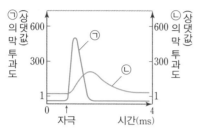

⊙과 ⓒ은 각각 Na^+과 K^+ 중 어느 것에 해당하는지 쓰시오.

(   )

02 그림은 민말이집 신경 A의 지점 d_1으로부터 세 지점 $d_2 \sim d_4$까지의 거리를, 표는 d_1에 역치 이상의 자극을 1회 주고 경과된 시간이 4 ms와 5 ms일 때, $d_2 \sim d_4$에서 측정한 막전위를 나타낸 것이다. A에서의 흥분 전도 속도를 쓰시오. (단, 막전위의 최솟값은 -80 mV이다.)

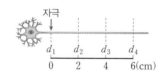

시점	막전위(mV)		
	d_2	d_3	d_4
4 ms	-80	?	-60
5 ms	?	-80	?

(   )

03 그림은 근육 원섬유 마디를 나타낸 것이다.

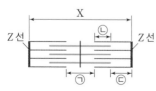

근육이 수축할 때 길이가 변하지 않는 것은?

① X   ② ㉠   ③ ㉢

④ ㉠+㉢   ⑤ ㉡+㉢

04 그림은 시냅스로 연결된 뉴런 A와 B를 나타낸 것이다.

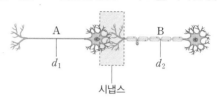

이에 대한 설명으로 옳은 것만을 |보기|에서 있는 대로 고른 것은?

┌ 보기 ┐
ㄱ. A에서 도약 전도가 일어난다.
ㄴ. d_1에 역치 이상의 자극을 주면 d_2에서 활동 전위가 발생한다.
ㄷ. d_2에 역치 이상의 자극을 주면 시냅스에서 신경 전달 물질이 분비된다.
└─────┘

① ㄱ   ② ㄴ   ③ ㄷ
④ ㄱ, ㄷ   ⑤ ㄴ, ㄷ

05 표 (가)는 신경계를 구성하는 구조 A~C의 특성 ⊙~ ©의 유무를, (나)는 ⊙~©을 순서 없이 나타낸 것이다. A~C는 각각 대뇌, 연수, 척수 중 하나이다.

특징 구조	⊙	ⓒ	©
A	×	×	○
B	○	○	○
C	○	×	○

(○: 있음, ×: 없음)

(가)

특성 (⊙~©)
• 연합 뉴런이 있다.
• 기침 반사의 중추이다.
• 부교감 신경이 나온다.

(나)

이에 대한 설명으로 옳은 것만을 |보기|에서 있는 대로 고른 것은?

┌ 보기 ┐
ㄱ. ⊙은 '부교감 신경이 나온다.'이다.
ㄴ. A의 겉질에는 신경 세포체가 존재한다.
ㄷ. C는 운동 신경 다발이 전근을 이룬다.
└─────┘

① ㄱ   ② ㄷ   ③ ㄱ, ㄴ
④ ㄴ, ㄷ   ⑤ ㄱ, ㄴ, ㄷ

4강_ 항상성과 우리 몸의 방어 작용

06 그림은 혈당량에 따른 혈액 내 호르몬 A와 B의 농도를 나타낸 것이다. A와 B는 각각 인슐린과 글루카곤 중 하나이다. 이에 대한 설명으로 옳은 것만을 |보기|에서 있는 대로 고르시오.

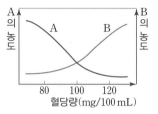

┌ 보기 ┐
ㄱ. A는 이자의 β세포에서 분비된다.
ㄴ. B는 간에서 글리코젠의 합성을 촉진한다.
ㄷ. A와 B의 양은 음성 피드백 작용으로 조절된다.

07 그림은 에이즈를 일으키는 병원체 X를 나타낸 것이다. 이에 대한 설명으로 옳은 것만을 |보기|에서 있는 대로 고른 것은?

┌ 보기 ┐
ㄱ. 독립적으로 물질대사를 한다.
ㄴ. 유전 물질이 핵막으로 둘러싸여 있다.
ㄷ. 감염성 질병을 일으킨다.

08 그림은 항원 X에 노출된 적이 없는 생쥐에서 X의 침입 후 생성되는 혈중 항체 농도 변화를 나타낸 것이다.

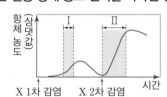

이에 대한 설명으로 옳은 것만을 |보기|에서 있는 대로 고른 것은?

┌ 보기 ┐
ㄱ. 구간 Ⅰ에서 X에 대한 기억 세포가 생성된다.
ㄴ. 구간 Ⅱ에서 X에 대한 2차 면역 반응이 일어난다.
ㄷ. X가 2차 침입할 때, 보조 T 림프구에서 항체가 생성된다.

09 그림 (가)는 호르몬 X의 분비와 작용을, (나)는 정상인이 물 1 L를 섭취했을 때의 오줌 생성량을 나타낸 것이다.

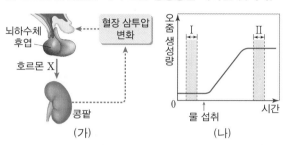

이에 대한 설명으로 옳은 것만을 |보기|에서 있는 대로 고른 것은?

┌ 보기 ┐
ㄱ. X의 표적 기관은 뇌하수체 후엽이다.
ㄴ. 혈중 X의 농도는 구간 Ⅰ에서가 구간 Ⅱ에서보다 높다.
ㄷ. 오줌 삼투압은 구간 Ⅱ에서가 구간 Ⅰ에서보다 낮다.

① ㄱ   ② ㄴ   ③ ㄷ
④ ㄱ, ㄴ   ⑤ ㄴ, ㄷ

10 그림은 체내에 항원 X가 침입했을 때 일어나는 방어 작용의 일부를 나타낸 것이다.

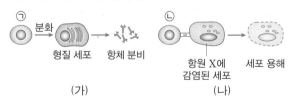

이에 대한 설명으로 옳은 것만을 |보기|에서 있는 대로 고른 것은?

┌ 보기 ┐
ㄱ. ㉠은 B 림프구이다.
ㄴ. ㉡은 가슴샘에서 성숙한다.
ㄷ. ㉠과 ㉡ 모두 특이적 방어 작용에 관여한다.

① ㄱ   ② ㄴ   ③ ㄱ, ㄴ
④ ㄴ, ㄷ   ⑤ ㄱ, ㄴ, ㄷ

창의·융합·코딩 전략

3강_ 자극의 전달과 신경계

2022 9월 모평 6번 유사

01 다음은 생물 수업의 한 장면이다.

선생님의 질문에 대한 학생의 답변으로 가장 적절한 것은?

① Na^+ 통로는 열려 있지만, K^+ 통로는 닫혀 있습니다.

② Na^+ 통로와 K^+ 통로가 모두 닫히며 탈분극이 일어납니다.

③ Na^+ 통로는 닫혀 있으며, K^+ 통로는 서서히 닫히고 있습니다.

④ 세포 내로 들어오는 K^+의 양보다 밖으로 확산되는 Na^+의 양이 많은 시기입니다.

⑤ K^+이 세포 밖에서 안으로 확산되어 막전위는 $-80\,mV$ 정도까지 떨어집니다.

> **Tip** 휴지 상태의 뉴런에 ❶ [   ] 이상의 자극이 가해져 막전위가 상승했다 하강하는 것을 ❷ [   ]라고 한다.
> **답** ❶ 역치 ❷ 활동 전위

02 다음은 신경계를 구성하는 구조에 대한 학생 A~C의 대화 내용이다.

학생 A   학생 B   학생 C

제시한 내용이 옳은 학생만을 있는 대로 고르시오.

> **Tip** 중추 신경계에 속하는 뇌와 ❶ [   ]는 ❷ [   ] 뉴런으로 구성되어 있다.
> **답** ❶ 척수 ❷ 연합

03 다음은 신경계 질환에 대한 탐구 보고서의 일부이다.

> **과학 탐구 보고서**
>
> 주제: 신경계 질환의 원인과 주요 증상
>
> ○알츠하이머는 ㉠의 신경 세포 파괴로 기억력과 인지 능력의 저하를 보인다.
> ○㉡은 중간뇌에서 신경 전달 물질의 분비 부족으로 손발이 떨리고 불안정한 자세를 보인다.
> ○근위축성 측삭 경화증은 골격근을 조절하는 ㉢의 파괴로, 근육이 경직되고 약해지는 증상을 보인다.

이에 대한 설명으로 옳은 것만을 | 보기 |에서 있는 대로 고른 것은?

> ┌ 보기 ────────────
> ㄱ. ㉠의 겉질은 회색질이다.
> ㄴ. ㉡은 파킨슨병이다.
> ㄷ. ㉢은 중추 신경계를 구성한다.
> └───────────────

① ㄱ   ② ㄷ   ③ ㄱ, ㄴ   ④ ㄱ, ㄷ   ⑤ ㄴ, ㄷ

> **Tip** 알츠하이머와 파킨슨병은 [   ]의 이상으로 발생한다.
> **답** 중추 신경계

2015 10월 학평 11번 유사

04 다음은 교사가 학생들에게 제시한 탐구 과제이다.

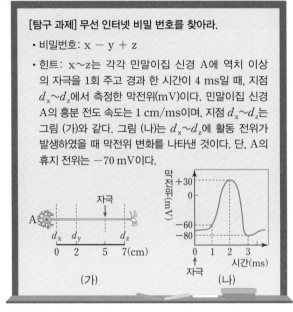

[탐구 과제] 무선 인터넷 비밀 번호를 찾아라.

• 비밀번호: x − y + z

• 힌트: x~z는 각각 민말이집 신경 A에 역치 이상의 자극을 1회 주고 경과 한 시간이 4 ms일 때, 지점 d_x~d_z에서 측정한 막전위(mV)이다. 민말이집 신경 A의 흥분 전도 속도는 1 cm/ms이며, 지점 d_x~d_z는 그림 (가)와 같다. 그림 (나)는 d_x~d_z에 활동 전위가 발생하였을 때 막전위 변화를 나타낸 것이다. 단, A의 휴지 전위는 −70 mV이다.

(가)

(나)

비밀 번호로 옳은 것은?

① −100　　② −40　　③ +20

④ +40　　⑤ +100

> **Tip** 한 뉴런 내에서 연속적으로 [❶   ]이 일어나 흥분이 이동하는 현상을 흥분의 [❷   ]라고 한다.
>
> 답 ❶ 탈분극 ❷ 전도

2017 4월 학평 12번

05 그림은 중추 신경계를 구성하는 연수, 중간뇌, 척수를 구분하는 과정을 나타낸 것이다.

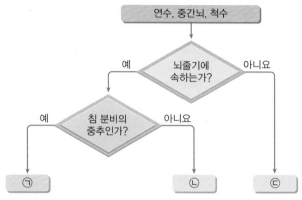

㉠~㉢으로 옳은 것은?

	㉠	㉡	㉢
①	연수	중간뇌	척수
②	척수	연수	중간뇌
③	척수	중간뇌	연수
④	중간뇌	연수	척수
⑤	중간뇌	척수	연수

> **Tip** 침 분비, 하품, 재채기 등의 중추는 [❶   ]이며, [❷   ]는 동공 반사의 중추이고, 척수는 무릎 반사의 중추이다.
>
> 답 ❶ 연수 ❷ 중간뇌

4강_ 항상성과 우리 몸의 방어 작용

06 다음은 추울 때 우리 몸에서 일어나는 변화와 이를 대비할 점을 안내하는 건강 뉴스 중 일부이다.

> · 몸의 중심부를 따뜻하게 할 목적으로 ⊙ 혈액이 사지에서 중심으로 이동하므로 보온성 의류로 머리나 손, 발 등을 보호한다.
> · 갑자기 추워지면 ⓒ 근육이 수축하거나 덜덜 떨게 되므로 밖에 나가기 전 간단히 운동한다.
> · ⓒ 심장 박동 수가 증가하므로 고혈압이 있는 사람은 주의한다.

⊙~ⓒ 중 열 발생량을 증가시키는 현상만을 있는 대로 고르시오.

> **Tip** 추울 때, **❶** 의 흥분으로 피부 근처 혈관이 수축하여 열 **❷** 이 감소한다.
>
> 답 ❶ 교감 신경 ❷ 발산량

2014 3월 학평 17번 유사

07 그림은 구분 기준 A와 B에 따라 사람의 3가지 질병을 구분하는 과정을 나타낸 것이다.

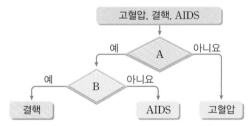

이에 대한 설명으로 옳은 것만을 │보기│에서 있는 대로 고르시오.

> │보기│
> ㄱ. '감염성 질병인가?'는 A에 해당한다.
> ㄴ. '병원체가 세포 분열을 하는가?'는 B에 해당한다.
> ㄷ. AIDS를 일으키는 병원체는 단백질을 가지고 있다.

> **Tip** 질병은 병원체에 의한 **❶** 질병과 생활 방식, 환경, 유전 등이 원인이 되어 나타나는 **❷** 질병이 있다.
>
> 답 ❶ 감염성 ❷ 비감염성

08 다음은 코로나19(COVID-19)를 신속히 진단할 수 있는 신속 항원 진단 키트와 관련된 신문 기사의 일부이다.

> ○○신문
>
> ### 코로나19 신속 항원 진단 키트
>
> ○○ 진단 키트는 검체에 있는 바이러스 항원과 결합할 수 있는 ⊙ 인공적으로 합성된 발색 항체를 이용하여 바이러스의 감염 여부를 검출하는 방법이다.
> 코로나바이러스 항원이 존재하면 항원 항체 반응이 일어난 후 이동하여 검사선의 ⓐ와 종료선의 ⓑ에서 반응 결과를 통해 감염 여부를 확인할 수 있다. ⓐ와 ⓑ는 각각 항원 결합 물질과 항체 결합 물질 중 하나이다.
>
>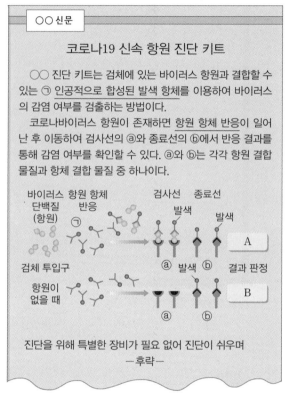
>
> 진단을 위해 특별한 장비가 필요 없어 진단이 쉬우며
> ─ 후략 ─

이에 대한 설명으로 옳은 것만을 │보기│에서 있는 대로 고른 것은?

> │보기│
> ㄱ. ⊙은 바이러스 단백질과 특이적으로 반응한다.
> ㄴ. ⓐ는 항원과 결합할 수 있는 물질이다.
> ㄷ. 항원 진단 키트 검사 결과 A는 양성이다.

① ㄱ   ② ㄴ   ③ ㄱ, ㄴ
④ ㄴ, ㄷ   ⑤ ㄱ, ㄴ, ㄷ

> **Tip** 특정 **❶** 는 항원의 특정 부위와 결합하는데, 이를 **❷** 의 특이성이라고 한다.
>
> 답 ❶ 항체 ❷ 항원 항체 반응

09 그림은 혈당량을 조절하는 호르몬을 구분하는 과정을 나타낸 것이다.

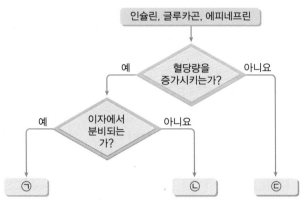

㉠~㉢으로 옳은 것은?

	㉠	㉡	㉢
①	인슐린	에피네프린	글루카곤
②	인슐린	글루카곤	에피네프린
③	글루카곤	인슐린	에피네프린
④	글루카곤	에피네프린	인슐린
⑤	에피네프린	글루카곤	인슐린

> **Tip** 두 개의 요인이 같은 기관에 대해 반대로 작용하여 서로의 효과를 줄이는 작용을 ❶ [ ] 작용이라고 하며, 결과물의 양을 일정 수준으로 유지하기 위해 원인을 조절하는 작용을 ❷ [ ] 이라고 한다.
>
> 답 ❶ 길항 ❷ 음성 피드백

10 다음은 면역 반응에 대한 자료를 보고 학생들이 나눈 대화를 나타낸 것이다.

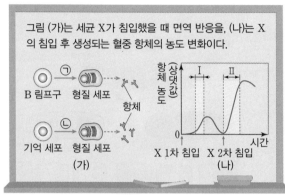

그림 (가)는 세균 X가 침입했을 때 면역 반응을, (나)는 X의 침입 후 생성되는 혈중 항체의 농도 변화이다.

제시한 내용이 옳은 학생만을 있는 대로 고른 것은?

① A   ② A, B   ③ B, C
④ A, C   ⑤ A, B, C

> **Tip** 병원체가 처음 인체에 들어오면 ❶ [ ] 이 일어나며 형질 세포와 ❷ [ ] 가 만들어진다. 같은 병원체가 재침입하면 ❷ [ ] 는 빠르게 증식되며 2차 면역 반응을 일으킨다.
>
> 답 ❶ 1차 면역 반응 ❷ 기억 세포

마무리 전략

1강_ 생명 과학의 이해 ~ 2강_ 사람의 물질대사

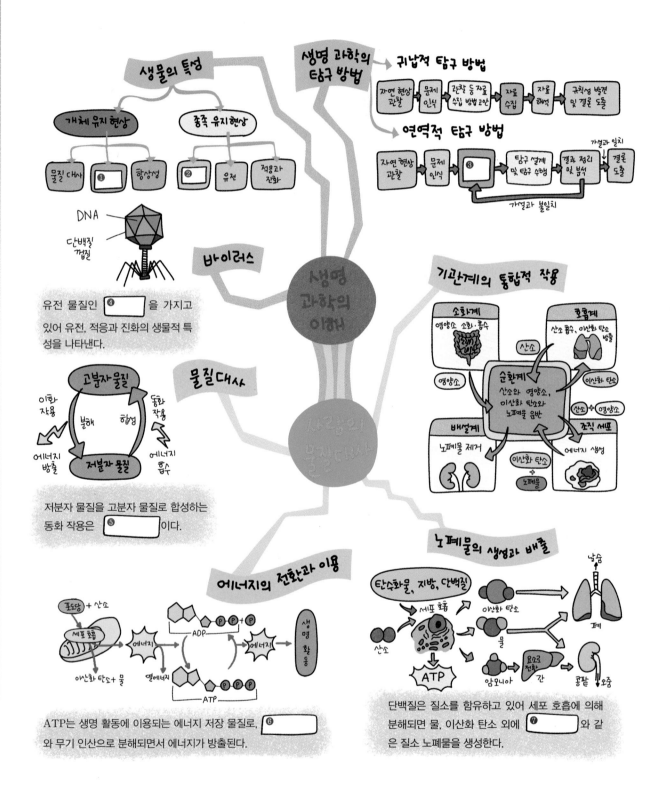

생물의 특성

개체 유지 현상 / 종족 유지현상

물질 대사 / ❶ / 항상성 / ❷ / 유전 / 적응과 진화

생명 과학의 탐구 방법

귀납적 탐구 방법

자연 현상 관찰 → 문제 인식 → 관찰 등 자료 수집 방법 고안 → 자료 수집 → 자료 해석 → 규칙성 발견 및 결론 도출

연역적 탐구 방법

자연 현상 관찰 → 문제 인식 → ❸ → 탐구 설계 및 탐구 수행 → 결과 정리 및 분석 → 결론 도출

가설과 일치 / 가설과 불일치

바이러스

DNA / 단백질 껍질

유전 물질인 ❹ 을 가지고 있어 유전, 적응과 진화의 생물적 특성을 나타낸다.

물질대사

고분자 물질 / 저분자 물질

이화 작용 / 동화 작용 / 분해 / 합성 / 에너지 방출 / 에너지 흡수

저분자 물질을 고분자 물질로 합성하는 동화 작용은 ❺ 이다.

생명 과학의 이해

(사람의) 물질대사

기관계의 통합적 작용

소화계 - 영양소 소화·흡수 / 호흡계 - 산소 흡수, 이산화 탄소 방출 / 산소 / 영양소 / 순환계 - 산소와 영양소, 이산화 탄소와 노폐물 운반 / 이산화 탄소 / 산소 + 영양소 / 배설계 - 노폐물 제거 / 조직 세포 / 이산화 탄소 + 노폐물 / 에너지 생성

에너지의 전환과 이용

포도당 + 산소 → 세포 호흡 → 에너지 → ADP+P+P+P / 이산화 탄소 + 물 / 열에너지 / ATP / 에너지 → 생명 활동

ATP는 생명 활동에 이용되는 에너지 저장 물질로, ❻ 와 무기 인산으로 분해되면서 에너지가 방출된다.

노폐물의 생성과 배출

탄수화물, 지방, 단백질 → 세포 호흡 → 이산화 탄소 → 폐 → 날숨 / 산소 / ATP / 물 / 암모니아 → 요소로 전환 (간) → 콩팥 → 오줌

단백질은 질소를 함유하고 있어 세포 호흡에 의해 분해되면 물, 이산화 탄소 외에 ❼ 와 같은 질소 노폐물을 생성한다.

답 ❶ 자극과 반응 ❷ 생식 ❸ 가설 설정 ❹ 핵산 ❺ 흡열 반응 ❻ ADP ❼ 암모니아

3강_ 자극의 전달과 신경계 ~ 4강_ 항상성과 우리 몸의 방어 작용

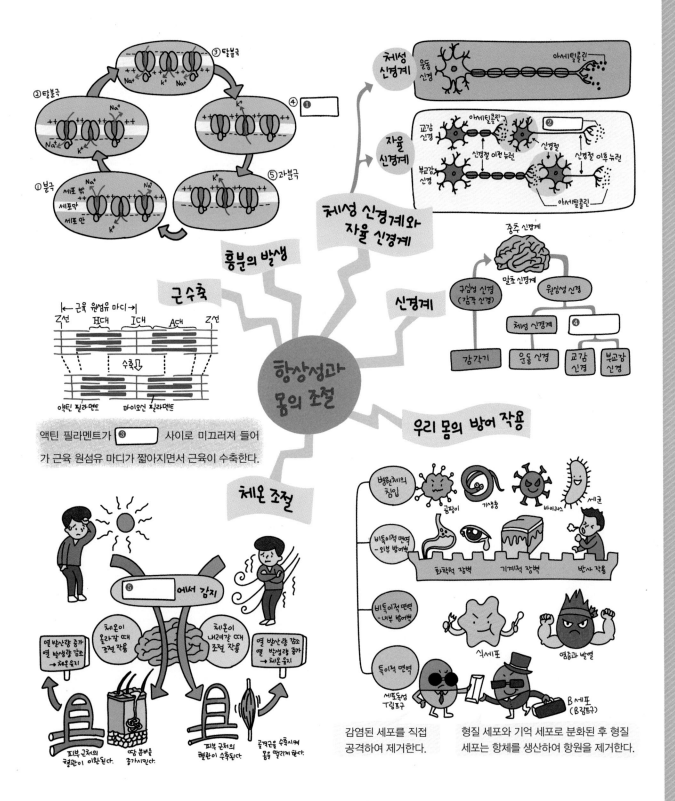

감염된 세포를 직접 공격하여 제거한다.

형질 세포와 기억 세포로 분화된 후 형질 세포는 항체를 생산하여 항원을 제거한다.

답 ❶ 재분극 ❷ 노르에피네프린 ❸ 마이오신 필라멘트 ❹ 자율 신경계 ❺ 시상 하부

신유형·신경향 전략

01 생명 과학의 탐구 방법 2021 수능 19번 유사

다음은 티록신의 분비 조절 과정에 대한 실험이다.

┌─ 실험 과정 ─
⑤과 ⓒ은 각각 티록신과 TSH 중 하나이다.

(가) 티록신의 분비 조절은 TSH에 의해서 조절된다고 생각하였다.

(나) 유전적으로 동일한 생쥐 A, B, C를 준비한다.

(다) B와 C에서 티록신을 분비하는 기관인 갑상샘을 각각 제거한 후, A~C에서 혈중 ⑤의 농도를 측정한다.

(라) (다)의 B와 C 중 한 생쥐에만 ⑤을 주사한 후, A~C에서 혈중 ⓒ의 농도를 측정한다.

│ 실험 결과 │

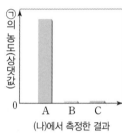 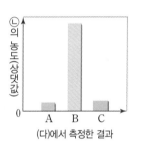

(나)에서 측정한 결과 / (다)에서 측정한 결과

│ 결론 도출 │

'티록신의 농도가 낮으면 TSH의 농도가 높아지고, 티록신의 농도가 높으면 TSH의 농도가 낮아진다.'라는 결론을 내렸다.

이에 대한 설명으로 옳은 것만을 | 보기 |에서 있는 대로 고른 것은?

┌─ 보기 ─
ㄱ. ⑤은 TSH이다.

ㄴ. 이 실험에서 조작 변인은 갑상샘의 유무이다.

ㄷ. 실험 결과 알 수 있는 생물의 특성은 항상성이다.

① ㄴ   ② ㄷ   ③ ㄱ, ㄷ
④ ㄴ, ㄷ   ⑤ ㄱ, ㄷ, ㄷ

> **Tip** 티록신을 분비하는 갑상샘을 제거하면 ❶[   ]의 농도가 낮아진다. 티록신의 농도가 낮아지면 티록신 분비를 촉진하는 호르몬인 TSH의 농도는 ❷[   ]진다. **답** ❶ 티록신 ❷ 높아

02 기관계의 통합적 작용 2021 6월 모평 2번

표는 영양소 (가), (나), 지방이 세포 호흡에 사용된 결과 생성되는 노폐물을, 그림은 사람 몸의 기관계의 통합적 작용을 나타낸 것이다. (가)와 (나)는 탄수화물과 단백질을, A~D는 소화계, 순환계, 호흡계, 배설계를 순서 없이 나타낸 것이다.

영양소	노폐물
(가)	물, 이산화 탄소
(나)	물, 이산화 탄소, ⓐ 암모니아
지방	?

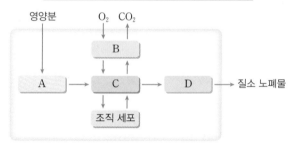

이에 대한 설명으로 옳은 것만을 | 보기 |에서 있는 대로 고른 것은?

┌─ 보기 ─
ㄱ. (가)는 탄수화물, (나)는 단백질이다.

ㄴ. ⓐ는 C를 통해 A로 이동하여 요소로 합성된다.

ㄷ. B에서 노폐물이 몸 밖으로 배출될 때 에너지를 소비하지 않는다.

① ㄴ   ② ㄷ   ③ ㄱ, ㄴ
④ ㄴ, ㄷ   ⑤ ㄱ, ㄴ, ㄷ

> **Tip** 암모니아는 ❶[   ]에서 요소로 전환된다. 기체 교환은 에너지를 소비하지 않고 일어난다. 오줌의 생성은 ❷[   ]에서 일어난다. **답** ❶ 간 ❷ 콩팥

03 자극의 전달과 신경계

다음은 민말이집 신경에 대한 자료이다.

- 그림 (가)는 어떤 뉴런에서 활동 전위가 발생하였을 때, 한 지점 P에서의 막전위, 막 투과도, 막전류의 변화를 나타낸 것이다. ㉠과 ㉡은 각각 Na^+과 K^+ 중 하나이며, 막전류는 세포 밖으로 이온이 나갈 때 양의 값으로, 세포 안으로 이온이 들어올 때 음의 값으로 나타난다.

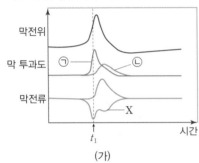

(가)

- 그림 (나)는 P에서 서로 다른 시점 ⓐ~ⓒ의 이온의 분포와 이동을 나타낸 것이다.

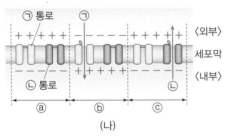

(나)

이에 대한 설명으로 옳은 것만을 | 보기 |에서 있는 대로 고른 것은?

┌ 보기 ┐
ㄱ. t_1은 시점 ⓑ일 때이다.
ㄴ. X는 ㉡의 전류이다.
ㄷ. 시점 ⓐ일 때 세포막을 통한 이온의 이동은 없다.

① ㄱ   ② ㄴ   ③ ㄷ
④ ㄱ, ㄴ   ⑤ ㄱ, ㄷ

> **Tip** 뉴런이 역치 이상의 자극을 받으면 ❶ [ ]이 세포막 안으로 들어와 ❷ [ ]이 일어나며 활동 전위가 발생한다.
>
> 답 ❶ Na^+ ❷ 탈분극

04 항상성과 우리 몸의 방어 작용

다음은 mRNA 백신에 의한 생쥐의 면역 반응에 대한 실험이다.

- 그림은 mRNA 백신에 의한 면역 작용의 일부를 나타낸 것이다.

- 생쥐에서 코로나바이러스에 대한 mRNA 백신의 효과를 알아보기 위해 다음과 같이 실험하였다.

| 실험 과정과 결과 |

(가) 코로나바이러스의 표면에 존재하는 ⓐ 스파이크 단백질을 암호화하는 서열을 mRNA로 제작한다.

(나) 제작한 mRNA를 생쥐에 접종하여 면역 반응이 일어나도록 유도한다.

(다) 수일이 지난 후, 백신을 접종하지 않은 생쥐와 접종한 생쥐에 코로나바이러스를 감염시키고 생쥐에서 증식한 바이러스의 수를 측정한다.

(라) 백신을 접종한 생쥐와 접종하지 않은 생쥐에서 측정된 코로나바이러스 수는 각각 X와 Y 중 하나이다.

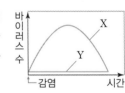

이에 대한 설명으로 옳은 것만을 | 보기 |에서 있는 대로 고르시오.

┌ 보기 ┐
ㄱ. ㉠에서 만들어진 항체는 ⓐ에 특이적으로 반응한다.
ㄴ. X는 백신을 접종한 생쥐에서 측정된 바이러스 수이다.
ㄷ. 백신을 접종한 생쥐의 ㉡은 코로나바이러스에 노출될 때 빠르게 형질 세포로 분화한다.

> **Tip** 백신은 ❶ [ ] 반응을 일으키는 물질로 기억 세포 형성을 유도하여 항원의 재노출 시 빠르게 ❷ [ ]로 분화해 2차 면역 반응이 일어나게 한다.
>
> 답 ❶ 1차 면역 ❷ 형질 세포

신경향 전략

05 연역적 탐구 방법

2022 9월 모평 3번 유사

다음은 어떤 과학자가 수행한 탐구이다.

> (가) 초파리는 짝짓기 상대로 서로 다른 종류의 먹이를 먹고 자란 개체보다 같은 먹이를 먹고 자란 개체를 선호할 것이라고 생각했다.
>
> (나) 초파리를 두 집단 A와 B로 나눈 후 A는 먹이 ⓐ를, B는 먹이 ⓑ를 주고 배양했다. ⓐ와 ⓑ는 서로 다른 먹이이다.
>
> (다) 여러 세대를 배양한 후, ㉠ 같은 먹이를 먹고 자란 초파리 사이에서의 짝짓기 빈도와 ㉡ 서로 다른 종류의 먹이를 먹고 자란 초파리 사이에서의 짝짓기 빈도를 관찰했다.
>
> (라) (다)의 결과, I이 II보다 높게 나타났다. I과 II는 ㉠과 ㉡을 순서 없이 나타낸 것이다.
>
> (마) 초파리는 짝짓기 상대로 서로 다른 종류의 먹이를 먹고 자란 개체보다 같은 먹이를 먹고 자란 개체를 선호한다는 결론을 내렸다.

이에 대한 설명으로 옳은 것만을 | 보기 | 에서 있는 대로 고른 것은?

> 보기
> ㄱ. I은 ㉠이다.
> ㄴ. (나)에서 대조 실험을 구성하였으며, 조작 변인은 먹이의 종류이다.
> ㄷ. 이 탐구는 연역적 탐구 방법을 이용하였다.

① ㄷ   ② ㄱ, ㄴ   ③ ㄱ, ㄷ
④ ㄴ, ㄷ   ⑤ ㄱ, ㄴ, ㄷ

> **Tip** 실험에서 조작을 가하는 요인을 ❶ [　　　]이라고 하고, 그 외 같게 유지하는 모든 변인을 ❷ [　　　], 실험 결과를 종속변인이라고 한다.   답 ❶ 조작 변인 ❷ 통제 변인

06 기관계의 통합적 작용

2021 6월 모평 7번 유사

표는 사람 몸을 구성하는 기관계의 특징을 나타낸 것이다. A~C는 배설계, 소화계, 신경계를 순서 없이 나타낸 것이다.

기관계	특징
A	오줌을 통해 노폐물을 몸 밖으로 내보낸다.
B	대뇌, 소뇌, 연수가 속한다.
C	㉠

이에 대한 설명으로 옳은 것만을 | 보기 | 에서 있는 대로 고른 것은?

> 보기
> ㄱ. A에는 항이뇨 호르몬의 표적 기관이 있다.
> ㄴ. B에는 A와 C의 작용을 조절하는 중추가 있다.
> ㄷ. '암모니아가 요소로 전환되는 기관이 포함된다.'는 ㉠에 해당한다.

① ㄱ   ② ㄴ   ③ ㄱ, ㄷ
④ ㄴ, ㄷ   ⑤ ㄱ, ㄴ, ㄷ

> **Tip** 오줌을 생성하는 기관계는 ❶ [　　　]이다. 호흡, 배설, 소화는 ❷ [　　　]에 의해 조절된다.   답 ❶ 배설계 ❷ 신경계

07 자극의 전달과 신경계

그림 (가)는 말이집이 파괴된 어떤 환자 뉴런의 지점 $d_1 \sim d_5$ 를, (나)는 d_1에 역치 이상의 자극을 1회 준 후, d_2와 d_5에서 같은 시간 동안 측정한 막전위 변화를 나타낸 것이다.

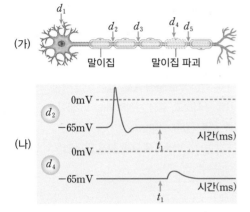

이에 대한 설명으로 옳은 것만을 | 보기 |에서 있는 대로 고른 것은?

┌─ 보기 ──────────────────────────────┐
ㄱ. t_1 시점 전, d_3에서는 탈분극이 일어난다.
ㄴ. t_1 시점 이후, d_4에서는 활동 전위가 발생한다.
ㄷ. d_5에서는 세포막을 통한 Na^+의 이동은 없다.
└─────────────────────────────────────┘

① ㄱ   ② ㄴ   ③ ㄱ, ㄴ
④ ㄱ, ㄷ   ⑤ ㄱ, ㄴ, ㄷ

Tip 말이집 신경은 [❶   ]가 일어나지 않는 민말이집 뉴런보다 흥분 전도 속도가 [❷   ]. **답** ❶ 도약 전도 ❷ 빠르다

08 항상성과 우리 몸의 방어 작용

그림 (가)는 혈액량에 따른 혈중 ADH 농도를, (나)는 이 사람의 혈액량 안정 상태와 ㉠ 상태에서 혈장 삼투압에 따른 혈중 ADH 농도를 나타낸 것이다. ㉠은 혈액량의 10 % 증가와 10 % 감소 중 하나이다.

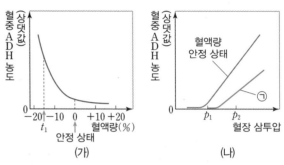

이에 대한 설명으로 옳은 것만을 | 보기 |에서 있는 대로 고른 것은?

┌─ 보기 ──────────────────────────────┐
ㄱ. ㉠은 정상보다 혈액량이 10 % 증가한 상태이다.
ㄴ. (가)에서 오줌의 삼투압은 t_1일 때가 안정 상태일 때보다 높다.
ㄷ. 혈액량 안정 상태일 때, 콩팥에서 단위 시간당 수분 재흡수량은 p_1일 때가 p_2일 때보다 많다.
└─────────────────────────────────────┘

① ㄱ   ② ㄷ   ③ ㄱ, ㄴ
④ ㄱ, ㄴ   ⑤ ㄱ, ㄴ, ㄷ

Tip 혈액량이 감소하거나, 혈장 삼투압이 높을 때, [❶   ]에서는 ADH를 분비하여 콩팥에서 수분의 [❷   ]를 촉진하여 혈장 삼투압을 일정하게 유지한다. **답** ❶ 뇌하수체 후엽 ❷ 재흡수

1·2등급 확보 전략 1회

1강_ 생명 과학의 이해

2021 4월 학평 18번 유사

01 그림은 화성 토양에 생명체가 살고 있는지를 알아보기 위해 실시한 3가지 실험 (가)~(다)를 나타낸 것이다.

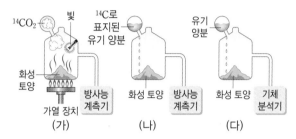

이에 대한 설명으로 옳은 것만을 | 보기 |에서 있는 대로 고른 것은?

> **보기**
> ㄱ. 실험 (가)는 동화 작용을 하는 생명체가 있는지 확인하는 실험이다.
> ㄴ. 실험 (나)에서 방사능이 검출되면 동화 작용을 하는 생명체가 있음을 알 수 있다.
> ㄷ. 실험 (나)와 (다)를 통해 탄소 유기물을 이용해 물질대사를 하는지를 확인할 수 있다.

① ㄱ   ② ㄷ   ③ ㄱ, ㄴ

④ ㄱ, ㄷ   ⑤ ㄱ, ㄴ, ㄷ

2019 7월 학평 10번 유사

02 다음은 박테리오파지, 대장균, 백혈구에 대해 특징 (가)~(다)의 유무를 표시한 것이다.

특징	(가)	(나)	(다)
박테리오파지	○	×	×
대장균	○	○	○
백혈구	○	×	○

(○: 특징을 가짐, ×: 특징을 가지고 있지 않음)

이에 대한 설명으로 옳은 것만을 | 보기 |에서 있는 대로 고른 것은?

> **보기**
> ㄱ. 특징 (가)에는 '핵산을 갖는다.'가 있다.
> ㄴ. 특징 (나)에는 '세포 분열로 자손을 만든다.'가 있다.
> ㄷ. 특징 (다)에는 '세포벽을 갖는다.'가 있다.

① ㄱ   ② ㄷ   ③ ㄱ, ㄴ

④ ㄴ, ㄷ   ⑤ ㄱ, ㄴ, ㄷ

03 다음은 어떤 병원체에 대한 백신을 개발하기 위한 후보 물질 A와 B를 이용한 실험이다.

> **실험 과정**
> (가) 유전적으로 동일하고 X에 노출된 적이 없는 생쥐 Ⅰ, Ⅱ를 준비한다.
> (나) 생쥐 Ⅰ에 백신 후보 물질 A를, 생쥐 Ⅱ에 백신 후보 물질 B를 주사하고, 일정 시간이 지난 뒤 생쥐 Ⅰ, Ⅱ에 X를 감염시켰다.
> (다) 그림은 생쥐 Ⅰ, Ⅱ의 X에 대한 혈중 항체 농도의 변화를 각각 나타낸 것이다.
>
>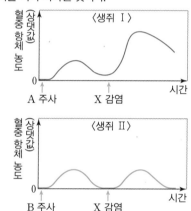
>
> (라) 실험 결과 '물질 A는 X에 대한 백신으로 사용 가능하지만 물질 B는 사용할 수 없다.'는 결론을 내렸다.

이에 대한 설명으로 옳은 것만을 | 보기 |에서 있는 대로 고른 것은?

> **보기**
> ㄱ. 이 실험에 나타난 생물의 특성은 '자극에 대한 반응'이다.
> ㄴ. 물질 A를 주사한 생쥐는 대조군, B를 주사한 생쥐는 실험군이다.
> ㄷ. 생쥐 Ⅰ에게 물질 A를 주사했을 때 X에 대한 형질 세포와 기억 세포가 만들어졌다.

① ㄴ   ② ㄱ, ㄴ   ③ ㄱ, ㄷ

④ ㄴ, ㄷ   ⑤ ㄱ, ㄴ, ㄷ

04 다음은 가을에 잎이 떨어지는 원인을 알아보기 위한 탐구 과정이다.

> (가) 여름에 무성했던 나뭇잎이 가을이 되면 떨어지는 것을 보았다.
> (나) 가설 A를 세웠다.
> (다) 같은 종의 식물 두 집단을 각각 다른 온실에 넣고 하나는 일조 시간을 일정하게, 다른 하나는 일조 시간을 점차 짧게 하였다.
> (라) [?   ]
> (마) 일조 시간이 줄어들면 나뭇잎이 떨어진다는 결론을 내렸다.

이에 대한 설명으로 옳은 것만을 | 보기 |에서 있는 대로 고른 것은?

> **보기**
> ㄱ. 이 실험의 조작 변인은 일조 시간의 변화 여부이다.
> ㄴ. 실험 결과 일조 시간을 점차 짧게 한 온실의 식물에서 낙엽 수가 증가했다.
> ㄷ. '나뭇잎이 떨어지는 것은 일조 시간의 변화 때문이다.'는 가설 A에 해당한다.

① ㄱ   ② ㄴ   ③ ㄷ
④ ㄱ, ㄴ   ⑤ ㄱ, ㄴ, ㄷ

05 다음은 어떤 질병에 관련된 일화이다.

> 전쟁 중이던 워싱턴 장군은 병사들 사이에 천연두가 퍼지자 천연두 환자의 상처 딱지를 갈아 만든 분말을 병사들에게 주사하도록 명령했다. 주사를 맞고 난 후 병사들이 미열 증세를 보였지만, 이후 천연두 발병률이 급격히 감소하였다.

이에 대한 설명으로 옳은 것만을 | 보기 |에서 있는 대로 고르시오.

> **보기**
> ㄱ. 이 질병은 항생제를 이용해 치료할 수 있다.
> ㄴ. 이 질병의 병원체는 스스로 물질대사를 할 수 있다.
> ㄷ. 이 현상과 가장 관련 깊은 생물의 특성은 '자극에 대한 반응'이다.

06 다음은 개구리의 심장으로 수행한 탐구를 나타낸 것이다.

> | 실험 과정 |
> (가) 심장 박동을 조절하는 자율 신경 A와 B 중 A 신경을 자극했을 때 신경에서 분비되는 신경 전달 물질 X를 추출한다.
> (나) 개구리 심장이 담긴 생리 식염수에 신경 전달 물질 X를 넣기 전과 넣은 후에 각각 개구리 심장 세포에서 활동 전위가 발생하는 빈도를 측정하였다.
>
> | 실험 결과 |
>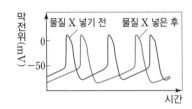
>
> | 결론 도출 |
> 'A 신경을 자극하면 심박 박동 수가 감소한다.'라는 결론을 내렸다.

이에 대한 설명으로 옳은 것만을 | 보기 |에서 있는 대로 고른 것은?

> **보기**
> ㄱ. 물질 X는 노르에피네프린이다.
> ㄴ. 이 실험에서 물질 X의 유무는 조작 변인이다.
> ㄷ. 개구리 심장 박동이 변하는 현상은 생물의 특성 중 '자극에 대한 반응'에 해당한다.

① ㄱ   ② ㄴ   ③ ㄷ
④ ㄱ, ㄴ   ⑤ ㄴ, ㄷ

2강_ 사람의 물질대사

07 그림은 생명체의 물질 변화와 에너지 전환을 나타낸 것이다. (가)와 (나)는 광합성과 세포 호흡 중 하나이며, ㉠~㉢은 각각 열, ATP, 빛에너지 중 하나이다. ㉡의 에너지 양은 ㉢의 에너지양보다 크다.

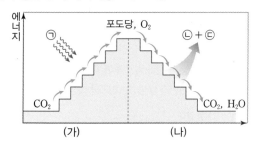

이에 대한 설명으로 옳은 것만을 |보기|에서 있는 대로 고른 것은?

| 보기 |
ㄱ. (가)와 (나)에서 모두 효소가 이용된다.
ㄴ. (나)는 세포 호흡으로 주로 미토콘드리아에서 일어난다.
ㄷ. ㉠이 분해될 때 방출되는 에너지는 생명 활동에 이용된다.

① ㄱ   ② ㄷ   ③ ㄱ, ㄴ
④ ㄱ, ㄷ   ⑤ ㄱ, ㄴ, ㄷ

08 그림 (가)는 세포 호흡에서 일어나는 에너지 전환을 나타낸 것이고, (나)는 ㉠과 ㉡의 에너지 전환을 나타낸 것이다. ㉠과 ㉡은 각각 ATP와 ADP 중 하나이며, ㉠이 ㉡보다 에너지양이 더 많다.

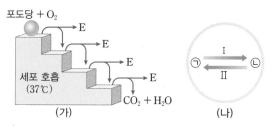

이에 대한 설명으로 옳은 것만을 |보기|에서 있는 대로 고른 것은?

| 보기 |
ㄱ. 세포 호흡으로 발생하는 모든 에너지는 ㉡을 ㉠으로 전환하는 데 쓰인다.
ㄴ. 세포 호흡과 Ⅰ 과정은 에너지를 방출하는 이화 과정이다.
ㄷ. ㉠은 ATP이다.

① ㄴ   ② ㄷ   ③ ㄱ, ㄴ
④ ㄴ, ㄷ   ⑤ ㄱ, ㄴ, ㄷ

** 1등급 킬러 **2015** 3월 학평 2번 유사

09 그림은 세포 호흡에 필요한 물질이 공급되는 과정과 조직 세포에서 일어나는 세포 호흡 과정의 일부를 나타낸 것이다. (가)~(다)는 각각 호흡계, 순환계, 소화계 중 하나이고, ⓐ와 ⓑ는 각각 동화 작용과 이화 작용 중 하나이다.

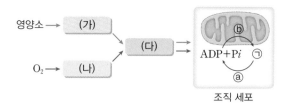

조직 세포

이에 대한 설명으로 옳은 것만을 |보기|에서 있는 대로 고르시오.

| 보기 |
ㄱ. 이자는 (가)에 속한다.
ㄴ. 심한 운동을 하면 (나)에서 (다)로 단위 시간당 이동하는 O_2의 양이 증가한다.
ㄷ. (나)에서 산소가 혈액으로 들어올 때 ⓐ 과정에서 방출되는 에너지가 사용된다.

2017 9월 모평 3번 유사

10
그림은 사람 몸의 각 기관계의 통합 작용을 나타낸 것이다. (가)~(다)는 각각 배설계, 소화계, 호흡계 중 하나이다.

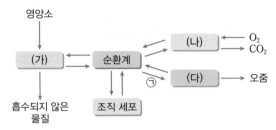

이에 대한 설명으로 옳은 것만을 │보기│에서 있는 대로 고른 것은?

┌─ 보기 ───────────────────────┐
ㄱ. (가)에서 물질을 분해하는 데 에너지가 소비된다.
ㄴ. 기관지는 (나)에 속한다.
ㄷ. ㉠에는 요소의 이동이 포함된다.
└──────────────────────────────┘

① ㄴ ② ㄷ ③ ㄱ, ㄴ
④ ㄴ, ㄷ ⑤ ㄱ, ㄴ, ㄷ

11
다음은 세포 호흡을 통해 만들어지는 노폐물 ㉠~㉢의 특징을 나타낸 것이다. ㉠~㉢은 물, 이산화 탄소, 암모니아를, Ⅰ~Ⅲ은 포도당, 지방산, 아미노산을 순서 없이 나타낸 것이다.

• 세포 호흡을 통해 만들어지는 노폐물 중 ㉠과 ㉢은 Ⅰ, Ⅱ, Ⅲ으로부터 만들어진다.
• 세포 호흡을 통해 만들어지는 노폐물 중 ㉠과 ㉡은 콩팥을 통해 밖으로 배출된다.

이에 대한 설명으로 옳은 것만을 │보기│에서 있는 대로 고른 것은?

┌─ 보기 ───────────────────────┐
ㄱ. ㉠은 물이다.
ㄴ. ㉡은 순환계를 따라 소화계로 이동하여 다른 물질로 전환되어 몸 밖으로 배출된다.
ㄷ. ㉢은 이산화 탄소로 호흡계에서 에너지 소비 없이 몸 밖으로 배출된다.
└──────────────────────────────┘

① ㄷ ② ㄱ, ㄴ ③ ㄱ, ㄷ
④ ㄴ, ㄷ ⑤ ㄱ, ㄴ, ㄷ

∴ 1등급 킬러 2020 6월 모평 6번 유사

12
그림은 정상인이 단백질을 섭취했을 때 체내 기관계의 통합적 작용을 나타낸 것이다. (가)~(다)는 각각 호흡계, 소화계, 배설계 중 하나이다.

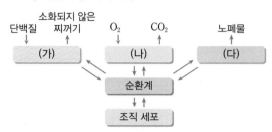

이에 대한 설명으로 옳은 것만을 │보기│에서 있는 대로 고른 것은?

┌─ 보기 ───────────────────────┐
ㄱ. (가)에서는 이화 작용만 일어난다.
ㄴ. (나)에서 노폐물의 이동에 에너지가 소비되지 않는다.
ㄷ. 항이뇨 호르몬의 표적 기관은 (다)에 있다.
└──────────────────────────────┘

① ㄱ ② ㄷ ③ ㄱ, ㄴ
④ ㄴ, ㄷ ⑤ ㄱ, ㄴ, ㄷ

3강_ 자극의 전달과 신경계

2019 수능 15번 유사

01 다음은 민말이집 신경 A와 B의 흥분 전도에 대한 자료
● 이다.

- 그림은 신경 A와 B의 d_1으로부터 세 지점 d_2~d_4까지의 거리를, 표는 ㉠ 각 신경의 d_1에 역치 이상의 자극을 동시에 1회 주고 경과한 시간이 4 ms일 때, d_1~d_4에서 측정한 막전위를 나타낸 것이다.

- 신경 A와 B의 흥분 전도 속도는 각각 2 cm/ms 와 1 cm/ms 중 하나이다.

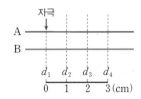

신경	4 ms일 때 측정한 막전위(mV)			
	d_1	d_2	d_3	d_4
A	?	?	-80	?
B	-70	?	-80	+30

- 그림 (가)와 (나)는 A와 B의 각 지점에서 활동 전위가 발생하였을 때 막전위 변화를 순서 없이 나타낸 것이다.

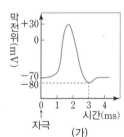 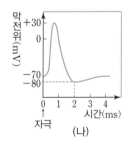

이에 대한 설명으로 옳은 것만을 │보기│에서 있는 대로 고르시오. (단, A와 B에서 흥분 전도는 각각 1회 일어났고, 휴지 전위는 -70 mV이다.)

┌ 보기 ┐
ㄱ. A의 흥분 전도 속도는 2 cm/ms이다.

ㄴ. ㉠이 2 ms일 때, A의 d_2에서 탈분극이 일어난다.

ㄷ. ㉠이 5 ms일 때, d_4에서 $\dfrac{\text{A의 막전위}}{\text{B의 막전위}}$의 값은 1 보다 크다.

✲✲ 1등급 킬러   2020 9월 모평 16번 유사

02 그림은 민말이집 신경 A과 B의 축삭 돌기에서 지점 d_1
● ~d_4의 위치를, 표는 d_1에서 역치 이상의 자극을 동시에 1회 주고 일정 시간 t_1이 지난 후, d_2~d_4에서 측정한 막전위를 나타낸 것이다. 흥분의 전도 속도는 B보다 A가 빠르며 Ⅰ~Ⅲ은 d_2~d_4에서 측정한 막전위 중 하나이다.

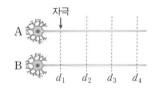

신경	t_1일 때 측정한 막전위(mV)		
	Ⅰ	Ⅱ	Ⅲ
A	+10	-80	-70
B	-70	?	-80

이에 대한 설명으로 옳은 것만을 │보기│에서 있는 대로 고른 것은? (단, A와 B에서 활동 전위가 발생했을 때, 각 지점에서 막전위 변화는 같으며, 휴지 전위는 -70 mV 이다.)

┌ 보기 ┐
ㄱ. Ⅲ 지점은 d_2에서 측정한 막전위이다.

ㄴ. t_1일 때, A의 d_3에서 탈분극이 일어나고 있다.

ㄷ. B의 Ⅰ 지점에서 세포막을 통한 이온의 이동은 없다.

① ㄱ　　　　② ㄴ　　　　③ ㄱ, ㄴ
④ ㄴ, ㄷ　　　　⑤ ㄱ, ㄴ, ㄷ

2017 4월 학평 8번 유사

03 근육 원섬유 마디 X는 좌우 대칭이며, 길이는 t_1일 때 3.64 μm, t_2일 때 2.04 μm이다. t_2일 때 X에서 액틴 필라멘트의 길이는 2.04 μm이며 A대는 1.6 μm이다. 이에 대한 설명으로 옳은 것만을 |보기|에서 있는 대로 고른 것은?

┌ 보기 ┐
ㄱ. t_1일 때 I대의 길이는 2.04 μm이다.
ㄴ. I대의 길이는 t_1일 때가 t_2일 때보다 1.6 μm 더 길다.
ㄷ. t_2일 때 H대의 길이는 1.6 μm이다.

① ㄱ   ② ㄱ, ㄴ   ③ ㄱ, ㄷ
④ ㄴ, ㄷ   ⑤ ㄱ, ㄴ, ㄷ

2016 7월 학평 16번 유사

04 그림은 근육 원섬유 마디 X의 구조를, 표는 두 시점 t_1 과 t_2일 때 ⓐ~ⓒ의 길이(μm)를 나타낸 것이며 ⓐ~ⓒ 는 Ⅰ~Ⅲ을 순서 없이 나타낸 것이다. ㉠~㉢ 중 하나 는 0.4이며 ㉠ > ㉡ 이다. t_1일 때 X의 길이 : t_2 때 X의 길이 = 4 : 3이다.

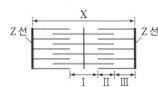

시점	ⓐ	ⓑ	ⓒ
t_1	㉠	㉡	0.2
t_2	㉢	㉢	0.6

이에 대한 설명으로 옳은 것만을 |보기|에서 있는 대로 고른 것은?

┌ 보기 ┐
ㄱ. ㉠은 0.4이다.
ㄴ. I의 길이는 t_1일 때가 t_2일 때보다 짧다.
ㄷ. t_1에서 t_2가 될 때 X에서 ATP가 사용된다.

① ㄱ   ② ㄴ   ③ ㄷ
④ ㄱ, ㄴ   ⑤ ㄴ, ㄷ

✦✦ 1등급 킬러 2015 3월 학평 18번 유사

05 그림은 사람에서 배변에 관여하는 소화계와 신경계의 일부를 나타낸 것이다.

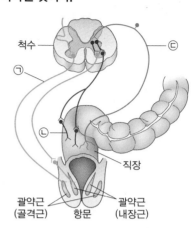

이에 대한 설명으로 옳은 것만을 |보기|에서 있는 대로 고른 것은?

┌ 보기 ┐
ㄱ. ㉠의 축삭 돌기 말단에서 아세틸콜린이 분비된다.
ㄴ. ㉡이 흥분하면 직장이 수축한다.
ㄷ. ㉡과 ㉢은 자율 신경계에 포함된다.

① ㄱ   ② ㄱ, ㄴ   ③ ㄱ, ㄷ
④ ㄴ, ㄷ   ⑤ ㄱ, ㄴ, ㄷ

4강_ 항상성과 우리 몸의 방어 작용

2017 9월 모평 12번 유사

06 그림은 유전적으로 같은 종 A와 B에 다량의 물을 섭취 시키고 일정 시간이 지난 후 물질 ㉠과 ㉡을 혈관에 투여했을 때 나타나는 단위 시간당 오줌 생성량이다. A와 B는 각각 정상 상태인 동물과 뇌하수체 후엽을 제거한 동물 중 하나이며, ㉠과 ㉡은 소금물과 호르몬 X를 순서 없이 나타낸 것이다. X는 뇌하수체 후엽에서 분비된다.

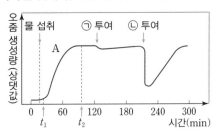

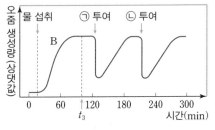

이에 대한 설명으로 옳은 것만을 | 보기 | 에서 있는 대로 고른 것은?

┌─ 보기 ─────────────────────────┐
ㄱ. ㉠은 소금물이다.

ㄴ. A에서 $\dfrac{\text{혈장 삼투압}}{\text{오줌 삼투압}}$ 은 t_2일 때가 t_1일 때보다 크다.

ㄷ. t_3일 때 B의 혈중 호르몬 X의 농도는 소금물을 섭취한 직후보다 낮다.
└────────────────────────────────┘

① ㄱ 　　② ㄱ, ㄴ 　　③ ㄱ, ㄷ
④ ㄴ, ㄷ 　　⑤ ㄱ, ㄴ, ㄷ

✲✲ 1등급 킬러　2017 10월 학평 17번 유사

07 그림 (가)는 A와 B의 시간에 따른 혈당량의 변화를, (나)는 A와 B에서 혈중 X의 농도에 따른 혈액에서 조직 세포로의 포도당 유입량을 나타낸 것이다. A와 B는 건강한 사람과 당뇨병 환자 중 하나이고, X는 글루카곤과 인슐린 중 하나이다.

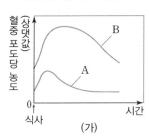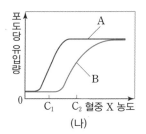

이에 대한 설명으로 옳은 것만을 | 보기 | 에서 있는 대로 고른 것은?

┌─ 보기 ─────────────────────────┐
ㄱ. X는 인슐린이다.

ㄴ. A에서의 혈당량은 C_2일 때가 C_1일 때보다 빠르게 감소한다.

ㄷ. 이 당뇨병 환자의 당뇨병은 인슐린의 표적 세포가 인슐린에 반응하지 못해 발생한다.
└────────────────────────────────┘

① ㄱ 　　　② ㄴ 　　　③ ㄱ, ㄴ
④ ㄱ, ㄷ 　　⑤ ㄱ, ㄴ, ㄷ

2021 수능 3번 유사

08 표 (가)는 병원체 A∼C에서 특징 ㉠∼㉢을 나타낸 것이고, (나)는 ㉠∼㉢을 순서 없이 나타낸 것이다. A∼C는 바이러스, 세균, 진균을 순서 없이 나타낸 것이다.

특징 병원체	㉠	㉡	㉢
A	○	×	○
B	○	○	○
C	×	×	○

(○: 있음, ×: 없음)
(가)

특성(㉠, ㉡, ㉢)
• 세포로 이루어졌다.
• 핵막을 갖는다.
• 유전 물질을 갖는다.

(나)

이에 대한 설명으로 옳은 것만을 │보기│에서 있는 대로 고른 것은?

┌ 보기 ┐
ㄱ. A는 분열에 의해 증식할 수 있다.
ㄴ. B에 의한 질병은 항생제로 치료한다.
ㄷ. C에 의한 질병의 예로 독감이 있다.
└────────┘

① ㄱ   ② ㄴ   ③ ㄱ, ㄷ
④ ㄴ, ㄷ   ⑤ ㄱ, ㄴ, ㄷ

2019 9월 모평 10번 유사

09 그림 (가)는 생쥐가 항원 X에 감염되었을 때 일어나는 방어 작용의 일부를, (나)는 항원 X에 노출된 적 없는 생쥐 A와 B에 각각 ㉠과 ㉡ 중 하나를 주사하고 일정 시간이 지난 후, X를 주사하여 생성되는 혈중 항체의 농도 변화를 나타낸 것이다.

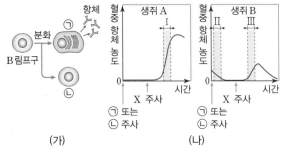

(가)   (나)

이에 대한 설명으로 옳은 것만을 │보기│에서 있는 대로 고른 것은?

┌ 보기 ┐
ㄱ. 구간 Ⅰ에서 ㉡이 ㉠으로 분화한다.
ㄴ. 구간 Ⅱ에서 비특이적 방어 작용이 일어난다.
ㄷ. 구간 Ⅲ에서는 X에 대한 2차 면역 반응이 일어난다.
└────────┘

① ㄱ   ② ㄴ   ③ ㄱ, ㄷ
④ ㄴ, ㄷ   ⑤ ㄱ, ㄴ, ㄷ

∗∗ 1등급 킬러

10 그림은 각 20마리의 정상 생쥐, 생쥐 ㉠, ㉡에 병원체 X를 주사한 후, 시간에 따른 각 쥐의 생존 곡선을 나타낸 것이다. ⓐ∼ⓒ는 정상 생쥐, 생쥐 ㉠, ㉡의 생존 곡선을 순서 없이 나타낸 것이고, 생쥐 ㉠과 ㉡은 각각 대식 세포 결핍 생쥐와 보조 T 림프구 결핍 생쥐 중 하나이다.

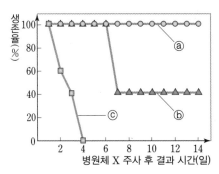

이에 대한 설명으로 옳은 것만을 │보기│에서 있는 대로 고른 것은?

┌ 보기 ┐
ㄱ. ⓐ는 보조 T 림프구 결핍 생쥐의 생존 곡선이다.
ㄴ. ⓑ의 생존 곡선을 나타내는 생쥐에서 식균 작용이 일어났다.
ㄷ. ⓒ의 생존 곡선을 나타내는 생쥐에 보조 T 림프구를 이식하면 생존율이 증가한다.
└────────┘

① ㄱ   ② ㄴ   ③ ㄱ, ㄴ
④ ㄴ, ㄷ   ⑤ ㄱ, ㄴ

memo

수능 개념+유형+실전 대비서

2022 신간

핵심 개념부터 실전까지, 고품격 수능 대비서

고등 수능전략

전과목 시리즈

체계적인 수능 대비	신유형 문제까지 정복	실전 감각 익히기
하루 6쪽, 주 3일 학습으로 핵심 개념과 유형, 실전까지 빠르고 확실하게 준비 완료!	수능에 자주 나오는 유형부터 신유형·신경향 문제까지 다양한 유형의 문제를 마스터!	수능과 모의평가 유형의 구성으로 단기간에 실전 감각을 익혀 실제 수능에 완벽하게 대비!

개념과 유형, 실전을 한 번에!

국어: 고2~3(문학/독서/언어와 매체/화법과 작문)
수학: 고2~3(수학Ⅰ/수학Ⅱ/확률과 통계/미적분)
영어: 고2~3(어법/독해 150/독해 300/어휘/듣기)

사회: 고2~3(한국사/사회·문화/생활과 윤리/한국지리)
과학: 고2~3(물리학Ⅰ/화학Ⅰ/생명과학Ⅰ/지구과학Ⅰ)

book.chunjae.co.kr

교재 내용 문의 ···················· 교재 홈페이지 ▶ 고등 ▶ 교재상담
교재 내용 외 문의 ···················· 교재 홈페이지 ▶ 고객센터 ▶ 1:1문의
발간 후 발견되는 오류 ············· 교재 홈페이지 ▶ 고등 ▶ 학습지원 ▶ 학습자료실

수능공략 필승학습!
단기간에 끝장내자!

BOOK 2

실 전 에 강 한
수능전략

과탐영역 **생명과학I**

천재교육

실 전 에 강 한
수능전략

과탐
영역 **생명과학 I**

수능전략

과·학·탐·구·영·역

생명과학 I

수능에 꼭 나오는
필수 유형 ZIP 2

차례 ❷ 권

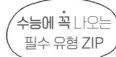
수능에 꼭 나오는
필수 유형 ZIP

2017 9월 모평 5번 유사

수능 전략Key 염색체는 히스톤 단백질과 DNA로 구성됨을 알고, 자료를 해석할 수 있어야 한다.

그림 (가)는 염색체의 일부를, (나)는 ㉠과 ㉡ 중 하나의 기본 단위를 나타낸 것이다. ㉠과 ㉡은 각각 DNA와 히스톤 단백질 중 하나이다.

이에 대한 설명으로 옳은 것만을 | 보기 |에서 있는 대로 고른 것은?

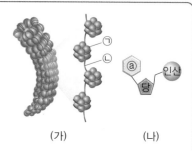

(가)   (나)

┌─ 보기 ┌
ㄱ. ㉠에 유전 정보가 저장되어 있다.
ㄴ. ㉡은 히스톤 단백질이다.
ㄷ. ⓐ는 염기이다.

① ㄱ   ② ㄷ   ③ ㄱ, ㄴ   ④ ㄴ, ㄷ   ⑤ ㄱ, ㄴ, ㄷ

개념 꼭!

* 염색체는 DNA가 히스톤 단백질을 휘감고 있는 **❶   **으로 구성된다.

* 핵산의 기본 단위는 **❷   **로, 염기, 당, 인산으로 이루어져 있다.

자료 해석

* ㉠은 히스톤 단백질, ㉡은 DNA이다. DNA는 두 가닥의 폴리뉴클레오타이드가 나선 모양으로 꼬인 **❸   **를 하고 있으며, 유전 정보가 저장되어 있다.

* (나)는 DNA의 기본 단위인 뉴클레오타이드이며, ⓐ는 염기이다.

답 ❶ 뉴클레오솜 ❷ 뉴클레오타이드 ❸ 이중 나선 구조

Point 해설

ㄱ. ㉠은 히스톤 단백질로 유전 정보가 저장되어 있지 않다.

ㄴ. ㉡은 DNA로 유전 정보가 저장되어 있다.

ⓒ ⓐ는 뉴클레오타이드를 구성하는 염기이다.

답 ②

전략 비법 노트

● 염색체의 구성 → **히스톤 단백질＋DNA**

● 뉴클레오타이드(DNA의 기본 단위)의 구성 → **당＋인산＋염기**

2019 3월 학평 06번 유사

수능 전략Key 세포 주기 중 염색체를 관찰할 수 있는 시기를 알고, 하나의 염색체를 이루는 두 염색 분체는 DNA가 복제되어 형성된 것으로 유전자 구성이 같다는 것을 알고 있어야 한다.

그림은 어떤 사람의 염색체 구조를 나타낸 것이다. 이 사람의 특정 형질에 대한 유전자형은 Aa이고, A는 a와 대립유전자이다.
이에 대한 설명으로 옳은 것만을 |보기|에서 있는 대로 고른 것은? (단, 돌연변이와 교차는 고려하지 않는다.)

|보기|
ㄱ. ㉠은 대립유전자 a이다.
ㄴ. (가)는 세포 주기 중 G_1기에서 관찰된다.
ㄷ. (가)에 DNA가 있다.

① ㄱ ② ㄷ ③ ㄱ, ㄴ ④ ㄱ, ㄷ ⑤ ㄱ, ㄴ, ㄷ

개념 꼭!
* 대립유전자는 ❶＿＿＿의 같은 위치에 존재하며, 특정 형질의 대립유전자는 같을 수도 있고 다를 수도 있다.
* 염색 분체는 DNA가 복제되어 형성된 것으로 유전자 구성이 같다.
* DNA는 두 가닥의 폴리뉴클레오타이드가 나선 모양으로 꼬인 ❷＿＿＿이다.

자료 해석
* ㉠과 A는 한 염색체를 구성하는 염색 분체에 있으므로 ㉠은 A이다.
* (가)는 응축된 상태의 염색체로 세포 주기의 ❸＿＿＿에만 관찰된다.

답 ❶ 상동 염색체 ❷ 이중 나선 구조 ❸ 분열기(M기)

Point 해설
ㄱ. ㉠은 A이다.
ㄴ. 세포 주기의 G_1기에는 염색체가 풀어진 상태로 존재하므로 (가)가 관찰되지 않는다.
ⓒ (가)에는 ⓐ DNA가 있다. 답 ②

전략 비법 노트
● 응축된 염색체는 세포 주기 중 분열기(M기) 때 관찰 가능하다.
● 염색 분체 → 유전자 구성이 같다.

수능 전략Key 핵형 분석을 통해 염색체의 구조나 수의 이상을 알 수 있음을 이해하고, 핵형 분석 결과를 해석할 수 있어야 한다.

그림은 어떤 사람 (가)와 (나)의 핵형 분석 결과를 나타낸 것이다. ⓐ는 세포가 분열할 때 방추사가 부착되는 부분이다.

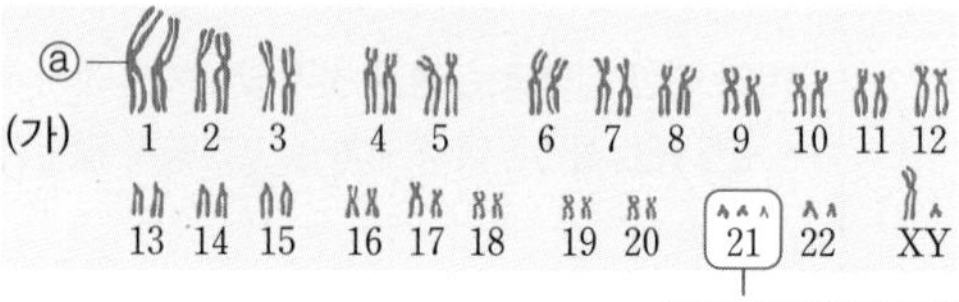

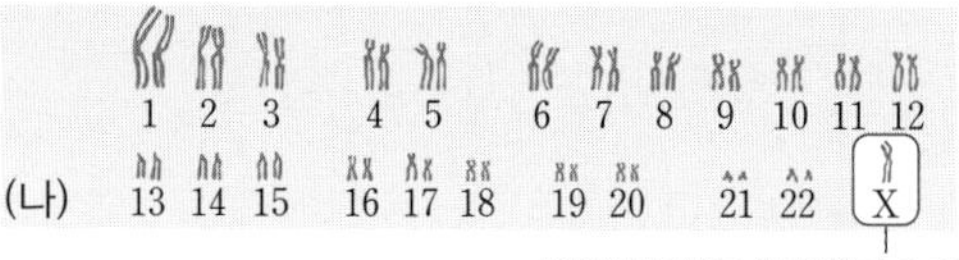

(가)

21번 염색체가 3개

(나)

성염색체로 X 염색체가 1개

이에 대한 설명으로 옳은 것만을 |보기|에서 있는 대로 고른 것은?

┌─ 보기 ──────────────────────────
ㄱ. (가)는 다운 증후군의 염색체 이상을 갖는다.

ㄴ. (나)는 터너 증후군의 염색체 이상을 갖는다.

ㄷ. 체세포 1개당 $\dfrac{\text{X 염색체 수}}{\text{상염색체 수}}$ 는 (가)에서가 (나)에서보다 크다.
└──────────────────────────────

① ㄱ ② ㄷ ③ ㄱ, ㄴ ④ ㄴ, ㄷ ⑤ ㄱ, ㄴ, ㄷ

개념 꼭!

* 핵형은 염색체의 수, 모양, 크기 등 겉으로 관찰 가능한 염색체의 특징을 뜻한다.

* 정상 사람의 핵형 분석 결과 체세포 1개당 상염색체 수는 ❶[   ]개, 성염색체 수는 ❷[   ]개이다.

* 상동 염색체: 사람의 체세포에서 크기와 모양, 동원체의 위치가 같은 한 쌍의 염색체로, 어머니로부터 온 난자와 아버지로부터 온 정자를 통해 각각 한 세트씩 물려받는다.

답 ❶ 44 ❷ 2

* 상염색체: 1~22번까지 남녀가 공통으로 가지는 22쌍(44개)의 염색체이다.

* 성염색체: 성별에 따라 구성이 다른 1쌍(2개)의 염색체이다. → 여자는 X 염색체
가 2개(XX)이고, 남자는 X 염색체 1개와 Y 염색체 1개(XY)로 이루어진다.

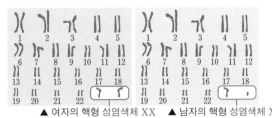

▲ 여자의 핵형 성염색체 XX   ▲ 남자의 핵형 성염색체 XY

자료 해석

* 생식세포가 분열할 때 ❸[   ] 현상이 일어나면 염색체 수에 이상이 있는 생식
세포가 형성되고, 그 결과 염색체 수에 이상이 있는 자손이 태어난다.

* (가)는 21번 염색체가 ❹[   ]개이므로 다운 증후군의 염색체 이상을 갖는다.

* (나)는 성염색체로 X 1개만 가지므로 터너 증후군의 염색체 이상을 갖는다.

* (가)의 체세포 1개당 상염색체 수는 45, X 염색체 수는 1이고, (나)의 체세포 1개
당 상염색체 수는 44, X 염색체 수는 1이므로 체세포 1개당 $\dfrac{\text{X 염색체 수}}{\text{상염색체 수}}$ 는 (가)

$\left(=\dfrac{1}{45}\right)$에서가 (나)$\left(=\dfrac{1}{44}\right)$에서보다 작다.   답 ❸ 염색체 비분리 ❹ 3

Point 해설

㉠ (가)는 21번 염색체를 3개 갖는 다운 증후군의 염색체 이상이다.

㉡ (나)는 성염색체로 X 1개를 갖는 터너 증후군의 염색체 이상이다.

ㄷ. 체세포 1개당 $\dfrac{\text{X 염색체 수}}{\text{상염색체 수}}$ 는 (가)에서 $\dfrac{1}{45}$, (나)에서 $\dfrac{1}{44}$이므로 (가)에서가

(나)에서보다 작다.   답 ③

전략 비법 노트

● **다운 증후군의 염색체 이상** → **21번 염색체 3개**
● **터너 증후군의 염색체 이상** → **X 염색체 1개**

핵상의 개념을 알고, 자료를 통해 핵형 이상 여부, 핵상을 해석할 수 있어야 한다.

그림은 서로 다른 동물($2n=6$) Ⅰ과 Ⅱ의 세포 (가)~(라) 각각에 들어 있는 모든 염색체를 나타낸 것이다. Ⅰ과 Ⅱ의 성염색체는 암컷이 XX, 수컷이 XY이다. 염색체 ㉠과 ㉡중 하나는 상염색체이고, 나머지 하나는 성염색체이다. ㉠과 ㉡의 모양과 크기는 나타내지 않았다. X 염색체의 크기는 Y 염색체의 크기보다 크다.

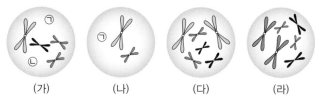

(가)   (나)   (다)   (라)

이에 대한 설명으로 옳은 것만을 |보기|에서 있는 대로 고른 것은? (단, 돌연변이는 고려하지 않는다.)

┌─ 보기 ─────────────────────────────
ㄱ. ㉠은 Y 염색체이다.
ㄴ. (나)와 (라)의 핵상은 같다.
ㄷ. (가)를 갖는 개체와 (다)를 갖는 개체는 모두 암컷이다.
└────────────────────────────────────

① ㄱ   ② ㄴ   ③ ㄱ, ㄷ   ④ ㄴ, ㄷ   ⑤ ㄱ, ㄴ, ㄷ

---

* 상동 염색체 쌍을 갖는 세포의 핵상은 **❶** 이다.

* 암컷은 성염색체의 크기와 모양이 서로 **❷** .

* 핵상: 한 세포에 들어 있는 염색체의 구성 상태로, 염색체의 상대적인 수이다.

* 핵상이 $2n$인 경우: 염색체가 2개씩 상동 염색체로 쌍을 이룬다.
  예 사람의 체세포: $2n=46$, 아버지와 어머니로부터 각각 한 세트($n=23$)씩 물려받아 2세트($2n=46$) 형성

* 핵상이 n인 경우: 상동 염색체 중 1개씩만 있어 염색체가 쌍을 이루지 않는다.
  예 사람의 생식세포: $n=23$ **답** ❶ $2n$ ❷ 같다

상동 염색체

▲ DNA 복제 전 체세포 $2n=8$　▲ DNA 복제 후 체세포 $2n=8$　▲ 생식세포 $n=4$

자료 해석

* (가), (다), (라)에는 크기와 모양이 같은 상동 염색체 쌍이 있으므로 핵상이 $2n$이고, (나)에는 크기과 모양이 같은 상동 염색체 쌍이 없으므로 핵상이 ❸ □ 이다.

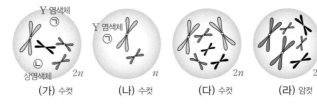

(가) 수컷　(나) 수컷　(다) 수컷　(라) 암컷

* (라)의 염색체는 모두 크기와 모양이 같은 염색체 쌍을 형성하므로 성염색체로 XX를 가지며, (라)를 갖는 개체는 암컷이다. 따라서 (가)~(다)는 모두 성염색체로 ❹ □ 를 갖는 수컷의 세포이다.

* (다)에서 검은색 염색체는 크기와 모양이 다르므로 성염색체임을 알 수 있다. (나)에서 검은색 염색체가 없으므로 ㉠은 성염색체이고, ㉡은 상염색체이다. (가)에서 크기가 큰 검은색 염색체가 있으므로 ㉠은 크기가 작은 Y 염색체이다.

답 ❸ n ❹ Y

Point 해설

ㄱ. ㉠은 성염색체 중 Y 염색체이고, ㉡은 상염색체이다.

ㄴ. (가), (다), (라)의 핵상은 $2n$이고, (나)의 핵상은 n이므로 (나)와 (라)의 핵상은 서로 다르다.

ㄷ. (가), (나), (다)를 갖는 개체는 모두 수컷이고, (라)를 갖는 개체는 암컷이다.　답 ①

전략 비법 노트

● **상동 염색체 쌍이 있다.** → 핵상은 $2n$
● 암컷 → 성염색체 모양 같음, 수컷 → 성염색체 모양 다름

05 세포 주기

세포 주기의 각 단계에서 일어나는 세포의 특징을 이해하고, 자료를 해석할 수 있어야 한다.

표는 어떤 사람의 세포 (가)~(라)에서 핵막 소실 여부와 DNA 상대량을 나타낸 것이다. (가)~(다)는 체세포의 세포 주기 중 M기(분열기)의 중기, G_1기, S기, G_2기에 각각 관찰되는 세포를 순서 없이 나타낸 것이다. ㉠과 ㉡은 각각 '소실됨'과 '소실 안 됨' 중 하나이다.

세포	핵막 소실 여부	DNA 상대량
(가)	㉡	4
(나)	㉠	?
(다)	㉠	4
(라)	?	2

이 자료에 대한 설명으로 옳은 것만을 |보기|에서 있는 대로 고른 것은? (단, 돌연변이는 고려하지 않는다.)

┌ 보기 ┐
ㄱ. ㉠은 '소실됨'이다.
ㄴ. (나)는 S기의 세포이다.
ㄷ. (가), (다), (라)에는 모두 히스톤 단백질이 있다.

① ㄱ   ② ㄴ   ③ ㄱ, ㄷ   ④ ㄴ, ㄷ   ⑤ ㄱ, ㄴ, ㄷ

* 세포 주기는 간기와 분열기로 구분되며, 간기는 다시 G_1기, S기, G_2기로 나뉜다.
* 세포 주기의 대부분은 간기가 차지하며, G_1기, S기, S_2기 내내 세포의 생장이 일어난다.
* 간기 때는 핵막이 있으며, 분열기 때 핵막은 [❶   ].

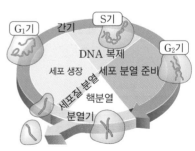

G_1기 · 간기 · S기 · G_2기 · DNA 복제 · 세포 생장 · 세포 분열 준비 · 세포질 분열 · 핵분열 · 분열기

❶ 사라진다

* S기에 DNA를 복제한다.
  → S기가 끝나면 세포당 DNA양이 G_1기의 2배가 된다.
* 분열기 전기에 2개의 ❷ [   ]로 구성된 염색체가 관찰된다.

자료 해석

세포	핵막 소실 여부	DNA 상대량
중기 — (가)	ⓒ 소실 됨	4
S기 — (나)	ⓐ 소실 안 됨	? 2~4
G_2기 — (다)	ⓐ 소실 안 됨	4
G_1기 — (라)	? 소실 안 됨	2

* M기(분열기)의 중기, G_1기, S기, G_2기 중 핵막이 소실되는 시기는 M기(분열기)이고, G_1기, S기, G_2기에서는 핵막이 소실되지 않는다. 따라서 ⓐ은 '소실 안 됨'이고, ⓒ은 '소실됨'이다.
* (가)는 핵막이 소실되어 있고 DNA 복제 후의 세포이므로 M기(분열기)의 중기 세포이다. (라)는 DNA 상대량이 2이므로 DNA 복제 전의 세포인 ❸ [   ]기 세포이다. (다)는 핵막이 있고, DNA 상대량이 4이므로 ❹ [   ]기 세포이고, 나머지 (나)는 S기의 세포이다.

🅐 ❷ 염색 분체 ❸ G_1 ❹ G_2

Point 해설

ㄱ. ⓐ은 '소실 안 됨', ⓒ은 '소실됨'이다.

ⓛ (가)는 M기(분열기)의 중기 세포, (나)는 S기의 세포, (다)는 G_2기의 세포, (라)는 G_1기의 세포이다.

ⓒ 세포 주기 전체에서 히스톤 단백질은 DNA와 응축 정도가 달라질 뿐 없어지거나 사라지지 않는다.

🅐 ④

전략 비법 노트

● 세포 주기 중 간기 → G_1기(세포 생장), S기(DNA 복제), G_2기(세포 생장)로 구성
● 세포 주기 중 **분열기** → 핵막이 **사라짐**. 전기, 중기, 후기, 말기로 구분

06 세포 주기와 체세포 분열

세포 주기의 특징과 체세포 분열 중 염색체의 이동을 이해하고, 세포의 염색체 배열 상태를 해석하여 어떤 세포 주기 단계에 해당하는지 이해할 수 있어야 한다.

그림 (가)는 동물 A 체세포의 세포 주기를, (나)는 A의 체세포 분열 과정 중 어느 한 시기에서 관찰되는 염색체를 모두 나타낸 것이다. ㉠~㉢은 G_1기, S기, M기(분열기)를 순서 없이 나타낸 것이다.

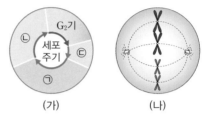

(가)   (나)

이에 대한 설명으로 옳은 것만을 |보기|에서 있는 대로 고른 것은?

┌─ 보기 ─────────────────────────────────────┐
ㄱ. ㉠의 세포는 핵막을 갖는다.

ㄴ. (나)는 ㉡ 시기에 관찰되는 세포이다.

ㄷ. A의 체세포의 핵상과 염색체 수는 $2n = 4$이다.
└───┘

① ㄱ ② ㄴ ③ ㄱ, ㄷ ④ ㄴ, ㄷ ⑤ ㄱ, ㄴ, ㄷ

* 체세포 분열 과정

전기 →	중기 →	후기 →	말기
방추사 / 염색분체			
• 핵막과 인이 사라짐. • 염색체가 응축되어 나타남. • 방추사 형성	• 염색체가 세포의 중앙에 배열됨. • 염색체를 관찰하기에 가장 좋은 시기	방추사에 의해 염색 분체가 분리되어 세포의 양극으로 이동함.	• 방추사가 사라짐. • 핵막과 인이 나타나 2개의 딸핵 형성 • 세포질 분열 시작

* 핵상과 염색체 수가 $2n = 4$인 체세포 분열 중기의 세포에서 염색체 수는 4, 염색 분체 수는 **❶** 이다.

자료 해석

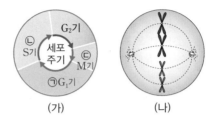

(가)　　　　　(나)

* 세포 주기는 G_1기 → S기 → **❶** → M기(분열기) 순서로 진행된다.

* ㉠은 G_1기, ㉡은 S기, ㉢은 M기(분열기)이다.

* 간기는 G_1기, S기, G_2기로 구분되고, 핵막을 갖는다.

* **❸** 은 한 세포에 들어 있는 염색체의 구성 상태로, 염색체의 상대적인 수이다.

* **❹** 은 다세포 생물의 발생, 생장, 조직 재생 과정이나 단세포 생물의 무성 생식 과정에서 일어난다.

* 체세포 분열 전과 후 세포의 핵상과 염색체 수는 변함 없다.

답 ❶ 8 ❷ G_2기 ❸ 핵상 ❹ 체세포 분열

Point 해설

㉠ ㉠은 G_1기이고, G_1기의 세포는 간기에 속하므로 핵막을 갖는다.

ㄴ. (나)는 상동 염색체가 세포의 적도면에 일렬로 배열되어 있으므로 체세포 분열 중기의 세포이고, ㉢(M기, 분열기) 시기에 관찰된다.

㉢ (나)에서 핵상은 $2n$, 염색체 수는 4이므로 A의 체세포의 핵상과 염색체 수는 $2n = 4$이다. 답 ③

전략 비법 노트

● 세포 주기의 순서 : G_1기 → S기 → G_2기 → M기(분열기)
● 상동 염색체가 세포의 적도면에 일렬로 배열 → 체세포 분열 중기
● 상동 염색체가 2가 염색체를 형성, 세포 적도면에 배열 → 감수 1분열 중기

07 감수 분열

감수 분열 중 염색체와 대립유전자의 수가 반감됨을 알고, 자료를 해석할 수 있어야 한다.

사람의 유전 형질 (가)는 상염색체에 있는 대립유전자 A와 a에 의해, (나)는 X 염색체에 있는 대립유전자 B와 b에 의해 결정된다. 표는 세포 $I \sim IV$가 갖는 A, a, B, b의 DNA 상대량을 나타낸 것이다. $I \sim IV$ 중 2개는 남자 P의 세포이고, 나머지 2개는 여자 Q의 세포이다. ㉠과 ㉡은 1과 2를 순서 없이 나타낸 것이다.

세포	DNA 상대량			
	A	a	B	b
I	㉠	㉠	1	0
II	0	1	㉠	?
III	㉡	0	0	0
IV	0	㉡	㉠	㉠

이에 대한 설명으로 옳은 것만을 |보기|에서 있는 대로 고른 것은? (단, 돌연변이와 교차는 고려하지 않으며, A, a, B, b 각각의 1개당 DNA 상대량은 1이다.)

보기
ㄱ. ㉠은 1이다.
ㄴ. II는 Q의 세포이다.
ㄷ. Q는 유전자형으로 aaX^BX^b를 갖는다.

① ㄱ ② ㄴ ③ ㄱ, ㄷ ④ ㄴ, ㄷ ⑤ ㄱ, ㄴ, ㄷ

개념 꼭!

* 감수 1분열에서는 ❶ 가 분리되어 염색체 수가 절반으로 감소하고, 감수 2분열에서는 염색 분체가 분리되어 염색체 수가 변하지 않는다.

* 감수 1분열 중기 세포의 핵상은 $2n$, 감수 2분열 중기 세포의 핵상은 ❷ 이다.

* 감수 1분열 결과 형성된 두 딸세포는 각각 상동 염색체 쌍 중 부계 또는 모계에서 유래된 염색체 1개씩을 가진다. 따라서 감수 1분열 결과 형성된 두 딸세포는 유전자 구성이 서로 다르다.

❶ 상동 염색체 ❷ n

자료 해석

세포	DNA 상대량			
	A	a	B	b
남자 P — I $2n$	㉠ 1	㉠ 1	1	0 AaX^BY
여자 Q — II n	0	1	㉠ 1	? 0 aX^B
남자 P — III n	㉡ 2	0	0	0 AAY
여자 Q — IV $2n$	0	㉡ 2	㉠ 1	㉠ 1 aaX^BX^b

* I에서 A와 a가 모두 존재하므로 I의 핵상은 $2n$이고, B의 DNA 상대량이 1
이므로 ㉠은 2가 아닌 1이고, ㉡은 2임을 알 수 있다.

* I은 핵상이 $2n$이고 b가 존재하지 않으며, B와 b는 X 염색체에 있고 A와 a는
상염색체에 있다고 했으므로 I은 남자인 P의 세포이고, 유전자형으로 AaX^BY
를 갖는다.

* IV에서 B와 b가 모두 존재하므로 IV는 여자인 Q의 세포이고, Q는 유전자형으로
aaX^BX^b를 갖는다.

* III에서 B와 b가 없으므로 III은 P의 세포이고, 핵상은 ❸ ▢ 이다.

* I과 III이 P의 세포이므로 II와 IV는 Q의 세포이다.

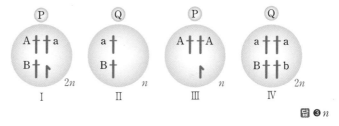

답 ❸ n

Point 해설

㉠ ㉠은 1, ㉡은 2이다.

㉡ I은 P의 세포이고, II는 Q의 세포이다.

㉢ P는 유전자형으로 AaX^BY를 갖고, Q는 유전자형으로 aaX^BX^b를 갖는다.

답 ⑤

전략 비법 노트

● 감수 1분열 후기 때 → 상동 염색체 분리, 대립유전자가 각 딸세포로 분리되어 들어감,
핵상 $2n → n$으로 변화

08 유전적 다양성

수능 전략Key 감수 분열을 통해 다양한 유전자 조합을 갖는 생식세포가 생성될 수 있음을 이해하고, 자료를 해석할 수 있어야 한다.

그림은 유전자형이 AaBbDd인 어떤 사람의 G_1기 세포 I로부터 생식세포가 형성되는 과정을, 표는 세포 (가)~(라)가 갖는 대립유전자 A, B, D의 DNA 상대량을 나타낸 것이다. (가)~(라)는 I~IV를 순서 없이 나타낸 것이다.

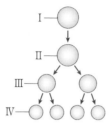

세포	DNA 상대량		
	A	B	D
(가)	2	0	2
(나)	1	1	㉠
(다)	1	0	1
(라)	2	2	㉡

이에 대한 설명으로 옳은 것만을 |보기|에서 있는 대로 고른 것은? (단, 돌연변이와 교차는 고려하지 않으며, A, a, B, b, D, d 각각의 1개당 DNA 상대량은 1이다. II와 III은 중기의 세포이다.)

┌ 보기 ┌
  ㄱ. III은 (가)이다.
  ㄴ. ㉠+㉡=3이다.
  ㄷ. (나)와 (다)의 핵상은 같다.

① ㄱ ② ㄷ ③ ㄱ, ㄴ ④ ㄴ, ㄷ ⑤ ㄱ, ㄴ, ㄷ

개념 꼭!

* 감수 분열 과정에서 한 번의 DNA 복제와 **❶ [   ]** 번의 핵분열과 세포질 분열이 일어난다.

* 유전적 다양성은 같은 생물종이라도 한 형질에 대해 개체마다 **❷ [   ]** 조합이 달라 표현형이 다양하게 나타나는 것을 뜻한다.

* 대립유전자 A와 a, B와 b가 서로 다른 상동 염색체 쌍에 존재하는 경우, 유전자형이 AaBb인 개체($2n=4$)에서는 상동 염색체의 무작위 배열과 분리로 인해 대립유전자 조합이 각각 AB, Ab, aB, ab의 $2^2=4$가지 생식세포가 만들어진다.

답 ❶ 두 ❷ 대립유전자

자료 해석

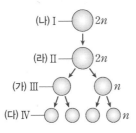

(나) Ⅰ ─◯ $2n$

(라) Ⅱ ─◯ $2n$

(가) Ⅲ ─◯ ◯ n

(다) Ⅳ ─◯ ◯ ◯ ◯ n

세포	DNA 상대량		
	A	B	D
Ⅲ (가)	2	0	2
Ⅰ (나)	1	1	㉠ 1
Ⅳ (다)	1	0	1
Ⅱ (라)	2	2	㉡ 2

* Ⅰ은 핵상이 $2n$인 G_1기 세포이고 유전자형이 AaBbDd이므로 A, B, D의 DNA 상대량이 각각 1이다. 표에서 A, B, D의 DNA 상대량이 각각 1이 될 수 있는 세포는 (나)이므로 Ⅰ은 (나)이다.

* Ⅱ는 핵상이 $2n$이고, 감수 1분열 중기 세포이므로 DNA가 복제되어 염색 분체 ❸ [   ]개로 구성된 염색체를 갖는다. A, B, D의 DNA 상대량은 각각 2이므로 (라)이다.

* Ⅲ은 핵상이 n이고, 감수 2분열 중기의 세포이므로 DNA가 복제되어 염색 분체 2개로 구성된 염색체를 갖는다. Ⅲ은 A, B, D의 DNA 상대량으로 0 또는 짝수를 가지므로 (가)이다. 나머지 Ⅳ는 (다)이다.

* 감수 1분열에서는 ❹ [   ]가 분리되어 핵상이 $2n$에서 n으로 변한다.

답 ❸ 2 ❹ 상동 염색체

Point 해설

㉠ Ⅰ은 (나), Ⅱ는 (라), Ⅲ은 (가), Ⅳ는 (다)이다.

㉡ Ⅰ은 (나)이고, G_1기 세포이므로 ㉠은 1이다. Ⅱ는 (라)이고, 감수 1분열 중기의 세포이므로 ㉡은 2이다. ㉠+㉡=1+2=3이다.

ㄷ. (나)(Ⅰ)의 핵상은 $2n$, (다)(Ⅳ)의 핵상은 n이다.

답 ③

전략 비법 노트

• 감수 1분열 중기 세포와 감수 2분열 중기 세포 ➡ DNA 상대량이 0 또는 짝수

• 감수 1분열 후기 ➡ 상동 염색체 분리

• 감수 2분열 후기 ➡ 염색 분체 분리

09 가계도 분석

멘델의 유전 법칙, 감수 분열 중 대립유전자의 분리 등 유전의 원리를 이해하고, 가계도를 분석할 수 있어야 한다.

다음은 어떤 가족의 유전 형질 (가)와 (나)에 대한 자료이다.

- (가)는 대립유전자 A와 a에 의해, (나)는 대립유전자 B와 b에 의해 결정된다. A는 a에 대해, B는 b에 대해 각각 완전 우성이다.
- (가)와 (나) 중 하나는 X 염색체에, 나머지 1개는 상염색체에 있다.
- 가계도는 구성원 ⓐ를 제외한 구성원 1~8에게서 (가)와 (나)의 발현 여부를 나타낸 것이다.

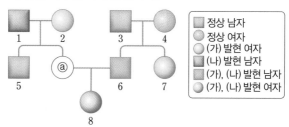

■ 정상 남자
● 정상 여자
◐ (가) 발현 여자
▨ (나) 발현 남자
▧ (가), (나) 발현 남자
◓ (가), (나) 발현 여자

- 1의 (가)의 유전자형과 2의 (나)의 유전자형은 동형 접합성이다.

이에 대한 설명으로 옳은 것만을 |보기|에서 있는 대로 고른 것은? (단, 돌연변이와 교차는 고려하지 않는다.)

┌ 보기 ┐
ㄱ. (가)의 유전자는 상염색체에 있다.
ㄴ. ⓐ의 (가)와 (나)의 유전자형은 모두 이형 접합성이다.
ㄷ. 8의 동생이 태어날 때, 이 아이에게서 (가)와 (나)가 모두 발현될 확률은 $\frac{1}{4}$이다.

① ㄱ ② ㄴ ③ ㄱ, ㄷ ④ ㄴ, ㄷ ⑤ ㄱ, ㄴ, ㄷ

개념 꼭!

* 유전병이 정상에 대해 열성인 경우, 유전병 유전자가 성염색체인 X 염색체에 의해 유전된다면 어머니가 유전병이면 **❶** ⬜⬜⬜ 도 반드시 유전병이고, 딸이 유전병이면 아버지도 반드시 유전병이다. 그렇지 않으면 상염색체에 의한 유전이다.

자료 해석

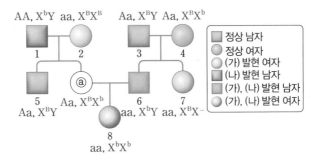

AA, X^bY aa, X^BX^B Aa, X^BY Aa, X^BX^b

정상 남자
정상 여자
(가) 발현 여자
(나) 발현 남자
(가), (나) 발현 남자
(가), (나) 발현 여자

Aa, X^BY

Aa, X^BX^b

aa, X^bY aa, X^BX^-

8
aa, X^bX^b

* (가)에 대해 정상인 3과 4로부터 (가)가 발현된 딸 7이 태어났으므로 (가)의 유전자는 상염색체에 있고, (나)의 유전자는 성염색체에 있다.

* (가)와 (나)에 대해 정상인 3과 4로부터 (가)와 (나)가 발현된 자녀 6이 태어났으므로 정상이 **❷** ⬜⬜⬜, (가), (나) 발현이 각각 열성이다. 따라서 A는 정상 대립유전자, a는 (가) 발현 대립유전자, B는 정상 대립유전자, **❸** ⬜⬜⬜ 는 (나) 발현 대립유전자이다.

* ⓐ의 (가)와 (나)의 유전자형은 AaX^BX^b, 6의 유전자형은 aaX^bY이다.

* 8의 동생이 태어날 때, 이 아이에게서 (가)가 발현될(aa) 확률은 $\frac{1}{2}$, (나)가 발현될(X^bX^b, X^bY) 확률은 $\frac{1}{2}$이다.

답 ❶ 아들 ❷ 우성 ❸ b

Point 해설

ㄱ. (가)의 유전자는 상염색체에, (나)의 유전자는 X 염색체에 있다.

ㄴ. ⓐ의 (가)와 (나)의 유전자형은 AaX^BX^b로 모두 **이형 접합성**이다.

ㄷ. 8의 동생이 태어날 때, 이 아이에게서 (가)와 (나)가 모두 발현될 확률은 $\frac{1}{2} \times \frac{1}{2} = \frac{1}{4}$이다.

답 ⑤

전략 비법 노트

● **정상인 부모로부터 형질 발현 자손이 태어나면** ➡ **정상이 우성, 형질이 열성**

● **성염색체 유전을 따르는 형질에서 부모가 정상이면** ➡ **딸은 무조건 정상**

수능 전략 Key 다인자 유전의 개념과 특징을 이해하고, 자료를 해석할 수 있어야 한다.

다음은 사람의 유전 형질 (가)에 대한 자료이다.

- (가)는 서로 다른 3개의 상염색체에 있는 3쌍의 대립유전자 A와 a, B와 b, D와 d에 의해 결정된다.
- (가)의 표현형은 유전자형에서 대문자로 표시되는 대립유전자의 수에 의해서만 결정되며, 이 대립유전자의 수가 다르면 표현형이 다르다.
- (가)의 표현형이 같은 P와 Q 사이에서 ⓐ가 태어날 때, ⓐ에게서 나타날 수 있는 표현형은 최대 7가지이고, ⓐ의 표현형이 부모와 같을 확률은 $\frac{1}{4}$이다. → 부모의 (가)의 유전자형은 모두 AaBbDd이다.

이에 대한 설명으로 옳은 것만을 |보기|에서 있는 대로 고른 것은? (단, 돌연변이와 교차는 고려하지 않는다.)

┌ 보기 ┐
ㄱ. (가)는 다인자 유전을 따른다.
ㄴ. ⓐ가 (가)에 대해 가질 수 있는 유전자형은 최대 9가지이다.
ㄷ. ⓐ가 유전자형이 AAbbDD인 사람과 동일한 표현형을 가질 확률은 $\frac{3}{16}$이다.

① ㄱ   ② ㄴ   ③ ㄱ, ㄷ   ④ ㄴ, ㄷ   ⑤ ㄱ, ㄴ, ㄷ

개념 꼭! * 다인자 유전: **❶**　　　　 쌍의 대립유전자에 의해 형질이 결정되는 유전 현상 → 대립 형질(표현형)이 명확하게 구분되지 **❷**　　　, 환경의 영향을 받아 다양하고 연속적이다. 예 키, 피부색 등　　　　　　　　　　　　　　　　　📖 ❶ 여러 ❷ 않고

자료 해석 * ⓐ에게서 나타날 수 있는 표현형이 (가)의 유전자에서 대문자로 표시되는 대립유전자의 수가 0, 1, 2, 3, 4, 5, 6으로 7가지이므로 ⓐ의 부모의 유전자형은 모두 AaBbDd이다.

* ⓐ의 부모의 유전자형이 모두 AaBbDd이고, 3쌍의 대립유전자는 서로 다른 상염색체에 있으므로 ⓐ가 (가)에 대해 가질 수 있는 유전자형의 수는 (AA, Aa, aa의 3가지)×(BB, Bb, bb의 3가지)×(DD, Dd, dd의 3가지)= ❸ ⬚ 가지이다.

* 부모로부터 생성된 생식세포의 유전자 구성과 대문자로 표시되는 대립유전자의 수, ⓐ가 가질 수 있는 대문자로 표시되는 대립유전자의 수는 표와 같다.

구분		부							
		ABD(3)	ABd(2)	AbD(2)	Abd(1)	aBD(2)	aBd(1)	abD(1)	abd(0)
모	ABD(3)	6	5	5	4	5	4	4	3
	ABd(2)	5	4	4	3	4	3	3	2
	AbD(2)	5	4	4	3	4	3	3	2
	Abd(1)	4	3	3	2	3	2	2	1
	aBD(2)	5	4	4	3	4	3	3	2
	aBd(1)	4	3	3	2	3	2	2	1
	abD(1)	4	3	3	2	3	2	2	1
	abd(0)	3	2	2	1	2	1	1	0

* 유전자형이 AAbbDD인 사람의 표현형은 대문자로 표시되는 대립유전자의 수가 4일 때의 표현형이다. ⓐ가 유전자형이 AAbbDD인 사람과 동일한 표현형을 가질 확률은 $\frac{15}{64}$이다. 　답 ❸ 27

Point 해설

ㄱ. (가)는 여러 쌍의 대립유전자에 의해 형질이 결정되는 다인자 유전을 따른다.

ㄴ. ⓐ가 (가)에 대해 가질 수 있는 유전자형은 최대 27가지이다.

ㄷ. ⓐ가 유전자형이 AAbbDD인 사람과 같이 대문자로 표시되는 대립유전자의 수가 4인 표현형과 같을 확률은 $\frac{15}{64}$이다. 　답 ①

전략 비법 노트

● 특정 형질을 결정하는 대립유전자 쌍이 여러 쌍이면 → 다인자 유전

11 복대립 유전

복대립 유전의 개념을 이해하고, 자료를 해석할 수 있어야 한다.

다음은 어떤 집안의 ABO식 혈액형과 유전 형질 (가)에 대한 자료이다.

- (가)는 대립유전자 T와 t에 의해 결정되며, T는 t에 대해 완전 우성이다.
- ABO식 혈액형은 대립유전자 A, B, O에 의해 결정되며, A와 B는 O에 대해 완전 우성이다.
- (가)의 유전자와 ABO식 혈액형의 유전자는 서로 다른 염색체에 있다.
- 표는 구성원의 성별, ABO식 혈액형, (가)의 발현 여부를 나타낸 것이다.

구성원	성별	혈액형	(가)
아버지	남	A형 AO	○ Tt
어머니	여	B형 ㉠ BO	○ Tt
자녀 1	남	AB형 AB	?
자녀 2	여	O형 OO	× tt

(○: 발현됨, ×: 발현 안 됨)

이에 대한 설명으로 옳은 것만을 | 보기 |에서 있는 대로 고른 것은? (단, 돌연변이와 교차는 고려하지 않는다.)

┌ 보기 ┐

ㄱ. ㉠은 B형이다.

ㄴ. (가)의 유전자는 X 염색체에 있다.

ㄷ. 자녀 2의 동생이 태어날 때, 이 아이의 혈액형이 A형이면서 (가)가 발현될 확률은 $\frac{3}{16}$이다.

① ㄱ   ② ㄴ   ③ ㄱ, ㄷ   ④ ㄴ, ㄷ   ⑤ ㄱ, ㄴ, ㄷ

개념 꼭!

* 정상인 부모 사이에서 형질이 발현된 자손이 태어나면 정상은 ❶[ ] 형질이다.

* 상염색체 유전을 따르는 형질은 남녀에서 발현 빈도가 비슷하지만, 성염색체 유전을 따르는 형질은 남녀에서 발현 빈도가 ❷[ ].

* ABO식 혈액형 유전: 대립유전자가 상염색체에 존재하는 3가지 대립유전자 A, B, O에 의해 결정된다. ➡ A와 B 사이에는 우열이 없으며(공동 우성), O는 A와 B 모두에 대해 열성이다.(A=B>O)

자료 해석

* ABO식 혈액형을 결정하는 대립유전자는 3개이고, (가)를 결정하는 대립유전자는 2개이다.

* 자녀 1의 ABO식 혈액형이 AB형이므로 어머니는 대립유전자 B를 갖고, 자녀 2의 ABO식 혈액형이 O형이므로 어머니는 대립유전자 O를 갖는다. 따라서 어머니는 유전자형으로 ❸[ ]를 가지며, ㉠은 B형이다.

* (가)가 발현된 부모로부터 정상인 여자 자녀 2가 태어났으므로 (가)의 유전자는 상염색체에 있고, (가)는 우성 형질, 정상은 열성 형질, T는 (가) 발현 대립유전자, t는 정상 대립유전자이다. (가)의 유전자가 X 염색체에 있다면 아버지의 T가 자녀 2로 유전되어 자녀 2는 (가)가 발현되어야 하지만, 표에서 자녀 2는 정상이다.

* 자녀 2의 동생이 태어날 때 이 아이의 혈액형이 A형(AO)일 확률은 $\frac{1}{4}$, (가)가 발현될(A_) 확률은 $\frac{3}{4}$이다.

답 ❶ 우성 **❷** 다르다 **❸** BO

Point 해설

㉠ 아버지는 ABO식 혈액형이 A형, 자녀 1은 ABO식 혈액형이 AB형이므로 어머니는 대립유전자 B를 갖는다. 자녀 2는 ABO식 혈액형이 O형이므로 어머니는 대립유전자 O를 갖는다. 어머니는 ABO식 혈액형이 B형(BO)이다.

ㄴ. (가)가 발현된 부모로부터 정상인 자녀(여자) 2가 태어났으므로 (가)의 유전자는 X 염색체에 없다.

㉢ 자녀 2의 동생이 태어날 때 이 아이의 혈액형이 A형(AO)일 확률은 $\frac{1}{4}$, (가)가 발현될(A_) 확률은 $\frac{3}{4}$이므로 구하는 확률은 $\frac{1}{4} \times \frac{3}{4} = \frac{3}{16}$이다.

답 ③

전략 비법 노트

* **ABO식 혈액형 → 복대립 유전 형질**
* **X 염색체 유전을 따르는 형질 → 남녀에서 발현 빈도가 다르다.**

수능 전략Key
유전자 돌연변이와 염색체 돌연변이의 특징을 이해하고, 자료를 해석할 수 있어야 한다.

다음은 어떤 가족의 유전 형질 (가)에 대한 자료이다.

- (가)는 3쌍의 대립유전자 A와 A*, B와 B*, D와 D*에 의해 결정된다.
- 그림은 아버지와 어머니의 체세포 각각에 들어 있는 일부 염색체와 유전자를 나타낸 것이다. 아버지와 어머니의 핵형은 모두 정상이다.

아버지   어머니

- 아버지의 생식세포 형성 과정에서 ㉠이 1회 일어나 형성된 정자 P와 어머니의 생식세포 형성 과정에서 ㉡이 1회 일어나 형성된 난자 Q가 수정되어 자녀 ⓐ가 태어났다. ㉠과 ㉡은 염색체 비분리와 염색체 결실을 순서 없이 나타낸 것이다.
- 표는 ⓐ의 체세포에서 A, A*, B, B*, D, D*의 DNA 상대량을 나타낸 것이다.

구분	DNA 상대량					
	A	A*	B	B*	D	D*
ⓐ의 체세포	1	0	0	2	0	2

이에 대한 설명으로 옳은 것만을 |보기|에서 있는 대로 고르시오. (단, 제시된 돌연변이 이외의 돌연변이와 교차는 고려하지 않으며, A, A*, B, B*, D, D* 각각의 1개당 DNA 상대량은 1이다.)

┌ 보기 ┌
ㄱ. P에는 A*가 있다.
ㄴ. ⓐ는 클라인펠터 증후군이다.
ㄷ. Q가 형성될 때 감수 2분열에서 염색체 비분리가 일어났다.

---

* 대립유전자는 **❶** 의 같은 위치에 있다.

* 남자의 성염색체는 XY이고, 여자의 성염색체는 **❷** 이다.

* 염색체 돌연변이에는 결실, 중복, 역위, **❸** 가 있다.

자료 해석

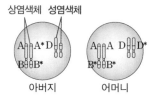

상염색체 성염색체

아버지   어머니

* ⓐ에서 D가 없고, D*가 2만큼 있으므로 염색체 비분리는 난자 Q가 형성될 때 일어났고, 정자 P가 형성될 때는 결실이 일어났다.

* ⓐ에서 B*가 2만큼 있으므로 P에는 A*B*/Y가 있어야 하고, Q에는 AB*/D*D*가 있어야 한다. 그러나 표에서 ⓐ는 A*를 갖지 않으므로 P에는 A*가 없으며, P가 형성될 때 A*가 결실되었음을 알 수 있다.

* P의 유전자 구성은 B*/Y, Q의 유전자 구성은 $AB*/X^{D^*}X^{D^*}$, ⓐ의 유전자 구성은 $AB*B*/X^{D^*}X^{D^*}Y$이다.

* 그림에서 A, A*, B, B*는 상염색체에 있고, D, D*는 성염색체에 있음을 알 수 있다. ⓐ는 X 염색체 2개와 Y 염색체를 가지므로 클라인펠터 증후군이다.

* 유전자형이 DD인 어머니로부터 D*D*를 갖는 Q가 형성되기 위해서는 **❹** 에서 염색체 비분리가 일어나야 한다.

답 ❶ 상동 염색체 **❷** XX **❸** 전좌 **❹** 감수 2분열

Point 해설

ㄱ. P에는 B*와 Y 염색체가 있고, A*는 없다.

ㄴ. ⓐ는 대립유전자 $X^{D^*}X^{D^*}Y$를 갖는 클라인펠터 증후군이다.

ㄷ. 어머니는 대립유전자 $X^D X^{D^*}$를 갖고, Q에는 $X^{D^*}X^{D^*}$가 있으므로 Q는 감수 2분열에서 염색체 비분리가 일어나 형성되었다.

답 ㄴ, ㄷ

전략 비법 노트

* 감수 1분열에서 **염색체 비분리가** 1회 일어나면 → 모든 생식세포가 비정상

* 감수 2분열에서 **염색체 비분리가** 1회 일어나면 → 생식세포 중 절반은 정상, 나머지 절반은 비정상

13 생태계의 구성 요소 사이의 관계

생태계의 구성 요소인 생물적 요인과 비생물적 요인이 서로 영향을 주고 받음을 알고, 자료를 해석할 수 있어야 한다.

일조 시간이 식물의 개화에 미치는 영향을 알아보기 위하여, 식물 종 A의 개체 Ⅰ~Ⅳ에 빛 조건을 달리하여 개화 여부를 관찰하였다. 표는 Ⅰ~Ⅳ에 '빛 있음', '빛 없음', ⓐ, ⓑ 순으로 처리한 기간과 Ⅰ~Ⅳ의 개화 여부를 나타낸 것이다. ⓐ와 ⓑ는 각각 '빛 있음'과 '빛 없음' 중 하나이고, 이 식물이 개화하는 데 필요한 최소한의 '연속적인 빛 없음' 기간은 8시간이다.

0   24(시)

개체	처리 기간(시간)				개화 여부
	빛 있음	ⓐ	ⓑ	빛 없음	
Ⅰ	12	0	0	12	개화함
Ⅱ	14	1	4	5	㉠
Ⅲ	5	12	4	3	개화함
Ⅳ	5	4	12	3	개화 안 함

이에 대한 설명으로 옳은 것만을 |보기|에서 있는 대로 고른 것은? (단, 제시된 조건 이외는 고려하지 않는다.)

보기
ㄱ. ⓐ는 '빛 있음'이다.
ㄴ. ㉠은 '개화 안 함'이다.
ㄷ. 식물은 생물적 요인이다.

① ㄱ   ② ㄴ   ③ ㄱ, ㄷ   ④ ㄴ, ㄷ   ⑤ ㄱ, ㄴ, ㄷ

* 빛은 광합성의 에너지원으로, 생태계에 공급되는 모든 ❶ [ ]의 근원이다.
* 생물은 빛의 세기, 빛의 파장, 빛이 비추는 방향, ❷ [ ] 등에 따라 다양한 반응을 나타낸다.
* 일조 시간과 동물의 산란: 꾀꼬리, 종달새 등 대부분의 새는 일조 시간이 길어지는 봄에 알을 낳는다.

답 ❶ 에너지 ❷ 일조 시간

* 일조 시간과 식물의 개화

장일 식물	일조 시간이 길어지는 봄과 초여름에 꽃이 핀다. 예 토끼풀, 보리 등
단일 식물	일조 시간이 짧아지는 가을에 꽃이 핀다. 예 코스모스, 나팔꽃 등

자료 해석

0   24(시)

개체	처리 기간(시간)				개화 여부
	빛 있음	ⓐ빛 없음	ⓑ빛 있음	빛 없음	
I	12	0	0	12	개화함
II	14	1	4	5	㉠개화 안 함
III	5	12	4	3	개화함
IV	5	4	12	3	개화 안 함

* 일조 시간은 식물의 개화에 영향을 미치고, ❸ ☐ 기간이 일정 시간 이상이어야 식물이 개화할 수 있다.

* 이 식물은 '연속적인 빛 없음' 기간이 8시간 이상일 때 개화하며, I 에서 '연속적인 빛 없음' 기간이 12시간이므로 개화하였다.

* III에서 ⓐ가 12시간일 때 개화했으므로 ⓐ는 '빛 없음', ⓑ는 '빛 있음'이다.

* II에서 '연속적인 빛 없음 기간'이 각각 1시간과 5시간이므로 식물은 개화하지 ❹ ☐ . 따라서 ㉠은 '개화 안 함'이다.   **답** ❸ '연속적인 빛 없음' ❹ 않는다

Point 해설

ㄱ. ⓐ는 '빛 없음', ⓑ는 '빛 있음'이다.

ㄴ. II에서 '연속적인 빛 없음' 기간이 8시간 이상이 아니므로 식물은 개화하지 않는다.

ㄷ. 식물은 생태계 구성 요인 중 생물적 요인에 속하는 생산자이다.   **답** ④

전략 비법 노트

* **식물** → 생태계 구성 요인 중 **생물적 요인**에 해당
* **일조 시간** → 생태계 구성 요인 중 **비생물적 요인**에 해당

수능 전략Key
개체군의 생존 곡선의 의미와 Ⅰ형, Ⅱ형, Ⅲ형의 특징을 알고 자료를 해석할 수 있어야 한다.

그림은 생존 곡선 Ⅰ형, Ⅱ형, Ⅲ형을, 표는 동물 종 ㉠과 ㉡의 특징을 나타 낸 것이다. 특정 시기의 사망률은 그 시기 동안 사망한 개체 수를 그 시기 가 시작된 시점의 총 개체 수로 나눈 값이다.

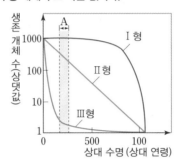

- ㉠은 상대 연령에 따른 사망률이 일정하다.
- ㉡은 적은 수의 자손을 낳으며, 초기 사망률이 후기 사망률 보다 낮다.
- ㉠의 생존 곡선과 ㉡의 생존 곡선은 각각 Ⅰ형, Ⅱ형, Ⅲ형 중 하나에 해당한다.

이에 대한 설명으로 옳은 것만을 | 보기 |에서 있는 대로 고른 것은?

┌ 보기 ┌
ㄱ. A 시기의 사망률은 Ⅰ형에서가 Ⅲ형에서보다 높다.
ㄴ. ㉠의 생존 곡선 유형은 Ⅱ형이다.
ㄷ. 사람은 ㉡에 해당한다.

① ㄱ   ② ㄴ   ③ ㄱ, ㄷ   ④ ㄴ, ㄷ   ⑤ ㄱ, ㄴ, ㄷ

개념 꼭!
* 개체군은 한 장소에 모여 사는 같은 ❶[   ]의 생물 집단이다.

* 개체군의 생존 곡선: 특징에 따라 Ⅰ형, Ⅱ형 , Ⅲ형이 있다.

답 ❶종

I 형	부모의 보호 기간이 길어서 초기 사망률이 낮고 후기 사망률이 높다. 대부분의 개체가 수명을 다하고, 적은 수의 새끼를 낳는다. **예** 사람, 코끼리 등 대형 포유류
II 형	상대 연령에 따른 사망률이 일정하다. **예** 다람쥐와 같은 설치류, 참새와 같은 조류 등
III 형	산란 수가 많지만, 초기 사망률이 높고, 극히 일부만이 생리적 수명을 다한다. **예** 물고기, 굴, 조개 등 어패류

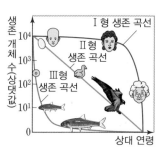

자료 해석

* 개체군의 ❷[   ]은 같은 시기에 태어난 개체군 중 상대 연령에 따른 생존 개체 수를 그래프로 나타낸 것이다.

* ㉠은 상대 연령에 따른 사망률이 일정하므로 ㉠의 생존 곡선 유형은 II형이고, ㉡은 초기 사망률이 후기 사망률보다 낮으므로 ㉡의 생존 곡선 유형은 I형이다.

* A 시기에서 생존 개체 수 감소율은 I 형에서가 III 형에서보다 ❸[   ].

답 ❷ 생존 곡선 ❸ 낮다

Point 해설

ㄱ. A 시기의 사망률은 개체 수 감소율이 더 낮은 I 형에서가 III 형에서보다 낮다.

ㄴ. ㉠의 생존 곡선 유형은 II형, ㉡의 생존 곡선 유형은 I형이다.

ㄷ. 사람의 생존 곡선은 초기 사망률이 낮고 후기 사망률이 높은 I형을 따르므로 사람은 ㉡에 해당한다.

답 ④

전략 비법 노트

● 생존 곡선 I형 → 자손을 적게 낳고, **초기 사망률이 낮음** **예** 코끼리, 사람 등
● 생존 곡선 II형 → 연령대별 **사망률 일정** **예** 히드라, 기러기 등
● 생존 곡선 III형 → 자손을 많이 낳고, **초기 사망률이 높음** **예** 굴, 어류

15 에너지 흐름

수능 전략Key 생태계에서 에너지는 순환하지 않고 일방적으로 흐름을 알고, 자료를 통해 생산자, 1차 소비자, 2차 소비자를 구분할 수 있어야 한다.

그림 (가)는 어떤 지역에서 일정 기간 동안 조사한 종 A~C의 단위 면적당 생물량(생체량)의 변화를, (나)는 A~C 사이의 에너지 이동을 나타낸 것이다. A~C는 각각 생산자, 1차 소비자, 2차 소비자를 순서 없이 나타낸 것이다.

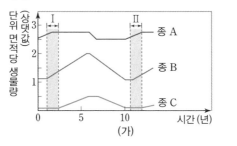

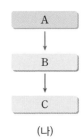

(가)

(나)

이에 대한 설명으로 옳은 것만을 |보기|에서 있는 대로 고른 것은?

┌─ 보기 ┌─────────────────────────────────
ㄱ. A는 생산자이다.
ㄴ. I 시기에서 B와 C 사이에 경쟁 배타가 일어났다.
ㄷ. II 시기에서 A의 생물량은 감소했다.

① ㄱ   ② ㄴ   ③ ㄱ, ㄷ   ④ ㄴ, ㄷ   ⑤ ㄱ, ㄴ, ㄷ

개념 꼭!

* 생태계에서 물질은 순환하지만, 에너지는 순환하지 **❶**   .

* 생태계 에너지의 근원은 태양의 빛에너지이다. 생산자의 광합성에 의해 태양의 빛에너지가 화학 에너지 형태로 전환되어 **❷**   을 따라 이동한다.

* 각 영양 단계에서 전달받은 에너지의 일부는 호흡을 통해 생명 활동에 사용되고, 일부는 열에너지 형태로 생태계 밖으로 방출되며, 일부는 상위 영양 단계로 전달되거나 사체 또는 배설물의 형태로 분해자에게 제공된다.

답 ❶ 않는다 ❷ 먹이 사슬

* 경쟁 · 배타 원리는 ❸[   ]가 같은 두 종이 함께 서식할 때 경쟁에서 이긴 종
이 살아남고, 진 종이 사라지는 것을 말한다.

자료 해석

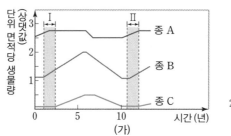

(가)

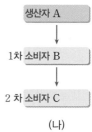

(나)

* 생태계 내의 생물적 요인에서 에너지 흐름은 ❹[   ] → 1차 소비자 → 2차 소
비자 순으로 일어난다. 따라서 A는 생산자, B는 1차 소비자, C는 2차 소비자이다.

* Ⅰ시기에서 B는 생물량이 증가하고, C는 생물량이 일정하므로 두 종 모두 생존
하고 있음을 알 수 있다. 따라서 종간 경쟁에 의해 한 종이 사라지는 경쟁 · 배타는
일어나지 않았다.

* Ⅱ시기에서 A의 생물량은 ❺[   ]했다.   **답** ❸ 생태적 지위 ❹ 생산자 ❺ 증가

Point 해설

ㄱ. A는 생산자, B는 1차 소비자, C는 2차 소비자이다.

ㄴ. Ⅰ시기에서 B와 C 모두 생존하므로 경쟁 · 배타가 일어나지 않았다.

ㄷ. Ⅱ시기에서 A의 생물량은 증가했다.   **답** ①

전략 비법 노트

● 에너지는 생산자 → 1차 소비자 → 2차 소비자로 이동

● **종간 경쟁이 심해지면 → 경쟁 · 배타가 일어날 가능성 증가**

16 군집 내 개체군 사이의 상호 작용

군집 내 개체군 사이의 상호 작용에는 종간 경쟁, 공생, 기생, 포식과 피식, 분서(생태 지위 분화)가 있음을 알고 자료를 해석할 수 있어야 한다.

다음은 어떤 섬에 서식하는 동물 종 A~C 사이의 상호 작용에 대한 자료이다.

- B와 C는 같은 먹이를 먹고, A는 B와 C의 포식자이다.

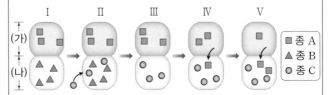

- I 시기에 A와 B는 서로 다른 공간인 (가)와 (나)에 살았다.
- II 시기에 C가 (나)로 유입되었다.
- III 시기에 (나)에서 B와 C의 경쟁의 결과로 B가 사라졌다.
- IV 시기에 A가 (가)에서 (나)로 이주하였다.
- V 시기에 (나)에서 ㉠A와 C의 개체 수가 주기적으로 변하였다.

이에 대한 설명으로 옳은 것만을 |보기|에서 있는 대로 고른 것은? (단, 제시된 조건 이외는 고려하지 않는다.)

┌ 보기 ┌
ㄱ. I 시기에 A와 B는 한 개체군을 이루었다.
ㄴ. III 시기에 (나)에서 경쟁 · 배타가 일어났다.
ㄷ. ㉠에서 A와 C의 상호 작용은 분서에 해당한다.

① ㄱ ② ㄴ ③ ㄱ, ㄷ ④ ㄴ, ㄷ ⑤ ㄱ, ㄴ, ㄷ

* 군집 내 개체군 사이의 상호 작용에는 종간 경쟁, 공생, 기생, 포식과 피식, 분서(생태 지위 분화)가 있다.
* 종간 경쟁 · 배타가 일어나면 한 종이 [❶].   답 ❶ 사라진다

* 포식과 피식 관계(개체군 사이에서 먹고 먹히는 관계)의 두 종은 개체 수가 주기적
  으로 ❷   .
* 생태적 지위가 비슷한 개체군이 서로 서식지나 먹이의 종류, 활동 시간을 달리하
  여 경쟁을 피하는 현상을 ❸   라고 한다.

자료 해석

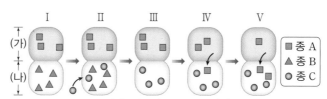

(나)에서 경쟁 · 배타의   (나)에서 A와 C사이에
결과 B가 사라짐   포식과 피식 관계 형성됨

* 개체군은 ❹   종으로 구성되는 집단이므로 Ⅰ 시기에 A와 B는 각각 서로
  다른 개체군을 구성한다.
* B와 C는 같은 먹이를 먹고 Ⅲ시기에 (나)에서 B가 사라졌으므로 경쟁 · 배타가 일
  어났다.
* A는 C의 포식자이고, Ⅴ시기에 A와 C의 개체 수가 주기적으로 변했으므로 ㉠에
  서의 상호 작용은 ❺   에 해당한다.

답 ❷ 변한다 ❸ 분서(생태 지위 분화) ❹ 한 ❺ 포식과 피식

Point 해설

ㄱ. Ⅰ시기에 A와 B는 서로 다른 개체군을 구성한다.

ⓛ. Ⅲ시기에 (나)에서 B와 C 사이에는 경쟁 · 배타가 일어나 B가 사라졌다.

ㄷ. Ⅴ시기에 A와 C의 개체 수가 주기적으로 변하고 A는 C의 포식자이므로 ㉠에서
의 상호 작용은 포식과 피식이다.

답 ②

전략 비법 노트

● 군집 내 **개체군 사이의 상호 작용의 종류** ➡ 종간 경쟁, 공생, 기생, **포식과 피식**, 분서
(생태 지위 분화)

● **경쟁 · 배타의 결과** ➡ 한 종은 살아남고, 나머지 **한 종은 사라짐**

17 우점종 구하기

군집에서 우점종은 상대 밀도, 상대 빈도, 상대 피도의 합인 중요치가 가장 큰 종임을 알고, 자료를 해석하여 우점종을 구할 수 있어야 한다.

다음은 어떤 지역의 식물 군집에서 우점종을 알아보기 위한 탐구이다.

(가) 이 지역에 방형구를 설치하여 식물 종 A~D의 분포를 조사했다.

(나) 표는 조사한 자료를 바탕으로 각 식물 종의 상대 밀도, 상대 빈도, 상대 피도를 구한 결과를 나타낸 것이다.

종	상대 밀도(%)	상대 빈도(%)	상대 피도(%)
A	30	25	25
B	20	30	15
C	10	20	35
D	40	25	25

이에 대한 설명으로 옳은 것만을 | 보기 |에서 있는 대로 고른 것은? (단, A~D 이외의 종은 고려하지 않는다.)

┌ 보기 ┐
ㄱ. 이 지역의 우점종은 D이다.
ㄴ. 지표를 덮고 있는 면적이 가장 작은 종은 B이다.
ㄷ. A가 출현한 방형구의 수는 C가 출현한 방형구의 수보다 많다.

① ㄱ   ② ㄴ   ③ ㄱ, ㄷ   ④ ㄴ, ㄷ   ⑤ ㄱ, ㄴ, ㄷ

* 우점종: 개체 수가 많거나 넓은 면적을 차지하여 그 군집을 대표할 수 있는 종이다.

* 방형구법: 방형구에 나타난 식물의 종과 개체 수(밀도), 종이 출현한 방형구 수(빈도), 지표를 덮고 있는 정도(피도)를 조사하여 우점종을 알아내는 방법이다.

* 식물 군집에서 우점종은 식물의 상대 밀도, 상대 빈도, 상대 피도를 구한 후 이들 값을 모두 더한 [❶   ]가 가장 큰 종을 우점종으로 결정한다.

* 지표를 덮고 있는 면적이 클수록 상대 피도가 [❷   ].   답 ❶ 중요치 ❷ 커진다

자료 해석

* 밀도, 상대 밀도(%), 빈도, 상대 빈도(%), 피도, 상대 피도(%) 구하기

- 밀도 $= \dfrac{\text{특정 종의 개체 수}}{\text{전체 방형구의 면적}(m^2)}$

- 상대 밀도(%) $= \dfrac{\text{특정 종의 밀도}}{\text{조사한 모든 종의 밀도의 합}} \times 100$

- 빈도 $= \dfrac{\text{특정 종이 출현한 방형구의 수}}{\text{전체 방형구의 수}}$

- 상대 빈도(%) $= \dfrac{\text{특정 종의 빈도}}{\text{조사한 모든 종의 빈도의 합}} \times 100$

- 피도 $= \dfrac{\text{특정 종의 점유 면적}(m^2)}{\text{전체 방형구의 면적}(m^2)}$

- 상대 피도(%) $= \dfrac{\text{특정 종의 피도}}{\text{조사한 모든 종의 피도의 합}} \times 100$

* 이 지역에서 각 종의 중요치는 A가 80, B가 65, C가 65, D가 ❸⬚ 이므로 우점종은 D이다.

* 지표를 덮고 있는 면적이 가장 작은 종은 상대 피도가 가장 작은 B이고, 면적이 가장 큰 종은 상대 피도가 가장 큰 C이다.

* A의 상대 빈도가 C의 상대 빈도보다 크므로 A가 출현한 방형구의 수는 C가 출현한 방형구의 수보다 많다.　　　　　　　　　　🔑 ❸ 90

Point 해설

ㄱ 이 지역의 우점종은 중요치가 90으로 가장 큰 D이다.

ㄴ 지표를 덮은 점유 면적이 가장 작은 종은 상대 피도가 15 %로 가장 작은 B이다.

ㄷ 종이 출현한 방형구의 수가 많을수록 상대 빈도가 높다. 표에서 상대 빈도는 A가 C보다 크므로 A가 출현한 방형구의 수는 C가 출현한 방형구의 수보다 많다.
　　　　　　　　　　　　　　　　　　🔑 ⑤

전략 비법 노트

● 식물 군집에서 **우점종** → **상대 밀도, 상대 빈도, 상대 피도의 합(중요치)이 가장 큰 종**

● 지표를 덮고 있는 **면적이 클수록** → **상대 피도 증가**

● 종이 출현한 **방형구의 수가 많을수록** → **상대 빈도 증가**

필수 유형

18 군집의 천이

수능 전략Key 군집의 천이 과정을 1차 천이와 2차 천이로 구분하여 이해하고, 자료를 해석할 수 있어야 한다.

그림 (가)는 어떤 식물 군집의 천이 과정 일부를, (나)는 이 과정 중 ㉠에서 조사한 침엽수(양수)와 활엽수(음수)의 크기(높이)에 따른 개체 수를 나타낸 것이다. ㉠은 A~C 중 하나이며, A~C는 초원(초본), 양수림, 음수림을 순서 없이 나타낸 것이다.

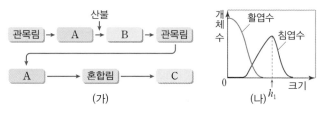

(가)

(나)

이에 대한 설명으로 옳은 것만을 |보기|에서 있는 대로 고른 것은?

┌─ 보기 ─────────────────────────────
ㄱ. ㉠은 C이다.
ㄴ. (가)에서 2차 천이가 일어났다.
ㄷ. ㉠에서 h_1보다 큰 침엽수가 있다.
└────────────────────────────────────

① ㄱ   ② ㄴ   ③ ㄱ, ㄷ   ④ ㄴ, ㄷ   ⑤ ㄱ, ㄴ, ㄷ

개념 꼭!

* 천이는 생물 군집이 환경의 변화에 따라 오랜 세월에 걸쳐 서서히 그 구성과 특성이 변하는 현상이다.

* 1차 천이: 화산 활동으로 생성된 용암 대지처럼 생명체가 없고, 토양 발달이 미약한 곳에서 시작하는 천이로, 용암 대지, 황무지 등 건조한 곳에서 시작되는 건성 천이와 연못이나 호수에 퇴적물이 쌓여 육지화가 된 후 일어나는 습성 천이가 있다.

* 2차 천이: 화재, 홍수, 벌목, 산사태 등으로 생물 군집이 파괴된 후, 기존에 남아 있던 토양에서 시작하는 천이이다. 초본류에서 시작하며, 1차 천이보다 빠른 속도로 진행된다.

* 1차 천이의 개척자는 **❶ [   ]** 이고, 2차 천이의 개척자는 **❷ [   ]** 이다.

답 ❶ 지의류 ❷ 초본류

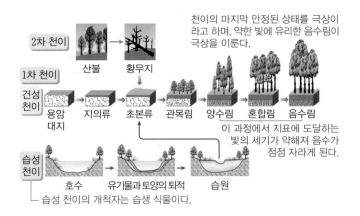

천이의 마지막 안정된 상태를 극상이라고 하며, 약한 빛에 유리한 음수림이 극상을 이룬다.

이 과정에서 지표에 도달하는 빛의 세기가 약해져 음수가 점점 자라게 된다.

└ 습성 천이의 개척자는 습생 식물이다.

자료 해석

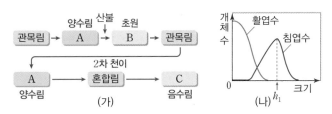

* 1차 천이 과정은 맨땅 ➡ 지의류 ➡ 초본류 ➡ 관목림 ➡ 양수림 ➡ 혼합림 ➡ 음수림의 단계로 진행되므로 A는 양수림, B는 초원, C는 **❸[   ]**이다.

* (가)에서 산불이 일어난 후 2차 천이가 진행되었다.

* 활엽수는 음수이고, 침엽수는 양수이다. (나)에서 양수인 침엽수의 크기가 큰 개체 수가 활엽수의 개체 수보다 크므로 ㉠은 A(양수림)이다.

* (나)를 통해 ㉠에서 h_1보다 큰 침엽수가 있음을 알 수 있다.   **답 ❸ 음수림**

Point 해설

ㄱ. A는 양수림, B는 초원, C는 음수림이고, ㉠은 A(양수림)이다.

ㄴ. (가)에서는 산불 이후에 천이가 진행되는 2차 천이가 일어났다.

ㄷ. ㉠에서 h_1보다 크기가 큰 침엽수가 있다.   **답 ④**

전략 비법 노트

● 1차 천이의 개척자 ➡ **지의류**, 2차 천이의 개척자 ➡ **초본류**

● 천이의 진행 속도는 **1차 천이보다 2차 천이가 빠름**

수능 전략Key 에너지 효율의 개념을 알고, 자료를 해석할 수 있어야 한다.

그림 (가)와 (나)는 각각 서로 다른 생태계에서 생산자, 1차 소비자, 2차 소비자, 3차 소비자의 에너지양을 상댓값으로 나타낸 생태 피라미드이다.

(가)   (나)

이에 대한 설명으로 옳은 것만을 |보기|에서 있는 대로 고른 것은?

┌ 보기 ┌
ㄱ. A는 빛에너지를 흡수한다.
ㄴ. 3차 소비자의 에너지 효율은 (가)에서가 (나)에서보다 크다.
ㄷ. (가)에서 에너지양은 상위 영양 단계로 갈수록 증가한다.

① ㄱ   ② ㄴ   ③ ㄱ, ㄷ   ④ ㄴ, ㄷ   ⑤ ㄱ, ㄴ, ㄷ

개념 꼭! * 생태 피라미드는 먹이 사슬에서 각 영양 단계에 속하는 생물의 생체량(생물의 질량), 개체 수, 에너지양을 하위 영양 단계에서부터 상위 영양 단계로 차례로 쌓아 올린 것이다.

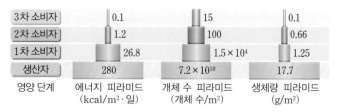

영양 단계	에너지 피라미드 (kcal/m²·일)	개체 수 피라미드 (개체 수/m²)	생체량 피라미드 (g/m²)
3차 소비자	0.1	15	0.1
2차 소비자	1.2	100	0.66
1차 소비자	26.8	1.5×10^4	1.25
생산자	280	7.2×10^{10}	17.7

* 하위 영양 단계에서 상위 영양 단계로 이동할 때마다 에너지양, 개체 수, 생체량이 줄어들어 상위 영양 단계로 올라갈수록 감소하는 **❶** 모양이 된다.

* 각 영양 단계에서 에너지는 **❷** 을 통해 생명 활동에 사용되거나 사체, 배설물의 형태로 방출되고 남은 에너지가 다음 영양 단계로 전달되기 때문에 먹이 사슬을 거치면서 상위 영양 단계의 생물들이 사용할 수 있는 에너지양은 점점 줄어든다. 따라서 생태계에서 먹이 사슬의 영양 단계는 일반적으로 계속 연결되지 못하고 몇 단계로 제한된다.

답 ❶ 피라미드 ❷ 호흡

* 생산자는 빛에너지를 흡수하여 **❸** [ ]을 통해 양분을 스스로 합성한다.

* 에너지 효율: 한 영양 단계에서 다음 영양 단계로 이동하는 에너지의 비율로, 일반적으로 에너지 효율은 상위 영양 단계로 갈수록 증가한다.

$$\text{에너지 효율}(\%) = \frac{\text{현 영양 단계의 에너지 총량}}{\text{전 영양 단계의 에너지 총량}} \times 100$$

자료 해석

3차 소비자   3 — 에너지 효율 20 %   5 — 에너지 효율 25 %
2차 소비자   15   20
1차 소비자   100   120
생산자   1000   (가)   A   (나)   1000

* 생태 피라미드에서 생산자는 가장 아래쪽에 있으므로 A는 **❹** [ ]이다.

* (가)에서 3차 소비자의 에너지 효율은 $\frac{3}{15} \times 100 = 20\,\%$이고, (나)에서 3차 소비자의 에너지 효율은 $\frac{5}{20} \times 100 = 25\,\%$이다.

* (가)에서 에너지양은 상위 영양 단계로 갈수록 1000 ➔ 100 ➔ 15 ➔ 3으로 감소한다.

답 ❸ 광합성 **❹** 생산자

Point 해설

ㄱ. A는 생산자로 빛에너지를 흡수하여 광합성을 통해 양분을 합성한다.

ㄴ. 3차 소비자의 에너지 효율은 (가)에서 20 %, (나)에서 25 %이므로, (가)에서가 (나)에서보다 작다.

ㄷ. (가)에서 에너지양은 상위 영양 단계로 갈수록 감소한다.

답 ①

전략 비법 노트

● 에너지 효율 ➔ $\dfrac{\text{현 영양 단계의 에너지 총량}}{\text{전 영양 단계의 에너지 총량}} \times 100$

● **에너지 효율** ➔ 일반적으로 **상위 영양 단계**로 갈수록 **증가**

필수 유형

20 개체군의 생장 곡선

수능 전략Key 이론적 생장 곡선과 실제 생장 곡선의 의미를 구분하여 이해하고, 자료를 해석할 수 있어야 한다.

그림은 어떤 군집을 이루는 종 A와 종 B의 시간에 따른 개체 수를 나타낸 것이다. 이 군집의 서식 면적은 시간에 따라 변함없다.

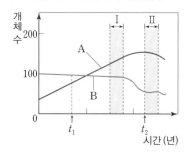

이에 대한 설명으로 옳은 것만을 |보기|에서 있는 대로 고른 것은? (단, A와 B 이외의 종은 고려하지 않는다.)

보기

ㄱ. 구간 Ⅰ에서 A와 B는 모두 환경 저항을 받는다.

ㄴ. B의 밀도는 t_1일 때가 t_2일때보다 크다.

ㄷ. A의 $\dfrac{출생률}{사망률}$은 구간 Ⅰ에서가 구간 Ⅱ에서보다 작다.

① ㄱ   ② ㄴ   ③ ㄱ, ㄴ   ④ ㄴ, ㄷ   ⑤ ㄱ, ㄴ, ㄷ

개념 꼭!

* 개체군의 생장 곡선: 개체군의 개체 수가 시간에 따라 증가하는 것을 개체군의 생장이라 하고, 개체군의 개체 수 변화를 시간에 따라 나타낸 것을 생장 곡선이라고 한다.

* 이론적 생장 곡선은 ❶ [   ] 형으로 나타난다.

* 실제 생장 곡선은 ❷ [   ] 형으로 나타난다.

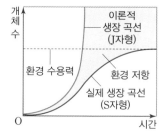

답 ❶ J자 **❷** S자

* 환경 저항: 개체군의 밀도가 증가함에 따라 먹이 부족, 서식지 부족, 노폐물 증가, 질병 증가 등과 같은 환경 저항에 의해 개체 수 증가 속도가 느려진다.

자료 해석

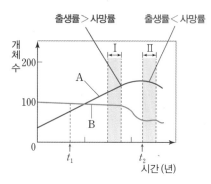

* A와 B 모두 일정 시간 이후에 개체 수가 감소하므로 ❸ [   ] 생장 곡선을 따르고, 구간 Ⅰ과 구간 Ⅱ에서 모두 환경 저항을 받는다.

* 개체군의 밀도는 $\dfrac{개체군을\ 구성하는\ 개체\ 수}{생활\ 공간의\ 면적}$ 이므로 B의 밀도는 개체 수가 많은 t_1일 때가 개체 수가 적은 t_2일 때보다 크다.

* $\dfrac{출생률}{사망률}$ 이 1보다 크면 개체 수가 증가하고, 1보다 작으면 개체 수가 ❹ [   ] 한다. A의 개체 수는 구간 Ⅰ에서 증가하고, 구간 Ⅱ에서 감소하므로 $\dfrac{출생률}{사망률}$ 은 구간 Ⅰ에서가 구간 Ⅱ에서보다 크다.

답 ❸ 실제 ❹ 감소

Point 해설

ㄱ. A와 B는 모두 실제 생장 곡선을 나타내므로 구간 Ⅰ과 Ⅱ에서 모두 환경 저항을 받는다.

ㄴ. B의 밀도는 개체 수가 많은 t_1일 때가 개체 수가 적은 t_2일 때보다 크다.

ㄷ. A의 $\dfrac{출생률}{사망률}$ 은 개체 수가 증가하는 구간 Ⅰ에서가 개체 수가 감소하는 구간 Ⅱ 에서보다 크다.

답 ③

전략 비법 노트

● 이론적 생장 곡선 → 환경 저항을 받지 않는다.
● 실제 생장 곡선 → 환경 저항을 받는다.

21 물질의 생산과 소비

총생산량, 순생산량, 호흡량의 개념을 이해하고, 자료를 해석할 수 있어야 한다.

그림 (가)는 어떤 식물 군집에서 총생산량, 순생산량, 생장량의 관계를, (나)는 이 식물 군집의 시간에 따른 유기물량을 나타낸 것이다. ㉠과 ㉡은 각각 호흡량과 총생산량 중 하나이다.

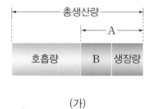

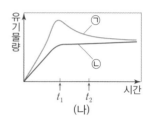

(가)   (나)

이에 대한 설명으로 옳은 것만을 |보기|에서 있는 대로 고른 것은?

┌ 보기 ┐
ㄱ. 1차 소비자의 호흡량은 B에 포함된다.
ㄴ. (나)에서 A는 t_1일 때가 t_2일 때보다 크다.
ㄷ. $\dfrac{호흡량}{총생산량}$ 은 t_1일 때가 t_2일 때보다 크다.

① ㄱ   ② ㄴ   ③ ㄱ, ㄴ   ④ ㄴ, ㄷ   ⑤ ㄱ, ㄴ, ㄷ

* 물질의 생산과 소비: 생태계의 모든 생물은 생산자가 생산하는 유기물을 이용하므로 생산자가 충분한 양의 유기물을 생산하는 것은 생태계 유지에 중요하다.

· 총생산량 = 호흡량 + 순생산량
· 순생산량 = 총생산량 − 호흡량
· 호흡량 = 총생산량 − 순생산량

* 총생산량＝ **❶** [   ] ＋순생산량

* 총생산량은 군집에서 생산자가 일정 기간 동안 광합성으로 생산한 유기물의 총량을 말하며, 군집에서 가지는 유기물의 총량은 **❷** [   ]으로 나타낸다.

자료 해석

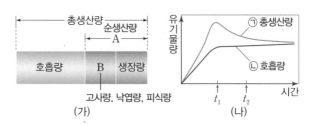

(가)   (나)

* 식물 군집에서의 피식량이 1차 소비자로 이동하며, 이 피식량의 일부가 1차 소비자에서 생명 활동에 사용되고 나머지는 호흡량으로 방출된다. B에는 식물 군집의 고사량, 낙엽량, 피식량이 포함되므로 1차 소비자의 호흡량이 포함된다.

* A는 순생산량이고, 순생산량＝총생산량－ **❸** [   ]이다. 총생산량은 호흡량보다 크므로 ㉠은 **❹** [   ]이고, ㉡은 호흡량이다. (나)에서 A(순생산량)는 ㉠과 ㉡의 차가 큰 t_1일 때가 t_2일 때보다 크다.

* 호흡량은 t_1일 때가 t_2일 때보다 약간 작고, 총생산량은 t_1일 때가 t_2일 때보다 크므로 $\dfrac{호흡량}{총생산량}$은 t_1일 때가 t_2일 때보다 작다.

답 ❶ 호흡량 ❷ 생물량 ❸ 호흡량 ❹ 총생산량

Point 해설

㉠ 1차 소비자의 호흡량은 B(고사량, 낙엽량, 피식량)에 포함된다.

㉡ (나)에서 A(순생산량)은 t_1일 때가 t_2일 때보다 크다.

ㄷ. $\dfrac{호흡량}{총생산량}$은 t_1일 때가 t_2일 때보다 작다.

답 ③

전략 비법 노트

● **총생산량＝호흡량＋순생산량**

● **총생산량은 항상 호흡량이나 순생산량보다 크다.**

22 질소 순환 과정

질소 순환 과정을 이해하고, 자료를 해석할 수 있어야 한다.

그림은 생태계의 질소 순환 과정을 나타낸 것이다.

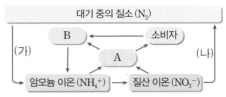

이에 대한 설명으로 옳은 것만을 | 보기 |에서 있는 대로 고른 것은?

┌ 보기 ┐
ㄱ. A는 생산자이다.
ㄴ. 과정 (가)에서 질소 고정 세균이 관여한다.
ㄷ. 과정 (나)는 탈질산화 작용이다.

① ㄱ ② ㄴ ③ ㄱ, ㄷ ④ ㄴ, ㄷ ⑤ ㄱ, ㄴ, ㄷ

개념 꼭!

* 질소는 단백질과 핵산을 구성하며, 질소 고정 작용, 질산화 작용, 탈질산화 작용을 통해 생물과 비생물 환경 사이를 순환한다.

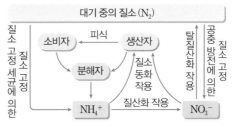

* 질소 고정 과정에서 ❶ [   ] 기체는 질소 고정 세균(뿌리혹박테리아, 아조토박터)에 의해 암모늄 이온(NH_4^+)으로 전환되거나 번개와 같은 공중 방전에 의해 질산 이온(NO_3^-)으로 전환된다.

* 암모늄 이온(NH_4^+)은 질산화 세균(아질산균, 질산균)에 의해 질산 이온(NO_3^-)으로 전환된다(질산화 작용).

* 식물(생산자)은 암모늄 이온(NH_4^+)과 ❷ [   ]을 흡수하여 단백질과 핵산을 합성하는 질소 동화 작용을 한다.

답 ❶ 질소(N_2) ❷ 질산 이온(NO_3^-)

* 분해자에 의해 생물의 사체나 배설물에 포함된 질소 화합물이 암모늄 이온(NH_4^+)으로 분해되어 토양으로 돌아간다.
* 토양 속 일부 질산 이온(NO_3^-)이 탈질산화 세균에 의해 질소 기체가 되어 대기로 돌아간다.

자료 해석

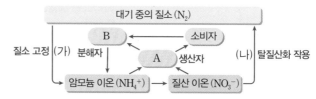

* A는 암모늄 이온(NH_4^+)이나 질산 이온(NO_3^-)을 흡수하는 생산자이다.
* B는 생산자와 소비자로부터 전달된 질소 화합물을 분해하여 암모늄 이온(NH_4^+)을 생성하는 분해자이다.
* 과정 (가)는 질소(N_2) 기체가 암모늄 이온(NH_4^+)으로 전환되는 [❸]으로, 질소 고정 세균이 관여한다.
* 과정 (나)는 질산 이온(NO_3^-)이 질소(N_2) 기체로 전환되는 [❹]으로, 탈질산화 세균(질산 분해 세균)이 관여한다.

📋 ❸ 질소 고정 과정 ❹ 탈질산화 작용

Point 해설

ㄱ A는 암모늄 이온(NH_4^+)이나 질산 이온(NO_3^-)을 흡수하여 질소 동화 작용에 이용하는 생산자이다.

ㄴ 과정 (가)는 질소 고정 과정으로, 질소 고정 세균에 의해 일어난다.

ㄷ 과정 (나)는 탈질산화 작용으로, 탈질산화 세균에 의해 일어난다.　　📋 ⑤

전략 비법 노트

● **질소 고정 과정** → $N_2 → NH_4^+$
● **질산화 작용** → $NH_4^+ → NO_3^-$
● **탈질산화 작용** → $NO_3^- → N_2$

23 생물 다양성

생물 다양성의 3가지 의미를 알고, 자료를 해석할 수 있어야 한다.

그림은 영양염류가 유입된 호수의 식물 플랑크톤 군집에서 전체 개체 수, 종 수, 종 다양성과 영양염류 농도를 시간에 따라 나타낸 것이다.

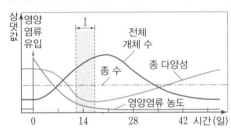

이에 대한 설명으로 옳은 것만을 |보기|에서 있는 대로 고른 것은? (단, 식물 플랑크톤 군집은 여러 종의 식물 플랑크톤으로만 구성되며, 제시된 조건 이외는 고려하지 않는다.)

┌ 보기 ┌
ㄱ. 구간 Ⅰ에서 개체군의 밀도가 증가하는 종은 없다.
ㄴ. 시간에 따라 전체 개체 수에서 종의 균등한 정도는 변함 없다.
ㄷ. 군집 내 한 개체군을 구성하는 개체들 사이의 유전자가 다양할수록 종 다양성이 높다.

① ㄱ   ② ㄴ   ③ ㄱ, ㄴ   ④ ㄴ, ㄷ   ⑤ ㄱ, ㄴ, ㄷ

개념 꼭! * 생물 다양성: 생물의 다양한 정도를 의미하며, 생물이 지닌 유전적 다양성, 한 지역 내에 존재하는 종 다양성, 생물이 서식하는 ❶ [ ] 다양성을 포함한다.

유전적 다양성   종 다양성   생태계 다양성

답 ❶ 생태계

* 종 다양성은 군집을 구성하는 종이 다양하고, 종의 개체 수가 균등할수록 ❷ [   ].

자료 해석

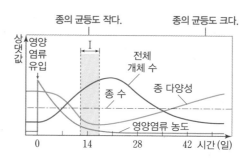

종의 균등도 작다.   종의 균등도 크다.

* 밀도는 서식지 면적에 대한 개체군의 개체 수 비율이다. 구간 I에서 종 수는 일정한데 전체 개체 수가 증가하므로 개체군의 밀도가 증가하는 종이 있다.

* 종 다양성은 군집에서 종의 수와 종의 개체 수가 균등한 정도를 모두 포함하므로 전체 개체 수에서 종의 균등한 정도는 시간에 따라 변한다.

* 유전적 다양성은 한 개체군을 구성하는 개체들 사이의 ❸ [   ]가 다양한 정도를 의미한다. 그 예로 같은 종의 달팽이에서 껍데기의 무늬와 색깔이 다양하게 나타나는 것은 유전적 다양성에 해당한다.

답 ❷ 높다 ❸ 대립유전자

Point 해설

ㄱ. 구간 I에서 종 수는 일정한데 전체 개체 수가 증가하므로 개체군의 밀도가 증가하는 종이 있다.

ㄴ. 전체 개체 수에서 종의 균등한 정도는 구간 I에서가 구간 II에서보다 작다.

ㄷ. 군집 내 한 개체군을 구성하는 개체들 사이에 유전자가 다양한 것은 유전적 다양성에 해당한다.

답 ②

전략 비법 노트

● 생물 다양성의 3가지 의미 → 유전적 다양성, 종 다양성, 생태계 다양성
● 종 다양성 → 종의 수, 종의 균등한 정도를 포함

memo

수능전략

과·학·탐·구·영·역

생명과학 I

BOOK 2

이 책의 **구성과 활용**

BOOK 1
1주, 2주

BOOK 2
1주, 2주

BOOK 3
정답과 해설

본책인 BOOK 1과 BOOK2의 구성은 아래와 같습니다.

주 도입

본격적인 학습에 앞서, 재미있는 만화를 살펴보며 이번 주에 학습할 내용을 확인해 봅니다.

1일

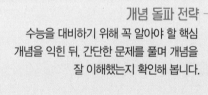

개념 돌파 전략

수능을 대비하기 위해 꼭 알아야 할 핵심 개념을 익힌 뒤, 간단한 문제를 풀며 개념을 잘 이해했는지 확인해 봅니다.

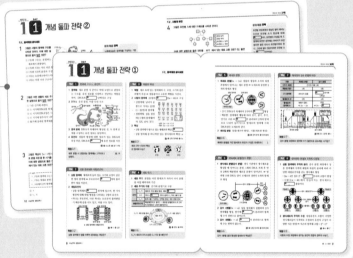

2일, 3일

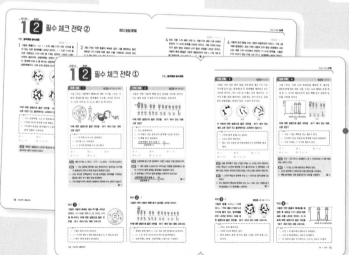

필수 체크 전략

기출 문제에서 선별한 대표 유형 문제와 쌍둥이 문제를 함께 풀며 문제에 접근하는 과정과 해결 전략을 체계적으로 익혀 봅니다.

부록 수능에 꼭 나오는 필수 유형 ZIP

본 책에서 다룬 대표 유형과 그 해결 전략을 집중적으로
연습할 수 있도록 권두 부록을 구성했습니다.
부록을 뜯으면 미니북으로 활용할 수 있습니다.

주 마무리 학습

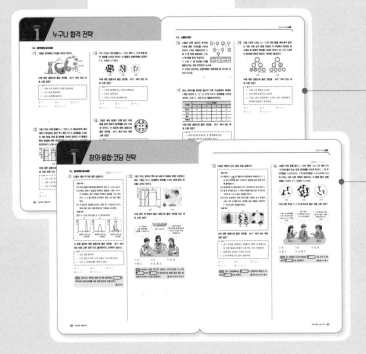

누구나 합격 전략
수능 유형에 맞춘 기초 연습 문제를 풀며
학습 자신감을 높일 수 있습니다.

창의·융합·코딩 전략
수능에서 요구하는 융복합적 사고력과
문제 해결력을 기를 수 있습니다.

권 마무리 학습

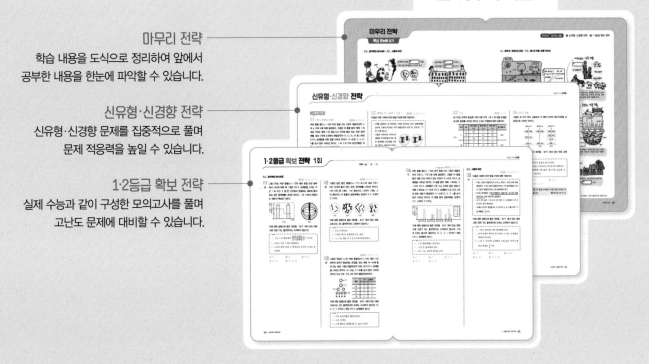

마무리 전략
학습 내용을 도식으로 정리하여 앞에서
공부한 내용을 한눈에 파악할 수 있습니다.

신유형·신경향 전략
신유형·신경향 문제를 집중적으로 풀며
문제 적응력을 높일 수 있습니다.

1·2등급 확보 전략
실제 수능과 같이 구성한 모의고사를 풀며
고난도 문제에 대비할 수 있습니다.

이 책의 차례

BOOK 2

BOOK 1

파이팅!!

5강_ 염색체와 생식세포

6강_ 사람의 유전

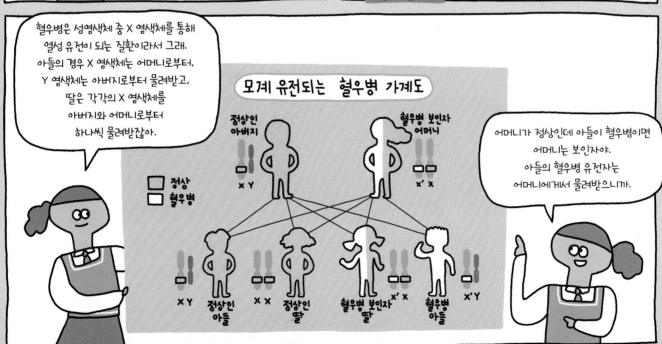

개념 돌파 전략 ①

5강_ 염색체와 생식세포

개념 1 염색체, DNA, 유전자

1 **염색체** 세포 분열 시 끈이나 막대 모양으로 관찰되는 구조물, 유전 정보를 저장하고 전달하는 역할을 하며, DNA와 ❶☐☐☐ 단백질로 구성

2 **DNA** 유전 물질, 이중 나선 구조

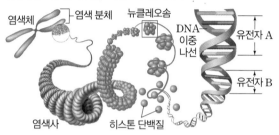

염색체 ┌ 염색 분체 뉴클레오솜
염색사   히스톤 단백질
DNA 이중 나선
유전자 A
유전자 B

3 **염색 분체** DNA가 복제되어 형성된 것, 두 염색 분체를 구성하는 유전 정보는 동일하다.

4 **유전자** 생물의 형질에 대한 정보가 있는 DNA의 특정 부분, DNA의 ❷☐☐☐에 유전 정보를 저장

답 ❶ 히스톤 ❷ 염기 서열

확인 Q 1

세포 분열 시 관찰되는 염색체는 2가닥의 (   )로 구성된다.

개념 2 상동 염색체와 대립유전자

1 **상동 염색체** 체세포에 들어 있는 크기와 모양이 같은 한 쌍의 염색체 ➡ 부모로부터 ❶☐☐개씩 물려받아 쌍을 이룬다.

2 **대립유전자**
• 상동 염색체의 ❷☐☐ 위치에 있으며, 한 가지 형질에 대해 대립 형질을 나타내는 1쌍의 유전자
• 하나는 부로부터, 다른 하나는 모로부터 물려받았기 때문에 같을 수도 있고, 다를 수도 있다.

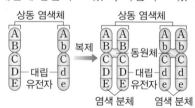

상동 염색체   상동 염색체
A A   A A   A A
B B 복제   B B   B B 동원체
C C →   C C   C C
D D ┐대립 D D   d d ┐대립
E e ┘유전자 E E   e e ┘유전자
             염색 분체 염색 분체

▲ 상동 염색체와 대립유전자

답 ❶ 1 ❷ 같은

확인 Q 2

상동 염색체가 쌍을 이루어 존재하는 까닭은?

개념 3 핵형과 핵상

1 **핵형** 세포 속에 있는 염색체의 수, 모양, 크기와 같은 외형적 특징 ➡ 생물종마다 고유한 핵형을 가진다.

2 **사람의 염색체** 23쌍의 ❶☐☐☐☐☐($2n=46$)로 구성

• 상염색체: 남녀가 공통으로 가지는 22쌍 (1~22번)의 염색체
• 성염색체: 성을 결정하는 1쌍의 염색체(여자: XX, 남자: XY)

• 남자: $2n=44+XY$
• 여자: $2n=44+XX$

3 **핵상**
• 상동 염색체가 쌍으로 있는 체세포의 핵상: ❷☐☐
• 상동 염색체 중 하나씩만 있는 생식세포의 핵상: n

답 ❶ 상동 염색체 ❷ $2n$

확인 Q 3

세포 (가)~(다)의 핵상과 염색체 수는?

(가)   (나)   (다)

개념 4 세포 주기

1 **세포 주기** 분열을 마친 딸세포가 자라서 다시 분열을 마칠 때까지의 기간

2 **세포 주기의 구분** 간기와 분열기로 구분

간기	G_1기	세포의 구성 물질 합성, 세포 ❶☐☐
	S기	DNA ❷☐☐, DNA양이 G_1기의 2배가 됨
	G_2기	방추사를 구성하는 단백질 합성, 세포 분열 준비
분열기(M기)		핵분열(DNA 분리) → 세포질 분열(DNA가 2개의 딸세포로 나뉘어 들어간다.)

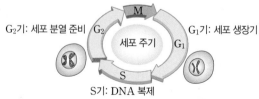

G_2기: 세포 분열 준비 G_2 M G_1 G_1기: 세포 생장기
세포 주기
S기: DNA 복제   S

답 ❶ 생장 ❷ 복제

확인 Q 4

G_2기 세포의 DNA양은 G_1기의 몇 배인가?

개념 5 체세포 분열

1 체세포 분열($2n \rightarrow 2n$) 생물의 생장과 조직의 재생 과정에서 일어나는 세포 분열 ➡ 모세포와 동일한 2개의 딸세포 형성

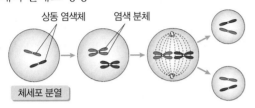

체세포 분열

- 간기: DNA가 복제되어 2가닥의 **❶** 형성
- 핵분열: 염색체의 행동에 따라 전기, 중기, 후기, 말기로 구분 ➡ **❷** 가 분리되어 2개의 딸세포로 나뉘어 들어가므로 딸세포의 염색체 수와 DNA양은 모세포와 같다.

2 세포질 분열 동물(세포막 함입), 식물(세포판 형성)

답 ❶ 염색 분체 **❷** 염색 분체

확인 Q 5

체세포 분열을 거친 딸세포의 유전자 구성은 모세포와 (　　　).

개념 6 생식세포 분열(감수 분열)

1 생식세포 분열(감수 분열) 생식 기관에서 생식세포를 형성할 때 일어나는 분열, 1회의 DNA 복제 후 연속 2회의 핵분열과 세포질 분열이 일어난다. ➡ 염색체 수와 DNA 양이 모세포의 절반인 4개의 딸세포 형성

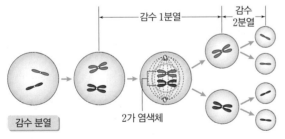

감수 분열

2 감수 1분열($2n \rightarrow n$) 상동 염색체가 접합하여 2가 염색체를 형성, 말기에 **❶** 가 분리되어 염색체 수가 절반으로 줄어든다.

3 감수 2분열($n \rightarrow n$) **❷** 가 분리되므로 염색체 수는 변하지 않는다.

답 ❶ 상동 염색체 **❷** 염색 분체

확인 Q 6

감수 1분열 결과 형성된 딸세포의 핵상은?

개념 7 체세포와 감수 분열의 비교

구분	체세포 분열	감수 분열
DNA 복제	간기(S기)에 1회	
핵분열 횟수	1회	2회
2가 염색체	나타나지 않음	**❶** 전기에 나타남
딸세포의 수	2개	4개
딸세포의 염색체 수	변화가 없다. ➡ $2n \rightarrow 2n$	반감 ➡ $2n \rightarrow$ **❷**

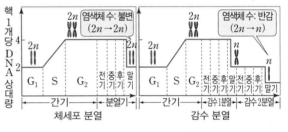

답 ❶ 감수 1분열 **❷** n

확인 Q 7

감수 분열 과정에서 염색체 수가 절반으로 감소하는 시기는?

개념 8 생식세포 분열과 유전적 다양성

1 상동 염색체의 무작위 분리 감수 분열 과정에서 상동 염색체의 무작위 배열과 독립적 분리에 따라 다양한 대립유전자를 갖는 생식세포 형성

- $2n = 4$인 경우 $2^2 =$ **❶** 가지의 조합이 발생
- 사람($2n = 46$)에서 만들어지는 생식세포는 **❷** 종류이다.

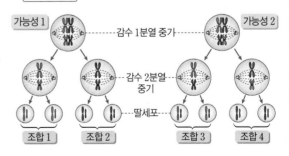

2 생식세포의 무작위 수정 대립유전자 조합이 다양한 생식세포들이 무작위로 수정되어 유전자 구성이 다양한 자손 탄생 ➡ 자손의 염색체 조합 = $2^n \times 2^n$

답 ❶ 4 **❷** 2^{23}

확인 Q 8

사람의 수정 과정에서 생기는 유전자 조합의 경우의 수는?

개념 돌파 전략 ①

개념 **1** 상염색체 유전-단일 대립 유전

1 상염색체 유전 형질을 결정하는 유전자가 상염색체에 있는 유전 ➡ ❶[　　　　]에 따라 형질이 나타나는 빈도에 차이가 없다.

2 단일 대립 유전(대립유전자의 종류가 2가지인 경우)
하나의 형질이 1쌍의 대립유전자에 의해 결정되는 단일 인자 유전으로, 멘델 법칙에 따라 유전된다.

구분	귓불 모양	혀 말기	눈꺼풀	이마선
우성	분리형	가능	쌍꺼풀	M자형
열성	부착형	불가능	외꺼풀	일자형

3 가계도에서 우열 관계 확인 예 귓불 모양 유전 가계도

형질이 같은 부모 사이에서 부모에 없는 형질이 자손에 나타난 경우 자손의 형질은 열성, 부모의 형질은 ❷[　　　　]이다.

Aa　　Aa

AA/Aa　aa　AA/Aa

- □ 분리형 남자
- ○ 분리형 여자
- ■ 부착형 남자
- ● 부착형 여자

답 ❶ 성별 ❷ 우성

확인 Q 1

대립유전자 A가 a에 대해 완전 우성일 경우 이형 접합인 두 사람 사이에서 열성인 아이가 태어날 확률은?

개념 **2** 상염색체 유전-복대립 유전

1 복대립 유전(대립유전자의 종류가 3가지 이상인 경우)
하나의 형질을 결정하는 데 3가지 이상의 대립유전자가 관여하지만, 개체의 형질은 1쌍의 대립유전자에 의해 결정되므로 단일 인자 유전이다.

2 ABO식 혈액형 유전 3개의 대립유전자(I^A, I^B, i)가 관여, 대립유전자 I^A, I^B는 i에 대해 완전 우성, I^A와 I^B는 우열 관계가 없다. 유전자형은 ❶[　　　　]가지, 표현형은 ❷[　　　　]가지로 나타난다.

표현형	A형	B형	AB형	O형
유전자형	I^AI^A　I^Ai	I^BI^B　I^Bi	I^AI^B	ii

답 ❶ 6 ❷ 4

확인 Q 2

부모가 모두 A형인데 O형인 아이가 태어났다. 부모의 ABO식 혈액형 유전자형은?

개념 **3** 성염색체 유전

1 사람의 성 결정 감수 분열 시 난자는 X 염색체를 가진 것만 생성되고, 정자는 X 염색체나 Y 염색체를 가진 것이 생성된다. ➡ 자녀의 성별은 난자와 수정되는 정자의 ❶[　　　　]에 의해 결정된다.

2 성염색체 유전 형질을 결정하는 유전자가 성염색체에 있는 유전 ➡ 남녀에 따라 형질이 나타나는 빈도가 다르다. 예 적록 색맹, 혈우병 등

3 적록 색맹 적록 색맹 유전자는 X 염색체에 있으며, 정상에 대해 열성이다.
➡ 여자보다 ❷[　　　　]에서 더 많이 나타난다.

구분	남자		여자		
유전자형	X^RY	X^rY	X^RX^R	X^RX^r	X^rX^r
표현형	정상	적록 색맹	정상	정상 (보인자)	적록 색맹

답 ❶ 성염색체 ❷ 남자

확인 Q 3

적록 색맹인 아들의 적록 색맹 대립유전자는 부모 중 누구로부터 물려받는가?

개념 **4** 단일 인자 유전과 다인자 유전

1 단일 인자 유전 1쌍의 대립유전자에 의해 형질이 결정되는 유전

2 다인자 유전 여러 쌍의 대립유전자에 의해 하나의 형질이 결정되는 유전 예 사람의 키, 피부색 등
- 대립 형질이 뚜렷하지 않고, 표현형이 다양하게 나타나며, ❶[　　　　]의 영향을 받는다.
- 개체 수 분포는 ❷[　　　　] 형태로 나타난다.

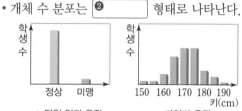

▲ 단일 인자 유전 (불연속적인 변이)　　▲ 다인자 유전 (연속적인 변이)

답 ❶ 환경 ❷ 정규 분포 곡선

확인 Q 4

사람의 피부색을 결정하는 유전자가 3쌍(A와 a, B와 b, D와 d)이라면 나타날 수 있는 표현형은 몇 가지인가? (단, 피부색은 대문자로 표시되는 대립유전자 수에 의해서만 결정된다.)

개념 **5** 염색체 구조 이상

1 염색체 구조 이상 염색체 수는 정상이지만 부분적으로 구조적인 변화가 생긴 경우

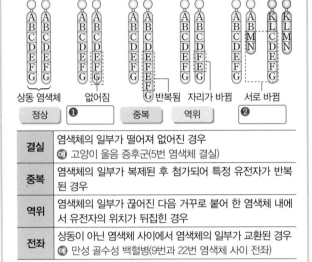

결실	염색체의 일부가 떨어져 없어진 경우 예 고양이 울음 증후군(5번 염색체 결실)
중복	염색체의 일부가 복제된 후 첨가되어 특정 유전자가 반복된 경우
역위	염색체의 일부가 끊어진 다음 거꾸로 붙어 한 염색체 내에서 유전자의 위치가 뒤집힌 경우
전좌	상동이 아닌 염색체 사이에서 염색체의 일부가 교환된 경우 예 만성 골수성 백혈병(9번과 22번 염색체 사이 전좌)

답 ❶ 결실 ❷ 전좌

확인 Q 5

X 염색체의 일부가 상염색체의 일부와 교환되어 나타나는 돌연변이는 염색체 구조 이상 중 (　　　　)에 해당한다.

개념 **6** 염색체 비분리

1 염색체 비분리 생식세포 형성 과정에서 염색체의 일부 또는 전체가 분리되지 않고 하나의 딸세포로 이동하는 현상

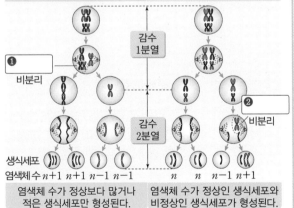

감수 1분열에서 염색체 비분리가 1회 일어났을 때	감수 2분열에서 염색체 비분리가 1회 일어났을 때

생식세포
염색체 수 $n+1$ $n+1$ $n-1$ $n-1$　　　　n　n　$n-1$ $n+1$

염색체 수가 정상보다 많거나 적은 생식세포만 형성된다.	염색체 수가 정상인 생식세포와 비정상인 생식세포가 형성된다.

답 ❶ 상동 염색체 ❷ 염색 분체

확인 Q 6

염색체 수가 n, $n+1$, $n-1$인 생식세포가 모두 생겼다면 감수 (　　　　)에서 염색체 비분리 현상이 나타난 것이다.

개념 **7** 염색체 수 이상

1 염색체 수 이상 염색체 ❶[　　　] 현상에 의해 나타난다.

2 상염색체 수 이상 상염색체 비분리에 의해 나타나며, 남녀 모두에게 나타날 수 있다.

다운 증후군	• 21번 염색체가 3개($2n+1=45+XX$ 또는 XY) ➡ 염색체 수 47개 • 지적 장애 및 심장 기형 등
에드워드 증후군	• 18번 염색체가 3개($2n+1=45+XX$ 또는 XY) ➡ 염색체 수 47개 • 심한 지적 장애 및 장기의 기형 등

3 성염색체 수 이상 성염색체 비분리에 의해 나타난다.

터너 증후군	• 성염색체가 X로 1개($2n-1=44+X$) ➡ 염색체 수 ❷[　　]개 • 외관상 여자이나 불임
클라인펠터 증후군	• 성염색체가 XXY로 3개($2n+1=44+XXY$) ➡ 염색체 수 47개 • 외관상 남자이나 불임, 유방 발달

답 ❶ 비분리 ❷ 45

확인 Q 7

성염색체 구성이 XX인 난자와 성염색체 구성이 Y인 정자가 수정되어 태어난 아이는 (　　　　) 증후군의 염색체 이상을 보인다.

개념 **8** 유전자 이상

1 유전자 이상 돌연변이 유전자를 구성하는 DNA의 ❶[　　　]이 변해 나타나는 돌연변이, 유전 정보가 바뀌어 단백질이 생성되지 않거나 비정상 단백질 생성 ➡ 염색체의 구조나 수는 정상이므로 핵형 분석으로 알아낼 수 없다.

2 유전자 돌연변이에 의한 유전병

낫 모양 적혈구 빈혈증	• ❷[　　　] 유전자 돌연변이 • 낫 모양 적혈구로 인한 악성 빈혈 증상
알비노증	• 멜라닌 색소 합성 유전자 돌연변이 • 멜라닌 색소 결핍으로 흰색의 피부
페닐케톤뇨증	• 페닐알라닌 전환 효소 유전자 돌연변이 • 페닐알라닌이 축적되어 중추 신경계 손상
헌팅턴 무도병	• 뇌 신경계 퇴행성 질환 • 우성으로 유전되는 유전병

답 ❶ 염기 서열 ❷ 헤모글로빈

확인 Q 8

헌팅턴 무도병, 알비노증, 페닐케톤뇨증 등은 유전자의 염기 서열 이상으로 발생하는 (　　　　) 이상 돌연변이에 속한다.

개념 돌파 전략 ②

5강_ 염색체와 생식세포

1 그림은 사람의 염색체 구조를 나타낸 것이다. 이에 대한 설명으로 옳지 <u>않은</u> 것은?

① (가)와 (나)는 분열하는 세포에서 관찰된다.

② (가)와 (나)는 서로 다른 딸세포로 들어간다.

③ (가)와 (나)의 유전자 구성은 동일하다.

④ (다)는 뉴클레오타이드이다.

⑤ (라)는 이중 나선 구조이다.

문제 해결 전략

뉴클레오솜은 염색체를 구성하는 기본 단위로, ❶ 가 ❷ 을 감고 있는 구조이다.

답 ❶ DNA ❷ 히스톤 단백질

2 그림은 어떤 생물의 세포 주기를 나타낸 것이다. 이에 대한 설명으로 옳지 <u>않은</u> 것은?

① ㉠은 간기에 속한다.

② ㉡ 시기에 DNA를 복제한다.

③ ㉢ 시기의 DNA양은 ㉠의 2배이다.

④ ㉢ 시기에 방추사가 나타난다.

⑤ M기에 응축된 염색체를 관찰할 수 있다.

문제 해결 전략

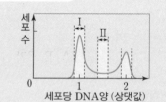

구간 Ⅰ의 세포는 DNA양이 1이므로 세포 주기 중 ❶ 기에 속하고, 구간 Ⅱ의 세포는 DNA양이 1~2 사이이므로 세포 주기의 ❷ 기에 속한다.

답 ❶ G_1 ❷ S

3 그림은 핵상이 $2n=4$인 어느 세포의 세포 분열 과정 중 한 시기를 나타낸 것이다. 이에 대한 설명으로 옳은 것만을 |보기|에서 있는 대로 고른 것은?

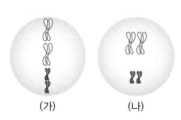

（가）　（나）

┌ 보기 ┐
ㄱ. (가)의 염색체 수는 (나)의 2배이다.
ㄴ. (가)는 체세포 분열 과정이다.
ㄷ. (나)에서 2가 염색체가 관찰된다.

① ㄱ   ② ㄷ   ③ ㄱ, ㄴ

④ ㄴ, ㄷ   ⑤ ㄱ, ㄴ, ㄷ

문제 해결 전략

• 체세포 분열과 감수 2분열은 염색 분체가 분리되므로 딸세포와 모세포의 염색체 수는 ❶ 다.

• 감수 1분열은 ❷ 가 분리되므로 딸세포의 염색체 수는 모세포의 절반이다.

답 ❶ 같 ❷ 상동 염색체

6강_ 사람의 유전

4 그림은 유전병 A에 대한 가계도를 나타낸 것이다.

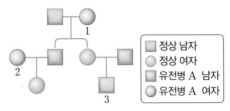

이에 대한 설명으로 옳은 것만을 ┃보기┃에서 있는 대로 고른 것은? (단, 돌연변이는 고려하지 않는다.)

┌ 보기 ┐
ㄱ. 유전병 A 유전자는 X 염색체에 있다.
ㄴ. 1과 2의 유전병 A 유전자형은 같다.
ㄷ. 3의 동생이 태어날 때 이 아이가 유전병 A를 가질 확률은 $\frac{1}{4}$ 이다.

① ㄱ   ② ㄴ   ③ ㄷ
④ ㄱ, ㄴ   ⑤ ㄴ, ㄷ

문제 해결 전략

유전병 부모에게서 정상인 딸이 태어났으므로 유전병 A가 정상에 대해 **❶** 이다. 유전병이 우성일 때 X 염색체 유전인 경우에는 아버지가 유전병이면 딸은 반드시 유전병이어야 한다. 그런데 딸이 정상이라면 유전병 A는 **❷** 유전이다.

🔑 ❶ 우성 ❷ 상염색체

5 그림은 세 남자 A, B, C가 가지고 있는 X 염색체의 적록 색맹 관련 유전자 구성을 나타낸 것이다.

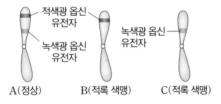

A(정상)   B(적록 색맹)   C(적록 색맹)

B, C에서 적록 색맹을 나타나게 한 염색체 구조 이상의 돌연변이 종류를 쓰시오. (단, 옵신은 망막에 존재하며 색을 감지하는 원추 세포에서 빛을 흡수하는 색소 단백질이다.)

문제 해결 전략

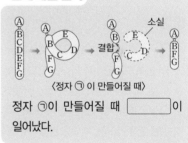

〈정자 ㉠이 만들어질 때〉

정자 ㉠이 만들어질 때   이 일어났다.

🔑 결실

6 그림은 염색체 돌연변이가 발생한 어떤 사람의 핵형 분석 결과를 나타낸 것이다. 이에 대한 설명으로 옳지 **않은** 것은?
① 상염색체 수는 정상이다.
② 성염색체가 비분리되었다.
③ 염색체 수 이상에 해당한다.
④ 이 사람은 터너 증후군을 나타낸다.
⑤ 정상인보다 염색체 수가 1개 더 많다.

문제 해결 전략

다운 증후군은 **❶** 인 21번 염색체에서 비분리가 일어난 것이고, 클라인펠터 증후군은 **❷** 에서 비분리가 일어난 것이다.

🔑 ❶ 상염색체 ❷ 성염색체

대표 기출 ①

2019 6월 모평 7번 유사

그림 (가)는 사람에서 체세포의 세포 주기를, (나)는 사람의 체세포에 있는 염색체의 구조를 나타낸 것이다. ㉠~㉢은 각각 G_1기, G_2기, M기 중 하나이다.

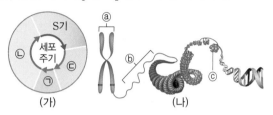

(가) (나)

이에 대한 설명으로 옳은 것만을 │보기│에서 있는 대로 고른 것은?

│보기│
ㄱ. ㉠ 시기에 ⓑ가 ⓐ로 응축된다.
ㄴ. S기에 ⓒ는 사라진다.
ㄷ. ㉠ 시기에 염색체 수가 감소한다.

① ㄱ   ② ㄴ   ③ ㄷ
④ ㄱ, ㄴ   ⑤ ㄴ, ㄷ

Tip 세포 주기는 G_1기(㉡) → S기 → G_2기(㉢) → M기(㉠) 순이다.

풀이 ㄱ. ⓐ는 응축된 염색체, ⓑ는 염색사이다. 염색사는 M기에서 응축되어 끈이나 막대 모양의 염색체가 된다.
ㄴ. ⓒ는 히스톤 단백질이다. 히스톤 단백질은 염색체를 구성하는 물질로 세포 주기 동안 항상 존재한다.
ㄷ. ㉠은 분열기이며, 체세포 분열에서 염색체 수는 변하지 않는다.

답 ①

확인 ①-1

그림은 사람의 체세포 세포 주기를 나타낸 것이다. ㉠~㉢은 각각 G_2기, M기, S기 중 하나이다. 이에 대한 설명으로 옳은 것만을 │보기│에서 있는 대로 고르시오.

│보기│
ㄱ. ㉠에서 방추사가 나타난다.
ㄴ. ㉡ 시기의 세포 1개당 DNA양은 G_1기 세포와 같다.
ㄷ. ㉢에서 염색 분체가 분리된다.

대표 기출 ②

2021 9월 모평 6번

그림은 어떤 사람의 핵형 분석 결과를 나타낸 것이다. ⓐ는 세포 분열 시 방추사가 부착되는 부분이다.

이에 대한 설명으로 옳은 것만을 │보기│에서 있는 대로 고른 것은?

│보기│
ㄱ. ⓐ는 동원체이다.
ㄴ. 이 사람은 다운 증후군의 염색체 이상을 보인다.
ㄷ. 이 핵형 분석 결과에서
$$\frac{\text{상염색체의 염색 분체 수}}{\text{성염색체 수}} = \frac{45}{2}$$ 이다.

① ㄱ   ② ㄷ   ③ ㄱ, ㄴ
④ ㄴ, ㄷ   ⑤ ㄱ, ㄴ, ㄷ

Tip 상염색체 중 21번 염색체가 3개인 사람은 다운 증후군이다.

풀이 ㄱ. 세포 분열 시 방추사가 부착되는 부분을 동원체라고 한다. 2가닥의 염색 분체는 동원체로 연결되어 있다.
ㄷ. 각 염색체는 2가닥의 염색 분체로 이루어져 있으므로
$$\frac{\text{상염색체의 염색 분체 수}}{\text{성염색체 수}} = \frac{90}{2}$$ 이다.

답 ③

확인 ②-1

그림은 어떤 사람의 핵형 분석 결과를 나타낸 것이다.

이에 대한 설명으로 옳은 것만을 │보기│에서 있는 대로 고르시오.

│보기│
ㄱ. 체세포 분열 결과 ㉠, ㉡은 서로 다른 딸세포로 들어간다.
ㄴ. ㉠, ㉡은 각각 부모로부터 하나씩 물려받았다.
ㄷ. 상염색체는 22쌍, 성염색체는 1쌍으로 구성된다.

대표 기출 3 [2021] 수능 6번

그림은 서로 다른 종인 동물 A와 B의 세포 (가)~(다) 각각에 들어 있는 염색체 중 X 염색체를 제외하고 모두 나타낸 것이다. (가)~(다) 중 2개는 A의 세포이고, 나머지 1개는 B의 세포이다. A와 B는 성이 다르고, A와 B의 성염색체는 암컷이 XX, 수컷이 XY이다.

(가)　　　(나)　　　(다)

이 자료에 대한 설명으로 옳은 것만을 |보기|에서 있는 대로 고른 것은? (단, 돌연변이는 고려하지 않는다.)

┌ 보기 ┐
ㄱ. (가)의 염색 분체 수는 6이다.
ㄴ. (나)는 B의 세포이다.
ㄷ. B는 감수 1분열 중기에 8개의 2가 염색체를 형성한다.

① ㄱ　　② ㄷ　　③ ㄱ, ㄴ
④ ㄴ, ㄷ　　⑤ ㄱ, ㄴ, ㄷ

Tip 상동 염색체가 있는 (가)와 (다)는 A, (나)는 B의 세포이다. (다)는 핵상이 $2n$인데 염색체 수가 홀수이므로 X 염색체가 1개 빠져 있는 것이다. 따라서 (가)와 (다)는 수컷, (나)는 암컷의 세포이다.

풀이 ㄱ. (가)의 핵상과 염색체 수는 $n=3$이므로 염색 분체 수는 6이다.
ㄷ. B의 체세포의 핵상과 염색체 수는 $2n=8$로, 감수 1분열 중기에 형성되는 2가 염색체는 4개이다.　답 ③

확인 3 -1 [2021] 4월 학평 1번 유사

그림은 동물 A($2n=6$)와 B($2n=?$)의 세포 (가)와 (나) 각각에 들어 있는 염색체를 모두 나타낸 것이다. 이에 대한 설명으로 옳은 것만을 |보기|에서 있는 대로 고르시오.

(가)　　　(나)

┌ 보기 ┐
ㄱ. (가)는 A의 세포이다.
ㄴ. (가)와 (나)의 핵상은 같다.
ㄷ. B의 체세포 분열 중기의 세포 1개당 염색 분체 수는 12이다.

대표 기출 4 [2021] 수능 9번

그림 (가)는 사람 A의 체세포를 배양한 후 세포당 DNA양에 따른 세포 수를, (나)는 A의 체세포 분열 과정 중 ㉠ 시기의 세포로부터 얻은 핵형 분석 결과의 일부를 나타낸 것이다.

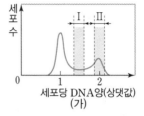 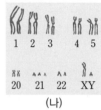

(가)　　　(나)

이에 대한 설명으로 옳은 것만을 |보기|에서 있는 대로 고른 것은?

┌ 보기 ┐
ㄱ. 구간 Ⅰ에는 핵막을 갖는 세포가 있다.
ㄴ. (나)에서 다운 증후군의 염색체 이상이 관찰된다.
ㄷ. 구간 Ⅱ에는 ㉠ 시기의 세포가 있다.

① ㄱ　　② ㄴ　　③ ㄱ, ㄷ
④ ㄴ, ㄷ　　⑤ ㄱ, ㄴ, ㄷ

Tip 구간 Ⅰ은 DNA 상대량이 1과 2 사이이므로 S기에 해당하는 세포가 있다.

풀이 ㄱ. S기는 간기에 속하므로 핵막이 있다.
ㄴ. 21번 염색체가 3개이므로 다운 증후군을 나타낸다.
ㄷ. 핵형 분석에는 세포 분열 중기의 세포를 사용한다.　답 ⑤

확인 4 -1

그림은 어떤 동물의 체세포를 배양한 후 세포당 DNA양에 따른 세포 수를 나타낸 것이다. 이 자료에 대한 설명으로 옳은 것만을 |보기|에서 있는 대로 고르시오.

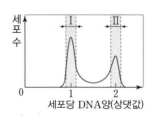

┌ 보기 ┐
ㄱ. 구간 Ⅰ의 세포에서 DNA가 복제된다.
ㄴ. 구간 Ⅱ에 분열하는 세포가 존재한다.
ㄷ. 이 세포의 세포 주기에서 G_1기가 G_2기보다 더 짧다.

대표 기출 ⑤ `2022` 9월 모평 15번

표는 어떤 사람의 세포 (가)~(다)에서 염색체 수와 DNA 상대량을 나타낸 것이다. (가)~(다)는 체세포의 세포 주기 중 M기(분열기)의 중기, G₁기, G₂기에 각각 관찰되는 세포를 순서 없이 나타낸 것이며, 염색체는 (다)에서만 관찰되었다.

세포	염색체 수	DNA 상대량
(가)	㉠	1
(나)	46	?
(다)	?	2

이에 대한 설명으로 옳은 것만을 |보기|에서 있는 대로 고른 것은? (단, 돌연변이는 고려하지 않는다.)

> **보기**
> ㄱ. ㉠은 23이다.
> ㄴ. (나)는 G_2기의 세포이다.
> ㄷ. (다)에서 핵막은 소실된다.

① ㄱ   ② ㄴ   ③ ㄷ
④ ㄱ, ㄴ   ⑤ ㄴ, ㄷ

Tip 염색체가 (다)에서 관찰되었으므로 (다)는 M기이고, (가)는 DNA 상대량이 1이므로 G_1기이다. 따라서 (나)는 G_2기이다.

풀이 ㄱ. (가)는 G_1기 세포이므로 염색체 수(㉠)는 46이다.
ㄴ. (나)는 G_2기이므로 DNA 상대량은 2이다.
ㄷ. (다)는 분열기 중기 세포이므로 핵막은 소실된다. **답 ⑤**

확인 ⑤-1

그림은 어느 동물($2n$) 세포의 세포 분열 과정에서 핵 1개당 DNA양의 변화를 나타낸 것이다.

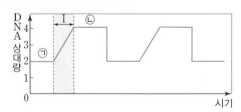

이에 대한 설명으로 옳은 것만을 |보기|에서 있는 대로 고르시오.

> **보기**
> ㄱ. 구간 Ⅰ에서 방추사가 나타난다.
> ㄴ. $\dfrac{㉡에 존재하는 세포의 염색체 수}{㉠에 존재하는 세포의 염색체 수}=2$이다.
> ㄷ. 세포 분열 결과 생긴 두 딸세포의 유전자 구성은 같다.

대표 기출 ⑥ `2020` 6월 모평 5번

그림 (가)는 어떤 동물($2n=6$)의 세포가 분열하는 동안 핵 1개당 DNA양을, (나)는 이 세포 분열 과정의 어느 한 시기에 관찰되는 세포를 나타낸 것이다. 이 동물의 특정 형질에 대한 유전자형은 Rr이며, R와 r는 대립유전자이다.

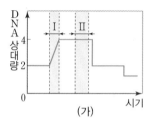 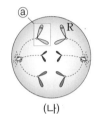

이에 대한 설명으로 옳은 것만을 |보기|에서 있는 대로 고르시오. (단, 돌연변이와 교차는 고려하지 않는다.)

> **보기**
> ㄱ. ⓐ에는 R가 있다.
> ㄴ. 구간 Ⅰ에서 염색체 수가 2배가 된다.
> ㄷ. 구간 Ⅱ에서 2가 염색체가 관찰된다.

Tip 구간 Ⅰ은 DNA양이 증가하므로 S기, 구간 Ⅱ는 G_2기와 분열기 중 감수 1분열 과정이다. (나)는 핵상이 n이고, 염색 분체가 분리되고 있으므로 감수 2분열 후기의 세포이다.

풀이 ㄱ. ⓐ와 R가 있는 염색체는 염색 분체이므로 ⓐ는 R이다.
ㄴ. DNA가 복제되어도 염색체 수는 증가하지 않는다.
ㄷ. 2가 염색체는 감수 1분열 전기에서 중기까지 관찰되므로 구간 Ⅱ에서 관찰된다. **답 ㄱ, ㄷ**

확인 ⑥-1

그림 (가)는 어떤 동물의 정상적인 세포 분열 과정에서 핵 1개당 DNA양을, (나)는 이 세포 분열 과정의 어느 한 시기에 관찰되는 세포를 나타낸 것이다.

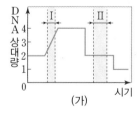 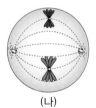

이에 대한 설명으로 옳은 것만을 |보기|에서 있는 대로 고르시오.

> **보기**
> ㄱ. 구간 Ⅰ에서 염색체 수가 2배로 증가한다.
> ㄴ. (나)는 구간 Ⅱ에서 관찰된다.
> ㄷ. (나)의 핵상은 $2n$이다.

대표 기출 **7** 2020 6월 모평 16번

사람의 유전 형질 ⓐ는 3쌍의 대립유전자 E와 e, F와 f, G와 g에 의해 결정되며, ⓐ를 결정하는 유전자는 서로 다른 3개의 상염색체에 존재한다. 그림 (가)는 어떤 사람의 G_1기 세포 Ⅰ로부터 정자가 형성되는 과정을, (나)는 이 사람의 세포 ㉠~㉢이 갖는 대립유전자 E, f, G의 DNA 상대량을 나타낸 것이다. ㉠~㉢은 Ⅰ~Ⅲ을 순서 없이 나타낸 것이고, Ⅱ는 중기의 세포이다.

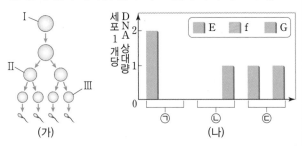

(가)　　　　　　　(나)

이에 대한 설명으로 옳은 것만을 |보기|에서 있는 대로 고른 것은? (단, 돌연변이와 교차는 고려하지 않으며, E, e, F, f, G, g 각각의 1개당 DNA 상대량은 같다.)

> **보기**
> ㄱ. Ⅰ에서 세포 1개당
> $$\frac{\text{E의 DNA 상대량}+\text{G의 DNA 상대량}}{\text{F의 DNA 상대량}}$$ 은 1
>   이다.
> ㄴ. Ⅱ의 염색 분체 수는 23이다.
> ㄷ. Ⅲ은 ㉢이다.

① ㄱ　　　　② ㄴ　　　　③ ㄷ
④ ㄱ, ㄴ　　　⑤ ㄴ, ㄷ

Tip 대립유전자는 감수 분열 과정에서 나뉘어 딸세포로 들어가므로 (나)에서 대립유전자의 종류를 모두 가지는 ㉢이 세포 Ⅰ이다. E와 G를 각각 하나씩 가지고 f는 가지지 않으므로 세포 Ⅰ의 유전자형은 EeFFGg가 된다.

풀이 ㄱ. 세포 Ⅰ의 유전자 구성은 EeFFGg이므로
$$\frac{\text{E의 DNA 상대량}+\text{G의 DNA 상대량}}{\text{F의 DNA 상대량}}=1\text{이다.}$$
ㄴ. Ⅰ~Ⅲ 중 Ⅱ의 핵상은 n이고, 염색 분체를 가지므로 각 유전자의 DNA양이 1이 될 수 없다. 따라서 ㉠이 세포 Ⅱ이며 세포 Ⅱ의 염색 분체 수는 46이다.
ㄷ. Ⅲ은 ㉡으로 유전자형은 eFG이다.　　　답 ①

확인 **7**-1 2021 3월 학평 12번 유사

사람의 유전 형질 ㉠은 서로 다른 상염색체에 있는 3쌍의 대립유전자 E와 e, F와 f, G와 g에 의해 결정된다. 표는 어떤 사람의 세포 Ⅰ~Ⅲ에서 E, f, g의 유무와, F와 G의 DNA 상대량을 더한 값(F+G)을 나타낸 것이다.

세포	대립유전자			F+G
	E	f	g	
Ⅰ	×	○	×	2
Ⅱ	○	○	○	1
Ⅲ	○	○	×	1

이에 대한 설명으로 옳은 것만을 |보기|에서 있는 대로 고른것은? (단, 돌연변이와 교차는 고려하지 않으며, E, e, F, f, G, g 각각의 1개당 DNA 상대량은 1이다.)

> **보기**
> ㄱ. 이 사람의 ㉠에 대한 유전자형은 EeffGg이다.
> ㄴ. Ⅰ에서 e의 DNA 상대량은 1이다.
> ㄷ. Ⅱ와 Ⅲ의 핵상은 같다.

① ㄱ　　　　　②ㄴ　　　　　③ ㄷ
④ ㄱ, ㄴ　　　⑤ ㄴ, ㄷ

5강_ 염색체와 생식세포

2022 9월 모평 14번

1 그림은 동물($2n=6$) Ⅰ~Ⅲ의 세포 (가)~(라) 각각에 들어 있는 모든 염색체를 나타낸 것이다. Ⅰ~Ⅲ은 2가지 종으로 구분되고, (가)~(라) 중 2개는 암컷의, 나머지 2개는 수컷의 세포이며, 성염색체는 암컷이 XX, 수컷은 XY이다. 염색체 ⓐ와 ⓑ 중 하나는 상염색체이고, 나머지 하나는 성염색체이다. ⓐ와 ⓑ의 모양과 크기는 나타내지 않았다.

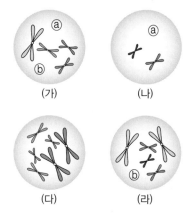

(가) (나)

(다) (라)

이에 대한 설명으로 옳은 것만을 ∣보기∣에서 있는 대로 고른 것은? (단, 돌연변이는 고려하지 않는다.)

┌─ 보기 ┌
ㄱ. ⓐ는 상염색체, ⓑ는 X 염색체이다.
ㄴ. (가)와 (다)의 염색체 수와 핵형은 동일하다.
ㄷ. (나)에서 형성된 생식세포가 수정에 참여할 때 수정란의 성별은 수컷이다.

① ㄱ   ② ㄷ   ③ ㄱ, ㄷ
④ ㄴ, ㄷ   ⑤ ㄱ, ㄴ, ㄷ

Tip 핵형은 생물종의 고유한 특성으로 염색체 [   ]가 같더라도 종이 다르면 다르다.

답 수

2 그림 (가)는 어떤 동물의 체세포 집단 A를 배양하는 동안 세포당 DNA양에 따른 세포 수를 그래프로 나타낸 것이고, (나)는 집단 A의 세포 주기이다.

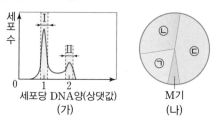

(가) (나)

이에 대한 설명으로 옳은 것만을 ∣보기∣에서 있는 대로 고르시오.

┌─ 보기 ┌
ㄱ. 구간 Ⅰ에는 핵막이 소실된 세포가 있다.
ㄴ. ⓒ 시기에 DNA양이 증가한다.
ㄷ. ㉠ 시기 세포의 DNA양은 ㉡ 시기 세포의 DNA양의 2배이다.

Tip 세포 주기의 각 단계의 길이는 그 시기에 머무르고 있는 세포 [   ]에 비례한다.

답 수

3 그림 (가)는 어떤 동물의 세포가 분열하는 동안 핵 1개당 DNA양의 변화를, (나)는 이 세포 분열 과정의 어느 한 시기에서 관찰되는 세포의 염색체를 모두 나타낸 것이다. R과 r는 형질 X를 나타내는 대립유전자이다.

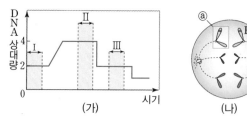

(가) (나)

이에 대한 설명으로 옳은 것만을 ∣보기∣에서 있는 대로 고르시오.

┌─ 보기 ┌
ㄱ. (나)는 구간 Ⅲ에서 관찰된다.
ㄴ. ⓐ에 들어갈 대립유전자는 r이다.
ㄷ. (나)는 분열 후 염색체 수가 절반으로 줄어든다.

Tip 염색 분체가 분리될 때 딸세포의 [   ] 수는 변하지 않는다.

답 염색체

2021 4월 학평 11번

4 표는 사람 A의 세포 ⓐ와 ⓑ, 사람 B의 세포 ⓒ와 ⓓ에서 유전자 ㉠~㉣의 유무를 나타낸 것이고, 그림 (가)와 (나)는 각각 정자 형성 과정과 난자 형성 과정을 나타낸 것이다. 사람의 특정 형질은 2쌍의 대립유전자 E와 e, F와 f에 의해 결정되며, ㉠~㉣은 E, e, F, f를 순서 없이 나타낸 것이다. Ⅰ~Ⅳ는 ⓐ~ⓓ를 순서 없이 나타낸 것이다.

유전자	A의 세포		B의 세포	
	ⓐ	ⓑ	ⓒ	ⓓ
㉠	○	○	×	○
㉡	×	○	×	×
㉢	○	○	○	○
㉣	×	×	×	○

(○: 있음, ×: 없음)

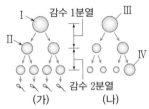

이에 대한 설명으로 옳은 것만을 | 보기 |에서 있는 대로 고른 것은? (단, 돌연변이와 교차는 고려하지 않는다.)

┌ 보기 ┐
ㄱ. ⓓ는 Ⅰ이다.
ㄴ. ㉣은 X 염색체에 있다.
ㄷ. ㉠은 ㉢의 대립유전자이다.
└───┘

① ㄱ   ② ㄷ   ③ ㄱ, ㄴ
④ ㄴ, ㄷ   ⑤ ㄱ, ㄴ, ㄷ

Tip 감수 ❶ ▢ 분열에서 ❷ ▢ 가 분리되어 딸세포로 들어간다.
🔑 ❶ 1 ❷ 상동 염색체

2020 수능 7번

6 사람의 유전 형질 ⓐ는 2쌍의 대립유전자 H와 h, T와 t에 의해 결정된다. 표는 어떤 사람의 난자 형성 과정에서 나타나는 세포 (가)~(다)에서 유전자 ㉠~㉢의 유무를, 그림은 (가)~(다)가 갖는 H와 t의 DNA 상대량을 나타낸 것이다. (가)~(다)는 중기의 세포이고, ㉠~㉢은 h, T, t를 순서 없이 나타낸 것이다.

유전자	세포		
	(가)	(나)	(다)
㉠	○	○	×
㉡	○	×	○
㉢	×	?	×

(○: 있음, ×: 없음)

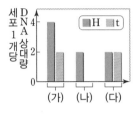

이에 대한 설명으로 옳은 것만을 | 보기 |에서 있는 대로 고른 것은? (단, 돌연변이와 교차는 고려하지 않으며, H, h, T, t 각각의 1개당 DNA 상대량은 1이다.)

┌ 보기 ┐
ㄱ. ㉡은 T이다.
ㄴ. (나)와 (다)의 핵상은 같다.
ㄷ. 이 사람의 ⓐ에 대한 유전자형은 HhTt이다.
└───┘

① ㄱ   ② ㄴ   ③ ㄷ
④ ㄱ, ㄴ   ⑤ ㄱ, ㄷ

Tip H의 DNA양이 4인 것으로 보아 (가)는 ❶ ▢ 중인 세포이며, (나), (다)는 핵상이 n인 ❷ ▢ 중인 세포이다.
🔑 ❶ 감수 1분열 ❷ 감수 2분열

---

5 그림은 어떤 동물의 분열 중인 세포 (가), (나)에 들어 있는 모든 염색체를 나타낸 것이다. 이 동물의 성염색체는 암컷이 XX, 수컷이 XY이다. 이에 대한 설명으로 옳은 것만을 | 보기 |에서 있는 대로 고르시오.

(가)   (나)

┌ 보기 ┐
ㄱ. 이 동물의 성별은 수컷이다.
ㄴ. (가)와 (나)의 핵상은 같다.
ㄷ. $\dfrac{\text{감수 1분열 중기 세포 1개당 2가 염색체 수}}{G_1\text{기의 체세포의 X 염색체 수}}=2$ 이다.
└───┘

Tip 상동 염색체를 하나만 가질 때 염색체가 2가닥이든, 1가닥이든 핵상은 ▢ 이다.
🔑 n

대표 기출 **1**

2020 수능 12번 유사

다음은 사람의 유전 형질 (가)~(다)에 대한 자료이다.

- (가)~(다)를 결정하는 유전자는 모두 상염색체에 있다.
- (가)는 대립유전자 A와 a에 의해, (나)는 대립유전자 B와 b에 의해, (다)는 대립유전자 D와 d에 의해 결정된다.
- (가)~(다) 중 2가지 형질은 각 유전자형에서 대문자로 표시되는 대립유전자가 소문자로 표시되는 대립유전자에 대해 완전 우성이다. 나머지 한 형질을 결정하는 대립유전자 사이의 우열 관계는 분명하지 않고, 3가지 유전자형에 따른 표현형이 모두 다르다.
- 유전자형이 ⓐAaBbDd인 아버지와 AaBBdd인 어머니 사이에서 ⓐ가 태어날 때, ⓐ에서 나타날 수 있는 표현형은 최대 8가지이다.

이에 대한 설명으로 옳은 것만을 │보기│에서 있는 대로 고른 것은? (단, 돌연변이는 고려하지 않는다.)

┌ 보기 ┐
ㄱ. (가)~(다)는 서로 다른 염색체에 있다.
ㄴ. B와 b는 불완전 우성이다.
ㄷ. ⓐ에서 ⑤과 표현형이 같은 아이가 태어날 확률은 $\frac{1}{8}$이다.

① ㄱ   ② ㄷ   ③ ㄱ, ㄴ
④ ㄴ, ㄷ   ⑤ ㄱ, ㄴ, ㄷ

Tip 아버지 ⑤과 어머니 사이에서 태어난 ⓐ에서 최대 8가지 표현형이 나타나려면 (가)~(다)를 결정하는 유전자가 각각 서로 다른 상염색체에 있으며, (가)~(다)의 표현형이 각각 2가지인 경우이다.

풀이 ㄴ. (가)와 (다)의 표현형이 각각 2가지가 되려면 부(Aa)×모(Aa) → ⓐ (AA, Aa, aa), 부(Dd)×모(dd) → ⓐ (Dd, dd)이므로 A는 a에 대해, D는 d에 대해 각각 완전 우성이어야 한다. (나)의 표현형이 2가지가 되려면 BB와 Bb의 표현형이 달라야 하므로 B는 b에 대해 불완전 우성이다.

ㄷ. ⓐ에서 (가)의 표현형이 ⑤과 같을 확률(AA 또는 Aa일 확률)은 $\frac{3}{4}$이고, (나)의 표현형이 ⑤과 같을 확률(Bb일 확률)은 $\frac{1}{2}$이며, (다)의 표현형이 ⑤과 같을 확률(Dd일 확률)은 $\frac{1}{2}$이다.

따라서 ⓐ의 표현형이 ⑤과 같을 확률은 $\frac{3}{4} \times \frac{1}{2} \times \frac{1}{2} = \frac{3}{16}$이다.

답 ③

확인 **1**-1

다음은 사람의 유전병 (가)의 특징을 나타낸 것이다. (가)는 우열 관계가 분명한 2가지 대립 유전자에 의해서만 형질이 결정된다.

- 부모는 정상이고, 딸은 유전병을 나타내는 경우가 있다.
- 유전병을 나타내는 부모로부터 태어난 자녀는 항상 유전병을 나타낸다.

유전병 (가)에 대한 설명으로 옳은 것만을 │보기│에서 있는 대로 고르시오.

┌ 보기 ┐
ㄱ. 유전병 (가)는 정상에 대해 열성이다.
ㄴ. 유전자가 발현되는 비율은 남녀에 따라 달라진다.
ㄷ. 유전병 (가)의 유전자는 X 염색체에 있다.

확인 **1**-2

다음은 어떤 가족의 ABO식 혈액형 유전에 대한 자료이다.

- ABO식 혈액형을 결정하는 대립유전자는 A, B, O이다.
- 아버지, 어머니, 철수, 동생은 모두 혈액형이 다르다.
- 철수와 동생은 공통된 대립유전자를 가진다.

이에 대한 설명으로 옳은 것만을 │보기│에서 있는 대로 고르시오. (단, 돌연변이는 고려하지 않는다.)

┌ 보기 ┐
ㄱ. ABO식 혈액형은 다인자 유전 형질이다.
ㄴ. 부모와 동일한 혈액형의 자녀가 태어날 확률은 $\frac{1}{2}$이다.
ㄷ. 철수의 동생이 A형인 여자 아이일 확률은 $\frac{1}{4}$이다.

대표 기출 2 2021 수능 15번

다음은 어떤 집안의 유전 형질 (가)~(다)에 대한 자료이다.

- (가)는 대립유전자 H와 h에 의해, (나)는 대립유전자 R와 r에 의해, (다)는 대립유전자 T와 t에 의해 결정된다. H는 h에 대해, R는 r에 대해, T는 t에 대해 각각 완전 우성이다.
- (가)~(다)의 유전자 중 2개는 X 염색체에, 나머지 1개는 상염색체에 있다.
- 가계도는 구성원 ⓐ를 제외한 구성원 1~8에게서 (가)~(다) 중 (가)와 (나)의 발현 여부를 나타낸 것이다.

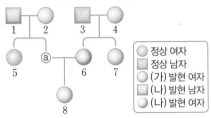

○ 정상 여자
□ 정상 남자
◑ (가) 발현 여자
◪ (나) 발현 남자
◕ (나) 발현 여자

- 2, 7에서는 (다)가 발현되었고, 4, 5, 8에서는 (다)가 발현되지 않았다.

이에 대한 설명으로 옳은 것만을 │보기│에서 있는 대로 고르시오. (단, 돌연변이와 교차는 고려하지 않는다.)

│보기│
ㄱ. (나)의 유전자는 X 염색체에 있다.
ㄴ. 4의 (가)~(다)의 유전자형은 모두 이형 접합성이다.
ㄷ. 8의 동생이 태어날 때, 이 아이에게서 (가)~(다) 중 (가)만 발현될 확률은 $\frac{1}{4}$이다.

Tip 부모(3, 4)에 없는 형질이 자손(6)에 나타날 경우 자손의 표현형이 열성, 부모의 표현형이 우성이므로 (나)는 열성 형질이다.

풀이 ㄱ. 아버지(3)가 정상인데, 딸(6)에게서 열성 유전하는 (나)가 발현된 것으로 보아 (나)는 상염색체 유전 형질이다.
ㄴ. 4는 7에게 X^{Ht}를, 6에게 X^{hT}를 물려주었으며, (나)의 유전자형은 Rr이다. 따라서 4의 유전자형은 (가)~(다) 모두 이형 접합성이다.
ㄷ. ⓐ의 유전자형은 $X^{Ht}Y/Rr$, 6의 유전자형은 $X^{ht}X^{hT}/rr$이므로 8의 동생이 (가)가 발현되고 (다)가 발현되지 않은 경우는 $X^{Ht}X^{ht}$, $X^{Ht}X^{hT}$, $X^{ht}Y$, $X^{hT}Y$ 중 $X^{Ht}X^{hT}$이므로 구하는 확률은 $\frac{1}{4}$이다. 또 (나)가 발현되지 않을 확률은 ⓐ로부터 R를 받을 확률인 $\frac{1}{2}$이다. 따라서 (가)만 발현될 확률은 $\frac{1}{4} \times \frac{1}{2} = \frac{1}{8}$이다.

답 ㄴ

확인 2 -1

다음은 초파리의 눈 색깔과 몸 색깔 유전에 관한 자료이다.

- 수컷의 성염색체는 XY, 암컷의 성염색체는 XX이다.
- 눈 색은 붉은 눈 대립유전자 A와 흰 눈 대립유전자 a, 몸 색은 회색 몸 대립유전자 B와 노란색 몸 대립유전자 b에 의해 결정된다.
- 눈 색과 몸 색 유전자는 X 염색체에 존재한다.
- A는 a에 대해, B는 b에 대해 각각 완전 우성이다.
- ㉠ 어떤 암컷과 ㉡ 흰 눈 수컷을 교배하여 얻은 ㉢ 자손(F₁)에서 흰 눈 암컷과 붉은 눈 암컷의 비율은 1 : 1이다.
- F₁ 중 흰 눈 암컷은 B를 갖고, ㉣ 붉은 눈 암컷은 B를 갖지 않는다.

이에 대한 설명으로 옳은 것만을 │보기│에서 있는 대로 고르시오. (단, 돌연변이와 교차는 고려하지 않는다.)

│보기│
ㄱ. ㉠, ㉡의 몸 색은 같다.
ㄴ. ㉢에서 흰 눈 암컷은 a와 B가 같이 존재하는 X 염색체를 가진다.
ㄷ. ㉣의 눈 색, 몸 색 유전자는 모두 이형 접합성이다.

확인 2 -2

그림은 빅토리아 여왕의 혈우병 가계도 일부를 나타낸 것이다.

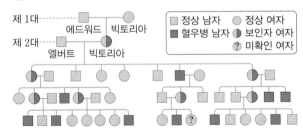

□ 정상 남자 ○ 정상 여자
◼ 혈우병 남자 ◑ 보인자 여자
⑦ 미확인 여자

이에 대한 설명으로 옳은 것만을 │보기│에서 있는 대로 고르시오.

│보기│
ㄱ. 남자는 혈우병 대립유전자를 하나만 가져도 혈우병이 발현된다.
ㄴ. 정상 남자와 보인자 여자 사이에서 태어난 아들이 혈우병이 나타날 확률은 $\frac{1}{4}$이다.
ㄷ. 제 1대 에드워드와 빅토리아의 생식세포에서 돌연변이가 발생해 제 2대 빅토리아에게 전달되었다.

대표 기출 **3** 〔2022〕 6월 모평 14번

다음은 사람의 유전 형질 (가)에 대한 자료이다.

- (가)는 서로 다른 2개의 상염색체에 있는 3쌍의 대립유전자 A와 a, B와 b, D와 d에 의해 결정되며, A, a, B, b는 7번 염색체에 있다.
- (가)의 표현형은 유전자형에서 대문자로 표시되는 대립유전자의 수에 의해서만 결정되며, 이 대립유전자의 수가 다르면 표현형이 다르다.
- (가)의 표현형이 서로 같은 P와 Q 사이에서 ⓐ가 태어날 때, ⓐ에게서 나타날 수 있는 표현형은 최대 5가지이고, ⓐ의 표현형이 부모와 같을 확률은 $\frac{3}{8}$이며, ⓐ의 유전자형이 AABbDD일 확률은 $\frac{1}{8}$이다.

ⓐ가 유전자형이 AaBbDd인 사람과 동일한 표현형을 가질 확률은? (단, 돌연변이와 교차는 고려하지 않는다.)

① $\frac{1}{8}$ ② $\frac{1}{4}$ ③ $\frac{3}{8}$ ④ $\frac{1}{2}$ ⑤ $\frac{5}{8}$

Tip ⓐ의 유전자형에 AABbDD가 있으므로 P, Q는 각각 A−B, A−b가 연관되어 있다. ⓐ가 나타내는 표현형이 최대 5가지가 되려면 P와 Q의 유전자형은 AABbDd, AABbDd 중 하나이다.

풀이 P, Q 중 한 명은 ABD, ABd, AbD, Abd 4종류의 생식세포를 만들고, 다른 한 명은 AbD, Abd, ABD, ABd 4종류의 생식세포를 만든다. 자손은 대문자가 6개인 경우 1, 5개인 경우 4, 4개인 경우 6, 3개인 경우 4, 2개인 경우 1이다. 따라서 AaBbDd(대문자가 3개)와 동일한 표현형을 가질 확률은 $\frac{1}{4}$이다.

答 ②

확인 **3**-1

다음은 어떤 동물의 유전 형질 ㉠과 ㉡에 대한 자료이다.

- ㉠은 3쌍의 대립유전자 A와 a, B와 b, D와 d에 의해 결정된다.
- ㉠의 표현형은 유전자형에서 대문자로 표시되는 대립유전자의 수에 의해서만 결정되며, 이 대립유전자의 수가 다르면 ㉠의 표현형이 다르다.
- ㉡은 대립유전자 E와 e에 의해 결정되며, E는 e에 대해 완전 우성이다.
- A, B, D, E 유전자는 각각 서로 다른 상염색체에 있다.

유전자형이 AaBbDdEe인 암수를 교배하여 자손(F₁)이 태어날 때, 이 자손의 표현형이 부모와 같을 확률을 구하시오.

대표 기출 **4** 〔2015〕 6월 모평 16번 유사

그림은 어떤 동물에서 정상 핵형을 가진 수컷의 세포 (가)와 염색체 구조 이상이 일어난 암컷의 세포 (나) 각각에 들어 있는 상염색체와 성염색체를 한 쌍씩 나타낸 것이다. A와 a는 서로 대립유전자이다.

(가)　　　　　(나)

이 자료에 대한 설명으로 옳은 것만을 |보기|에서 있는 대로 고른 것은? (단, 염색체 구조 이상은 1회만 일어났으며, 제시된 자료 이외의 염색체 돌연변이는 고려하지 않는다.)

┌ 보기 ┐
ㄱ. (가)에서 A는 X 염색체에 있다.
ㄴ. (나)에서 대립유전자 a는 상염색체로 역위되었다.
ㄷ. (나)의 상염색체 수는 정상이다.

① ㄱ ② ㄴ ③ ㄱ, ㄷ
④ ㄴ, ㄷ ⑤ ㄱ, ㄴ, ㄷ

Tip (나)에서 유전자 a는 X 염색체에 있어야 한다.

풀이 ㄱ. A가 있는 염색체는 Y 염색체와 상동 관계인 X 염색체이다.
ㄴ. X 염색체에 존재하던 대립유전자 a가 상염색체로 전좌되었다.
ㄷ. 염색체 구조 이상의 경우 염색체 수는 정상이다.

答 ③

확인 **4**-1

그림은 만성 골수성 백혈병 환자의 정원 세포와 백혈구 세포의 일부 염색체를 나타낸 것이다.

정원 세포　　　　　백혈구

이에 대한 설명으로 옳은 것만을 |보기|에서 있는 대로 고르시오.

┌ 보기 ┐
ㄱ. 이 환자의 질환은 자손에게 유전된다.
ㄴ. 상동 염색체 사이에서 전좌가 일어났다.
ㄷ. 이 환자의 염색체 수는 정상인과 동일하다.

대표 기출 **5** 2019 10월 학평 16번

그림은 어떤 동물(2*n*=6)에서 정자가 형성되는 과정을, 표는 세포 Ⅰ~Ⅲ의 총염색체 수와 X 염색체 수를 비교하여 나타낸 것이다. 감수 1분열과 감수 2분열에서 염색체 비분리가 각각 1회씩 일어났다. 이 동물의 성염색체는 암컷이 XX, 수컷이 XY이며, Ⅲ에 Y 염색체가 있다. Ⅰ은 중기의 세포이다.

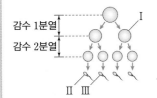

총염색체 수	X 염색체 수
Ⅱ>Ⅲ>Ⅰ	Ⅱ=Ⅲ>Ⅰ

이에 대한 설명으로 옳은 것만을 | 보기 |에서 있는 대로 고른 것은?

┌─ 보기 ─────────────────────────┐
ㄱ. Ⅰ의 상염색체 수와 Ⅱ의 성염색체 수의 합은 4이다.
ㄴ. 감수 1분열에서 상염색체 비분리가 일어났다.
ㄷ. $\dfrac{\text{X 염색체 수}}{\text{총염색체 수}}$ 는 Ⅱ가 Ⅲ보다 크다.
└─────────────────────────────┘

① ㄱ   ② ㄴ   ③ ㄱ, ㄴ
④ ㄱ, ㄷ   ⑤ ㄴ, ㄷ

Tip 각 세포의 핵상은 Ⅰ은 *n*−1, Ⅱ는 *n*+2, Ⅲ은 *n*이다.

풀이 Ⅰ의 핵상은 *n*−1=2로 상염색체만 2개 가지고, Ⅱ와 Ⅲ은 X, Y 염색체가 모두 들어 있다.

ㄱ. Ⅰ의 상염색체 수와 Ⅱ의 성염색체 수는 각각 2이므로 합은 4이다.

ㄴ. Ⅲ에 Y 염색체가 있는데, Ⅱ와 Ⅲ에 X 염색체가 같은 수로 존재하는 것으로 보아 감수 1분열에서 성염색체 비분리, 감수 2분열에서 상염색체 비분리가 일어났다.

ㄷ. $\dfrac{\text{X 염색체 수}}{\text{총염색체 수}}$ 는 Ⅱ는 $\dfrac{1}{n+2}$, Ⅲ은 $\dfrac{1}{n}$ 이므로 Ⅱ보다 Ⅲ이 더 크다.

답 ①

확인 **5**-1 2021 3월 학평 16번

그림 (가)는 유전자형이 Tt인 어떤 남자의 정자 형성 과정을, (나)는 세포 Ⅲ에 있는 21번 염색체를 모두 나타낸 것이다. (가)에서 염색체 비분리가 1회 일어났고, Ⅰ은 중기의 세포이다.

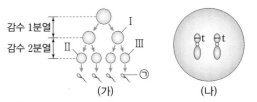

(가)   (나)

이에 대한 설명으로 옳은 것만을 | 보기 |에서 있는 대로 고르시오. (단, 제시된 염색체 비분리 이외의 돌연변이와 교차는 고려하지 않는다.)

┌─ 보기 ─────────────────────────┐
ㄱ. Ⅰ과 Ⅱ의 성염색체 수는 같다.
ㄴ. (가)에서 염색체 비분리는 감수 1분열에서 일어났다.
ㄷ. ㉠과 정상 난자가 수정되어 아이가 태어날 때, 이 아이는 다운 증후군의 염색체 이상을 보인다.
└─────────────────────────────┘

확인 **5**-2 2015 3월 학평 15번

그림은 어떤 남자의 정자 형성 과정을, 표는 정자 ㉠~㉢의 핵상과 X 염색체 수를 나타낸 것이다. 정자 형성 과정 중 염색체 비분리가 1회 일어났다.

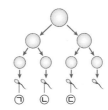

정자	핵상	X 염색체 수(개)
㉠	*n*+1	1
㉡	*n*−1	1
㉢	*n*	0

이에 대한 설명으로 옳은 것만을 | 보기 |에서 있는 대로 고르시오. (단, 제시된 비분리 이외의 다른 돌연변이는 고려하지 않는다.)

┌─ 보기 ─────────────────────────┐
ㄱ. 감수 2분열에서 염색체 비분리가 일어났다.
ㄴ. ㉠의 상염색체 수는 22이다.
ㄷ. ㉢과 정상 난자가 수정되어 아이가 태어날 때, 이 아이는 터너 증후군을 나타낸다.
└─────────────────────────────┘

필수 체크 전략 ②

6강_ 사람의 유전

1 다음은 형질 (가)와 (나)에 대한 자료와 이 형질을 나타내는 어떤 집안의 가계도이다.

- (가)와 (나)를 결정하는 유전자는 서로 다른 염색체에 존재한다.
- (가)와 (나)는 각각 한 쌍의 대립유전자에 의해 결정되며, 각 형질을 결정하는 대립유전자 사이의 우열 관계는 분명하다.

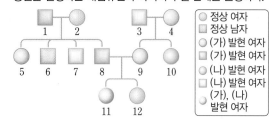

- ○ 정상 여자
- □ 정상 남자
- ○ (가) 발현 여자
- □ (가) 발현 여자
- ○ (나) 발현 여자
- □ (나) 발현 여자
- ● (가), (나) 발현 여자

이에 대한 설명으로 옳은 것만을 | 보기 |에서 있는 대로 고른 것은? (단, 돌연변이는 고려하지 않는다.)

┌ 보기 ┐
ㄱ. (가)는 상염색체 유전 형질이다.
ㄴ. (나)는 정상에 대해 우성으로 유전한다.
ㄷ. 8과 9 사이에서 부모와 같은 표현형을 가진 아이가 태어날 확률은 $\frac{3}{16}$이다.

① ㄱ ② ㄴ ③ ㄷ
④ ㄱ, ㄷ ⑤ ㄴ, ㄷ

Tip 부모의 표현형이 같고 자손에서 부모와 다른 표현형이 나타날 때 자손의 표현형이 **❶**____, 부모의 표현형이 **❷**____이다.

圁 ❶ 열성 ❷ 우성

---

2 다음은 사람의 유전 형질 (가)에 대한 자료이다.

- (가)는 상염색체에 있는 1쌍의 대립유전자에 의해 결정된다. 대립유전자에는 A, B, C가 있으며, 각 대립유전자 사이의 우열 관계는 분명하다.
- 유전자형이 BC인 아버지와 AB인 어머니 사이에서 ㉠이 태어날 때, ㉠의 (가)에 대한 표현형이 아버지와 같을 확률은 $\frac{3}{4}$이다.
- 유전자형이 AB인 아버지와 AC인 어머니 사이에서 ㉡이 태어날 때, ㉡에게서 나타날 수 있는 (가)에 대한 표현형은 최대 3가지이다.

이에 대한 설명으로 옳은 것만을 | 보기 |에서 있는 대로 고른 것은? (단, 돌연변이는 고려하지 않는다.)

┌ 보기 ┐
ㄱ. (가)는 단일 인자 유전 형질이다.
ㄴ. A는 B, C에 대하여 완전 우성이다.
ㄷ. ㉡의 (가)에 대한 표현형이 부모와 다른 형질이 나올 확률은 $\frac{1}{2}$이다.

① ㄱ ② ㄴ ③ ㄷ
④ ㄱ, ㄷ ⑤ ㄴ, ㄷ

Tip 3가지 이상의 대립유전자 중 1쌍의 대립유전자에 의해 형질이 결정되는 유전을 ____이라고 한다.

圁 복대립 유전

2021 4월 학평 17번 유사

3 다음은 어떤 집안의 유전 형질 (가)와 (나)에 대한 자료이다.

- (가)는 대립유전자 R와 r에 의해, (나)는 대립유전자 T와 t에 의해 결정된다. R는 r에 대해, T는 t에 대해 각각 완전 우성이다.
- (가)와 (나)의 유전자는 모두 X 염색체에 있다.
- 가계도는 구성원 ⓐ와 ⓑ를 제외한 구성원 1~7에게서 (가)와 (나)의 발현 여부를 나타낸 것이다.

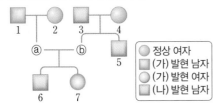

- 정상 여자
- (가) 발현 남자
- (가) 발현 여자
- (나) 발현 남자

- 2와 7의 (가)의 유전자형은 모두 동형 접합성이다.

이에 대한 설명으로 옳은 것만을 |보기|에서 있는 대로 고른 것은?

┌ 보기 ┌
ㄱ. (가)는 우성, (나)는 열성으로 유전된다.
ㄴ. ⓐ의 (가)와 (나) 형질에 대한 유전자형은 모두 이형 접합성이다.
ㄷ. 6과 7의 동생이 태어날 때 (가)와 (나) 모두 정상일 확률은 $\frac{1}{2}$이다.

① ㄱ   ② ㄴ   ③ ㄷ
④ ㄱ, ㄴ   ⑤ ㄴ, ㄷ

Tip 아들의 X 염색체는 부모 중 [   ]로부터만 전달된다.
답 어머니

2021 6월 모평 16번

4 다음은 영희네 가족의 유전 형질 (가)~(다)에 대한 자료이다.

- (가)는 대립유전자 A와 A*에 의해, (나)는 대립유전자 B와 B*에 의해, (다)는 대립유전자 D와 D*에 의해 결정된다.
- (가)와 (나)의 유전자는 7번 염색체에, (다)의 유전자는 X 염색체에 있다.
- 그림은 영희네 가족 구성원 중 어머니, 오빠, 영희, ⓐ 남동생의 세포 Ⅰ~Ⅳ가 갖는 A, B, D*의 DNA 상대량을 나타낸 것이다.

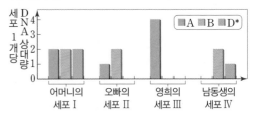

- 어머니의 생식세포 형성 과정에서 대립유전자 ㉠이 대립유전자 ㉡으로 바뀌는 돌연변이가 1회 일어나 ㉡을 갖는 생식세포가 형성되었다. 이 생식세포가 정상 생식세포와 수정되어 ⓐ가 태어났다. ㉠과 ㉡은 (가)~(다) 중 한 가지 형질을 결정하는 서로 다른 대립유전자이다.

이에 대한 설명으로 옳은 것만을 |보기|에서 있는 대로 고른 것은? (단, 제시된 돌연변이 이외의 돌연변이와 교차는 고려하지 않으며, A, A*, B, B*, D, D* 각각의 1개당 DNA 상대량은 1이다.)

┌ 보기 ┌
ㄱ. Ⅰ은 G_1기 세포이다.
ㄴ. ㉠은 A이다.
ㄷ. 아버지에서 A*, B, D를 모두 갖는 정자가 형성될 수 있다.

① ㄱ   ② ㄴ   ③ ㄷ
④ ㄱ, ㄷ   ⑤ ㄴ, ㄷ

Tip 단백질에 대한 정보를 저장하고 있는 DNA의 [❶   ]이 변하여 나타나는 돌연변이를 [❷   ] 이상 돌연변이라고 한다.
답 ❶ 염기 서열 ❷ 유전자

5강_ 염색체와 생식세포

01 그림은 염색체의 구조를 나타낸 것이다.

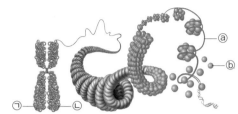

이에 대한 설명으로 옳은 것만을 |보기|에서 있는 대로 고른 것은?

> **보기**
> ㄱ. ㉠과 ㉡의 유전자 구성은 동일하다.
> ㄴ. ⓐ는 유전 물질이다.
> ㄷ. ⓑ는 뉴클레오솜이다.

① ㄱ   ② ㄷ   ③ ㄱ, ㄴ
④ ㄴ, ㄷ   ⑤ ㄱ, ㄴ, ㄷ

02 그림 (가)는 어떤 동물($2n=?$)의 G_1기 세포로부터 생식세포가 형성되는 동안 핵 1개당 DNA 상대량을, (나)는 이 세포 분열 과정 중 일부를 나타낸 것이다. 이 동물의 특정 형질에 대한 유전자형은 Aa이며, A는 a의 대립유전자이다. ⓐ와 ⓑ의 핵상은 같다.

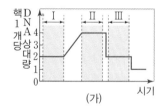 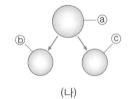

이에 대한 설명으로 옳은 것만을 |보기|에서 있는 대로 고른 것은? (단, 돌연변이는 고려하지 않는다.)

> **보기**
> ㄱ. ⓐ는 구간 Ⅱ에서 관찰된다.
> ㄴ. ⓑ와 ⓒ의 유전자 구성은 동일하다.
> ㄷ. 구간 Ⅰ의 세포와 ⓐ의 염색체 수는 같다.

① ㄴ   ② ㄷ   ③ ㄱ, ㄴ
④ ㄱ, ㄴ   ⑤ ㄱ, ㄴ, ㄷ

03 (가)~(다)는 어떤 동물($2n=8$)의 개체 A, B의 분열 중인 세포를 나타낸 것이다. 이 동물의 성염색체는 암컷이 XX, 수컷이 XY이다.

(가)   (나)   (다)

이에 대한 설명으로 옳은 것만을 |보기|에서 있는 대로 고른 것은?

> **보기**
> ㄱ. (가)의 염색체 수는 (나)의 2배이다.
> ㄴ. (나)는 암컷이다.
> ㄷ. (다)는 (가)의 생식세포이다.

① ㄱ   ② ㄷ   ③ ㄱ, ㄴ
④ ㄴ, ㄷ   ⑤ ㄱ, ㄴ, ㄷ

04 그림은 세포 분열이 진행 중인 어떤 동물 암컷 세포의 염색체를 모두 나타낸 것이다. 이 세포에 대한 설명으로 옳은 것만을 |보기|에서 있는 대로 고른 것은?

> **보기**
> ㄱ. 체세포 분열 후기에 해당한다.
> ㄴ. 이 세포의 핵상은 $2n$이다.
> ㄷ. 분열이 끝난 후 딸세포의 핵상은 변하지 않는다.

① ㄱ   ② ㄷ   ③ ㄱ, ㄴ
④ ㄴ, ㄷ   ⑤ ㄱ, ㄴ, ㄷ

05 그림은 사람의 생식 과정에서 일어나는 핵 1개당 DNA 상대량의 변화를 나타낸 것이다.

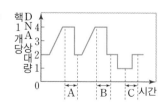

(1) 염색 분체가 분리되는 구간과 (2) 상동 염색체가 분리되는 구간을 찾아 쓰시오.

(   )

6강_ 사람의 유전

06 그림은 어떤 집안의 유전병 (가)에 대한 가계도를 나타낸 것이다. (가)는 대립유전자 A와 A′에 의해 결정되며, A는 A′에 대해 완전 우성이다.

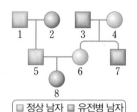

□ 정상 남자 ■ 유전병 남자
○ 정상 여자 ● 유전병 여자

(1) A와 A′ 중 유전병 (가)를 발현시키는 것은 무엇인지 쓰시오.

(2) (가)의 유전자는 상염색체와 성염색체 중 어디에 있는지 쓰시오.

(   )

07 표는 아버지를 제외한 철수의 가족 구성원에서 체세포 1개당 유전자 A, A′, B, B′의 DNA 상대량을 나타낸 것이다. A와 A′, B와 B′는 대립유전자이다.

구성원	DNA 상대량			
	A	A′	B	B′
어머니	0	2	2	0
누나	1	1	1	1
철수	0	1	1	0
여동생	?	?	?	?

이에 대한 설명으로 옳은 것만을 |보기|에서 있는 대로 고른 것은?

┌ 보기 ┐
ㄱ. 어머니의 B 유전자는 X 염색체에 있다.
ㄴ. 아버지와 철수의 유전자형은 같다.
ㄷ. 여동생의 유전자형은 이형 접합성이다.

① ㄱ   ② ㄴ   ③ ㄱ, ㄷ
④ ㄴ, ㄷ   ⑤ ㄱ, ㄴ, ㄷ

08 눈 색을 결정하는 데 관여하는 유전자 A와 a, B와 b, D와 d는 서로 다른 상염색체에 있고, 눈 색의 표현형은 유전자형에서 대문자로 표시되는 대립유전자의 수에 의해서만 결정되며, 대문자로 표시되는 대립유전자가 많을수록 더 짙은 색을 나타낸다. 유전자형이 AaBbDd인 부모 사이에서 아이가 태어날 때 이 아이의 눈 색이 부모와 같을 확률은 얼마인가?

① $\dfrac{1}{2}$ ② $\dfrac{1}{4}$ ③ $\dfrac{1}{8}$ ④ $\dfrac{1}{16}$ ⑤ $\dfrac{5}{16}$

09 그림 (가)와 (나)는 $2n=6$인 어떤 동물 세포에서 일어난 서로 다른 감수 분열 과정과 각 과정에서 형성된 생식세포 중 일부의 핵상을 나타낸 것이다. 단, (가), (나)에서 염색체 비분리 현상이 1회씩만 일어났다.

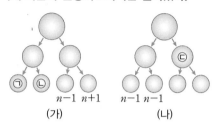

$n-1$ $n+1$ $n-1$ $n-1$
(가)   (나)

이에 대한 설명으로 옳은 것만을 |보기|에서 있는 대로 고른 것은?

┌ 보기 ┐
ㄱ. ㉠과 ㉡의 핵상은 n이다.
ㄴ. ㉢의 염색 분체 수는 8이다.
ㄷ. (가)는 감수 1분열에서, (나)는 감수 2분열에서 염색체 비분리가 일어났다.

① ㄱ   ② ㄷ   ③ ㄱ, ㄴ
④ ㄴ, ㄷ   ⑤ ㄱ, ㄴ, ㄷ

10 정상 여자와 정상 남자 사이에서 태어난 아들 A는 적록 색맹으로 핵형 분석 결과는 그림과 같았다. 이에 대한 설명으로 옳은 것만을 |보기|에서 있는 대로 고른 것은?

┌ 보기 ┐
ㄱ. A는 터너 증후군을 나타낸다.
ㄴ. A의 X 염색체 2개의 유전자 구성은 다르다.
ㄷ. 어머니의 생식세포가 형성될 때 감수 2분열에서 성염색체 비분리가 일어났다.

① ㄱ   ② ㄷ   ③ ㄱ, ㄷ
④ ㄴ, ㄷ   ⑤ ㄱ, ㄴ, ㄷ

5강_ 염색체와 생식세포

2018 3월 학평 7번 유사

01 다음은 세포 주기에 대한 실험이다.

┌ 실험 과정 ┐
(가) 어떤 동물의 체세포를 배양하여 집단 A~C로 나눈다.

(나) B에는 방추사 형성을 억제하는 물질을, C에는 DNA 가 복제되는 중간 과정을 억제하는 물질을 각각 처리 하고, A~C를 동일한 조건에서 일정 시간 동안 배양 한다.

(다) 세 집단의 세포를 동시에 고정한 후, 각 집단의 DNA 양에 따른 세포 수를 측정하여 그래프로 나타낸다.

┌ 실험 결과 ┐
집단 ㉠~㉢은 각각 집단 A~C 중 하나이다.

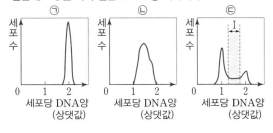

이 실험 결과에 대한 설명으로 옳은 것만을 │보기│에서 있는 대로 고른 것은? (단, 돌연변이는 고려하지 않는다.)

┌ 보기 ┐
ㄱ. ㉠은 집단 B이다.

ㄴ. ㉡은 집단 C이며, C의 세포는 모두 M기이다.

ㄷ. 구간 Ⅰ의 세포에는 핵막이 있다.

① ㄱ   ② ㄴ   ③ ㄱ, ㄷ

④ ㄴ, ㄷ   ⑤ ㄱ, ㄴ, ㄷ

Tip 방추사는 체세포 분열 전기에 형성되며, [　　　]에 부착되어 염색 분체를 세포 양쪽 끝으로 이동시킨다.

🔲 동원체

---

02 그림 (가)는 양파의 뿌리 끝 세포의 체세포 분열 과정에서 세포 1개당 DNA 상대량의 변화를, (나)는 분열 중인 세 포를 나타낸 것이다.

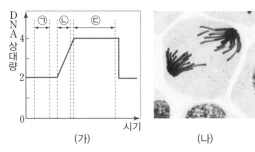

(가)   (나)

이에 대한 세 학생의 발표 내용으로 옳은 것만을 있는 대 로 고른 것은?

① A   ② C   ③ A, B

④ B, C   ⑤ A, B, C

Tip 체세포 분열 후기의 세포는 DNA양은 G_1기의 [❶　　]이며, [❷　　]가 분리되므로 분열 결과 생긴 딸 세포의 유전자 구성은 동일하다.   🔲 ❶ 2배 ❷ 염색 분체

03 다음은 백합의 감수 분열 관찰 실험이다.

| 실험 과정 |

(가) 백합의 ㉠ 수술 한 개를 따서 에탄올과 아세트산이 3 : 1 로 섞인 용액에 넣어 고정한 후, 꽃밥을 잘라 받침 유리 에 올려놓는다.

(나) 염색액을 한 방울 떨어뜨리고 해부침으로 잘게 찢는다.

(다) 덮개 유리를 덮고 그 위에 거름종이를 얹은 후 엄지손 가락으로 지그시 눌러 표본을 만든다.

(라) (다)의 표본에서 광학 현미경을 이용해 감수 분열의 서로 다른 단계에 있는 세포를 같은 배율로 관찰하여 I~III과 같은 결과를 얻었다.

| 실험 결과 |

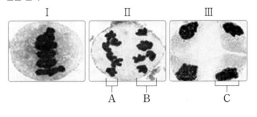

이에 대한 설명으로 옳은 것만을 | 보기 |에서 있는 대로 고른 것은?

| 보기 |

ㄱ. 감수 분열을 관찰하기 위해서는 활짝 핀 꽃에서보 다 어린 꽃봉오리에서 ㉠을 얻는 것이 적절하다.

ㄴ. A와 B는 유전자 구성이 다르다.

ㄷ. C의 염색체 수는 B의 절반이다.

① ㄱ   ② ㄷ   ③ ㄱ, ㄴ

④ ㄴ, ㄷ   ⑤ ㄱ, ㄴ, ㄷ

Tip 감수 1분열에서는 **❶** 가 분리되어 핵상이 $2n$ 에서 **❷** 으로 변한다.   **답 ❶** 상동 염색체 **❷** n

---

2021 3월 학평 8번 유사

04 그림은 어떤 동물 종($2n=6$)의 개체 I과 II의 세포 (가) ~(다)에 들어 있는 모든 염색체를 나타낸 것이다. I의 유전자형은 AaBb이고, II의 유전자형은 AAbb이며, (나) 와 (다)는 서로 다른 개체의 세포이다. 이 동물 종의 성염색체는 수컷이 XY, 암컷이 XX이다.

(가)   (나)   (다)

이에 대한 학생 A~C의 분석으로 옳은 것을 고른 것은?

(나)는 X 염색체를 2개 가지므로 암컷 이야. 즉, II가 암컷 이지.

음, (가)에 Y 염색체가 있으니 I 이 수컷이겠네.

II의 체세포 분열 중기의 세포 1개당 염색 분체 수는 12야.

학생 A   학생 B   학생 C

① A   ② C   ③ A, B

④ B, C   ⑤ A, B, C

Tip 위 그림에서 (나)의 핵상은 **❶** , (가), (다) 의 핵 상은 **❷** 으로 동일하다.   **답 ❶** $2n$ **❷** n

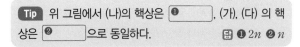

6강_ 사람의 유전

05 2021 3월 학평 19번

다음은 어떤 집안의 유전 형질 (가)와 (나)에 대한 자료이다.

- (가)는 대립유전자 A와 a에 의해, (나)는 대립유전자 B와 b에 의해 결정된다. A는 a에 대해, B는 b에 대해 각각 완전 우성이다.
- (가)와 (나)의 유전자 중 하나는 상염색체에, 나머지 하나는 X 염색체에 있다.
- 가계도는 구성원 ㉠을 제외한 구성원 1~8에서 (가)와 (나)의 발현 여부를 나타낸 것이다.

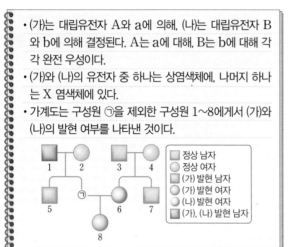

□ 정상 남자
○ 정상 여자
▨ (가) 발현 남자
◑ (가) 발현 여자
◒ (나) 발현 여자
■ (가), (나) 발현 남자

이에 대한 설명으로 옳은 것만을 | 보기 |에서 있는 대로 고른 것은? (단, 돌연변이는 고려하지 않는다.)

보기
ㄱ. (나)의 유전자는 상염색체에 있다.
ㄴ. ㉠에게서 (가)가 발현되었다.
ㄷ. 8의 동생이 태어날 때, 이 아이에게서 (가)와 (나)가 모두 발현될 확률은 $\frac{1}{4}$이다.

① ㄱ ② ㄷ ③ ㄱ, ㄴ
④ ㄴ, ㄷ ⑤ ㄱ, ㄴ, ㄷ

Tip 상염색체 유전일 경우 부모의 유전자형이 이형 접합성이라면 자손에서 열성 개체가 태어날 확률은 ❶ 이고, 열성 반성 유전일 경우 딸이 열성이면 아버지도 ❷ 의 표현형을 나타낸다.

답 ❶ $\frac{1}{4}$ ❷ 열성

06 2020 7월 학평 20번 유사

그림은 어떤 가족의 유전 형질 (가), (나)에 대한 자료이다.

- (가)는 대립유전자 A와 a에 의해, (나)는 대립유전자 B와 b에 의해 결정된다. A는 a에 대해, B는 b에 대해 각각 완전 우성이다.
- (가)를 결정하는 유전자와 (나)를 결정하는 유전자 중 하나는 X 염색체에 존재한다.
- 표는 이 가족 구성원의 성별, 체세포 1개에 들어 있는 대립유전자 A와 b의 DNA 상대량, 유전 형질 (가)와 (나)의 발현 여부를 나타낸 것이다. ㉠~㉤은 아버지, 어머니, 자녀 1, 자녀 2, 자녀 3을 순서 없이 나타낸 것이다.

구성원	성별	DNA 상대량		유전 형질	
		A	b	(가)	(나)
㉠	남	2	1	×	○
㉡	여	1	2	×	×
㉢	남	1	0	×	○
㉣	여	2	1	×	○
㉤	남	0	1	○	×

(○: 발현됨, ×: 발현 안 됨)

- 감수 분열 시 부모 중 한 사람에게만 염색체 비분리가 1회 일어나 ⓐ 염색체 수가 비정상적인 생식세포가 형성되었다. ⓐ가 정상 생식세포와 수정되어 자녀 3이 태어났다. 자녀 3을 제외한 나머지 구성원의 핵형은 모두 정상이다.

유전 형질 (가), (나)에 대해 옳게 설명한 학생을 있는 대로 고른 것은?

학생 A: ㉡과 ㉣의 유전자형이 각각 Aabb, AABb인데 ㉣만 (나)가 표현됐으니, (가)는 열성, (나)는 우성으로 유전해.

학생 B: ㉡은 b가 2개, ㉤은 b가 1개인데 모두 (나)가 발현되지 않았으므로 (나)는 X 염색체에 있을 거야.

학생 C: ㉠이 자녀 3이고, 터너 증후군이야.

① A ② C ③ A, B
④ B, C ⑤ A, B, C

Tip 터너 증후군은 [   ]를 하나만 가지는 돌연변이이다.

답 X 염색체

07 다음은 사람의 유전 형질 ㉠~㉢에 대한 자료이다.

- ㉠은 대립유전자 A와 a에 의해, ㉡은 대립유전자 B와 b에 의해 결정된다.
- 표 (가)와 (나)는 ㉠과 ㉡에서 유전자형이 서로 다를 때 표현형의 일치 여부를 각각 나타낸 것이다.

㉠의 유전자형		표현형 일치 여부
사람 1	사람 2	
AA	Aa	×
AA	aa	×
Aa	aa	×

(○: 일치함, ×: 일치하지 않음)
(가)

㉡의 유전자형		표현형 일치 여부
사람 1	사람 2	
BB	Bb	×
BB	bb	×
Bb	bb	×

(○: 일치함, ×: 일치하지 않음)
(나)

- ㉢은 1쌍의 대립유전자에 의해 결정되며, 대립유전자에는 D, E, F가 있다.
- ㉢의 표현형은 4가지이며, ㉢의 유전자형이 DE인 사람과 EE인 사람의 표현형은 같고, 유전자형이 DF인 사람과 FF인 사람의 표현형은 같다.
- 여자 P는 남자 Q와 ㉠~㉢의 표현형이 모두 같고, P의 체세포에 들어 있는 일부 상염색체와 유전자는 그림과 같다.

- P와 Q 사이에서 @가 태어날 때, @의 ㉠~㉢의 표현형 중 한 가지만 부모와 같을 확률은 $\frac{3}{8}$ 이다.

이에 대해 옳게 설명한 학생을 있는 대로 고른 것은?

학생 A: 표 (가), (나)에 의하면 A와 a, B와 b는 우열 관계가 뚜렷하지 않은 것 같아.

학생 B: ㉢은 다인자 유전인 것 같아. 표현형이 4가지가 되려면 E, F는 공동 우성이야.

학생 C: @에서 나타난 확률을 따져보니까 Q에서 A와 F는 같은 염색체에 존재해.

① A ② C ③ A, C
④ B, C ⑤ A, B, C

Tip 하나의 형질을 결정하는 대립 유전자가 3개 이상일 때 ❶ [   ]이라고 하며, 개체의 형질을 결정하는 유전자는 1쌍이므로 ❷ [   ]에 해당한다.

🔒 ❶ 복대립 유전 ❷ 단일 인자 유전

---

08 다음은 어떤 가족의 유전 형질 (가)와 (나)에 대한 자료이다.

- (가)는 대립유전자 A와 A*에 의해, (나)는 대립유전자 B와 B*에 의해 결정되며, 각 대립유전자 사이의 우열 관계는 분명하다.
- (가)와 (나)의 유전자 중 하나는 상염색체에, 나머지 하나는 X 염색체에 있다.
- 표는 이 가족 구성원의 (가), (나)의 발현 여부와 A, A*, B, B*의 유무를 나타낸 것이다.

구성원	형질		대립유전자			
	(가)	(나)	A	A*	B	B*
아버지	−	+	×	○	○	×
어머니	+	−	○	?	?	○
형	+	−	?	○	×	○
누나	−	+	×	○	○	?
㉠	+	+	○	?	?	○

(+: 발현됨, −: 발현 안 됨, ○: 있음, ×: 없음)

- 감수 분열 시 부모 중 한 사람에게만 염색체 비분리가 1회 일어나 @ 염색체 수가 비정상적인 생식세포가 형성되었다. @가 정상 생식세포와 수정되어 태어난 ㉠에게서 클라인펠터 증후군이 나타난다. ㉠을 제외한 나머지 구성원의 핵형은 모두 정상이다.

이에 대한 설명으로 옳은 것만을 | 보기 |에서 있는 대로 고른 것은? (단, 제시된 염색체 비분리 이외의 돌연변이와 교차는 고려하지 않는다.)

| 보기 |
ㄱ. (가)의 유전자는 X 염색체에 있다.
ㄴ. @는 감수 1분열에서 성염색체 비분리가 일어나 형성된 정자이다.
ㄷ. ㉠의 동생이 태어날 때, 이 아이에게서 (가)와 (나)가 모두 발현될 확률은 $\frac{1}{4}$ 이다.

① ㄱ ② ㄴ ③ ㄱ, ㄷ
④ ㄴ, ㄷ ⑤ ㄱ, ㄴ, ㄷ

Tip 클라인펠터 증후군은 성염색체 구성이 ❶ [   ]이며 감수 분열 과정에서 성염색체 ❷ [   ] 현상에 의해 나타난다.

🔒 ❶ XXY ❷ 비분리

7강_ 생태계, 개체군과 군집

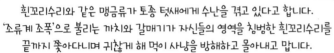

흰꼬리수리와 같은 맹금류가 토종 텃새에게 수난을 겪고 있다고 합니다.
'조류계 조폭'으로 불리는 까치와 갈매기가 자신들의 영역을 침범한 흰꼬리수리를
끝까지 쫓아다니며 귀찮게 해 먹이 사냥을 방해하고 몰아내고 맙니다.

철새들이 텃새들의
텃세에 눌려 먹고 살기가
팍팍하구나~.

'똥개도 자기 집에서는
반은 먹고 들어간다.'는 속담이
그냥 있는 말이 아니네.

얼룩말이나 물개도 자기 구역에 다른 개체가 침입하는 것을
경계하는 텃세를 부리잖아.
얼룩말과 물개의 텃세와 텃새의 텃세는 같은 거야?

달라. 물개와 얼룩말의 텃세는
개체군 내의 상호 작용이구,
텃새의 텃세는 먼저 자리 잡은 개체가
뒤에 들어오는 개체에 대하여 가지는
특권 의식 같은 거야.

개체군을 이루고 있는 개체들은 과도한 경쟁을 피하고
질서 유지를 위해 텃세 외에 순위제, 리더제, 가족생활,
사회생활 등의 상호 작용을 해.

나만 믿어봐!

리 더 제

우린
사회생활

사 회 생 활

나를 따르라!

리더제

순서대로!

순 위 제

우리는 가족!

가 족 생 활

8강_ 에너지 흐름, 생물 다양성

개념 돌파 전략 ①

개념 1 생태계의 구성

1 **생태계** 군집을 구성하는 각 **❶**　　　이 다른 개체군 및 비생물적 요인과 영향을 주고받는 체계로, 생물적 요인과 **❷**　　　요인으로 구성된다.

2 **생태계 구성 요소 사이의 상호 작용**
- 작용: 비생물적 요인이 생물에게 영향을 주는 것
- 반작용: 생물이 비생물적 요인에게 영향을 주는 것
- 상호 작용: 생물이 서로 영향을 주고받는 것

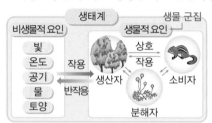

> 답 ❶ 개체군 ❷ 비생물적

확인 Q 1

생태계의 구성 요소 중 하나인 이것의 예로는 빛, 온도가 있다. 이것은 무엇인가?

개념 2 개체군의 특성

1 **개체군** 한 장소에 모여 사는 같은 **❶**　　　의 생물 집단

2 **개체군의 밀도** 일정 공간에 서식하는 개체 수

$$개체군의 밀도 = \frac{개체군을 구성하는 개체 수}{생활 공간의 면적}$$

3 **개체군의 생장 곡선** 개체군의 **❷**　　　가 시간에 따라 증가하는 것을 그래프로 나타낸 것
- 실제 생장 곡선: 자연 상태에서 개체군의 밀도가 높아지면 환경 저항이 커져 개체군의 생장이 둔화되다가 개체 수가 일정하게 유지된다.

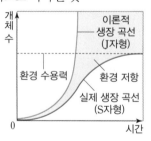

> 답 ❶ 종 ❷ 개체 수

확인 Q 2

먹이 부족, 서식지 부족, 노폐물 증가, 환경 오염처럼 개체군의 생장을 방해하는 요인을 의미하는 용어는?

개념 3 개체군의 생존 곡선과 연령 분포

1 **생존 곡선** 같은 시기에 태어난 개체 중 시간에 따라 살아남은 개체 수를 그래프로 나타낸 것으로, Ⅰ형, Ⅱ형, **❶**　　　으로 구분된다.

2 **개체군의 연령 분포** 개체군의 연령별 개체 수의 비율을 나타낸 것으로, 낮은 연령부터 차례로 쌓아 올린 그림을 **❷**　　　라고 한다.

> 답 ❶ Ⅲ형 ❷ 연령 피라미드

확인 Q 3

연령대별 사망률이 일정한 생존 곡선 유형은?

개념 4 개체군 내 상호 작용

순위제	개체군을 구성하는 개체들 사이에서 힘의 서열에 따라 순위가 정해지고, 순위에 따라 먹이나 배우자를 차지하는 것 예 큰뿔양(뿔 치기), 닭(모이 먹는 순서)
텃세 (세력권)	개체군 내의 각 개체가 자신의 생활 구역을 확보하여 다른 개체의 접근을 막고 먹이, 배우자, 공간 등을 독점하는 것을 텃세라고 하고, 이렇게 확보된 생활 구역을 ❶　　　이라고 한다. 예 은어, 백로, 물개, 까치, 얼룩말
리더제	리더가 개체군의 이동 방향을 결정하거나 적으로부터 도망치도록 하는 등 행동을 지휘하여 개체군의 질서 유지 예 기러기, 늑대, 코끼리
사회생활	개체군을 구성하는 각 개체가 역할을 나누어 수행하는 ❷　　　화된 체제를 형성 예 꿀벌, 개미
가족생활	개체군 중 특정 수컷이나 암컷을 중심으로 가족생활을 한다. 예 사자, 침팬지

> 답 ❶ 세력권 ❷ 분업

확인 Q 4

순위제에는 모든 개체 사이에 순위가 (있 , 없)고, 리더제에는 개체 사이에 순위가 (있 , 없)다.

개념 5 군집의 생태 분포

1 군집의 생태 분포 기온, 강수량 등 환경 요인에 따라 나타나는 식물 군집의 분포

수평 분포	위도에 따른 온도와 **❶** 차이로 나타나는 식물 군집의 분포
수직 분포	특정 지역에서 **❷** 가 높아질 때 온도가 낮아지면서 나타나는 식물 군집의 분포

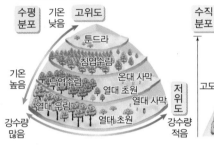 

답 ❶ 강수량 ❷ 고도

확인 Q5

군집의 수평 분포에서 열대 우림은 열대 사막보다 강수량이 (많은 , 적은) 곳에 분포한다.

개념 6 식물 군집의 조사

1 방형구법 조사하고자 하는 지역에 $1\,m \times 1\,m$ 크기의 방형구를 설치하고, 각 식물종의 밀도, 빈도, 피도를 구한 후, 상대 밀도, 상대 빈도, 상대 피도를 계산하여 **❶**   을 결정한다.

- 밀도 $= \dfrac{\text{특정 종의 개체 수}}{\text{방형구 전체의 면적}}$

- 상대 밀도(%) $= \dfrac{\text{특정 종의 밀도}}{\text{조사한 모든 종의 밀도의 합}} \times 100$

- 빈도 $= \dfrac{\text{특정 종이 출현한 방형구 수}}{\text{조사한 방형구의 총 수}}$

- 상대 빈도(%) $= \dfrac{\text{특정 종의 빈도}}{\text{조사한 모든 종의 빈도의 합}} \times 100$

- 피도 $= \dfrac{\text{특정 종이 점유하는 면적}}{\text{방형구 전체의 면적}}$

- 상대 피도(%) $= \dfrac{\text{특정 종의 피도}}{\text{조사한 모든 종의 피도의 합}} \times 100$

2 우점종 **❷**   가 가장 높은 종

중요치 = 상대 밀도 + 상대 빈도 + 상대 피도

답 ❶ 우점종 ❷ 중요치

확인 Q6

전체 방형구 면적에 대한 특정 종의 개체 수를 무엇이라 하는가?

개념 7 군집 내 개체군 사이의 상호 작용

종간 경쟁	생태적 지위가 비슷한 개체군 사이에 먹이와 서식지를 두고 경쟁하는 것 ➡ 경쟁에서 이긴 종이 살아남고 진 종이 완전히 사라지는 것을 **❶** 원리라고 한다.
공생	• 상리 공생: 두 개체군의 생물이 서로 이익을 얻는 경우 예 말미잘과 흰동가리 • 편리 공생: 한 개체군은 이익을 얻지만, 다른 개체군은 영향을 받지 않는 경우 예 고래와 따개비
기생	두 개체군이 함께 생활할 때, 한쪽은 이익을 얻지만 다른 쪽은 손해를 보는 경우
포식과 피식	개체군 사이에서 먹고 먹히는 관계
분서 (생태 지위 분화)	생태적 지위가 비슷한 개체군이 같은 지역에 서식하게 될 때 서식지나 먹이, 활동 시간 등을 달리하여 **❷** 을 피하는 현상

답 ❶ 경쟁 · 배타 ❷ 경쟁

확인 Q7

그림은 생태계에서 종 A와 B의 시간에 따른 개체 수를 나타낸 것이다. A와 B 사이의 상호 작용을 무엇이라 하는가?

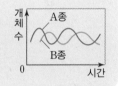

개념 8 군집의 천이

1 1차 천이 용암 대지와 같이 **❶**   가 없고 토양이 형성되지 않은 곳에서 시작되는 천이

2 2차 천이 산불, 홍수, 산사태 등으로 기존 군집이 사라진 지역에서 다시 시작되는 천이 ➡ 토양이 형성되어 있어 1차 천이보다 **❷**   진행된다.

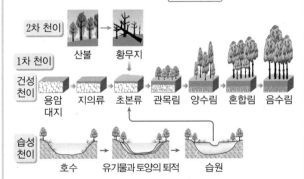

답 ❶ 생명체 ❷ 빠르게

확인 Q8

1차 천이의 개척자는 (   )이고, 2차 천이의 개척자는 (   )이다.

개념 돌파 전략 ①

WEEK **2** DAY **1**

8강_ 에너지 흐름, 생물 다양성

개념 **1** 생태계에서의 에너지 흐름과 에너지 효율

1 에너지 흐름 태양의 [**❶**]가 생산자의 광합성에 의해 화학 에너지 형태로 전환되어 먹이 사슬을 따라 이동하고, 각 영양 단계에서 호흡을 통해 열에너지 형태로 방출된다. ➡ 에너지는 순환하지 않고 한 방향으로만 흐른다.

2 에너지 효율 하위 영양 단계에서 상위 영양 단계로 이동하는 에너지의 비율. 일반적으로 상위 영양 단계로 갈수록 [**❷**]한다.

$$에너지 효율(\%) = \frac{현 영양 단계의 에너지 총량}{전 영양 단계의 에너지 총량} \times 100$$

🔑 **❶** 빛에너지 **❷** 증가

확인 Q 1

생태계를 유지하는 에너지의 근원은 무엇인가?

개념 **2** 물질 생산과 소비

1 식물 군집의 물질 생산과 소비

총생산량	생산자가 광합성을 하여 생산한 유기물의 총량
호흡량	생산자의 [**❶**]으로 소비되는 유기물량
순생산량	총생산량에서 [**❷**]을 제외한 유기물량
생장량	순생산량에서 초식 동물에게 먹히는 피식량과 말라 죽는 고사량, 낙엽으로 떨어지는 낙엽량을 제외하고 생산자에 남아 있는 유기물량

· 총생산량=호흡량+순생산량
· 순생산량=총생산량−호흡량
· 생장량=순생산량−(피식량+고사량+낙엽량)

2 소비자에 의한 물질 소비 초식 동물의 섭식량은 생산자의 피식량과 같고, 육식 동물의 섭식량은 초식 동물의 피식량과 같다.

🔑 **❶** 호흡 **❷** 호흡량

확인 Q 2

식물 군집에서 총생산량은 호흡량보다 (크다 , 작다).

개념 **3** 탄소 순환

1 탄소 순환 대기 중의 탄소는 생산자의 [**❶**]에 의해 유기물로 합성되고, 유기물은 생산자, 소비자, 분해자의 [**❷**]에 의해 분해되어 유기물 속 탄소는 CO_2 형태로 대기나 물속으로 돌아간다.

🔑 **❶** 광합성 **❷** 호흡

확인 Q 3

CO_2는 ( )의 광합성을 통해 유기물로 합성되고, 생산자에서 소비자로 ( )을 따라 이동한다.

개념 **4** 질소 순환

1 질소 순환 아미노산, 핵산, 엽록소의 주요 구성 성분인 [**❶**]는 대기 중에 약 78 %를 차지할 정도로 풍부하지만, 질소 기체(N_2)는 매우 안정하여 대부분의 생물이 이용할 수 없다. 질소 기체(N_2)가 암모늄 이온(NH_4^+)이나 [**❷**] 이온(NO_3^-)으로 전환되면 생물이 흡수할 수 있다.

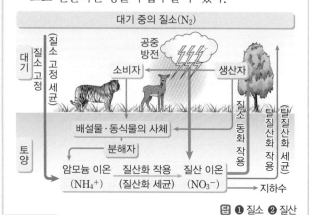

🔑 **❶** 질소 **❷** 질산

확인 Q 4

질소 순환 과정에서 암모늄 이온(NH_4^+)을 질산 이온(NO_3^-)으로 전환시키는 세균은?

개념 5 물질 순환과 에너지 흐름 비교

1 물질 순환과 에너지 흐름 비교 생태계 내에서 물질은 순환하지만, 에너지는 순환하지 않고 흘러 생태계 밖으로 열의 형태로 빠져나간다.

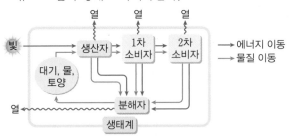

- 탄소, 질소와 같은 물질은 생태계 내에서 먹이 사슬을 따라 이동하며, 다시 무기 환경으로 돌아가 ❶ ▢한다.
- 에너지는 순환하지 않고 ❷ ▢ 형태로 방출된다. 생태계가 유지되기 위해서는 태양의 빛에너지가 계속 공급되어야 한다.

❸ ❶ 순환 ❷ 열에너지

확인 Q5

물질과 에너지 중 생태계 내에서 순환하는 것은?

개념 6 생태계 평형 파괴와 회복 과정

1 생태계 평형 유지의 원리 안정된 생태계는 어떤 요인에 의해 일시적으로 평형이 깨지더라도 다시 안정된 상태를 회복하는 능력이 있다.

❶ 일시적으로 1차 소비자가 증가하면, 2차 소비자는 ❶ ▢하고, 생산자는 감소한다.

❷ 생산자가 감소하고, 2차 소비자가 증가함에 따라 1차 소비자가 감소한다.

❸ 1차 소비자가 감소하면 1차 소비자를 먹이로 하는 2차 소비자가 ❷ ▢하고, 생산자가 다시 증가하여 생태계가 원래의 상태를 회복한다.

❸ ❶ 증가 ❷ 감소

확인 Q6

안정된 생태계에서 1차 소비자가 감소하면 생산자는 어떻게 되는가?

개념 7 생물 다양성

1 유전적 다양성 한 개체군을 구성하는 개체들 사이의 ❶ ▢가 다양한 정도를 의미한다.

2 종 다양성 한 생태계에 서식하고 있는 생물종의 다양한 정도를 의미한다. 종 다양성이 높을수록 ❷ ▢이 복잡해져 생물 군집이 안정적으로 유지된다.

3 생태계 다양성 일정한 지역에서 나타나는 생태계의 다양함을 의미한다.

▲ 생태계 다양성   ▲ 종 다양성   ▲ 유전적 다양성

❸ ❶ 대립유전자 ❷ 먹이 그물

확인 Q7

무당벌레의 등 껍질 무늬가 다양한 것은 어떤 다양성에 해당하는가?

개념 8 생물 다양성 감소 원인

서식지 파괴	도시 개발 및 농경지 확장이나 숲의 벌채, 습지의 매립 등으로 인한 ❶ ▢ 파괴는 생물 다양성 감소의 가장 심각한 원인이다.
불법 포획과 남획	야생 동물의 밀렵과 희귀식물의 채취 등 불법 포획과 남획으로 인해 일부 종은 멸종 위기에 처해 있으며, 생태계의 먹이 사슬을 변화시켜 생물 다양성이 감소한다.
외래종 도입	유입된 외래종이 ❷ ▢이 없거나 질병에 강해서 새로운 환경에 적응하게 되면 대량으로 번식할 수 있다. 외래종이 고유종의 서식지를 차지하고 먹이 사슬을 변화시켜 생태계를 교란하여 생물 다양성을 감소시키거나 생태계 평형을 파괴할 수 있다.
환경 오염	인간 활동으로 인해 발생하는 쓰레기와 폐수의 증가, 비료와 농약의 남용 등이 환경 오염의 주된 원인이다.

▲ 서식지 파괴   ▲ 불법 포획   ▲ 외래종 도입   ▲ 환경 오염

❸ ❶ 서식지 ❷ 천적

확인 Q8

서식지가 단편화될수록 생물 다양성은 (감소 , 증가)한다.

개념 돌파 전략 ②

7강_ 생태계, 개체군과 군집

1 그림은 생태계를 구성하는 요소 사이의 관계를 나타낸 것이다. 이에 대한 설명으로 옳은 것만을 | 보기 |에서 있는 대로 고른 것은?

┌─ 보기 ──────────────────────────────┐
ㄱ. 무궁화는 생산자에 속한다.
ㄴ. 지렁이에 의해 토양의 통기성이 증가하는 것은 ⓛ에 해당한다.
ㄷ. 빛의 파장에 따라 해조류의 분포가 달라지는 것은 ㉠에 해당한다.
└────────────────────────────────────┘

① ㄱ   ② ㄷ   ③ ㄱ, ㄴ
④ ㄴ, ㄷ   ⑤ ㄱ, ㄴ, ㄷ

문제 해결 전략

생태계의 생물적 요인은 역할에 따라 생산자, 소비자, 분해자로 구분된다.
- 생산자: 광합성을 하는 식물과 같이 양분을 ❶ [ ] 하는 생물
  예 식물, 조류 등
- 소비자: 다른 생물을 먹어 유기물을 얻는 생물 예 동물
- 분해자: 생물의 사체나 배설물을 분해하여 ❷ [ ] 를 얻는 생물
  예 세균, 곰팡이, 버섯

답 ❶ 합성 ❷ 에너지

---

2 그림은 개체군의 생존 곡선을 나타낸 것이다. 이에 대한 설명으로 옳은 것만을 | 보기 |에서 있는 대로 고른 것은?

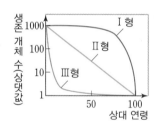

┌─ 보기 ──────────────────────────────┐
ㄱ. 사람은 Ⅰ형 생존 곡선에 속한다.
ㄴ. Ⅱ형은 상대 연령에 따른 사망률이 증가한다.
ㄷ. Ⅲ형은 상대 연령이 50일 때 사망률이 0이다.
└────────────────────────────────────┘

① ㄱ   ② ㄷ   ③ ㄱ, ㄴ
④ ㄴ, ㄷ   ⑤ ㄱ, ㄴ, ㄷ

문제 해결 전략

종에 따라 연령별 사망률이 달라 서로 다른 유형의 생존 곡선으로 나타난다.
- Ⅰ형: 출생 수는 적지만 부모의 보호를 받아 초기 사망률이 ❶ [ ] 고, 후기 사망률이 ❷ [ ] 다.
  예 사람, 코끼리 등 대형 포유류
- Ⅱ형: 연령에 따른 사망률이 비교적 일정하다. 예 다람쥐, 조류 등
- Ⅲ형: 출생 수는 많지만 초기 사망률이 높아 성체로 생장하는 수가 적다.
  예 굴, 어류 등

답 ❶ 낮 ❷ 높

---

3 다음은 피라미와 은어의 행동을 관찰한 자료이다.

┌──┐
피라미는 은어가 없을 때는 하천 중앙에서 녹조류를 먹고 살지만, 은어가 이주해 오면 하천 가장자리로 이동하여 수서 곤충을 먹고 산다.

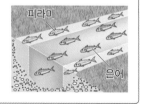
└──┘

이 자료에 나타난 상호 작용은?
① 공생   ② 기생   ③ 분서
④ 종간 경쟁   ⑤ 포식과 피식

문제 해결 전략

군집 내 개체군 사이의 상호 작용에는 종간 경쟁, ❶ [ ], 기생, 포식과 피식, 분서가 있다. ❷ [ ] 는 생태적 지위가 비슷한 개체군이 서로 서식지나 먹이의 종류, 활동 시간 등을 달리하여 경쟁을 피하는 현상이다.

답 ❶ 공생 ❷ 분서

8강_ 에너지 흐름, 생물 다양성

4 생태계 내의 탄소 순환에 대한 설명으로 옳지 <u>않은</u> 것은?

① 생산자와 소비자의 배설물에는 탄소가 있다.
② 분해자에 의해 생산자의 사체가 이산화 탄소로 분해된다.
③ 탄소는 대기에서 주로 이산화 탄소(CO_2)의 형태로 존재한다.
④ 탄소는 물속에서 주로 탄산 수소 이온(HCO_3^-)의 형태로 존재한다.
⑤ 안정된 생태계에서 생산자에서 소비자로 이동한 탄소의 양은 소비자에서 생산자로 이동한 탄소의 양과 같다.

문제 해결 전략

유기물 속의 탄소는 ❶ 을 따라 소비자로 이동한다. 생산자와 소비자는 유기물의 일부를 호흡에 이용하며, 이때 탄소는 ❷ 형태로 대기나 물속으로 돌아간다.

🔑 ❶ 먹이 사슬 ❷ 이산화 탄소

5 그림은 안정된 어떤 생태계에서 사건 ㉠에 의해 1차 소비자의 수가 증가했을 때를 나타낸 것이다.

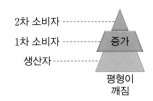

2차 소비자 ·············
1차 소비자 ············· 증가
생산자 ·············
평형이 깨짐

이에 대한 설명으로 옳은 것만을 │보기│에서 있는 대로 고른 것은?

┌─ 보기 ─────────────────────────────
ㄱ. 외래종의 도입은 ㉠에 해당한다.
ㄴ. 안정된 생태계일 때보다 생산자의 수가 증가할 것이다.
ㄷ. 안정된 생태계일 때보다 2차 소비자의 수가 감소할 것이다.
└──────────────────────────────────

① ㄱ   ② ㄷ   ③ ㄱ, ㄴ
④ ㄴ, ㄷ   ⑤ ㄱ, ㄴ, ㄷ

문제 해결 전략

생태계 평형은 ❶ 에 의해 유지된다. 종 다양성이 높을수록 먹이 사슬이 다양하고 복잡하여 생태계 평형이 쉽게 깨지지 않는다. 서식지 파괴 및 단편화, 불법 포획과 남획, ❷ 의 유입, 환경 오염과 기후 변화 등은 생물 다양성을 위협하는 요인이다.

🔑 ❶ 먹이 사슬 ❷ 외래종

6 생물 다양성에 대한 설명으로 옳은 것만을 │보기│에서 있는 대로 고른 것은?

┌─ 보기 ─────────────────────────────
ㄱ. 유전적 다양성은 식물에서만 나타난다.
ㄴ. 생태계 다양성은 초원, 삼림, 습지 등의 다양함을 의미한다.
ㄷ. 종 다양성이 높을수록 급격한 환경 변화에 의해 멸종할 가능성이 커진다.
└──────────────────────────────────

① ㄱ   ② ㄴ   ③ ㄱ, ㄴ
④ ㄱ, ㄷ   ⑤ ㄴ, ㄷ

문제 해결 전략

같은 종의 생물이라도 색, 모양, 크기 등이 다양하게 나타나는데, 이는 한 개체군의 개체들의 ❶ 가 다양하기 때문이다. 개체들 사이에는 유전자와 환경의 영향에 따라 여러 가지 ❷ 가 나타난다.

🔑 ❶ 대립유전자 ❷ 변이

필수 체크 전략 ①

7강_ 생태계, 개체군과 군집

대표 기출 1 2020 수능 20번

그림은 생태계를 구성하는 요소 사이의 상호 관계를 나타낸 것이다.

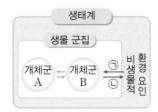

이에 대한 설명으로 옳은 것만을 |보기|에서 있는 대로 고르시오.

보기
- ㄱ. 뿌리혹박테리아는 비생물적 환경 요인에 해당한다.
- ㄴ. 기온이 나뭇잎의 색 변화에 영향을 미치는 것은 ㉠에 해당한다.
- ㄷ. 숲의 나무로 인해 햇빛이 차단되어 토양 수분의 증발량이 감소하는 것은 ㉡에 해당한다.

Tip ㉠은 비생물적 환경 요인이 생물 군집에 미치는 영향(작용), ㉡은 생물 군집이 비생물적 환경 요인에 미치는 영향(반작용)이다.

풀이 ㄱ. 뿌리혹박테리아는 생물 군집(생물적 요인)에 해당한다.
ㄴ. 기온은 비생물적 요인이고, 나뭇잎의 색 변화는 생물적 요인이므로 ㉠에 해당한다.
ㄷ. 숲의 나무는 생물적 요인이고, 토양 수분의 증발량은 비생물적 요인이므로 ㉡에 해당한다. **답** ㄴ, ㄷ

대표 기출 2 2021 9월 모평 6번

그림 (가)는 생태계를 구성하는 요소 사이의 상호 관계를, (나)는 빛이 비치는 방향으로 식물이 굽어 자라는 모습을 나타낸 것이다.

(가)   (나)

이에 대한 설명으로 옳은 것만을 |보기|에서 있는 대로 고르시오.

보기
- ㄱ. 개체군 A는 동일한 종으로 구성된다.
- ㄴ. 탈질산화 세균에 의해 질산 이온이 질소 기체로 되는 것은 ㉠에 해당한다.
- ㄷ. (나)는 ㉡에 해당한다.

Tip ㉠은 생물 군집이 비생물적 환경 요인에 미치는 영향, ㉡은 비생물적 환경 요인이 생물 군집에 미치는 영향이다.

풀이 ㄱ. 개체군을 구성하는 개체는 동일한 종으로 구성된다.
ㄴ. 탈질산화 세균은 생물 군집에 속하고, 질소 기체는 비생물적 환경 요인에 속하므로 ㉠에 해당한다.
ㄷ. (나)는 빛이라는 비생물적 환경 요인이 식물에 영향을 미친 것이므로 ㉡에 해당한다. **답** ㄱ, ㄴ, ㄷ

확인 ❶-1 2019 수능 14번

그림은 생태계를 구성하는 요소 사이의 상호 관계를 나타낸 것이다. 이에 대한 설명으로 옳은 것만을 |보기|에서 있는 대로 고르시오.

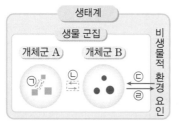

보기
- ㄱ. 생태적 지위가 중복되는 여러 종의 새가 서식지를 나누어 사는 것은 ㉠에 해당한다.
- ㄴ. 위도에 따라 식물 군집의 분포가 달라지는 현상은 ㉢에 해당한다.
- ㄷ. 곰팡이는 생물 군집에 속한다.

확인 ❷-1

그림은 빛의 파장에 따른 해조류의 분포를 나타낸 것이다. 이에 대한 설명으로 옳은 것만을 |보기|에서 있는 대로 고르시오.

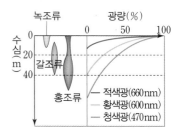

보기
- ㄱ. 갈조류는 분해자이다.
- ㄴ. 녹조류, 갈조류, 홍조류 사이에 분서가 일어났다.
- ㄷ. 이 자료에 나타난 생태계 구성 요소 간의 관계는 작용에 해당한다.

대표 기출 ❸
2016 3월 학평 8번 유사

그림은 먹이의 양이 서로 다른 두 조건 A와 B에서 종 ⓐ를 각각 단독 배양했을 때 시간에 따른 개체 수를 조사하여 나타낸 것이다. 먹이의 양은 A가 B보다 많다.

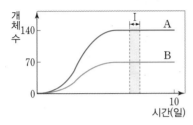

이에 대한 설명으로 옳은 것만을 | 보기 |에서 있는 대로 고르시오. (단, 먹이양 이외의 조건은 동일하며, 이입과 이출은 없다.)

┌ 보기 ┐
ㄱ. 조건 A일 때 ⓐ는 환경 저항을 받지 않는다.
ㄴ. 구간 Ⅰ에서 조건 A와 B에서 ⓐ의 출생률과 사망률은 같다.
ㄷ. 이 실험의 가설로 '단독 배양 시 먹이양에 따라 ⓐ의 최대 개체 수가 달라질 것이다.'가 가능하다.

Tip 실제 생장 환경에서 환경 저항은 항상 작용한다.

풀이 ㄱ. 먹이의 양이 충분해도 서식 공간이 제한되어 있으므로 ⓐ는 환경 저항을 받아 S자형 생장 곡선을 나타낸다.
ㄴ. 구간 Ⅰ에서 조건 A와 B에서 모두 개체 수가 일정하므로 ⓐ의 출생률과 사망률은 같다.
ㄷ. 먹이양 이외의 조건은 동일하게 한 후 ⓐ의 개체 수를 조사하였으므로 이 실험의 가설로 '단독 배양 시 먹이양에 따라 ⓐ의 최대 개체 수가 달라질 것이다.'가 가능하다.

답 ㄴ, ㄷ

확인 ❸-1
2018 10월 학평 20번 유사

그림은 어떤 개체군의 생장 곡선을 나타낸 것이다. 이에 대한 설명으로 옳은 것만을 | 보기 |에서 있는 대로 고르시오. (단, 이입과 이출은 고려하지 않으며, 서식지의 크기는 일정하다.)

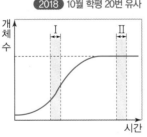

┌ 보기 ┐
ㄱ. 개체군의 밀도는 구간 Ⅰ에서가 구간 Ⅱ에서보다 크다.
ㄴ. 구간 Ⅰ에서 개체 수는 증가한다.
ㄷ. 구간 Ⅱ에서 환경 저항이 작용하지 않는다.

대표 기출 ❹
2018 3월 학평 19번

그림 (가)는 종 A를 단독 배양했을 때, (나)는 종 A와 B를 혼합 배양했을 때 시간에 따른 개체 수를 나타낸 것이다.

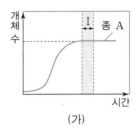 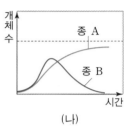

(가)　　　　　　(나)

이에 대한 설명으로 옳은 것만을 | 보기 |에서 있는 대로 고른 것은?

┌ 보기 ┐
ㄱ. (가)에서 A의 개체 수 변화는 이론적 생장 곡선을 따른다.
ㄴ. 구간 Ⅰ에서 A는 환경 저항을 받았다.
ㄷ. (나)에서 A와 B 사이에 경쟁이 일어났다.

① ㄱ　　　　② ㄴ　　　　③ ㄷ
④ ㄴ, ㄷ　　　⑤ ㄱ, ㄴ, ㄷ

Tip 생태적 지위가 비슷한 두 종의 개체군이 함께 살면 한정된 자원이나 서식 공간을 차지하기 위한 경쟁이 일어난다.

풀이 ㄱ. (가)에서 A의 개체 수 변화는 S자형의 실제 생장 곡선을 따른다.
ㄴ. 구간 Ⅰ에서 A의 개체 수가 더 이상 증가하지 않고 일정 수준을 유지하는 것은 환경 저항을 받았기 때문이다.
ㄷ. 두 종을 혼합 배양했을 때 B가 사라졌으므로 두 종 사이의 상호 작용은 경쟁(종간 경쟁)이다.

답 ④

확인 ❹-1

그림은 물벼룩을 시험관에서 배양할 때 시간에 따른 개체 수를 나타낸 것이다. t_3 이후 개체 수는 P 수준으로 유지된다. 이에 대한 설명으로 옳은 것만을 | 보기 |에서 있는 대로 고르시오.

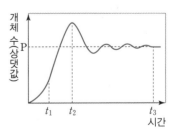

┌ 보기 ┐
ㄱ. 환경 저항은 t_1일 때보다 t_2일 때가 크다.
ㄴ. $t_1 \sim t_2$ 구간에서 출생률은 사망률보다 크다.
ㄷ. t_3일 때 개체 간 경쟁은 없다.

대표 기출 5 2019 9월 모평 14번 유사

그림은 생물종 A~C가 어떤 나무에서 서식지를 다르게 하여 살아가는 모습을 나타낸 것이다.

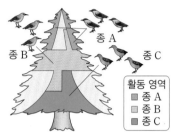

활동 영역
■ 종 A
■ 종 B
■ 종 C

이에 대한 설명으로 옳은 것만을 |보기|에서 있는 대로 고른 것은?

┌─ 보기 ┐
ㄱ. A와 B 사이의 상호 작용은 분서에 해당한다.
ㄴ. B와 C는 한 개체군을 이룬다.
ㄷ. A는 C보다 나무의 위쪽에 서식한다.
└────────┘

① ㄱ ② ㄴ ③ ㄷ
④ ㄱ, ㄷ ⑤ ㄴ, ㄷ

Tip A~C에서 나타나는 상호 작용은 분서이다.

풀이 ㄱ. A와 B는 경쟁을 피해 서식지를 달리하므로 A와 B 사이의 상호 작용은 분서에 해당한다.
ㄴ. B와 C는 서로 다른 종이므로 한 개체군을 이루지 않는다. 한 개체군을 이루는 개체는 모두 같은 종이다.
ㄷ. A는 C보다 나무 위쪽에 서식한다. **답 ④**

확인 5-1

다음은 여러 생물의 상호 작용의 예를 나타낸 것이다.

┌────────┐
(가) 일부 포유류는 번식기에 개체의 침입을 막고 자신의 영역을 확보하기 위해 배설물을 뿌린다.
(나) 꿀벌에서 여왕벌과 수벌은 생식을 담당하고, 일벌은 먹이를 나르고 침입자를 막는다.
└────────┘

이에 대한 설명으로 옳은 것만을 |보기|에서 있는 대로 고르시오.

┌─ 보기 ┐
ㄱ. (가)는 분서의 예이다.
ㄴ. (나)는 사회생활의 예이다.
ㄷ. (나)에서 리더를 제외한 나머지 꿀벌은 힘의 서열에 의해 순위를 정한다.
└────────┘

대표 기출 6 2021 수능 12번 유사

다음은 종 사이의 상호 작용에 대한 자료이다. (가)와 (나)는 기생과 상리 공생의 예를 순서 없이 나타낸 것이다.

┌────────┐
(가) 겨우살이는 다른 식물의 줄기에 뿌리를 박아 물과 양분을 빼앗는다.
(나) 말미잘은 흰동가리가 유인한 먹이를 먹고, 흰동가리는 천적으로부터 말미잘의 보호를 받는다.
└────────┘

이에 대한 설명으로 옳은 것만을 |보기|에서 있는 대로 고른 것은?

┌─ 보기 ┐
ㄱ. (가)는 상리 공생의 예이다.
ㄴ. (가)와 (나) 각각에는 이익을 얻는 종이 있다.
ㄷ. 혹등고래와 따개비의 관계는 상리 공생의 예에 해당한다.
└────────┘

① ㄱ ② ㄴ ③ ㄱ, ㄷ
④ ㄴ, ㄷ ⑤ ㄱ, ㄴ, ㄷ

Tip (가)는 기생, (나)는 상리 공생의 예이다.

풀이 ㄱ. (가)에서 겨우살이는 식물로부터 이익을 얻고, 식물은 겨우살이에게 손해를 입는다.
ㄴ. (가)에서는 겨우살이가 이익을 얻고, (나)에서는 말미잘과 흰동가리 모두 이익을 얻는다.
ㄷ. 혹등고래와 따개비의 관계에서 혹등고래는 이익도 손해도 입지 않지만 따개비는 이익을 얻으므로 혹등고래와 따개비의 관계는 편리 공생의 예에 해당한다. **답 ②**

확인 6-1 2021 3월 학평 9번 유사

표는 생물 사이의 상호 작용을 (가)와 (나)로 구분하여 나타낸 것이다.

구분	상호 작용
(가)	기생, 포식과 피식
(나)	㉠ 순위제, 사회생활

이에 대한 설명으로 옳은 것만을 |보기|에서 있는 대로 고르시오.

┌─ 보기 ┐
ㄱ. (가)는 군집 내 개체군 사이의 상호 작용이다.
ㄴ. (나)는 개체군 내 개체 사이의 상호 작용이다.
ㄷ. ㉠에서 경쟁 · 배타 원리가 나타난다.
└────────┘

대표 기출 **7** `2019` 3월 학평 20번 유사

그림은 지역 A에서 천이가 일어날 때 군집의 높이 변화를 나타낸 것이다. ㉠~㉣은 각각 초원, 양수림, 음수림, 지의류 중 하나이다.

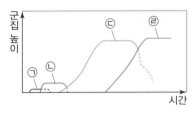

이에 대한 설명으로 옳은 것만을 |보기|에서 있는 대로 고른 것은?

─ 보기 ─
ㄱ. ㉠은 지의류이다.
ㄴ. A에서 일어난 천이는 2차 천이이다.
ㄷ. 혼합림에는 ㉢에 해당하는 종과 ㉣에 해당하는 종이 모두 있다.

① ㄱ   ② ㄴ   ③ ㄷ
④ ㄱ, ㄴ   ⑤ ㄱ, ㄷ

> **Tip** ㉠은 지의류, ㉡은 초원, ㉢은 양수림, ㉣은 음수림이다.

> **풀이** ㄱ. ㉠은 1차 천이의 개척자인 지의류이다.
> ㄴ. A에서 개척자가 지의류이므로 A에서 일어난 천이는 1차 천이이다.
> ㄷ. 천이 과정에서 양수림 단계가 음수림 단계보다 먼저 나타나므로 ㉢은 양수림, ㉣은 음수림이다. 혼합림에는 ㉢(양수림)에 해당하는 종과 ㉣(음수림)에 해당하는 종이 모두 있다. **답 ⑤**

확인 **7**-1 `2021` 9월 수능 모평 14번 유사

그림은 어떤 식물 군집의 천이 과정 일부를 나타낸 것이다. A와 B는 양수림과 음수림을 순서 없이 나타낸 것이다.

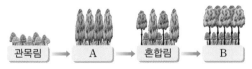

이에 대한 설명으로 옳은 것만을 |보기|에서 있는 대로 고르시오.

─ 보기 ─
ㄱ. A는 양수림이다.
ㄴ. B에서 우점종은 음수이다.
ㄷ. 이 식물 군집은 혼합림에서 극상을 이룬다.

대표 기출 **8** `2020` 7월 학평 18번 유사

표는 면적이 동일한 서로 다른 지역 Ⅰ과 Ⅱ에 서식하는 식물 종 A~E의 개체 수를 나타낸 것이다.

구분	A	B	C	D	E
Ⅰ	9	9	12	9	11
Ⅱ	19	9	20	2	0

이에 대한 설명으로 옳은 것만을 |보기|에서 있는 대로 고른 것은? (단, A~E 이외의 종은 고려하지 않는다.)

─ 보기 ─
ㄱ. Ⅰ에서 A의 밀도는 Ⅱ에서 D의 밀도보다 크다.
ㄴ. B의 상대 밀도는 Ⅰ과 Ⅱ에서 같다.
ㄷ. 식물의 종 다양성은 Ⅰ에서가 Ⅱ에서보다 낮다.

① ㄱ   ② ㄷ   ③ ㄱ, ㄴ
④ ㄴ, ㄷ   ⑤ ㄱ, ㄴ, ㄷ

> **Tip** 밀도는 서식지 면적에 대한 개체 수의 비율이다.

> **풀이** ㄱ. Ⅰ과 Ⅱ의 서식지 면적이 같으므로 밀도는 개체 수에 비례한다. Ⅰ에서 A의 개체 수는 9, Ⅱ에서 D의 개체 수는 2이므로 Ⅰ에서 A의 밀도는 Ⅱ에서 D의 밀도보다 크다.
> ㄴ. Ⅰ과 Ⅱ는 서식 면적이 같으므로 Ⅰ과 Ⅱ에서 각 종의 상대 밀도는 전체 개체 수에 대한 해당 종의 개체 수에 비례한다. Ⅰ과 Ⅱ에서 전체 개체 수는 50으로 같으므로 상대 밀도는 개체 수에 비례한다. Ⅰ과 Ⅱ에서 B의 개체 수는 9로 같으므로 상대 밀도도 같다.
> ㄷ. 식물의 종 다양성은 종의 수와 균등한 정도가 큰 Ⅰ에서가 Ⅱ에서보다 높다. **답 ③**

확인 **8**-1 `2021` 9월 수능 모평 14번 유사

표는 면적이 같은 서로 다른 지역 (가)와 (나)에 서식하는 식물 종 A~D의 개체 수를 나타낸 것이다.

지역 \ 종	A	B	C	D
(가)	40	30	20	10
(나)	10	50	0	40

이에 대한 설명으로 옳은 것만을 |보기|에서 있는 대로 고른 것은? (단, A~D 이외의 종은 고려하지 않는다.)

─ 보기 ─
ㄱ. (가)에서 A는 C와 한 개체군을 이룬다.
ㄴ. B의 밀도는 (가)에서가 (나)에서보다 작다.
ㄷ. D의 상대 밀도는 (가)에서가 (나)에서의 4배이다.

7강_ 생태계, 개체군과 군집

2020 9월 모평 18번

1 일조 시간이 식물의 개화에 미치는 영향을 알아보기 위하여, 식물 종 A의 개체 Ⅰ~Ⅴ에 빛 조건을 달리하여 개화 여부를 관찰하였다. 표는 Ⅰ~Ⅴ에 '빛 있음', '빛 없음', ⓐ, ⓑ 순으로 처리한 기간과 Ⅰ~Ⅴ의 개화 여부를 나타낸 것이다. ⓐ와 ⓑ는 각각 '빛 있음'과 '빛 없음' 중 하나이고, 이 식물이 개화하는 데 필요한 최소한의 '연속적인 빛 없음' 기간은 8시간이다.

0   24(시)

개체	처리 기간(시간)				개화 여부
	빛 있음	빛 없음	ⓐ	ⓑ	
Ⅰ	12	0	0	12	개화함
Ⅱ	12	4	1	7	개화 안 함
Ⅲ	14	4	1	5	개화 안 함
Ⅳ	7	1	4	12	개화함
Ⅴ	5	1	9	9	㉠

이에 대한 설명으로 옳은 것만을 │보기│에서 있는 대로 고른 것은? (단, 제시된 조건 이외는 고려하지 않는다.)

┌─ 보기 ─────────────────────────────┐
ㄱ. ⓐ는 '빛 있음' 이다.
ㄴ. ㉠은 '개화 안 함' 이다.
ㄷ. 일조 시간은 비생물적 환경 요인이다.
└──────────────────────────────────┘

① ㄱ   ② ㄴ   ③ ㄱ, ㄷ
④ ㄴ, ㄷ   ⑤ ㄱ, ㄴ, ㄷ

> **Tip** 이 식물이 개화하는 데 필요한 최소한의 '연속적인 빛 없음' 기간은 ❶[ ]이므로 '연속적인 빛 없음' 기간이 8시간 이상인 조건에서는 식물이 ❷[ ]한다.
> 目 ❶ 8시간 ❷ 개화

2019 9월 모평 14번

2 그림 (가)는 생태계를 구성하는 요소 사이의 상호 관계를, (나)는 3종의 새가 나무에서 활동하는 공간을 나타낸 것이다.

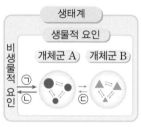

(가)

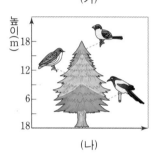

(나)

이에 대한 설명으로 옳은 것만을 │보기│에서 있는 대로 고른 것은?

┌─ 보기 ─────────────────────────────┐
ㄱ. 일조 시간이 식물의 개화에 영향을 주는 것은 ㉠에 해당한다.
ㄴ. 소비자는 생물적 요인에 해당한다.
ㄷ. (나)는 ㉢의 예에 해당한다.
└──────────────────────────────────┘

① ㄱ   ② ㄴ   ③ ㄱ, ㄷ
④ ㄴ, ㄷ   ⑤ ㄱ, ㄴ, ㄷ

> **Tip** 한 나무에서 3종의 새가 ❶[ ]가 겹치지 않게 생활하는 것은 경쟁을 피하기 위한 ❷[ ]의 예이다.
> 目 ❶ 서식지 ❷ 분서

2022 수능 18번

3 그림은 어떤 지역에서 늑대의 개체 수를 인위적으로 감소시켰을 때 늑대, 사슴의 개체 수와 식물 군집의 생물량 변화를, 표는 (가)와 (나) 시기 동안 이 지역의 사슴과 식물 군집 사이의 상호 작용을 나타낸 것이다. (가)와 (나)는 Ⅰ과 Ⅱ를 순서 없이 나타낸 것이다.

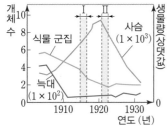

시기	상호 작용
(가)	식물 군집의 생물량이 감소하여 사슴의 개체 수가 감소한다.
(나)	사슴의 개체 수가 증가하여 식물 군집의 생물량이 감소한다.

이에 대한 설명으로 옳은 것만을 │보기│에서 있는 대로 고른 것은?

┌ 보기 ┐
ㄱ. (가)는 Ⅱ이다.
ㄴ. Ⅰ 시기 동안 사슴 개체군에 환경 저항이 작용하였다.
ㄷ. 사슴의 개체 수는 포식자에 의해서만 조절된다.
└────┘

① ㄱ   ② ㄴ   ③ ㄷ   ④ ㄱ, ㄴ   ⑤ ㄱ, ㄷ

> **Tip** 환경 저항은 개체군의 [   ]을 억제하는 요인으로, 실제 생태계에서는 항상 나타난다.
> **답** 생장

2019 수능 20번 유사

4 그림은 어떤 지역의 식물 군집 K에서 산불이 난 후의 천이 과정을 나타낸 것이다. A~C는 초원, 양수림, 음수림을 순서 없이 나타낸 것이다.

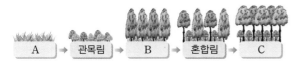

이에 대한 설명으로 옳은 것만을 │보기│에서 있는 대로 고른 것은?

┌ 보기 ┐
ㄱ. A는 초원이다.
ㄴ. B와 C에서 우점종은 같다.
ㄷ. K는 C에서 극상을 이룬다.
└────┘

① ㄱ   ② ㄴ   ③ ㄷ   ④ ㄱ, ㄴ   ⑤ ㄱ, ㄷ

> **Tip** A는 [❶   ], B는 양수림, C는 [❷   ]이다.
> **답** ❶초원 ❷음수림

2019 6월 모평 20번 유사

5 그림은 식물 군집 A의 시간에 따른 총생산량과 순생산량을 나타낸 것이다. ㉠과 ㉡은 각각 음수림과 양수림 중 하나이다.

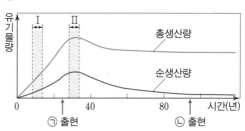

이 자료에 대한 설명으로 옳은 것만을 │보기│에서 있는 대로 고른 것은?

┌ 보기 ┐
ㄱ. ㉠은 양수림이다.
ㄴ. 구간 Ⅱ에서 A의 고사량은 순생산량에 포함된다.
ㄷ. A의 호흡량은 구간 Ⅰ에서가 구간 Ⅱ에서보다 크다.
└────┘

① ㄱ   ② ㄴ   ③ ㄷ   ④ ㄱ, ㄴ   ⑤ ㄱ, ㄷ

> **Tip** 호흡량은 [❶   ]에서 [❷   ]을 뺀 값이다.
> **답** ❶총생산량 ❷순생산량

2021 수능 20번 유사

6 표는 지역 Ⅰ의 식물 군집을 조사한 결과를 나타낸 것이다. A~C의 총 개체 수는 200이다.

종	상대 밀도(%)	상대 빈도(%)	상대 피도(%)
A	30	㉠	20
B	?	25	25
C	30	30	?

이에 대한 설명으로 옳은 것만을 │보기│에서 있는 대로 고른 것은? (단, A~C 이외의 종은 고려하지 않는다.)

┌ 보기 ┐
ㄱ. B의 개체 수는 40이다.
ㄴ. ㉠은 45이다.
ㄷ. 우점종은 A이다.
└────┘

① ㄱ   ② ㄴ   ③ ㄷ   ④ ㄱ, ㄷ   ⑤ ㄴ, ㄷ

> **Tip** 우점종은 [❶   ](%)＋상대 빈도(%)＋상대 피도(%)의 값인 [❷   ]가 가장 큰 종이다.
> **답** ❶상대 밀도 ❷중요치

대표 기출 1

2017 수능 20번 유사

그림은 어떤 안정된 생태계에서 영양 단계 A~D의 에너지양을 상댓값으로 나타낸 생태 피라미드이다. A~D는 각각 생산자, 1차 소비자, 2차 소비자, 3차 소비자 중 하나이다.

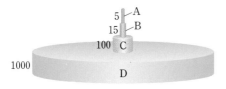

이에 대한 설명으로 옳은 것만을 |보기|에서 있는 대로 고르시오.

┌─ 보기 ┐
ㄱ. D는 생산자이다.
ㄴ. 에너지 효율은 A가 C의 2배이다.
ㄷ. 상위 영양 단계로 갈수록 에너지양은 증가한다.
└────────┘

Tip 안정된 생태계에서는 상위 영양 단계로 갈수록 에너지양이 감소한다.

풀이 ㄱ. D는 생산자, C는 1차 소비자, B는 2차 소비자, A는 3차 소비자이다.

ㄴ. 에너지 효율(%)=$\dfrac{현\ 영양\ 단계의\ 에너지\ 총량}{전\ 영양\ 단계의\ 에너지\ 총량}\times100$이다.

A의 에너지 효율은 $\dfrac{5}{15}\times100=33.3$ %, C의 에너지 효율은 $\dfrac{100}{1000}\times100=10$ %이므로 A가 C의 2배가 아니다.

ㄷ. 상위 영양 단계로 갈수록 에너지양이 감소한다. **답** ㄱ

대표 기출 2

2017 3월 학평 14번 유사

표는 어떤 안정된 생태계에서 영양 단계 A~D의 생물량, 에너지양, 에너지 효율을 나타낸 것이다. A~D는 각각 생산자, 1차 소비자, 2차 소비자, 3차 소비자 중 하나이다.

영양 단계	생물량 (상댓값)	에너지양 (상댓값)	에너지 효율 (%)
A	3	3	20
B	800	1000	1
C	10	15	㉠
D	40	100	10

이에 대한 설명으로 옳은 것만을 |보기|에서 있는 대로 고르시오.

┌─ 보기 ┐
ㄱ. ㉠은 15이다.
ㄴ. C는 2차 소비자이다.
ㄷ. 상위 영양 단계로 갈수록 생물량은 감소한다.
└────────┘

Tip 에너지 효율(%)=$\dfrac{현\ 영양\ 단계의\ 에너지\ 총량}{전\ 영양\ 단계의\ 에너지\ 총량}\times100$

풀이 ㄱ, ㄴ. B는 생산자, D는 1차 소비자, C는 2차 소비자, A는 3차 소비자이다. C(2차 소비자)의 에너지 효율은 $\dfrac{15}{100}\times100=15$ %이다. 따라서 ㉠은 15이다.

ㄷ. 상위 영양 단계로 갈수록 생물량은 800 → 40 → 10 → 3으로 감소한다. **답** ㄱ, ㄴ, ㄷ

확인 1-1

그림은 어떤 생태계의 에너지 피라미드를 나타낸 것이다. 이에 대한 설명으로 옳은 것만을 |보기|에서 있는 대로 고르시오.

┌─ 보기 ┐
ㄱ. 1차 소비자는 스스로 양분을 합성한다.
ㄴ. 2차 소비자의 에너지 효율은 20 %이다.
ㄷ. 생산자 에너지양은 1차 소비자 에너지양의 10배이다.
└────────┘

확인 2-1

표는 어떤 안정된 생태계에서 영양 단계의 에너지양과 에너지 효율을 나타낸 것이다.

영양 단계	에너지양(상댓값)	에너지 효율(%)
생산자	1000	10
1차 소비자	㉠	5
2차 소비자	2	㉡

이에 대한 설명으로 옳은 것만을 |보기|에서 있는 대로 고르시오.

┌─ 보기 ┐
ㄱ. ㉠은 100이다.
ㄴ. ㉡은 4이다.
ㄷ. 소나무는 1차 소비자에 해당한다.
└────────┘

대표 기출 3 　2021 3월 학평 9번 유사

그림은 생태계에서 탄소 순환 과정의 일부를 나타낸 것이다.

이에 대한 설명으로 옳은 것만을 |보기|에서 있는 대로 고른 것은?

┌ 보기 ┐
ㄱ. 과정 ㉠에서 화석 연료가 연소된다.
ㄴ. 과정 ㉡에서 탄소는 유기물의 형태로 이동한다.
ㄷ. 생태계에서 탄소는 순환하지 않는다.

① ㄱ　　② ㄷ　　③ ㄱ, ㄴ
④ ㄴ, ㄷ　　⑤ ㄱ, ㄴ, ㄷ

Tip 생태계에서 물질은 순환하고, 에너지는 순환하지 않는다.

풀이 ㄱ. 과정 ㉠은 화석 연료가 연소되어 대기 중의 CO_2로 되돌아가는 과정이다.
ㄴ. 과정 ㉡에서 탄소는 유기물의 형태로 생산자에서 소비자로 이동한다.
ㄷ. 생태계에서 탄소, 질소와 같은 물질은 순환하고, 에너지는 순환하지 않는다. **답** ③

확인 3-1

그림은 생태계에서 탄소 순환 과정을 나타낸 것이다. A와 B는 각각 소비자와 생산자 중 하나이다.

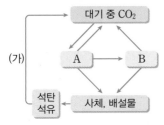

이에 대한 설명으로 옳은 것만을 |보기|에서 있는 대로 고르시오.

┌ 보기 ┐
ㄱ. A에서는 광합성과 호흡이 모두 일어난다.
ㄴ. 연소는 과정 (가)에 해당한다.
ㄷ. A에서 B로 탄소는 유기물 형태로 이동한다.

대표 기출 4 　2020 3월 학평 18번 유사

그림은 생태계에서 일어나는 질소 순환 과정의 일부를 나타낸 것이다.

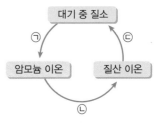

이에 대한 설명으로 옳은 것만을 |보기|에서 있는 대로 고른 것은?

┌ 보기 ┐
ㄱ. 뿌리혹박테리아는 과정 ㉠에 관여한다.
ㄴ. ㉡은 질산화 작용이다.
ㄷ. 탈질산화 세균은 과정 ㉢에 관여한다.

① ㄱ　　② ㄷ　　③ ㄱ, ㄴ
④ ㄴ, ㄷ　　⑤ ㄱ, ㄴ, ㄷ

Tip ㉠은 질소 고정 과정, ㉡은 질산화 작용, ㉢은 탈질산화 작용이다.

풀이 ㄱ. 뿌리혹박테리아는 질소 고정 과정인 과정 ㉠에 관여한다.
ㄴ. ㉡은 질산화 세균에 의해 촉진되는 질산화 작용이다.
ㄷ. ㉢은 탈질산화 세균에 의해 촉진되는 탈질산화 작용이다. **답** ⑤

확인 4-1 　2021 4월 학평 20번

그림은 생태계에서 일어나는 질소 순환 과정의 일부를 나타낸 것이다. (가)와 (나)는 질소 고정과 탈질산화 작용을 순서 없이 나타낸 것이고, ⓐ와 ⓑ는 각각 암모늄 이온과 질산 이온 중 하나이다.

이에 대한 설명으로 옳은 것만을 |보기|에서 있는 대로 고르시오.

┌ 보기 ┐
ㄱ. ⓑ는 질산 이온이다.
ㄴ. (가)는 탈질산화 작용이다.
ㄷ. 뿌리혹박테리아는 (나)에 관여한다.

대표 기출 5

2017 9월 모평 20번 유사

그림은 어떤 군집에서 생산자의 총생산량, 순생산량, 호흡량의 관계를 나타낸 것이다. ㉠과 ㉡은 각각 총생산량과 호흡량 중 하나이다.

이에 대한 설명으로 옳은 것만을 |보기|에서 있는 대로 고른 것은?

┌ 보기 ┐
ㄱ. ㉠은 총생산량이다.
ㄴ. ㉡은 생산자가 광합성을 통해 생산한 유기물의 총량이다.
ㄷ. 생산자의 피식량은 1차 소비자로 이동한 유기물량과 같다.
└─────┘

① ㄱ   ② ㄴ   ③ ㄷ
④ ㄱ, ㄴ   ⑤ ㄱ, ㄷ

Tip 총생산량＝호흡량＋순생산량이다.

풀이 ㄱ. ㉠은 총생산량, ㉡은 호흡량이다.
ㄴ. ㉡(호흡량)은 생산자가 호흡을 통해 소비한 유기물량이고, 생산자가 광합성을 통해 생산한 유기물의 총량은 총생산량이다.
ㄷ. 생산자의 피식량은 1차 소비자로 이동한 유기물량이다. **답** ⑤

대표 기출 6

2021 3월 학평 18번 유사

그림은 어떤 식물 군집의 시간에 따른 ㉠과 ㉡을 나타낸 것이다. ㉠과 ㉡은 각각 총생산량과 순생산량 중 하나이다.

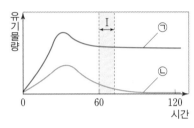

이 자료에 대한 설명으로 옳은 것만을 |보기|에서 있는 대로 고른 것은?

┌ 보기 ┐
ㄱ. ㉠은 순생산량이다.
ㄴ. 구간 Ⅰ에서 호흡량은 시간에 따라 감소한다.
ㄷ. ㉡의 일부는 1차 소비자로 이동한다.
└─────┘

① ㄱ   ② ㄷ   ③ ㄱ, ㄴ
④ ㄱ, ㄷ   ⑤ ㄴ, ㄷ

Tip 호흡량＝총생산량－순생산량이다.

풀이 ㄱ. 총생산량은 순생산량보다 크므로 ㉠은 총생산량, ㉡은 순생산량이다.
ㄴ. 호흡량＝총생산량－순생산량이므로 구간 Ⅰ에서 호흡량은 시간에 따라 증가한다.
ㄷ. ㉡(순생산량)의 일부는 1차 소비자로 이동하는 피식량이다.
답 ②

확인 5-1

2016 3월 학평 19번 유사

그림은 생산자와 1차 소비자의 물질 생산과 소비를 나타낸 것이다. 이에 대한 설명으로 옳은 것만을 |보기|에서 있는 대로 고르시오.

┌ 보기 ┐
ㄱ. A는 호흡량이다.
ㄴ. 1차 소비자는 생산자로부터 무기물의 형태로 에너지를 얻는다.
ㄷ. 생산자의 총생산량과 1차 소비자가 이용한 에너지의 총량은 같다.
└─────┘

확인 6-1

2018 10월 학평 16번 유사

그림은 어떤 식물 군집의 시간에 따른 유기물량을 나타낸 것이다. ㉠~㉢은 각각 순생산량, 총생산량, 생장량 중 하나이다. 이에 대한 설명으로 옳은 것만을 |보기|에서 있는 대로 고르시오.

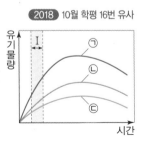

┌ 보기 ┐
ㄱ. 구간 Ⅰ에서 호흡량은 시간에 따라 증가한다.
ㄴ. ㉡은 광합성을 통해 생성된 유기물의 총량이다.
ㄷ. ㉢에는 고사량이 포함된다.
└─────┘

대표 기출 7 〔2019〕 4월 학평 12번

다음은 습지 A에 대한 자료이다.

> A는 강과 육지 사이에 위치하는 습지이다. ㉠ A에는
> 340종의 식물, 62종의 조류, 28종의 어류 등 다양한
> 생물종이 서식하고 있다. A는 ㉡ 지구상에 존재하는
> 생태계 중 하나이며, 다양한 종류의 식물과 동물로 구
> 성되어 있어 특이한 자연 경관을 만들어낸다. 또한 인
> 간의 의식주에 필요한 각종 자원을 제공한다.

이에 대한 설명으로 옳은 것만을 |보기|에서 있는 대로
고른 것은?

┌ 보기 ┐
ㄱ. ㉠은 생물 다양성의 3가지 의미 중 종 다양성에 해당
　한다.
ㄴ. ㉡이 다양할수록 생물 다양성은 증가한다.
ㄷ. A로부터 다양한 생물 자원을 얻을 수 있다.

① ㄱ　　　　② ㄷ　　　　③ ㄱ, ㄴ
④ ㄴ, ㄷ　　　⑤ ㄱ, ㄴ, ㄷ

Tip 생태계 다양성이 높을수록 생물 다양성이 증가한다.

풀이 ㄱ. 습지 A에 다양한 종이 서식한다는 것은 종 다양성에 해
당한다.
ㄴ. ㉡(지구상에 존재하는 생태계)이 다양할수록 생물 다양성이 증
가한다.
ㄷ. 생물 자원은 인간이 생활에 이용하는 자원 중 생물에서 유래된
것을 말한다. 습지 A로부터 다양한 생물 자원을 얻을 수 있다.

답 ⑤

대표 기출 8 〔2018〕 4월 학평 20번 유사

다음은 생물 다양성 협약에 대한 자료이다.

> '생물 다양성 협약'은 생물 다양성의 보전, ㉠ 생물 자원
> 의 지속 가능한 이용, 생물 자원을 이용하여 얻어지는
> 이익의 공정하고 공평한 분배를 위하여 1992년 유엔
> 환경 개발회의에서 채택된 협약이다. 생물 다양성은 생
> 태계 내에 존재하는 생물의 다양한 정도를 의미하며 유
> 전적 다양성, ㉡ 종 다양성, 생태계 다양성을 포함한다.

이에 대한 설명으로 옳은 것만을 |보기|에서 있는 대로
고른 것은?

┌ 보기 ┐
ㄱ. 푸른곰팡이에서 페니실린을 얻는 것은 ㉠의 예에 해
　당한다.
ㄴ. 같은 종의 기린에서 털 무늬가 다양하게 나타나는 것
　은 ㉡에 해당한다.
ㄷ. 생물 다양성 협약은 생물 다양성의 보전 방안 중 국
　가적 수준의 실천 방안의 예에 해당한다.

① ㄱ　　　　② ㄴ　　　　③ ㄷ
④ ㄱ, ㄴ　　　⑤ ㄱ, ㄷ

Tip 종 다양성은 어떤 생태계 내에 존재하는 생물종의 다양한
정도를 의미한다.

풀이 ㄱ. 생물 자원은 인간의 식량, 의약품 등에 이용된다.
ㄴ. 같은 종의 기린에서 털 무늬가 다양하게 나타나는 것은 유전적
다양성에 해당한다.
ㄷ. 다양한 국제 협약을 통해 생물 다양성 보전 활동을 펼치는 것
은 국제적 수준의 실천 방안의 예이다.

답 ①

확인 7 -1 〔2019〕 3월 학평 17번 유사

생물 다양성에 대한 설명으로 옳은 것만을 |보기|에서 있는
대로 고르시오.

┌ 보기 ┐
ㄱ. 유전적 다양성이 높을수록 환경 변화에 의해 멸종될 확
　률이 낮다.
ㄴ. 종 다양성은 동물에서만 나타난다.
ㄷ. 생태계 다양성은 생물과 환경 사이의 관계에 대한 다양
　성을 포함한다.

확인 8 -1

그림은 생물 다양성 보전 방안 중
하나를 나타낸 것이다. 이에 대한
설명으로 옳은 것만을 |보기|에
서 있는 대로 고르시오.

┌ 보기 ┐
ㄱ. 야생 동물의 로드킬을 예방할 수 있다.
ㄴ. 산을 통과하는 도로를 건설할 때 터널을 설계하는 것도
　같은 효과를 얻을 수 있다.
ㄷ. 서식지 단편화로 인한 생물 다양성 감소를 줄일 수 있
　는 방안이다.

8강_ 에너지 흐름, 생물 다양성

1 `2020` 수능 18번

그림 (가)는 어떤 식물 군집에서 총생산량, 순생산량, 생장량의 관계를, (나)는 이 식물 군집의 시간에 따른 생물량(생체량), ㉠, ㉡을 나타낸 것이다. ㉠과 ㉡은 각각 총생산량과 호흡량 중 하나이다.

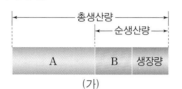

(가)

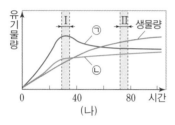

(나)

이에 대한 설명으로 옳은 것만을 |보기|에서 있는 대로 고른 것은?

┌─ 보기 ─────────────────────────┐
ㄱ. ㉠은 총생산량이다.

ㄴ. 초식 동물의 호흡량은 A에 포함된다.

ㄷ. $\dfrac{순생물량}{생물량}$ 은 구간 Ⅱ에서가 구간 Ⅰ에서보다 크다.
└────────────────────────────────┘

① ㄱ   ② ㄴ   ③ ㄷ
④ ㄱ, ㄴ   ⑤ ㄴ, ㄷ

> **Tip** 호흡량은 ❶[   ]에서 ❷[   ]을 제외한 유기물의 양이다.
> 답 ❶ 총생산량 ❷ 순생산량

2 그림은 어떤 안정된 생태계에서 일어나는 물질과 에너지의 이동 경로를 나타낸 것이다. 경로 A와 B는 각각 에너지와 물질의 이동 경로 중 하나이다.

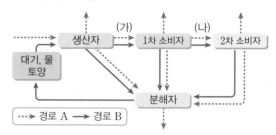

이에 대한 설명으로 옳은 것만을 |보기|에서 있는 대로 고른 것은?

┌─ 보기 ─────────────────────────┐
ㄱ. 경로 A는 물질의 이동 경로이다.

ㄴ. $\dfrac{(가)에서\ 이동하는\ 에너지양}{(나)에서\ 이동하는\ 에너지양} > 1$이다.

ㄷ. 대기 중 탄소는 경로 B를 따라 이동한다.
└────────────────────────────────┘

① ㄱ   ② ㄴ   ③ ㄷ   ④ ㄱ, ㄴ   ⑤ ㄴ, ㄷ

> **Tip** 생태계에서 ❶[   ]은 순환하고, ❷[   ]는 일방적으로 흐른다.
> 답 ❶ 물질 ❷ 에너지

3 그림은 생태계에서의 탄소 순환 과정을 나타낸 것이다. A와 B는 각각 분해자와 생산자 중 하나이다. 이에 대한 설명으로 옳은 것만을 |보기|에서 있는 대로 고른 것은?

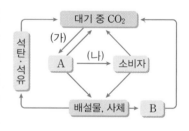

┌─ 보기 ─────────────────────────┐
ㄱ. (가)에서 동화 작용이 일어난다.

ㄴ. (나)에서 탄소는 무기물의 형태로 이동한다.

ㄷ. A와 B는 모두 유기물을 무기물로 분해한다.
└────────────────────────────────┘

① ㄱ   ② ㄴ   ③ ㄱ, ㄷ   ④ ㄱ, ㄷ   ⑤ ㄴ, ㄷ

> **Tip** 대기 중 CO_2를 직접 흡수할 수 있는 A는 ❶[   ], B는 ❷[   ]이다.
> 답 ❶ 생산자 ❷ 분해자

4 표는 생태계에서 일어나는 질소 순환 과정의 일부를 나타낸 것이다.

과정	물질 전환
(가)	대기 중 질소(N_2) ⟶ 암모늄 이온(NH_4^+)
(나)	암모늄 이온(NH_4^+) ⟶ 질산 이온(NO_3^-)
(다)	질산 이온(NO_3^-) ⟶ 아미노산

이에 대한 설명으로 옳은 것만을 ⎸보기⎹에서 있는 대로 고른 것은?

⎡ 보기 ⎤
ㄱ. 질소 고정 세균에 의해 (가)가 일어난다.
ㄴ. (나)는 탈질산화 작용이다.
ㄷ. 식물체 내에서 (다)가 일어난다.

① ㄱ ② ㄴ ③ ㄷ ④ ㄱ, ㄴ ⑤ ㄱ, ㄷ

Tip 질소 고정 과정은 대기 중 **❶** 가 **❷** 으로 전환되는 과정이다.
답 ❶ 질소 ❷ 암모늄 이온

2019 수능 18번 유사

5 그림은 어떤 호수의 식물 플랑크톤 군집 P에서 전체 개체 수, 종 수, 종 다양성을 시간에 따라 나타낸 것이다.

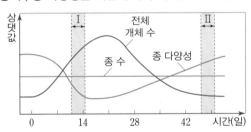

이에 대한 설명으로 옳은 것만을 ⎸보기⎹에서 있는 대로 고른 것은? (단, 식물 플랑크톤 군집은 여러 종의 식물 플랑크톤으로만 구성되며, 제시된 조건 이외는 고려하지 않는다.)

⎡ 보기 ⎤
ㄱ. 구간 Ⅰ에서 개체 수가 증가하는 종이 있다.
ㄴ. 구간 Ⅱ에서 식물 플랑크톤의 출생률은 사망률보다 높다.
ㄷ. 구간 Ⅰ과 Ⅱ에서 모두 P의 밀도가 증가한다.

① ㄱ ② ㄴ ③ ㄷ ④ ㄱ, ㄴ ⑤ ㄱ, ㄷ

Tip 밀도는 **❶** 에 대한 **❷** 의 비율이다.
답 ❶ 서식지 면적 ❷ 개체 수

---

6 그림 (가)는 어떤 생태계에서 식물 군집의 시간에 따른 유기물량을, (나)는 이 생태계에서 일어나는 질소 순환 과정의 일부를 나타낸 것이다. ㉠~㉢은 각각 순생산량, 총생산량, 생장량 중 하나이고, Ⅰ과 Ⅱ는 생산자와 1차 소비자 중 하나이다.

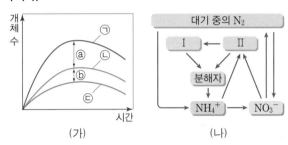

(가)   (나)

이에 대한 설명으로 옳은 것만을 ⎸보기⎹에서 있는 대로 고른 것은?

⎡ 보기 ⎤
ㄱ. 식물 군집의 호흡량은 ⓐ이다.
ㄴ. ⓑ는 Ⅱ에서 Ⅰ로 이동하는 유기물량과 같다.
ㄷ. Ⅱ는 빛에너지를 흡수하여 유기물을 합성할 수 있다.

① ㄱ   ② ㄴ   ③ ㄷ

④ ㄱ, ㄴ   ⑤ ㄱ, ㄷ

Tip Ⅱ는 NH_4^+과 NO_3^-을 흡수하는 **❶** 이고, Ⅰ은 생산자로부터 유기물을 공급받는 **❷** 이다.
답 ❶ 생산자 ❷ 1차 소비자

7강_ 생태계, 개체군과 군집

01 그림은 생태계를 구성하는 요소 사이의 상호 관계를 나타낸 것이다. 이에 대한 설명으로 옳은 것만을 |보기|에서 있는 대로 고른 것은?

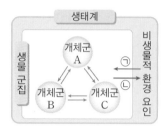

보기
ㄱ. A~C는 군집을 구성한다.
ㄴ. 숲에 나무가 우거져 숲의 습도가 높아지는 것은 ㉠에 해당한다.
ㄷ. 일조 시간이 짧아지는 가을에 국화꽃이 개화하는 것은 ㉡에 해당한다.

① ㄱ   ② ㄴ   ③ ㄱ, ㄷ
④ ㄴ, ㄷ   ⑤ ㄱ, ㄴ, ㄷ

02 그림은 어떤 하천에서 계절에 따른 환경 요인의 변화와 식물 플랑크톤의 일종인 돌말의 개체 수 변화를 나타낸 것이다.

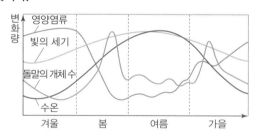

이에 대한 설명으로 옳은 것만을 |보기|에서 있는 대로 고른 것은?

보기
ㄱ. 돌말의 밀도는 겨울에 가장 낮다.
ㄴ. 수온은 여름보다 가을에 높다.
ㄷ. 봄에 돌말 개체 수의 증감에 영향을 미치는 요인으로 영양염류가 있다.

① ㄱ   ② ㄴ   ③ ㄱ, ㄷ
④ ㄴ, ㄷ   ⑤ ㄱ, ㄴ, ㄷ

03 표는 생물 간의 상호 작용 A~C의 예를 나타낸 것이다.

구분	예
A	코끼리는 독립할 때까지 부모와 함께 생활한다.
B	기러기는 한 개체가 리더가 되어 ㉠ 다른 개체들을 이끈다.
C	큰뿔양 수컷은 뿔의 크기에 따라 순위를 정한다.

이에 대한 설명으로 옳은 것만을 |보기|에서 있는 대로 고르시오.

보기
ㄱ. A는 가족생활이다.
ㄴ. ㉠에 순위가 있다.
ㄷ. C는 개체군 내의 상호 작용이다.

04 표는 종 사이의 상호 작용을 나타낸 것이다. A~C는 기생, 상리 공생, 편리 공생을, ㉠과 ㉡은 손해와 이익을 각각 순서 없이 나타낸 것이다.

상호 작용	종 1	종 2
A	영향 없음	㉠
B	㉡	㉠
C	㉠	㉠

이에 대한 설명으로 옳은 것만을 |보기|에서 있는 대로 고르시오.

보기
ㄱ. ㉠은 '이익'이다.
ㄴ. B는 기생이다.
ㄷ. 콩과식물과 뿌리혹박테리아의 관계는 C이다.

05 표는 어떤 지역에서 방형구를 설치하여 조사한 식물 종 A~C에 대한 군집 조사 결과이다.

종	상대 밀도(%)	상대 빈도(%)	상대 피도(%)
A	50	20	?
B	30	?	40
C	?	40	40

이 지역의 우점종을 쓰시오. (단 A~C 이외의 종은 고려하지 않는다.)

(   )

8강_ 에너지 흐름, 생물 다양성

06 그림은 어떤 생태계에서 각 영양 단계의 에너지양을 상
댓값으로 나타낸 것이다.

(1) 1차 소비자의 에너지 효율과 (2) 2차 소비자의 에너
지 효율을 각각 구하시오.

( )

07 그림은 어떤 생태계를 구성하
는 생산자의 1년간 총생산량
중 각 과정으로 소비된 비율을
나타낸 것이다. 이에 대한 설
명으로 옳은 것만을 ㅣ보기ㅣ
에서 있는 대로 고른 것은?

> ┌ 보기 ┌
> ㄱ. 생산자의 순생산량은 총생산량의 75 %이다.
> ㄴ. 생산자의 총생산량 중 15 %가 1차 소비자에게
>   전달된다.
> ㄷ. 생산자의 총생산량은 광합성을 통해 생산한 유
>   기물의 총량이다.

08 그림은 탄소가 순환되는 과정의 일부를 나타낸 것이다.

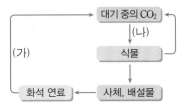

이에 대한 설명으로 옳은 것만을 ㅣ보기ㅣ에서 있는 대로
고른 것은?

> ┌ 보기 ┌
> ㄱ. 석유의 연소는 과정 (가)에 해당한다.
> ㄴ. 식물의 엽록체에서 과정 (나)가 일어난다.
> ㄷ. 식물의 서식지 감소는 과정 (나)를 촉진한다.

① ㄱ　　　② ㄴ　　　③ ㄷ
④ ㄱ, ㄴ　　⑤ ㄱ, ㄴ, ㄷ

09 그림은 생태계에서 일어나는 질소 순환 과정의 일부를
나타낸 것이다.

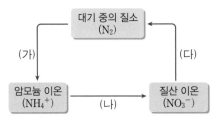

이에 대한 설명으로 옳은 것만을 ㅣ보기ㅣ에서 있는 대로
고른 것은?

> ┌ 보기 ┌
> ㄱ. 과정 (가)에 뿌리혹박테리아가 관여한다.
> ㄴ. 과정 (나)에 질산화 세균이 관여한다.
> ㄷ. 과정 (다)는 탈질산화 작용이다.

① ㄱ　　　② ㄴ　　　③ ㄱ, ㄷ
④ ㄴ, ㄷ　　⑤ ㄱ, ㄴ, ㄷ

10 다음은 생물 다양성에 대한 자료이다.

> (가) 해저의 진흙 속에는 기존에 알려진 것보다 더
>   ㉠ 다양한 종으로 구성된 미생물 집단이 살고 있
>   는 것으로 확인되었다.
> (나) 같은 부모에게서 태어난 자녀의 피부색이 서로
>   다르다.

이에 대한 설명으로 옳은 것만을 ㅣ보기ㅣ에서 있는 대로
고른 것은?

> ┌ 보기 ┌
> ㄱ. (가)는 종 다양성에 해당한다.
> ㄴ. (나)는 유전적 다양성에 해당한다.
> ㄷ. ㉠이 많을수록 생태계는 안정적이다.

① ㄱ　　　② ㄴ　　　③ ㄱ, ㄷ
④ ㄴ, ㄷ　　⑤ ㄱ, ㄴ, ㄷ

7강_ 생태계, 개체군과 군집

2022 9월 모평 6번 유사

01 다음은 생태계 구성 요소에 대한 학생 A~C의 발표 내용이다.

제시한 내용이 옳은 학생만을 있는 대로 고른 것은?
① A
② B
③ A, B
④ A, C
⑤ A, B, C

> **Tip** 생태계의 [   ]은 생산자, 소비자, 분해자로 구분된다.
> 답 생물적 요인

2015 10월 학평 11번 유사

02 그림은 생태계에 대한 수업 장면 중 일부를 나타낸 것이다.

교사의 질문에 대한 학생의 대답으로 옳은 것을 |보기|에서 있는 대로 고르시오.

┌ 보기 ┐
ㄱ. 학생 A: 온도, CO_2 농도 등이 해당됩니다.
ㄴ. 학생 B: 생물적 요인의 영향을 받지 않습니다.
ㄷ. 학생 C: 시간에 따라 변하지 않고 일정합니다.

> **Tip** 온도는 생태계의 구성 요소 중 [   ] 요인에 해당한다.
> 답 비생물적

03 그림은 원격 수업 게시판 중 일부를 나타낸 것이다.

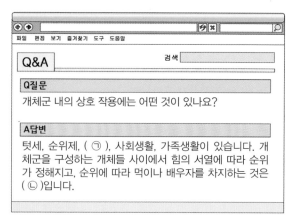

이에 대한 설명으로 옳은 것만을 |보기|에서 있는 대로 고른 것은?

┌ 보기 ┐
ㄱ. ㉠은 리더제이다.
ㄴ. ㉡은 순위제이다.
ㄷ. 개체군은 여러 종의 생물들로 구성된다.

① ㄱ
② ㄴ
③ ㄷ
④ ㄱ, ㄴ
⑤ ㄴ, ㄷ

> **Tip** 개체군은 한 종의 생물들로 구성되고, [   ]은 여러 종의 생물들로 구성된다.
> 답 군집

2015 10월 학평 11번 유사

04 그림은 생물 간의 상호 작용 4가지를 분류하는 과정을 나타낸 것이다.

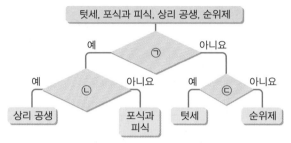

이에 대한 설명으로 옳은 것만을 | 보기 |에서 있는 대로 고른 것은?

┌ 보기 ┐
ㄱ. '개체군 내의 상호 작용인가?'는 ㉠에 해당한다.
ㄴ. '두 종 모두 이익을 얻는다.'는 ㉡에 해당한다.
ㄷ. '세력권을 형성한다.'는 ㉢에 해당한다

① ㄱ ② ㄷ ③ ㄱ, ㄴ ④ ㄱ, ㄷ ⑤ ㄴ, ㄷ

> **Tip** 상리 공생, 포식과 피식은 **❶ [   ]** 내 개체군 사이의 상호 작용이고, 텃세, 순위제는 **❷ [   ]** 내의 상호 작용이다. 답 ❶ 군집 ❷ 개체군

2019 10월 학평 19번 유사

05 그림은 상호 작용 A와 B의 공통점과 차이점을 나타낸 것이다. ㉠은 '두 종 모두 손해를 입는다.'이며, A와 B는 각각 경쟁, 포식과 피식 중 하나이다. 이에 대한 설명으로 옳은 것만을 | 보기 |에서 있는 대로 고른 것은?

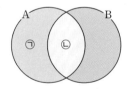

┌ 보기 ┐
ㄱ. B는 경쟁이다.
ㄴ. 눈신토끼와 스라소니의 상호 작용은 B에 해당한다.
ㄷ. '개체군 내의 상호 작용이다.'는 ㉡에 해당한다.

① ㄱ ② ㄴ ③ ㄱ, ㄴ ④ ㄱ, ㄷ ⑤ ㄴ, ㄷ

> **Tip** 경쟁 관계의 두 종은 모두 **❶ [   ]**를 입고, 포식과 피식 관계의 두 종에서 한 종은 손해를, 한 종은 **❷ [   ]**을 얻는다. 답 ❶ 손해 ❷ 이익

2015 3월 학평 18번

06 그림 (가)는 종 A와 B를 혼합 배양할 때 시간에 따른 개체 수를, (나)는 종 사이의 상호 작용을 나타낸 것이다. (가)에서 A와 B 사이의 상호 작용은 (나)의 ㉠과 ㉡ 중 하나이며, ㉠과 ㉡은 각각 경쟁과 상리 공생 중 하나이다. K는 A와 B를 단독 배양했을 때의 최대 개체 수이다.

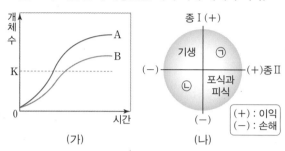

이에 대한 설명으로 옳은 것만을 | 보기 |에서 있는 대로 고른 것은? (단, 단독 배양할 때와 혼합 배양할 때 배양 조건은 동일하며, 이입과 이출은 없다.)

┌ 보기 ┐
ㄱ. (가)에서 A와 B는 모두 환경 저항을 받지 않는다.
ㄴ. (가)에서 A와 B 사이의 상호 작용은 ㉠이다.
ㄷ. 생태적 지위가 같은 두 종 사이에서 ㉡이 일어난다.

① ㄱ ② ㄴ ③ ㄷ
④ ㄱ, ㄴ ⑤ ㄴ, ㄷ

> **Tip** 상리 공생 관계의 두 종에서 두 종은 모두 **❶ [   ]**을 얻고, 경쟁 관계의 두 종에서 두 종은 모두 **❷ [   ]**를 입는다. 답 ❶ 이익 ❷ 손해

07 다음은 효모를 이용한 실험이다.

| 실험 과정 |

(가) 효모 개체군 A는 포도당 농도가 0.5 %인 조건에서, 효모 개체군 B는 포도당 농도가 1 %인 조건에서 배양한다.

(나) A와 B를 동일한 환경에 두고, 두 시간마다 효모의 개체 수를 측정한다.

| 실험 결과 |

구분	포도당 농도(%)	온도(℃)	시간(h)						
			0	2	4	6	8	10	12
A	0.5	35	10	20	40	65	70	70	70
B	1	35	10	25	60	105	120	120	120

이에 대한 설명으로 옳은 것만을 | 보기 |에서 있는 대로 고른 것은?

| 보기 |

ㄱ. A에서 효모는 이론적 생장 곡선을 나타낸다.

ㄴ. B에서 배양 후 2시간일 때 환경 저항은 6시간일 때 환경 저항보다 작다.

ㄷ. 포도당의 농도가 높은 곳에서 효모의 최대 개체 수가 크다.

① ㄱ   ② ㄴ   ③ ㄱ, ㄷ

④ ㄴ, ㄷ   ⑤ ㄱ, ㄴ, ㄷ

Tip 이론적 생장 곡선을 따르는 개체군은 ❶ ☐☐☐ 을 받지 않으며, ❷ ☐☐☐ 형의 생장 곡선을 나타낸다.

답 ❶ 환경 저항 ❷ J자

8강_ 에너지 흐름, 생물 다양성

08 그림은 어떤 물질의 순환에 대해 학생이 필기한 내용의 일부를 나타낸 것이다.

(㉠)의 순환

생물체를 구성하는 유기물의 골격을 구성한다. 대기에서 주로 (㉡)의 형태로, 물속에서 주로 탄산 수소 이온(HCO_3^-)의 형태로 존재한다.

이에 대한 설명으로 옳은 것만을 | 보기 |에서 있는 대로 고른 것은?

| 보기 |

ㄱ. ㉠은 탄소(C)이다.

ㄴ. ㉡은 이산화 탄소(CO_2)이다.

ㄷ. ㉠은 생태계에서 일방적으로 흐른다.

① ㄱ   ② ㄴ   ③ ㄱ, ㄴ

④ ㄱ, ㄷ   ⑤ ㄴ, ㄷ

Tip 생태계에서 ❶ ☐☐☐ 는 일방적으로 흐르고, ❷ ☐☐☐ 은 순환한다.

답 ❶ 에너지 ❷ 물질

2022 6월 모평 6번 유사

09 다음은 생태계에서 에너지와 물질의 이동에 대한 학생 A~C의 발표 내용이다.

생태계에서 에너지는 순환합니다.

질소 순환 과정에 세균이 관여합니다.

화석 연료 사용은 대기 중 이산화 탄소 농도 증가의 원인입니다.

학생 A   학생 B   학생 C

제시한 내용이 옳은 학생만을 있는 대로 고른 것은?

① A   ② C   ③ A, B

④ B, C   ⑤ A, B, C

Tip 질소 순환 과정 중 ❶ ☐☐☐ 과정, 질산화 작용, ❷ ☐☐☐ 작용에는 세균이 관여한다.

답 ❶ 질소 고정 ❷ 탈질산화

2022 6월 모평 6번 유사

10 다음은 생태계에서 물질의 순환에 대한 학생 A~C의 발표 내용이다.

학생 A: ㉠ 생태계에서 질소는 순환하지 않습니다.

학생 B: ㉡ 질산화 과정에서 암모늄 이온(NH_4^+)은 질산 이온(NO_3^-)으로 전환됩니다.

학생 C: 식물은 광합성을 통해 이산화 탄소를 흡수합니다.

이에 대한 설명으로 옳은 것만을 | 보기 |에서 있는 대로 고른 것은?

┌─ 보기 ─────────────────────────┐
ㄱ. ㉠은 비생물적 요인을 포함한다.
ㄴ. 질산화 세균에 의해 ㉡이 일어난다.
ㄷ. 제시한 내용이 옳은 학생은 B와 C이다.
└──────────────────────────────┘

① ㄱ   ② ㄴ   ③ ㄱ, ㄷ
④ ㄴ, ㄷ   ⑤ ㄱ, ㄴ, ㄷ

> **Tip** 질산화 세균은 ❶ ☐☐☐☐ (NH_4^+)을 ❷ ☐☐☐☐ (NO_3^-)으로 전환하는 것을 촉진한다.
>
> 답 ❶ 암모늄 이온 ❷ 질산 이온

2015 3월 학평 18번

11 그림은 어떤 신문의 일부를 나타낸 것이다.

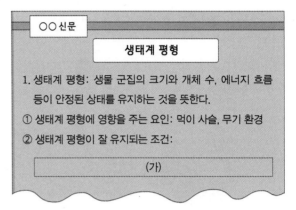

○○신문

생태계 평형

1. 생태계 평형: 생물 군집의 크기와 개체 수, 에너지 흐름 등이 안정된 상태를 유지하는 것을 뜻한다.
① 생태계 평형에 영향을 주는 요인: 먹이 사슬, 무기 환경
② 생태계 평형이 잘 유지되는 조건:

(가)

(가)에 대한 설명으로 옳은 것만을 | 보기 |에서 있는 대로 고르시오.

┌─ 보기 ─────────────────────────┐
ㄱ. 먹이 그물이 복잡해야 한다.
ㄴ. 생물종의 수가 많아야 한다.
ㄷ. 물질 순환이 안정적이어야 한다.
└──────────────────────────────┘

> **Tip** 생태계를 이루는 ❶ ☐☐☐ 이 다양하여 먹이 그물이 복잡하게 형성될수록 생태계 ❷ ☐☐☐ 이 잘 유지된다.
>
> 답 ❶ 생물종 ❷ 평형

2021 4월 학평 4번 유사

12 다음은 생물 다양성의 감소와 보전 방법에 대한 학생 A~C의 발표 내용이다.

학생 A: 생물 다양성 감소의 원인 중 서식지 감소가 있어.

학생 B: 국립공원 지정은 생물 다양성 보전 방법에 해당하지.

학생 C: 생물 다양성 증가를 위해 외래종을 가능한 많이 도입해야 해.

제시한 내용이 옳은 학생만을 있는 대로 고른 것은?
① A   ② C   ③ A, B
④ B, C   ⑤ A, B, C

> **Tip** 생물 다양성에는 ❶ ☐☐☐ 다양성, 종 다양성, 생태계 다양성이 있고, 생물 다양성 감소의 주된 원인은 ❷ ☐☐☐ 감소이다.
>
> 답 ❶ 유전적 ❷ 서식지

마무리 전략

5강_ 염색체와 생식세포 ~ 6강_ 사람의 유전

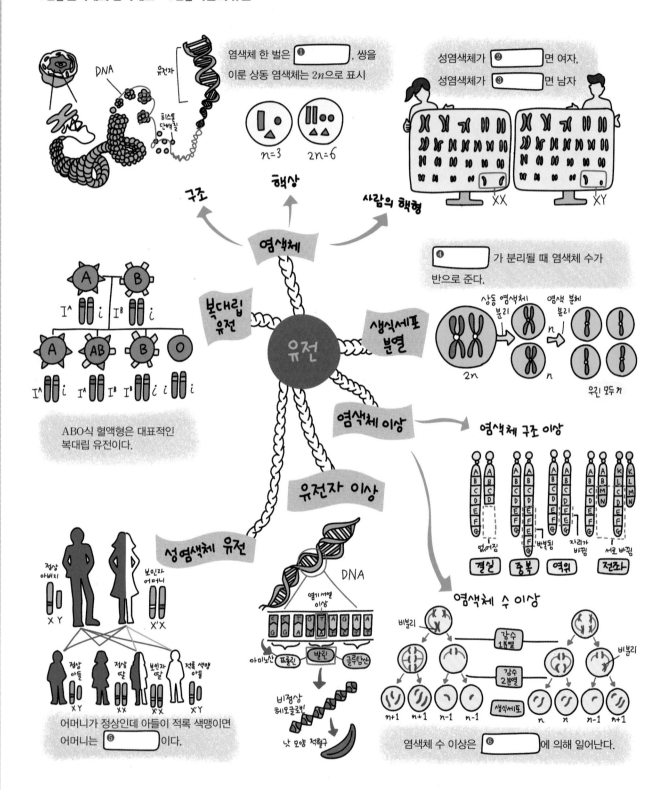

염색체 한 벌은 **❶** [   ], 쌍을 이룬 상동 염색체는 2n으로 표시

성염색체가 **❷** [   ]면 여자,
성염색체가 **❸** [   ]면 남자

❹ [   ] 가 분리될 때 염색체 수가 반으로 준다.

ABO식 혈액형은 대표적인 복대립 유전이다.

어머니가 정상인데 아들이 적록 색맹이면 어머니는 **❺** [   ]이다.

염색체 수 이상은 **❻** [   ]에 의해 일어난다.

답 ❶ n **❷** XX **❸** XY **❹** 상동 염색체 **❺** 보인자 **❻** 염색체 비분리

7강_ 생태계, 개체군과 군집 ~ 8강_ 에너지 흐름, 생물 다양성

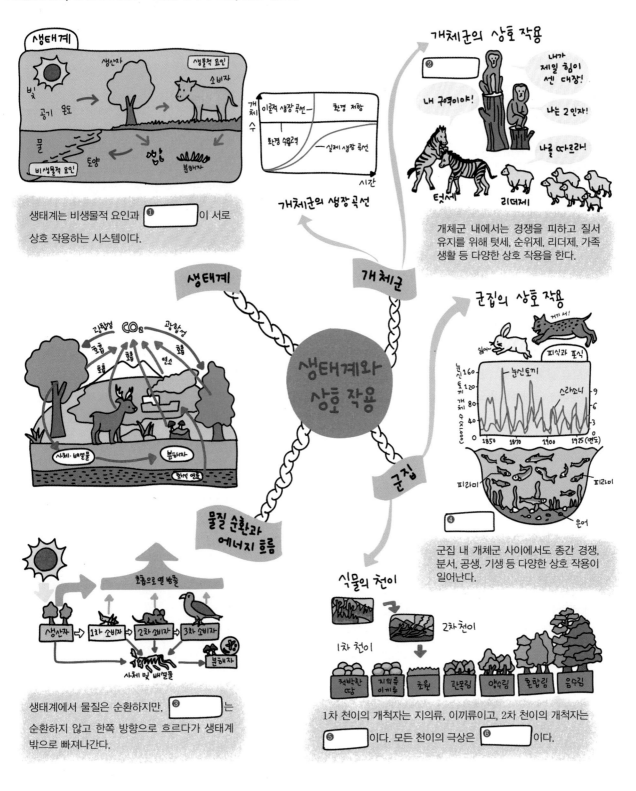

생태계

생태계는 비생물적 요인과 ❶ [ ]이 서로 상호 작용하는 시스템이다.

개체군의 성장 곡선

개체군의 상호 작용

개체군 내에서는 경쟁을 피하고 질서 유지를 위해 텃세, 순위제, 리더제, 가족 생활 등 다양한 상호 작용을 한다.

생태계와 상호 작용

물질 순환과 에너지 흐름

생태계에서 물질은 순환하지만, ❸ [ ]는 순환하지 않고 한쪽 방향으로 흐르다가 생태계 밖으로 빠져나간다.

군집의 상호 작용

군집 내 개체군 사이에서도 종간 경쟁, 분서, 공생, 기생 등 다양한 상호 작용이 일어난다.

식물의 천이

1차 천이의 개척자는 지의류, 이끼류이고, 2차 천이의 개척자는 ❺ [ ]이다. 모든 천이의 극상은 ❻ [ ]이다.

답 ❶ 생물적 요인 ❷ 순위제 ❸ 에너지 ❹ 분서 ❺ 초본류(초원) ❻ 음수림

신유형·신경향 전략

신유형 전략

01 DNA 상대량과 핵상

2022 6월 모평 19번

어떤 동물 종(2n＝4)의 유전 형질 ㉮는 2쌍의 대립유전자 A와 a, B와 b에 의해 결정된다. 그림은 이 동물 종의 개체 Ⅰ의 세포 (가)와 개체 Ⅱ의 세포 (나) 각각에 들어 있는 모든 염색체를, 표는 (가)와 (나)에서 대립유전자 ㉠, ㉡, ㉢, ㉣ 중 2개의 DNA 상대량을 더한 값을 나타낸 것이다. ㉠~㉣은 A, a, B, b를 순서 없이 나타낸 것이고, Ⅰ과 Ⅱ의 ㉮의 유전자형은 각각 AaBb와 Aabb 중 하나이다.

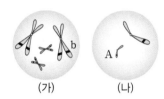

(가)   (나)

세포	DNA 상대량을 더한 값			
	㉠+㉡	㉠+㉢	㉡+㉢	㉢+㉣
(가)	6	ⓐ	6	?
(나)	?	1	ⓑ	2

이에 대한 설명으로 옳은 것만을 |보기|에서 있는 대로 고른 것은? (단, 돌연변이는 고려하지 않으며, A, a, B, b 각각의 1개당 DNA 상대량은 1이다.)

┌─ 보기 ─────────────────────────┐
ㄱ. Ⅰ의 유전자형은 AaBb이다.
ㄴ. ⓐ+ⓑ=5이다.
ㄷ. (나)에 b가 있다.
└───────────────────────────────┘

① ㄱ   ② ㄴ   ③ ㄱ, ㄷ
④ ㄴ, ㄷ   ⑤ ㄱ, ㄴ, ㄷ

> **Tip** 감수 1분열 중인 세포의 DNA 상대량은 G₁기 세포의 ❶ 이다. 감수 분열을 마친 생식세포의 DNA 상대량은 G₁기 세포의 ❷ 이 된다.   달 ❶ 2배 ❷ $\frac{1}{2}$(절반)

02 염색체 구조 이상과 수 이상

2022 6월 모평 15번 유사

다음은 어떤 가족의 유전 형질 (가)에 대한 자료이다.

┌──────────────────────────────────────┐
• (가)를 결정하는 데 관여하는 3개의 유전자는 모두 상염색체에 있으며, 3개의 유전자는 각각 대립유전자 H와 H*, R와 R*, T와 T*를 갖는다.

• 그림은 아버지와 어머니의 체세포 각각에 들어 있는 일부 염색체와 유전자를 나타낸 것이다. 아버지와 어머니의 핵형은 모두 정상이다.

아버지   어머니

• 아버지의 생식세포 형성 과정에서 ㉠이 1회 일어나 형성된 정자 P와 어머니의 생식세포 형성 과정에서 ㉡이 1회 일어나 형성된 난자 Q가 수정되어 자녀 ⓐ가 태어났다. ㉠과 ㉡은 염색체 비분리와 염색체 결실을 순서 없이 나타낸 것이다.

• 그림은 ⓐ의 체세포 1개당 H*, R, T, T*의 DNA 상대량을 나타낸 것이다.

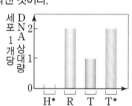
└──────────────────────────────────────┘

이에 대한 설명으로 옳은 것만을 |보기|에서 있는 대로 고른 것은? (단, 제시된 돌연변이 이외의 돌연변이와 교차는 고려하지 않으며, H, H*, R, R*, T, T* 각각의 1개당 DNA 상대량은 1이다.

┌─ 보기 ─────────────────────────┐
ㄱ. 아버지의 생식세포의 염색체 일부에서 결실이 나타났다.
ㄴ. 난자 형성 시 염색 분체가 비분리되었다.
ㄷ. ⓐ는 클라인펠터 증후군을 나타낸다.
└───────────────────────────────┘

① ㄱ   ② ㄴ   ③ ㄷ
④ ㄱ, ㄴ   ⑤ ㄱ, ㄷ

> **Tip** 염색체의 일부가 떨어져 없어진 것을 ❶ 이라고 하고, 서로 다른 대립유전자를 가진 생식세포를 받았다면 ❷ 가 비분리된 것이다.   달 ❶ 결실 ❷ 상동 염색체

03 군집

2021 수능 20번

표 (가)는 면적이 동일한 서로 다른 지역 Ⅰ과 Ⅱ의 식물 군집을 조사한 결과를 나타낸 것이고, (나)는 우점종에 대한 자료이다.

지역	종	상대 밀도 (%)	상대 빈도 (%)	상대 피도 (%)	총 개체 수
Ⅰ	A	30	?	19	100
	B	?	24	22	
	C	29	31	?	
Ⅱ	A	5	?	13	120
	B	?	13	25	
	C	70	42	?	

(가)

(나)
- 우점종: 어떤 군집의 우점종은 중요치가 가장 높아 그 군집을 대표할 수 있는 종을 의미한다.
- 중요치: 상대 밀도, 상대 빈도, 상대 피도를 더한 값이다.

이에 대한 설명으로 옳은 것만을 | 보기 |에서 있는 대로 고른 것은? (단, A~C 이외의 종은 고려하지 않는다.)

보기
ㄱ. Ⅰ의 식물 군집에서 우점종은 C이다.
ㄴ. 개체군 밀도는 Ⅰ의 A가 Ⅱ의 B보다 크다.
ㄷ. 종 다양성은 Ⅰ에서가 Ⅱ에서보다 높다.

① ㄱ   ② ㄴ   ③ ㄱ, ㄷ
④ ㄴ, ㄷ   ⑤ ㄱ, ㄴ, ㄷ

Tip Ⅰ에서 A~C의 상대 밀도 합은 **❶** %이므로 B의 상대 밀도는 **❷** %이다.   답 ❶ 100 ❷ 41

04 에너지 흐름

그림은 세 가지 먹이 사슬에서 각 영양 단계의 에너지양을 상 댓값으로 나타낸 것이다.

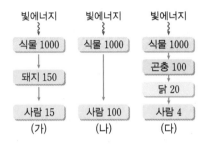

이에 대한 설명으로 옳은 것만을 | 보기 |에서 있는 대로 고른 것은?

보기
ㄱ. (가)에서 돼지의 에너지 효율은 15 %이다.
ㄴ. 사람의 에너지 효율은 (나)에서가 (다)에서의 2배이다.
ㄷ. (가)~(다) 중 사람에게 가장 많은 에너지를 공급할 수 있는 먹이 사슬은 (나)이다.

① ㄱ   ② ㄴ   ③ ㄱ, ㄷ
④ ㄴ, ㄷ   ⑤ ㄱ, ㄴ, ㄷ

Tip 에너지 **❶** 은 한 영양 단계에서 다음 영양 단계로 이 동하는 **❷** 의 비율이다.   답 ❶ 효율 ❷ 에너지

신유형·신경향 전략

신경향 전략

05 감수 분열
2021 9월 18번

그림은 유전자형이 Aa인 어떤 동물($2n$＝?)의 G_1기 세포 I 로부터 생식세포가 형성되는 과정을, 표는 세포 ⊙~@의 상염색체 수와 대립유전자 A와 a의 DNA 상대량을 더한 값을 나타낸 것이다. ⊙~@은 I~Ⅳ를 순서 없이 나타낸 것이고, 이 동물의 성염색체는 XX이다.

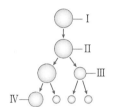

세포	상염색체 수	A와 a의 DNA 상대량을 더한 값
⊙	8	?
ⓒ	4	2
ⓒ	ⓐ	ⓑ
@	?	4

이에 대한 설명으로 옳은 것만을 |보기|에서 있는 대로 고른 것은? (단, 돌연변이는 고려하지 않으며, A와 a 각각의 1개당 DNA 상대량은 1이다. Ⅱ와 Ⅲ은 중기의 세포이다.)

> [보기]
> ㄱ. ⊙, @의 핵상은 동일하다.
> ㄴ. ⓐ＋ⓑ＝5이다.
> ㄷ. Ⅳ의 염색체 수는 5개이다.

① ㄱ   ② ㄷ   ③ ㄱ, ㄴ
④ ㄴ, ㄷ   ⑤ ㄱ, ㄴ, ㄷ

> **Tip** 상염색체 수가 8개이고 성염색체가 XX인 동물의 핵상과 염색체 수는 ❶☐☐☐이다. 따라서 감수 1분열 중기의 2가 염색체 수는 ❷☐☐☐가 된다.
> 답 ❶ $2n$＝10 ❷ 5

06 상염색체 유전, 성염색체 유전
2022 9월 17번

다음은 어떤 집안의 유전 형질 (가), (나)에 대한 자료이다.

> • (가)는 대립유전자 A와 a에 의해, (나)는 대립유전자 B와 b에 의해 결정된다. A는 a에 대해, B는 b에 대해 각각 완전 우성이다.
> • 가계도는 구성원 1~8에게서 (가)와 (나)의 발현 여부를 나타낸 것이다.
>
>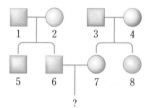
>
> | | |
> |---|---|
> | ☐ 정상 남자 | |
> | ○ 정상 여자 | |
> | ▨ (가) 발현 남자 | |
> | ◑ (나) 발현 여자 | |
> | ▧ (가), (나) 발현 남자 | |
> | ◐ (가), (나) 발현 여자 | |
>
> • 표는 구성원 ⊙~⊞에서 체세포 1개당 A와 b의 DNA 상대량을 더한 값을 나타낸 것이다. ⊙~ⓒ은 1, 2, 5를 순서 없이 나타낸 것이고, @~⊞은 3, 4, 8을 순서 없이 나타낸 것이다.

구성원	⊙	ⓒ	ⓒ	@	ⓜ	⊞
A와 b의 DNA 상대량을 더한 값	0	1	2	1	2	3

이에 대한 설명으로 옳은 것만을 |보기|에서 있는 대로 고른 것은? (단, 돌연변이와 교차는 고려하지 않으며, A, a, B, b 각각의 1개당 DNA 상대량은 1이다.)

> [보기]
> ㄱ. (가)의 유전자는 상염색체에 있다.
> ㄴ. 8은 ⓜ이다.
> ㄷ. 6과 7 사이에서 아이가 태어날 때, 이 아이의 (가)와 (나)의 표현형이 모두 ⓒ과 같을 확률은 $\frac{1}{8}$이다.

① ㄱ   ② ㄴ   ③ ㄱ, ㄷ
④ ㄴ, ㄷ   ⑤ ㄱ, ㄴ, ㄷ

> **Tip** 남자와 여자의 표현형이 같은데 유전자 상대량이 다르다면 이 유전자는 ☐☐☐에 있다.   답 성염색체

07 생존 곡선

그림은 생물 A~C의 상대 연령에 따른 사망률을, 표는 A~C에 대한 특징을 나타낸 것이다.

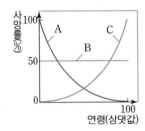

A~C의 특징
• A~C는 각각 생존 곡선 Ⅰ~Ⅲ형을 따르는 생물의 예이다.
• A~C는 각각 코끼리, 굴, 참새 중 하나이다.

이에 대한 설명으로 옳은 것만을 │보기│에서 있는 대로 고르시오.

┌ 보기 ┐
ㄱ. A는 코끼리이다.
ㄴ. B는 Ⅱ형 생존 곡선을 따르는 생물의 예이다.
ㄷ. 한 부모에서 태어난 자손의 개체 수는 A에서가 C에서보다 많다.

> **Tip** Ⅰ형 생존 곡선을 따르는 개체는 부모의 보호 기간이 길어서 초기 사망률이 ❶ [____], 후기 사망률이 ❷ [____].
>
> 🅰 ❶ 낮고 ❷ 높다

08 군집 내 개체군 사이의 상호 작용

철수는 밀물과 썰물이 교차하는 지역인 조간대에서 따개비 A종과 B종을 이용하여 다음과 같은 실험을 하였다.

┌ 실험 과정 ┐
(가) A종과 B종을 조간대에서 따로 키웠을 때 모두 잘 자랐다.
(나) A종과 B종을 골고루 섞어 조간대에 방류했을 때 A종은 조간대 하부, B종은 조간대 상부에서만 발견되었다.
(다) A종을 제거하였을 때 B종은 조간대 하부에서도 잘 자랐다.
(라) B종을 제거하였을 때 A종은 조간대 상부에서도 잘 자랐다.

이에 대한 설명으로 옳은 것만을 │보기│에서 있는 대로 고르시오.

┌ 보기 ┐
ㄱ. A와 B의 생태적 지위는 중복된다.
ㄴ. (나)에서 A는 B와 한 군집을 이룬다.
ㄷ. (나)에서 A와 B 사이에 경쟁 · 배타가 일어났다.

> **Tip** 생태적 지위가 비슷한 개체군들이 함께 생활할 때 서식지, 먹이 등을 달리하여 ❶ [____]을 피하는 것을 ❷ [____]라고 한다.
>
> 🅰 ❶ 경쟁 ❷ 분서

09 생태계 평형

그림은 어떤 지역에서 사슴을 보호하기 위해 늑대 사냥을 허가한 후 사슴과 늑대의 개체 수 및 초원의 생산량 변화를 나타낸 것이다. ㉠과 ㉡은 각각 늑대와 사슴 중 하나이다.

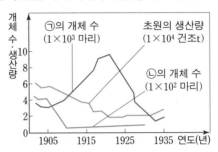

이에 대한 설명으로 옳은 것만을 │보기│에서 있는 대로 고른 것은?

┌ 보기 ┐
ㄱ. ㉠은 늑대이다.
ㄴ. ㉠으로부터 ㉡으로 유기물이 이동한다.
ㄷ. 1925년도에 사슴의 개체 수 감소 원인으로는 초원의 생산량 감소가 있다.

① ㄱ   ② ㄴ   ③ ㄱ, ㄷ
④ ㄴ, ㄷ   ⑤ ㄱ, ㄴ, ㄷ

> **Tip** 늑대 사냥을 통해 ❶ [____]의 개체 수가 급감한 이후 ❷ [____]의 개체 수가 급증한다. 🅰 ❶ 늑대 ❷ 사슴

5강_ 염색체와 생식세포

2019 7월 학평 10번 유사

01 그림 (가)는 어떤 동물($2n=$?)의 세포 분열 과정 일부에서 시간에 따른 핵 1개당 DNA 상대량을, (나)는 구간 Ⅰ과 구간 Ⅱ 중 한 구간에서 관찰되는 세포에 들어 있는 모든 염색체를 나타낸 것이다. Ⅰ과 Ⅱ에서 관찰되는 세포의 핵상은 다르다.

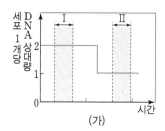 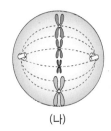

(가)   (나)

이에 대한 설명으로 옳은 것만을 |보기|에서 있는 대로 고른 것은? (단, 돌연변이는 고려하지 않는다.)

┌─ 보기 ┐
ㄱ. 구간 Ⅰ의 세포에서 $\dfrac{염색\ 분체의\ 수}{2가\ 염색체\ 수}=2$이다.

ㄴ. (나)는 구간 Ⅰ에서 관찰된다.

ㄷ. (나)의 분열 결과 두 딸세포의 유전자 구성은 동일하다.
└──────┘

① ㄱ   ② ㄷ   ③ ㄱ, ㄴ
④ ㄴ, ㄷ   ⑤ ㄱ, ㄴ, ㄷ

2021 4월 학평 3번 유사

02 그림은 같은 종인 동물($2n=$?) Ⅰ과 Ⅱ의 세포 (가)~(라) 각각에 들어 있는 모든 염색체를 나타낸 것이다. (가)~(라) 중 3개는 Ⅰ의 세포이고, 나머지 1개는 Ⅱ의 세포이다. 이 동물의 성염색체는 암컷이 XX, 수컷이 XY이다.

(가)   (나)   (다)   (라)

이에 대한 설명으로 옳은 것만을 |보기|에서 있는 대로 고르시오. (단, 돌연변이는 고려하지 않는다.)

┌─ 보기 ┐
ㄱ. Ⅱ는 수컷이다.

ㄴ. (나)와 (다)의 상염색체 수는 같다.

ㄷ. ㉠, ㉡은 세포 주기 중 S기에 형성되었다.
└──────┘

2018 9월 모평 7번 유사

03 그림은 핵상이 $2n$인 어떤 동물에서 G_1기의 세포 ㉠으로부터 정자가 형성되는 과정을, 표는 세포 ⓐ~ⓓ에 들어 있는 세포 1개당 대립유전자 H와 t의 DNA 상대량을 나타낸 것이다. ⓐ~ⓓ는 ㉠~㉣을 순서 없이 나타낸 것이고 H는 h와, T는 t와 각각 대립유전자이다.

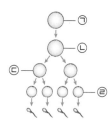

세포	DNA 상대량	
	H	t
ⓐ	?	?
ⓑ	2	0
ⓒ	1	1
ⓓ	4	2

이에 대한 설명으로 옳은 것만을 |보기|에서 있는 대로 고르시오. (단, 돌연변이와 교차는 고려하지 않으며, H, h, T, t 각각의 1개당 DNA 상대량은 같다.)

┌─ 보기 ┐
ㄱ. ㉠의 유전자형은 HhTt이다.

ㄴ. ㉢은 ⓑ이다.

ㄷ. ⓐ의 DNA 상대량 H+t 값은 3이다.
└──────┘

04 **·** 1등급 킬러 2019 수능 13번 유사

어떤 동물 종($2n=6$)의 유전 형질 ⓐ는 2쌍의 대립유전자 H와 h, T와 t에 의해 결정된다. 그림은 이 동물 종의 세포 (가)~(라)가 갖는 유전자 ㉠~㉣의 DNA 상대량을 나타낸 것이다. 이 동물 종의 개체 Ⅰ에서는 ㉠~㉣의 DNA 상대량이 (가), (나), (다)와 같은 세포가, 개체 Ⅱ에서는 ㉠~㉣의 DNA 상대량이 (나), (다), (라)와 같은 세포가 형성된다. ㉠~㉣은 H, h, T, t를 순서 없이 나타낸 것이다. 이 동물 종의 성염색체는 암컷이 XX, 수컷이 XY이다.

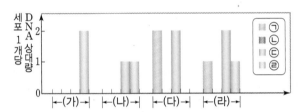

이에 대한 설명으로 옳은 것만을 │보기│에서 있는 대로 고른 것은? (단, 돌연변이는 고려하지 않으며, (가)와 (다)는 중기의 세포이다. H, h, T, t 각각의 1개당 DNA 상대량은 같다.)

┌─ 보기 ─────────────────────────
ㄱ. Ⅰ의 성염색체는 XX이다.
ㄴ. ㉢은 X 염색체에 있다.
ㄷ. (가), (나), (다)의 핵상은 같다.
└──────────────────────────────

① ㄴ   ② ㄷ   ③ ㄱ, ㄴ
④ ㄱ, ㄷ   ⑤ ㄴ, ㄷ

6강_ 사람의 유전

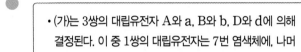

05 다음은 사람의 유전 형질 (가)에 대한 자료이다.

┌──────────────────────────────
• (가)는 3쌍의 대립유전자 A와 a, B와 b, D와 d에 의해 결정된다. 이 중 1쌍의 대립유전자는 7번 염색체에, 나머지 2쌍의 대립유전자는 9번 염색체에 있다.
• (가)의 표현형은 ⓐ유전자형에서 대문자로 표시된 대립유전자의 수에 의해서만 결정된다.
• ⓐ가 3인 남자 Ⅰ과 ⓐ가 4인 여자 Ⅱ 사이에서 ⓐ가 6인 아이 Ⅲ이 태어났다.
• Ⅱ에서 난자가 형성될 때, 이 난자가 a, b, D를 모두 가질 확률은 $\frac{1}{2}$이다.
└──────────────────────────────

이에 대한 설명으로 옳은 것만을 │보기│에서 있는 대로 고른 것은? (단, 돌연변이와 교차는 고려하지 않는다.)

┌─ 보기 ─────────────────────────
ㄱ. Ⅰ에서 A와 B는 9번 염색체에 있다.
ㄴ. Ⅲ의 동생이 태어날 때 나타날 수 있는 표현형은 최대 8가지이다.
ㄷ. Ⅰ과 Ⅱ 사이에서 표현형이 Ⅱ와 같은 아이가 태어날 확률은 $\frac{1}{4}$이다.
└──────────────────────────────

① ㄱ   ② ㄴ   ③ ㄱ, ㄷ
④ ㄴ, ㄷ   ⑤ ㄱ, ㄴ, ㄷ

✱✱ 1등급 킬러 2022 6월 모평 17번 유사

06 다음은 어느 집안의 유전 형질 (가)~(다)에 대한 자료이다.

- (가)는 대립유전자 A와 a에 의해, (나)는 대립유전자 B와 b에 의해, (다)는 대립유전자 D와 d에 의해 결정된다. A는 a에 대해, B는 b에 대해, D는 d에 대해 각각 완전 우성이다.
- (가)~(다)의 유전자 중 2개는 X 염색체에, 나머지 1개는 상염색체에 있다.
- 가계도는 구성원 ⓐ를 제외한 구성원 1~7에게서 (가)~(다) 중 (가)와 (나)의 발현 여부를 나타낸 것이다.

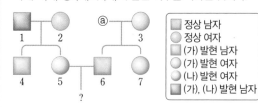

■	정상 남자
●	정상 여자
▨	(가) 발현 남자
◐	(가) 발현 여자
◓	(나) 발현 여자
▨	(가), (나) 발현 남자

- 표는 ⓐ와 1~3에서 체세포 1개당 대립유전자 ⊙~ⓒ의 DNA 상대량을 나타낸 것이다. ⊙~ⓒ은 A, B, d를 순서 없이 나타낸 것이다.

구성원		1	2	ⓐ	3
DNA 상대량	⊙	0	1	0	1
	ⓛ	0	1	1	0
	ⓒ	1	1	0	2

- 3, 6, 7 중 (다)가 발현된 사람은 1명이고, 4와 7의 (다)의 표현형은 서로 같다.

이에 대한 설명으로 옳은 것만을 │보기│에서 있는 대로 고른 것은? (단, 돌연변이와 교차는 고려하지 않는다.)

│보기│
ㄱ. (가)~(다) 중 유전자가 상염색체에 있는 것은 (나)이다.
ㄴ. (다)는 D에 의해 발현된다.
ㄷ. 5와 6 사이에서 아이가 태어날 때, 이 아이에게서 (가), (나), (다)가 모두 나타날 확률은 $\frac{1}{4}$이다.

① ㄱ　　　　② ㄴ　　　　③ ㄱ, ㄷ
④ ㄴ, ㄷ　　　⑤ ㄱ, ㄴ, ㄷ

2019 6월 모평 15번 유사

07 그림 (가)와 (나)는 핵상이 $2n$인 어떤 동물에서 암컷과 수컷의 생식세포 형성 과정을, 표는 세포 ⊙~ⓔ이 갖는 유전자 E, e, F, f, G, g의 DNA 상대량을 나타낸 것이다. E와 e, F와 f, G와 g는 각각 대립유전자이다. (가)와 (나)의 감수 1분열에서 성염색체 비분리가 각각 1회 일어났다. ⊙~ⓔ은 Ⅰ~Ⅳ를 순서 없이 나타낸 것이다.

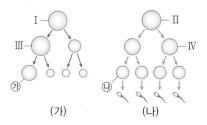

세포	DNA 상대량					
	E	e	F	f	G	g
⊙	?	0	2	0	2	2
ⓛ	2	2	0	4	0	?
ⓒ	2	0	?	2	?	0
ⓔ	4	0	2	2	?	2

이에 대한 설명으로 옳은 것만을 │보기│에서 있는 대로 고른 것은? (단, 제시된 염색체 비분리 이외의 돌연변이와 교차는 고려하지 않으며, Ⅰ~Ⅳ는 중기의 세포이다. E, e, F, f, G, g 각각의 1개당 DNA 상대량은 같다.)

│보기│
ㄱ. Ⅰ은 ⓔ, Ⅳ는 ⓒ이다.
ㄴ. Ⅲ과 Ⅳ의 핵상은 같다.
ㄷ. ㉮와 ㉯의 X 염색체 수는 같다.

① ㄱ　　　　② ㄴ　　　　③ ㄱ, ㄷ
④ ㄴ, ㄷ　　　⑤ ㄱ, ㄴ, ㄷ

08 다음은 어떤 집안의 유전 형질 (가)와 (나)에 대한 자료이다.

- (가)는 대립유전자 H와 h에 의해, (나)는 대립유전자 T와 t에 의해 결정된다. H는 h에 대해, T는 t에 대해 각각 완전 우성이다.
- 가계도는 구성원 ⓐ를 제외한 구성원 1~7에서 (가)와 (나)의 발현 여부를 나타낸 것이다.

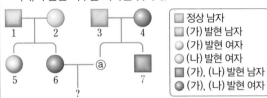

| 정상 남자 |
| (가) 발현 남자 |
| (가) 발현 여자 |
| (나) 발현 여자 |
| (가), (나) 발현 남자 |
| (가), (나) 발현 여자 |

- 표는 구성원 1, 3, 6, ⓐ에서 체세포 1개당 ㉠과 ㉡의 DNA 상대량을 더한 값을 나타낸 것이다. ㉠은 H와 h 중 하나이고 ㉡은 T와 t 중 하나이다.

구성원	1	3	6	ⓐ
㉠과 ㉡의 DNA 상대량을 더한 값	1	0	3	1

이에 대한 설명으로 옳은 것만을 |보기|에서 있는 대로 고른 것은? (단, 돌연변이와 교차는 고려하지 않으며, H, h, T, t 각각의 1개당 DNA 상대량은 1이다.)

| 보기 |
ㄱ. ㉠은 h, ㉡은 T이다.
ㄴ. ㉠은 X 염색체에, ㉡은 상염색체에 있다.
ㄷ. 6과 ⓐ 사이에서 아이가 태어날 때, 이 아이에게서 (가)와 (나)가 모두 발현될 확률은 $\frac{1}{4}$이다.

① ㄱ   ② ㄷ   ③ ㄱ, ㄴ
④ ㄴ, ㄷ   ⑤ ㄱ, ㄴ, ㄷ

09 다음은 사람 P의 정자 형성 과정에 대한 자료이다.

- 그림은 P의 세포 Ⅰ로부터 정자가 형성되는 과정을, 표는 세포 ㉠~㉣에서 세포 1개당 대립유전자 A, a, B, b, D, d의 DNA 상대량을 나타낸 것이다. A는 a와, B는 b와, D는 d와 각각 대립유전자이고, ㉠~㉣은 Ⅰ~Ⅳ를 순서 없이 나타낸 것이다.

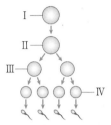

세포	DNA 상대량					
	A	a	B	b	D	d
㉠	0	?	4	0	0	0
㉡	0	2	0	1	?	1
㉢	?	1	2	1	?	1
㉣	0	?	4	?	2	2

- Ⅰ은 G_1기 세포이며, Ⅰ에는 중복이 일어난 염색체가 1개만 존재한다. Ⅰ이 Ⅱ가 되는 과정에서 DNA는 정상적으로 복제되었다.
- 이 정자 형성 과정의 감수 1분열에서는 상염색체에서 비분리가 1회, 감수 2분열에서는 성염색체에서 비분리가 1회 일어났다.

이에 대한 설명으로 옳은 것만을 |보기|에서 있는 대로 고른 것은? (단, 제시된 중복과 염색체 비분리 이외의 돌연변이와 교차는 고려하지 않으며, Ⅱ와 Ⅲ은 중기의 세포이다. A, a, B, b, D, d 각각의 1개당 DNA 상대량은 1이다.)

| 보기 |
ㄱ. Ⅰ의 염색체 수는 정상인과 같다.
ㄴ. ㉠은 Ⅲ이다.
ㄷ. Ⅳ의 핵상은 $n+2$이다.

① ㄱ   ② ㄴ   ③ ㄱ, ㄷ
④ ㄴ, ㄷ   ⑤ ㄱ, ㄴ, ㄷ

1·2등급 확보 전략 2회

빈출도 ● > ● > ●

7강_ 생태계, 개체군과 군집

01 2021 4월 학평 6번 유사

그림은 생태계를 구성하는 요소 사이의 관계를 나타낸 것이다. A~C는 각각 분해자, 생산자, 소비자 중 하나이다.

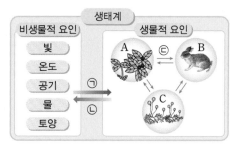

이에 대한 설명으로 옳은 것만을 |보기|에서 있는 대로 고른 것은?

┌─ 보기 ┐
ㄱ. 지렁이에 의해 토양의 통기성이 증가하는 것은 ㉠에 해당한다.
ㄴ. 토끼의 개체 수가 증가하자 토끼풀의 개체 수가 감소하는 것은 ㉢에 해당한다.
ㄷ. 호랑이는 C에 해당한다.
└─────────┘

① ㄱ   ② ㄴ   ③ ㄷ
④ ㄴ, ㄷ   ⑤ ㄱ, ㄴ, ㄷ

02 2017 3월 학평 12번 유사

그림은 어떤 개체군을 단독 배양할 때 시간에 따른 개체 수 증가율을 나타낸 것이다. 개체 수 증가율은 단위 시간당 증가한 개체 수이다.

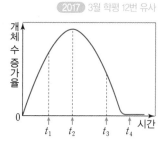

이에 대한 설명으로 옳은 것만을 |보기|에서 있는 대로 고른 것은? (단, 이입과 이출은 없다.)

┌─ 보기 ┐
ㄱ. t_2일 때 환경 저항은 없다.
ㄴ. 이 개체군은 J자형 생장 곡선을 나타낸다.
ㄷ. t_1~t_4 중 개체군의 크기가 가장 큰 시점은 t_4이다.
└─────────┘

① ㄱ   ② ㄴ   ③ ㄷ
④ ㄱ, ㄴ   ⑤ ㄴ, ㄷ

03 ** 1등급 킬러   2020 9월 모평 18번 유사

일조 시간이 식물의 개화에 미치는 영향을 알아보기 위하여 식물 종 A의 개체 ㉠~㉣에 빛 조건을 달리하여 개화 여부를 관찰하였다. 그림은 빛 조건 Ⅰ~Ⅳ를, 표는 Ⅰ~Ⅳ에서 ㉠~㉣의 개화 여부를 나타낸 것이다. ⓐ는 종 A가 개화하는 데 필요한 최소한의 '연속적인 빛 없음' 기간이다.

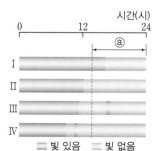

조건	개체	개화 여부
Ⅰ	㉠	×
Ⅱ	㉡	○
Ⅲ	㉢	×
Ⅳ	㉣	?

이에 대한 설명으로 옳은 것만을 |보기|에서 있는 대로 고른 것은? (단, 제시된 조건 이외는 고려하지 않는다.)

┌─ 보기 ┐
ㄱ. A는 ⓐ보다 '연속적인 빛 없음' 기간이 짧을 때 개화한다.
ㄴ. Ⅳ에서 ㉣은 개화한다.
ㄷ. 비생물적 요인이 생물적 요인에 영향을 미치는 예에 해당한다.
└─────────┘

① ㄱ   ② ㄷ   ③ ㄱ, ㄴ
④ ㄴ, ㄷ   ⑤ ㄱ, ㄴ, ㄷ

2017 4월 학평 8번 유사

04 그림 (가)는 상호 작용하는 개체군 A와 B의 시간에 따른 개체 수를, (나)는 (가)에서 나타나는 개체 수의 변화를 구간 Ⅰ~Ⅳ로 구분하여 나타낸 것이다.

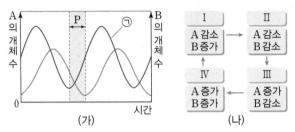

이에 대한 설명으로 옳은 것만을 |보기|에서 있는 대로 고른 것은?

|보기|
ㄱ. (가)의 구간 P에서 Ⅰ이 일어난다.
ㄴ. ㉠은 B의 개체 수 변화를 나타낸 것이다.
ㄷ. 두 개체군 사이에 나타나는 상호 작용은 포식과 피식이다.

① ㄱ   ② ㄷ   ③ ㄱ, ㄴ
④ ㄱ, ㄷ   ⑤ ㄴ, ㄷ

2016 7월 학평 16번 유사

05 그림 (가)는 어떤 지역에 산불이 난 후 식물 군집의 천이가 일어날 때 군집 높이의 변화를, (나)는 (가)의 t에서 군집 높이에 따라 식물이 받는 빛의 양을 나타낸 것이다. A와 B는 각각 음수림, 초원 중 하나이다.

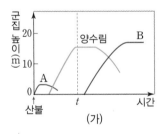 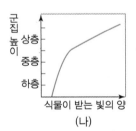

이에 대한 설명으로 옳은 것만을 |보기|에서 있는 대로 고른 것은?

|보기|
ㄱ. (가)에서 일어난 천이는 2차 천이이다.
ㄴ. B는 음수림이다.
ㄷ. t에서 잎 평균 두께는 상층보다 하층이 두껍다.

① ㄱ   ② ㄴ   ③ ㄷ
④ ㄱ, ㄴ   ⑤ ㄱ, ㄴ, ㄷ

2015 3월 학평 18번 유사

06 그림 (가)는 종 A와 B를 단독 배양할 때와 혼합 배양할 때 시간에 따른 개체 수를, (나)는 종 사이의 상호 작용을 나타낸 것이다. ㉠과 ㉡은 각각 경쟁과 상리 공생 중 하나이다.

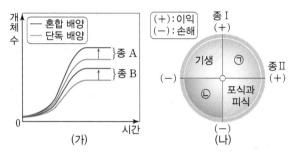

이에 대한 설명으로 옳은 것만을 |보기|에서 있는 대로 고른 것은? (단, A와 B의 초기 배양 조건은 동일하고, 이입과 이출은 없다.)

|보기|
ㄱ. (가)에서 A와 B는 모두 실제 생장 곡선을 나타낸다.
ㄴ. (가)에서 A와 B의 상호 작용은 ㉠이다.
ㄷ. 생태적 지위가 같을수록 ㉡이 일어날 가능성이 낮아진다.

① ㄱ   ② ㄷ   ③ ㄱ, ㄴ
④ ㄴ, ㄷ   ⑤ ㄱ, ㄴ, ㄷ

07 표는 종 A와 B 사이의 상호 작용을 나타낸 것이다. (가)~(다)는 각각 경쟁, 상리 공생, 편리 공생 중 하나이고, ㉠과 ㉡은 손해와 이익을 순서 없이 나타낸 것이다. 이에 대한 설명으로 옳은 것만을 |보기|에서 있는 대로 고른 것은?

구분	A	B
(가)	㉠	손해
(나)	㉡	?
(다)	㉡	㉡

|보기|
ㄱ. ㉠은 손해이다.
ㄴ. (나)에서 경쟁·배타의 원리가 나타날 수 있다.
ㄷ. 흰동가리와 말미잘의 상호 작용은 (나)에 해당한다.

① ㄱ   ② ㄴ   ③ ㄱ, ㄷ
④ ㄴ, ㄷ   ⑤ ㄱ, ㄴ, ㄷ

8강_ 에너지 흐름, 생물 다양성

08 그림은 어떤 지역에서 일정 시간 동안 조사한 종 A~C의 단위 면적당 생물량(생체량) 변화를, (나)는 생태계에서 먹이 사슬 관계에 있는 A~C를 나타낸 것이다. A~C는 생산자, 1차 소비자, 2차 소비자를 순서 없이 나타낸 것이다.

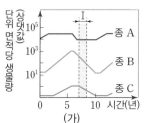 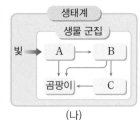

이에 대한 설명으로 옳은 것만을 |보기|에서 있는 대로 고른 것은?

┌─ 보기 ┐
ㄱ. Ⅰ시기 동안 $\dfrac{A의 생물량}{B의 생물량}$ 은 증가했다.

ㄴ. A는 B의 포식자이다.

ㄷ. C는 1차 소비자이다.
└──────┘

① ㄱ ② ㄷ ③ ㄱ, ㄴ
④ ㄴ, ㄷ ⑤ ㄱ, ㄴ, ㄷ

2017 10월 학평 15번 유사

10 표는 어떤 생태계에서 일어나는 에너지 흐름의 일부를, 그림은 이 생태계의 식물 군집에서 일어나는 시간에 따른 유기물량을 나타낸 것이다. A와 B는 각각 호흡량과 총생산량 중 하나이다.

구분	에너지양 (상댓값)
빛	100000
생산자	1000
1차 소비자	100
2차 소비자	20

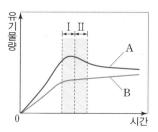

이에 대한 설명으로 옳은 것만을 |보기|에서 있는 대로 고른 것은?

┌─ 보기 ┐
ㄱ. 2차 소비자의 에너지 효율은 1차 소비자의 에너지 효율의 2배이다.

ㄴ. 1차 소비자의 생장량은 B에 포함된다.

ㄷ. 이 식물 군집에서 순생산량은 구간 Ⅱ에서가 구간 Ⅰ에서보다 크다.
└──────┘

① ㄱ ② ㄷ ③ ㄱ, ㄴ
④ ㄴ, ㄷ ⑤ ㄱ, ㄴ, ㄷ

∴ 1등급 킬러 **2017** 9월 모평 18번 유사

09 그림은 서식 면적이 같은 서로 다른 생태계 (가)와 (나)에서 식물 군집을 조사한 결과를 나타낸 것이다.

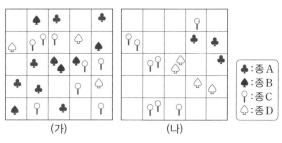

♣ : 종 A
♠ : 종 B
🜨 : 종 C
♧ : 종 D

이에 대한 설명으로 옳은 것만을 |보기|에서 있는 대로 고른 것은? (단, (가)와 (나)의 면적은 동일하며, 종 A~D 이외의 다른 종은 고려하지 않는다.)

┌─ 보기 ┐
ㄱ. A의 밀도는 (가)에서가 (나)에서의 2배이다.

ㄴ. (가)에서 B와 C는 같은 개체군을 형성한다.

ㄷ. D의 상대 밀도는 (가)에서가 (나)에서보다 크다.
└──────┘

① ㄱ ② ㄷ ③ ㄱ, ㄴ
④ ㄴ, ㄷ ⑤ ㄱ, ㄴ, ㄷ

2021 수능 5번

11 그림은 평균 기온이 서로 다른 계절 Ⅰ과 Ⅱ에 측정한 식물 A의 온도에 따른 순생산량을 나타낸 것이다. 이에 대한 설명으로 옳은 것만을 |보기|에서 있는 대로 고른 것은?

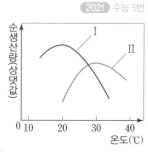

┌─ 보기 ┐
ㄱ. 순생산량은 총생산량에서 호흡량을 제외한 양이다.

ㄴ. A의 순생산량이 최대가 되는 온도는 Ⅰ일 때가 Ⅱ일 때보다 높다.

ㄷ. 계절에 따라 A의 순생산량이 최대가 되는 온도가 달라지는 것은 비생물적 요인이 생물에 영향을 미치는 예에 해당한다.
└──────┘

① ㄱ ② ㄴ ③ ㄱ, ㄷ
④ ㄴ, ㄷ ⑤ ㄱ, ㄴ, ㄷ

12 그림 (가)는 생태계의 질소 순환 과정을, (나)는 생태계의 탄소 순환 과정을 나타낸 것이다. A~D는 각각 생산자와 분해자 중 하나이다.

∴ 1등급 킬러 2018 3월 학평 20번 유사

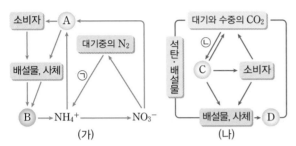

(가)   (나)

이에 대한 설명으로 옳은 것만을 | 보기 |에서 있는 대로 고른 것은?

> **보기**
> ㄱ. 과정 ㉠은 질소 고정 세균에 의해 촉진된다.
> ㄴ. A와 C는 모두 생산자이다.
> ㄷ. 과정 ㉡은 낮보다 밤에 활발하다.

① ㄱ   ② ㄷ   ③ ㄱ, ㄴ
④ ㄴ, ㄷ   ⑤ ㄱ, ㄴ, ㄷ

13 표는 생태계에서 일어나는 질소 순환 과정의 일부를 나타낸 것이다. ㉠~㉢은 대기 중 질소(N_2), 질산 이온(NO_3^-), 암모늄 이온(NH_4^+)을 순서 없이 나타낸 것이다. 이에 대한 설명으로 옳은 것만을 | 보기 |에서 있는 대로 고른 것은?

2021 7월 학평 9번 유사

과정	물질 전환
(가)	㉠ → ㉡
(나)	㉡ → ㉢
(다)	㉡ 또는 ㉢ → 아미노산

> **보기**
> ㄱ. ㉠은 대기 중 질소(N_2)이다.
> ㄴ. (나)는 탈질산화 작용이다.
> ㄷ. 콩과식물에서 (다)가 일어난다.

① ㄱ   ② ㄴ   ③ ㄱ, ㄷ
④ ㄴ, ㄷ   ⑤ ㄱ, ㄴ, ㄷ

14 그림은 어떤 지역에서 시점 t_1과 t_2일 때의 먹이 사슬을 나타낸 것이다. 시간은 t_1에서 t_2로 흐른다.

2016 10월 학평 13번 유사

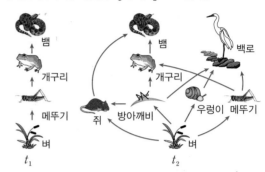

이에 대한 설명으로 옳은 것만을 | 보기 |에서 있는 대로 고른 것은? (단, t_1과 t_2일 때 종의 균등한 정도는 고려하지 않는다.)

> **보기**
> ㄱ. 종 다양성은 t_1일 때가 t_2일 때보다 높다.
> ㄴ. t_1과 t_2일 때 개구리는 모두 2차 소비자이다.
> ㄷ. t_2일 때 메뚜기가 멸종될 경우 백로가 사라진다.

① ㄱ   ② ㄴ   ③ ㄱ, ㄴ
④ ㄴ, ㄷ   ⑤ ㄱ, ㄴ, ㄷ

15 그림 (가)는 생물 다양성의 세 가지 의미를, (나)는 반점 무늬를 갖는 무당벌레 집단 A와 B를 나타낸 것이다.

2016 10월 학평 13번 유사

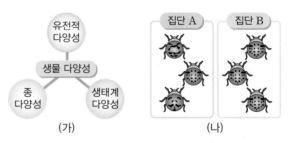

(가)   (나)

이에 대한 설명으로 옳은 것만을 | 보기 |에서 있는 대로 고른 것은?

> **보기**
> ㄱ. 유전적 다양성은 A에서가 B에서보다 크다.
> ㄴ. 종 다양성은 식물에서만 나타난다.
> ㄷ. 생태계 다양성에는 비생물적 요인이 포함된다.

① ㄱ   ② ㄴ   ③ ㄱ, ㄷ
④ ㄴ, ㄷ   ⑤ ㄱ, ㄴ, ㄷ

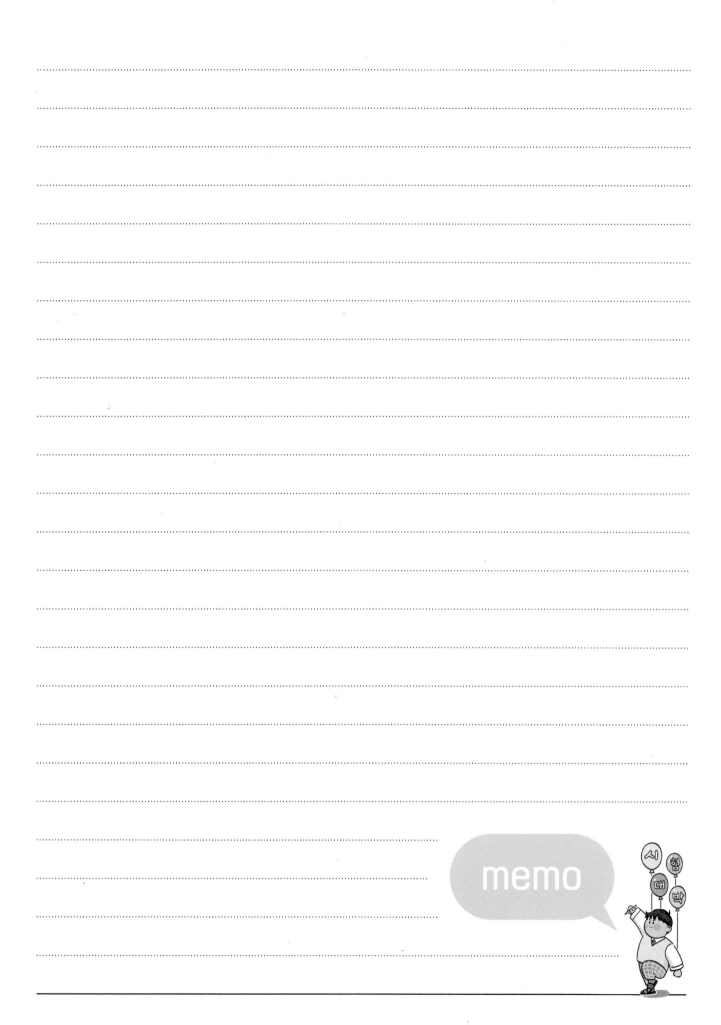

memo

뻐근한 손목을 가볍게!
손목 스트레칭

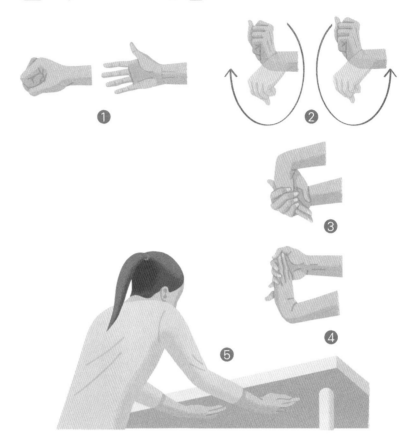

컴퓨터나 스마트폰, 반복적 움직임 등으로 인해 손목에 부담이 가면 때때로 손목이 아파지곤 합니다. 처음에는 잠시 저렸다 가 나아지곤 하지만, 심해지면 손가락도 쉽게 움직일 수 없을 만큼의 통증으로 일상생활이 불편할 정도라고 해요. 오늘 하루 고생한 손목을 스트레칭으로 충분히 풀어주세요.

❶ 엄지손가락이 바깥으로 나오게 주먹을 쥔 다음, 주먹을 폈다 쥐기를 5~10회 반복하세요.

❷ 손목을 시계 방향, 반 시계 방향으로 천천히 돌려주세요. 양손 각 10회씩 반복합니다.

❸ 팔을 쭉 뻗어 손바닥을 몸쪽으로 꺾어주세요.
　 한 번에 10초씩 유지해 주시고, 5번 반복해 주세요.

❹ 4.3번과 반대로, 손등을 몸쪽으로 당겨주세요.
　 이 동작도 한 번에 10초씩, 5번 반복해 주세요.

❺ 앉은 자세에서 손바닥과 손목으로 책상을 들어 올리듯 힘을 주어 5초간 유지해 주세요

book.chunjae.co.kr

교재 내용 문의 ···················· 교재 홈페이지 ▶ 고등 ▶ 교재상담

교재 내용 외 문의 ···················· 교재 홈페이지 ▶ 고객센터 ▶ 1:1문의

발간 후 발견되는 오류 ············· 교재 홈페이지 ▶ 고등 ▶ 학습지원 ▶ 학습자료실

수능공략 필승학습!
단기간에 끝장내자!

BOOK 3

정답과 해설

실전에 강한
수능전략

과탐
영역 생명과학Ⅰ

천재교육

수능전략

과·학·탐·구·영·역

생명과학 I

BOOK 3

정답과 해설

WEEK

1

Ⅰ 생명 과학의 이해
Ⅱ 사람의 물질대사

DAY 1 개념 돌파 전략 ① 확인 Q | 8~9쪽

[1강] **1** 동화 작용 **2** 자극에 대한 반응 **3** 개체 유지
4 적응 **5** 숙주 세포 **6** ⓒ **7** 가설 **8** 실험군, 대조군

1 요소의 합성은 동화 작용에 해당한다.

2 미모사 잎이 자극을 받으면 오므라드는 현상은 자극에 대한 반응이다.

3 발생과 생장은 생물의 개체 유지에 관한 특성이다.

4 선인장의 잎이 가시의 형태로 바뀐 것은 선인장이 사막 환경에 적합하게 적응한 결과이다.

5 바이러스는 생물과 달리 숙주 세포 안에서만 물질대사가 가능하다.

6 바이러스와 생물의 공통점은 유전 물질과 단백질을 갖는다는 것이다.

7 가설은 관찰한 문제에 대한 잠정적 설명 또는 해답이다.

8 실험에서 검증하려는 요인을 변화시킨 집단을 실험군, 실험군과 비교하기 위해 검증하려는 요인을 변화시키지 않은 집단을 대조군이라고 한다.

DAY 1 개념 돌파 전략 ① 확인 Q | 10~11쪽

[2강] **1** 세포 호흡 **2** 크다 **3** ○ **4** 폐포, 모세 혈관
5 폐, 온몸 **6** 간, 콩팥 **7** 배설계, 호흡계 **8** 비만

1 세포 호흡은 포도당이 이산화 탄소와 물로 분해되면서 에너지(ATP와 열)를 방출하는 물질대사이다.

2 ATP는 아데노신에 인산기가 3개 결합된 구조로, 인산기와 인산기 사이에 많은 양의 에너지가 저장되어 있다.

3 소화계에서 소화액을 만드는 기관은 침샘, 위, 간, 이자, 소장이다.

4 폐포에서 기체 교환은 기체 분압에 따른 확산에 의해 일어나므로 에너지 소비 없이 일어난다.

5 폐순환은 혈액이 심장에서 폐로 이동하는 순환이고, 온몸 순환은 혈액이 심장에서 온몸으로 이동하는 순환이다.

6 요소는 소화계인 간에서 합성되어 순환계를 따라 배설계인 콩팥에서 오줌의 형태로 배출된다.

7 세포 호흡으로 만들어진 노폐물 중 물은 배설계에서 오줌의 형태로, 호흡계에서 날숨의 형태로 배출된다.

8 에너지 소비량은 기초 대사량과 활동 대사량의 합이며, 에너지 소비량과 섭취량이 같아야 건강한 삶을 살 수 있다. 에너지 섭취량이 에너지 소비량보다 많을 때 사용하고 남은 에너지가 체내에 축적되어 비만이 될 수 있다.

DAY 1 개념 돌파 전략 ② | 12~13쪽

1 ③ **2** ㄴ, ㄷ **3** ㄴ, ㄷ **4** ① **5** ① **6** ③

1 생명 현상의 특성

벌레잡이 식물이 사는 환경은 흙이 적고, 질소나 인산 같은 양분이 적은 척박한 환경이다. 대부분의 식물은 광합성과 흙의 양분을 흡수하여 성장하는데, 벌레잡이 식물은 땅에서 양분을 구하지 못해 벌레를 잡아먹으며 발달했다. 이와 같은 생명 현상의 특성을 적응과 진화라고 한다.

바로 보기 ④ 미모사 잎에 물체가 닿으면 잎이 오므라드는 현상은 자극과 반응이다.

⑤ 색맹인 어머니로부터 색맹인 아들이 태어나는 것은 유전이다.

2 생명 현상의 특성

ㄴ, ㄷ. 방사성 동위 원소로 표지된 유기 양분을 주입하여 토양 속 이화 작용(세포 호흡 등)을 하는 생명체가 있는지를 확인한다. 양분 주입 후 발생하는 기체에서 방사성 동위 원소가 들어 있는 이산화 탄소 유무를 통해 이화 과정을 확인할 수 있다. 세포 호흡이 일어나면 유기 양분 속 탄소가 이산화 탄소로 되어 나가기 때문에 확인할 수 있다.

바로 보기 ㄱ. 램프를 이용해 빛을 비추는 것은 동화 작용을 하는 생명체(광합성 생물)가 있는지를 확인하기 위한 실험이다.

3 과학적 탐구 방법

ㄴ. 연역적 탐구 방법은 관찰 → 문제 인식 → 가설 설정(가) → 탐구 설계(나) → 탐구 수행 → 결과 분석 → 결론 도출 → 일반화 순이다. 탐구 설계 시에는 탐구 결과의 타당성을 높이기 위해 대조군을 설정하여 대조 실험을 수행할 수 있도록 한다.

ㄷ. 도출된 결과가 가설과 일치하면 A 경로를 따라 일반화하지만, 결과가 가설과 일치하지 않으면 다시 가설 설정 단계로 돌아가(B 경로) 가설을 재설정하여 탐구를 수행한다.

👁 바로 보기 (가) 단계는 인식한 문제에 대한 잠정적 설명이나 해답을 제시하는 가설 설정 단계이다.

암기 Tip **과학적 탐구 방법**

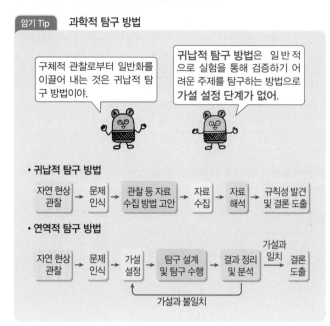

- 귀납적 탐구 방법

| 자연 현상 관찰 | → | 문제 인식 | → | 관찰 등 자료 수집 방법 고안 | → | 자료 수집 | → | 자료 해석 | → | 규칙성 발견 및 결론 도출 |

- 연역적 탐구 방법

| 자연 현상 관찰 | → | 문제 인식 | → | 가설 설정 | → | 탐구 설계 및 탐구 수행 | → | 결과 정리 및 분석 | → | 결론 도출 |

가설과 일치 / 가설과 불일치

4 물질대사

물질대사는 동화 작용과 이화 작용으로 구분된다. 동화 작용은 저분자 물질을 고분자 물질로 합성하는 과정으로, 에너지가 흡수되는 흡열 반응이다. 이화 작용은 고분자 물질을 저분자 물질로 분해하는 과정으로, 에너지가 방출되는 발열 반응이다. (가)는 에너지가 방출되는 이화 작용이고, (나)는 에너지가 흡수되는 동화 작용이다. (가)의 대표적인 예로는 세포 호흡이 있고, (나)의 대표적인 예로는 광합성이 있다.

① 식물에서는 동화 작용과 이화 작용이 모두 일어난다.

👁 바로 보기 ② (가)는 이화 작용으로 에너지가 방출된다.

③, ④ (나)는 에너지를 흡수하는 동화 작용이다. 따라서 동화 작용에서는 ATP가 소모된다.

⑤ ATP가 ADP로 분해되는 과정은 이화 작용으로 (가)에 해당한다.

5 기관계의 통합적 작용

ㄴ. 호흡계에서 기체 교환은 확산에 의해 에너지의 소비 없이 일어난다.

👁 바로 보기 ㄱ. 요소는 소화계인 간에서 합성된다.

ㄷ. C에서 대변으로 배출되는 물질은 대사 노폐물이 아니라 소장과 대장에서 흡수되지 않은 물질이다. 대사 노폐물은 조직 세포에서 세포 호흡에 의해 만들어지는 물(H_2O), 이산화 탄소(CO_2), 암모니아를 말한다.

암기 Tip **노폐물의 배설 경로**

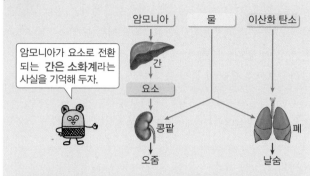

- 단백질은 질소를 포함하고 있어 분해되면 물, 이산화 탄소 외에도 암모니아와 같은 질소 노폐물이 발생한다.
- 암모니아는 독성이 강해 간에서 요소로 전환된 후 콩팥에서 오줌을 통해 배설된다.

6 에너지 균형

ㄱ. 호흡 운동은 횡격막의 수축과 이완으로 일어나므로 에너지가 소비된다.

ㄴ. 기초 대사량은 호흡, 체온 조절 등에 사용되는 에너지로 나이와 성별에 따라 달라진다.

👁 바로 보기 ㄷ. 섭취하는 에너지양과 소비하는 에너지양이 비슷하면 대사 증후군이 일어날 가능성은 낮아지고, 건강을 유지할 수 있다.

DAY 2 필수 체크 전략 ① 14~17쪽

❶-1 ㄱ, ㄴ, ㄷ ❷-1 적응과 진화
❸-1 ㉠ 물질대사, ㉡ 적응과 진화
❹-1 ㄷ ❺-1 ㄱ, ㄴ
❺-2 (가)-귀납적 탐구 방법, (나)-연역적 탐구 방법
❻-1 ③
❻-2 ㉠ 히스타민, ㉡ 생리 식염수

❶-1 생명 현상의 특성

ㄱ. 강낭콩이 발아할 때 영양소가 분해되면서 열이 발생하는 현상은 생물의 특성 중 물질대사에 해당한다.

ㄴ. 강낭콩과 하마는 모두 생물이며, 생물은 모두 세포로 이루어져 있다.

ㄷ. 하마의 콧구멍이 코 윗부분에 있어 물속에서도 숨을 쉴 수 있게 형태가 변한 것은 생물의 특성 중 적응과 진화에 해당한다.

②-1 생명 현상의 특성

남극은 평균 기온이 낮고, 위도 45° 부근에서는 평균 기온이 남극보다 높고 적도보다 낮으며, 적도에서는 평균 기온이 높은 특징이 있다. 사는 곳의 기후에 적응하여 펭귄의 몸집이 달라졌으므로 생물의 특성 중 적응과 진화에 해당한다.

③-1 생명 현상의 특성

㉠ 페니실린은 세균의 세포벽 합성을 억제하는 물질이다. 세포벽의 합성은 효소에 의한 동화 작용으로 '물질대사'에 해당한다.

㉡ 페니실린을 사용하면 세균이 죽는데, 페니실린을 지속적으로 사용하면서 페니실린에 대한 내성을 가진 세균이 생존에 유리하여 개체 수가 증가함으로써 페니실린에 죽는 세균의 비율이 크게 줄었다. 즉, 페니실린에 대한 내성을 가진 세균이 환경에 적응하면서 점차 세균 집단에서 차지하는 비율이 증가한 것이므로, 생물의 특성 중 적응과 진화에 해당한다.

④-1 생명 현상의 특성

> **자료 분석 +** 박테리오파지의 증식 과정

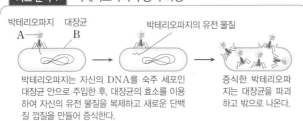

박테리오파지는 자신의 DNA를 숙주 세포인 대장균 안으로 주입한 후, 대장균의 효소를 이용하여 자신의 유전 물질을 복제하고 새로운 단백질 껍질을 만들어 증식한다.

증식한 박테리오파지는 대장균을 파괴하고 밖으로 나온다.

- 박테리오파지는 세균에 기생하여 살아가는 바이러스로, 유전 물질인 핵산과 이를 둘러싸고 있는 단백질 껍질로 이루어져 있다.
- 박테리오파지는 세포 구조를 가지지 않으므로 세포 분열을 통해 증식하지 못하고, 숙주 세포의 효소를 이용하여 증식한다. 이는 세포 분열과 다르다.

> 선택지 분석
> ✕ A는 독자적으로 물질대사를 할 수 있다. → 없다.
> ✕ B는 생식세포를 형성하여 자손을 만든다.
>   분열법으로 번식하므로 생식세포를 만들지 않는다.
> ㉢ A와 B는 모두 단백질과 핵산을 갖는다.

ㄷ. 박테리오파지와 대장균은 모두 단백질과 핵산(유전 물질)을 갖는 공통점이 있다.

> 👁 바로 보기 ㄱ. 박테리오파지는 효소가 없어 스스로 물질대사와 번식이 불가능하다.

ㄴ. 대장균은 단세포 생물로 세포 분열(분열법)을 통해 증식한다.

⑤-1 과학적 탐구 방법

탐구 과정에서 가설인 '맹금류의 목이 짧고 꼬리가 긴 모습을

보면 닭은 회피 행동을 할 것이다.'에서 맹금류의 목이 짧고 꼬리가 긴 모습은 조작 변인이 되고, 닭의 회피 행동은 종속변인이 된다.

ㄱ. 설계한 탐구 결과 ㉠을 통해서 결론은 '닭은 목이 짧고 꼬리가 긴 조류에 대해서 회피 행동을 한다.'로 가설을 지지한다. 따라서 ㉠에서 목이 짧고 꼬리가 긴 모형을 회전시킨 집단 A에서 회피 행동이 더 많이 관찰되어야 한다.

ㄴ. 이러한 닭의 생명 현상은 자극에 대한 반응으로 '맛있는 음식을 보면 침이 고인다.'도 자극에 대한 반응의 예이다.

> 👁 바로 보기 ㄷ. 이 실험에서 A는 실험군, B는 대조군이다.

⑤-2 과학적 탐구 방법

(가)는 가젤의 행동 양식에 대한 관찰 사실을 분석하고 종합하여 포식자에 따른 가젤의 뜀뛰기 행동을 도출하였으므로 귀납적 탐구 방법의 사례이다.

(나)는 백미를 먹인 닭(대조군)과 현미를 먹인 닭(실험군)으로 나누어 대조 실험을 하였으므로 연역적 탐구 방법의 사례이다. 이 실험에서 조작 변인은 현미를 먹였는지의 여부이고, 종속변인은 각기병 증세의 발생 여부이다.

⑥-1 과학적 탐구 방법

이 탐구는 '배즙에는 단백질 분해하는 물질이 들어 있다.'라는 가설을 검증하기 위한 탐구이므로, 이 탐구의 조작 변인은 배즙의 유무이고, 종속변인은 단백질의 분해 유무 즉, 단백질 분해 산물인 아미노산의 검출 반응 유무이다. 탐구 결과 시험관 A에서만 아미노산이 검출되었으므로, 시험관 A에는 배즙이 들어 있음을 알 수 있다. 조작 변인인 배즙의 유무 이외에 다른 요인, 달걀흰자의 양, 배즙과 증류수의 양, 온도 등 다른 조건들은 같게 유지해 주어야 한다. 이와 같이 실험 결과에 영향을 주는 변인을 같게 유지해 주는 것을 변인 통제라하며, 각 요인을 통제 변인이라 한다.

> 👁 바로 보기 ㄱ. 배즙을 넣은 A 시험관이 실험군, B 시험관은 대조군이다.

ㄴ. A에서 아미노산이 검출되었으므로 ㉠에는 달걀흰자와 배즙이, ㉡에는 달걀흰자와 증류수가 들어가야 한다.

> **암기 Tip** 조작 변인과 종속변인
>
> 조작 변인은 실험 과정에서 조작한 것, 종속변인은 조작 변인에 따라 나타나는 실험 결과, 즉 조작 변인에 종속된 것이 종속변인이야~.
>
>
>
> | 조작 변인 | 가설 검증을 위해 실험에서 의도적으로 변화시킨 변인 |
> |---|---|
> | 종속변인 | 조작 변인에 따라 변화되는 변인 → 실험 결과 |

6-2 과학적 탐구 방법

'히스타민의 농도가 높아지면 체온이 상승한다.'는 가설을 검증하기 위해 설계한 실험이므로, 조작 변인은 히스타민의 유무, 종속변인은 체온이다. A가 실험군, B가 대조군이므로 A에는 히스타민을, B에는 생리 식염수를 넣어주어야 한다.

DAY 2 필수 체크 전략 ② | 18~19쪽

[최다 오답 문제]

1 ⑤   **2** ③   **3** ①   **4** ②   **5** ⑤

1 과학적 탐구 방법

자료 분석 +   혈압 변화 요인 실험

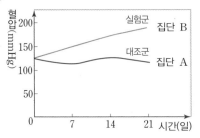

물을 먹인 집단 A와 비교하여 집단 B는 평균 혈압이 시간이 지날수록 더 높아짐을 알 수 있다.

물을 먹인 집단 A와 비교하여 집단 B는 평균 혈압이 시간이 지날수록 더 높아짐을 알 수 있다.

선택지 분석

✗ 이 실험은 귀납적 탐구 방법을 사용하였다. ┌▶ 연역적 탐구 방법
✗ 이 실험에서 집단 A는 실험군, 집단 B는 대조군이다.
　　　　　　　　　A는 대조군, B는 실험군
✗ 이 실험에서 두 집단이 서식하는 환경은 달라야 한다. ┌▶ 같아야 한다.
✗ 이 실험 결과 평균 혈압은 먹는 사료에 의해 변하지 않음을 알 수 있다.
　　　　　　　　　　　　　　　　　　　　　　　　알 수 없다.
⑤ 이 실험에서 사용한 가설은 '소금의 지속적 섭취는 혈압을 증가시킨다' 이다.

⑤ 대조군에게는 물을, 실험군에게는 소금물을 제공하였으므로 소금의 지속적인 섭취는 혈압을 증가시킴을 알아보기 위한 실험임을 알 수 있다.

👁 바로 보기   ① 이 탐구 방법은 가설을 설정하여 대조 실험을 수행하는 연역적 탐구 방법을 활용한 탐구이다.
② 집단 A에는 물을, 집단 B에는 1 % 소금물을 같은 양씩 먹인 실험으로, 집단 A는 대조군, B는 실험군이다.
③ 집단 A와 B에는 소금물을 제외한 나머지 모든 환경은 같아야 한다(통제 변인).
④ 이 실험은 같은 실험군과 대조군에게 같은 사료를 먹였으므로 먹는 사료에 의해 평균 혈압이 변하는지는 알 수 없다.

2 과학적 탐구 방법

자료 분석 +   딱총새우 실험

(가) 딱총새우가 서식하는 산호의 주변에는 산호의 천적인 불가사리가 적게 관찰되는 것을 보고, 딱총새우가 산호를 불가사리로부터 보호해 줄 것이라고 생각했다. → 가설 설정
(나) 같은 지역에 있는 산호들을 집단 A와 B로 나눈 후, A에서는 딱총새우를 그대로 두고, B에서는 딱총새우를 제거하였다.
　　　대조군　　　　　　　　실험군　 → 탐구 설계 및 수행
(다) 일정 시간 동안 불가사리에게 잡아먹힌 산호의 비율은 ㉠에서가 ㉡에서보다 높았다. ㉠과 ㉡은 A와 B를 순서 없이 나타낸 것이다. → 결과 정리 및 해설
　　　　　　　　　　　　　　　　　　└▶ 포식과 피식
(라) 산호에 서식하는 딱총새우가 산호를 불가사리로부터 보호해 준다는 결론을 내렸다. → 결론 도출

• 이 탐구는 가설을 세우고 대조 실험을 하고 있으므로 연역적 탐구 방법이다.
• 집단 A는 딱총새우를 그대로 두었으므로 대조군, 집단 B는 실험군이다.

선택지 분석

㉠ 집단 ㉡은 A이다.
✗ 산호와 딱총새우는 기생 관계이다. ┌▶ 공생 관계
㉢ (다)에서 불가사리에게 잡아먹힌 산호의 비율은 종속변인이다.

ㄱ. (가)를 통해 이 탐구에서 가설은 '딱총새우가 산호를 불가사리로부터 보호한다.'임을 알 수 있다. (라)에서 산호에 서식하는 딱총새우가 산호를 불가사리로부터 보호해 준다는 결론을 내렸으므로, (다)에서 불가사리에게 잡아먹힌 산호의 비율은 B(딱총새우를 제거 한 것)에서가 A(딱총새우를 그대로 둠)에서보다 높았다는 것을 알 수 있다. 따라서 ㉠은 B, ㉡은 A이다.

ㄷ. (다)에서 불가사리에게 잡아먹힌 산호의 비율은 실험 결과에 해당하므로 종속변인이다. 이 탐구의 조작 변인은 가설 검증을 위해 의도적으로 변화시킨 딱총새우의 제거 여부이다.

👁 바로 보기   ㄴ. 기생 관계는 어느 한쪽은 손해를 보고 다른 한쪽은 이익을 보는 것이다. 그런데 산호는 딱총새우에게 서식처를 제공해주고, 딱총새우는 산호를 불가사리로부터 보호해 주고 있으므로 산호와 딱총새우는 공생 관계임을 알 수 있다.

3 생명 현상의 특성

자료 분석 +   염증 반응에서 백혈구의 이동

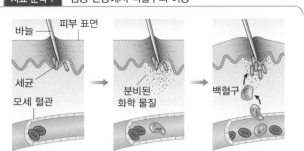

- 피부 표면에 상처가 나서 대장균이 몸속으로 들어오면 손상된 부위의 비만 세포에서 히스타민이라는 화학 물질이 방출된다. 히스타민은 모세 혈관을 확장시키고 혈관벽의 투과성을 높여 백혈구와 혈장이 상처 부위로 이동한다. 상처 부위에 모인 백혈구의 식균 작용으로 세균이 제거된다.
- 히스타민이라는 화학 물질(자극)로 인해 백혈구가 상처 부위로 오는 현상(반응)은 자극에 대한 반응이다.

선택지 분석

① 까치가 총소리에 놀라 날아간다.
✕ 어머니가 적록 색맹이면 아들도 적록 색맹이다. → 생식과 유전
✕ 나비는 알, 애벌레, 번데기 시기를 거쳐 성충이 된다. → 발생과 생장
✕ 살충제를 사용한 후 저항성이 생긴 벌레가 나타난다. → 적응과 진화
✕ 녹색 식물은 태양의 빛에너지를 이용해 광합성을 한다. → 물질대사

① 까치가 총소리(자극)에 놀라 날아가는 현상(반응)은 자극에 대한 반응이다.

4 생명 현상의 특성

자료 분석+ 인슐린 분비

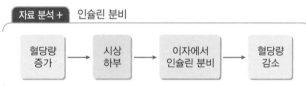

혈당량을 정상 범위 내에서 유지되도록 하는 것은 체내 상태를 일정하게 유지하려는 것이므로, 생물의 특성 중 항상성에 해당한다.

선택지 분석

✕ 구더기가 파리의 알에서 생긴다. → 발생과 생장
② 격렬한 운동을 하면 땀 분비가 활발해진다.
✕ 효모는 발효를 통해 필요한 에너지를 얻는다. → 물질대사
✕ 얼룩소끼리 교배하였더니 얼룩송아지가 태어났다. → 생식과 유전
✕ 기존의 항생제에 내성이 있는 신종 세균이 출현한다. → 적응과 진화

② 격렬한 운동을 하여 체온이 올라가면 땀 분비를 하여 열 발산량을 늘린다. 이는 체온을 일정하게 유지하기 위한 것이므로, 생물의 특성 중 항상성에 해당한다.

5 과학적 탐구 방법

자료 분석+ 갯바위 생태계의 종 다양성 실험

(단위: 종)

조사 시기 장소	처음	2년 후	4년 후	6년 후	8년 후
A	16	17	18	19	20
B	16	6	5	3	2

- A(불가사리를 그대로 둔 곳)에서는 생물종 수가 조금씩 늘어나는 반면 B(불가사리를 지속적으로 제거해 준 곳)에서는 생물종 수가 계속 감소하는 것을 알 수 있다. 즉 불가사리가 없을 경우 오히려 종 다양성이 줄어든다.
- 그런데 탐구 결과가 가설을 지지하지 않는다고 하였으므로 가설 ㉠은 '불가사리는 갯바위의 종 다양성을 감소시킨다.'이다.

선택지 분석

㉠ (가)는 문제 인식 단계이다.
㉡ 구역 A는 대조군, 구역 B는 실험군이다.
㉢ '불가사리는 갯바위의 종 다양성을 감소시킨다.'는 ㉠에 해당한다.

ㄱ. (가)는 갯바위에 다양한 생물종이 서식하는 것을 보고 불가사리가 종 다양성에 어떤 영향을 미칠지 의문을 품었으므로 관찰 및 문제 인식 단계이다.

ㄴ. 이 탐구의 조작 변인은 불가사리의 제거 여부이다. 따라서 불가사리를 그대로 둔 A는 대조군, 불가사리를 제거한 B는 실험군이다.

ㄷ. 불가사리를 지속적으로 제거한 경우(B)에 종 다양성이 감소하였다. 그런데, 탐구 결과가 가설을 지지하지 않는다고 하였으므로 가설 ㉠은 '불가사리는 갯바위의 종 다양성을 감소시킨다.'이다.

DAY 3 필수 체크 전략 ① | 20~23쪽

| ❶-1 ㄴ | ❷-1 ㄱ, ㄴ, ㄷ | ❸-1 ㄱ, ㄷ | ❹-1 ㄱ, ㄷ |
| ❺-1 ㄱ | ❻-1 ㄱ, ㄴ, ㄷ | ❼-1 ㄱ, ㄷ | ❼-2 ㄱ, ㄷ |

❶-1 에너지 전환과 이용

자료 분석+ 에너지의 전환

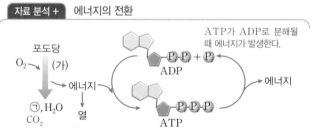

- (가)는 세포 호흡 과정이다.
- 세포 호흡 과정에서 포도당이 물과 이산화 탄소(㉠)로 분해되면서 에너지가 방출되는데, 방출된 에너지 중 일부는 ATP에 저장되고 나머지는 열로 방출되어 체온 유지 등에 이용된다.
- ATP가 ADP로 분해될 때 발생하는 에너지는 생명 현상을 유지하는 데 사용된다.

선택지 분석

✕ (가)는 동화 작용이다. → 이화 작용
㉡ (가)에서 방출된 에너지 중 일부는 ATP에 저장된다.
✕ ㉠은 배설계를 통해 체외로 배출된다. → 호흡계

ㄴ. (가)에서 방출된 에너지 중 일부는 ATP에 저장된다. ATP에 저장된 에너지는 ATP가 ADP와 무기 인산으로 분해될 때 방출되어 단백질 합성, 체온 유지 등 다양한 생명 활동에 사용된다.

👁 바로 보기 ㄱ. (가)는 세포 호흡 과정으로, 이화 작용이다.

ㄷ. ㉢은 세포 호흡 과정에서 발생하는 이산화 탄소로, 호흡계에서 날숨으로 배출된다.

❷-1 에너지 전환과 이용

ㄱ. ㉠은 ATP, ㉡은 ADP이다. ATP가 ADP와 무기 인산으로 분해되면서 에너지가 방출되고, ADP와 무기 인산이 ATP가 될 때 에너지가 저장된다.

ㄴ. ADP가 ATP로 합성되는 과정은 미토콘드리아에서 일어난다.

ㄷ. 근육이 수축될 때 액틴 필라멘트가 마이오신 필라멘트 사이로 미끄러지며 에너지가 소모된다. 이때 과정 Ⅱ(ATP → ADP)에서 방출된 에너지가 사용된다.

❸-1 물질의 이동

자료 분석 + 기관계의 통합 작용

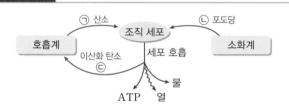

• ㉠은 호흡계를 통해 몸속으로 들어온 산소이며, ㉡은 소화계를 통해 몸속으로 들어온 포도당(영양소)이다.
• ㉡은 조직 세포에서 세포 호흡에 의해 물과 이산화 탄소(㉢)로 분해된다.

선택지 분석

◯ ㉠은 헤모글로빈에 의해 운반된다.
✕ 혈액 속 ㉡의 양이 많아지면 이자에서 글루카곤이 분비된다. → 인슐린
◯ ㉢은 ㉡이 분해되어 생성된다.

ㄱ. 폐에서 흡수된 산소(㉠)는 혈액의 적혈구(헤모글로빈)에 의해 조직 세포로 운반된다.

ㄷ. 소장에서 흡수된 포도당(㉡)은 혈액의 혈장에 포함되어 조직 세포로 이동한다. 포도당이 조직 세포에서 세포 호흡에 의해 분해되면 물과 이산화 탄소가 생성된다.

👁 바로 보기 ㄴ. 혈액 속에 포도당(㉡)의 양이 많아지면 이자에서 인슐린이 분비된다. 인슐린은 간에서 포도당이 글리코젠으로 합성되는 과정을 촉진한다.

❹-1 노폐물의 생성과 배설

ⓐ는 단백질(C, H, O, N으로 구성), ⓑ는 이산화 탄소(CO_2), ⓒ는 암모니아(NH_3), ⓓ는 물(H_2O)이다.

ㄱ. ⓓ(물)은 ㉠(배설계)를 통해 오줌의 형태로 배출된다.

ㄷ. 세포 호흡은 우리 몸을 구성하는 모든 세포에서 일어난다.

👁 바로 보기 ㄴ. ⓒ(암모니아)는 ㉡(소화계)에 속하는 간에서 요소로 전환된다.

❺-1 각 기관과 순환계의 작용

자료 분석 + 순환계

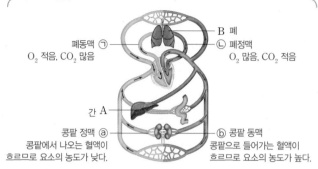

• 간(A)은 인슐린과 글루카곤의 표적 기관으로, 포도당이 글리코젠으로 전환되는 반응과 글리코젠이 포도당으로 전환되는 반응이 각각 일어나 혈당량 조절이 일어난다.
• ㉠은 폐동맥으로 산소가 적고 이산화 탄소가 많은 정맥혈이 흐르고, ㉡은 폐정맥으로 산소가 많고 이산화 탄소가 적은 동맥혈이 흐른다.
• 콩팥에서는 혈액 속의 요소를 걸러 오줌으로 배설한다. 따라서 콩팥을 거친 콩팥 정맥(ⓐ)의 혈액은 콩팥을 거치기 전인 콩팥 동맥(ⓑ)의 혈액보다 요소의 농도가 낮다.

선택지 분석

◯ A에서 포도당이 글리코젠으로 전환된다.
✕ 혈액의 단위 부피당 CO_2의 양은 ㉡에서가 ㉠에서보다 많다.
✕ 요소의 농도는 ⓐ에서가 ⓑ에서보다 높다.

ㄱ. 간에서는 인슐린에 의해 포도당이 글리코젠으로 전환된다.
👁 바로 보기 ㄴ. ㉡의 CO_2의 양 < ㉠의 CO_2의 양
ㄷ. ⓐ의 요소의 농도 < ⓑ의 요소의 농도

❻-1 기관계의 통합적 작용

자료 분석 + 기관계의 통합적 작용

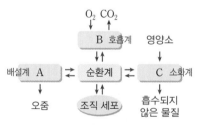

A는 오줌이 만들어지는 배설계, B는 산소와 이산화 탄소의 기체 교환이 일어나는 호흡계, C는 영양소를 흡수하는 소화계이다.

선택지 분석

◯ 항이뇨 호르몬은 순환계를 따라 A로 이동한다.
◯ B로 들어온 산소는 에너지 소비 없이 순환계로 이동한다.
◯ 암모니아는 C에서 요소로 합성되어 배설계로 이동된다.

ㄱ. 항이뇨 호르몬과 같은 호르몬은 내분비샘에서 생성되어 혈액으로 분비되어 혈액을 따라 표적 세포나 표적 기관으로 이동한다.

ㄴ. 폐포와 모세 혈관 사이에서, 모세 혈관과 조직 세포 사이에서 일어나는 산소와 이산화 탄소의 기체 교환은 확산에 의해 일어난다. 확산은 기체의 압력이 높은 곳에 낮은 곳으로 이동하는 것으로 에너지가 소모되지 않는다.

ㄷ. 암모니아는 소화계의 간에서 요소로 합성된다.

🟣-1 대사성 질환과 에너지 균형

자료 분석 + 에너지 균형

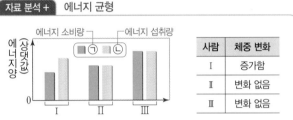

사람	체중 변화
I	증가함
II	변화 없음
III	변화 없음

• I: 체중이 증가함 → 에너지 섭취량이 소비량보다 크다.
• II, III: 체중 변화가 없음 → 에너지 섭취량과 소비량이 같다.

선택지 분석

ㄱ. ⊙은 에너지 소비량이다.
✗. II와 같이 에너지 부족이 오랫동안 계속되면 체중이 감소하고 면역력이 떨어진다. → II는 에너지 대사의 균형이 이루어져 체중의 변화가 거의 없다.
ㄷ. 에너지 섭취량이 에너지 소비량보다 많은 상태가 지속되면 체중이 증가한다.

ㄱ, ㄷ. I의 경우 체중이 증가하였으므로 에너지 섭취량이 에너지 소비량보다 많음을 알 수 있다. 따라서 ⊙은 에너지 소비량, ⓛ은 에너지 섭취량이다.

👁 **바로 보기** ㄴ. II는 에너지 섭취량과 소비량이 같으므로 에너지 대사의 균형이 이루어져 체중이 거의 변하지 않는다.

🟣-2 대사성 질환

ㄱ. 고혈압은 대표적인 대사성 질환이다.

ㄷ. 고혈압은 혈압이 정상 범위보다 높은 만성 질환이다. 수축기 혈압과 이완기 혈압 모두 B가 A보다 높으므로 B가 고혈압 환자이다.

👁 **바로 보기** ㄴ. t_1일 때 A의 수축기 혈압은 약 120 mmHg이고, B의 수축기 혈압은 약 160 mmHg이다. 따라서 t_1일 때 수축기 혈압은 A가 B보다 낮다.

DAY 3 필수 체크 전략 ② | 24~25쪽

[최다 오답 문제]

1 ③   **2** ③   **3** ③   **4** ②   **5** ⑤   **6** ⑤   **7** ④

1 에너지 전환과 이용

(가)는 녹말이 포도당으로 분해되는 과정으로 소화계에서 일

어나는 소화 작용이며, (나)는 세포 호흡 과정이다.

ㄱ. 소화 작용은 이화 작용이다.

ㄷ. 모든 물질대사 과정에는 항상 효소가 작용한다.

👁 **바로 보기** ㄴ. 포도당이 세포 호흡으로 분해될 때 발생하는 노폐물은 물과 이산화 탄소이다. 암모니아는 아미노산이 분해될 때 발생한다.

2 에너지 전환과 이용

ㄱ. 3대 영양소(탄수화물, 단백질, 지방) 중 노폐물이 3개가 만들어지는 영양소는 단백질이다. 따라서 (가)는 단백질이므로 (나)는 탄수화물이다.

ㄷ. 3대 영양소에서 공통적으로 발생하는 노폐물은 물과 이산화 탄소이다. 따라서 ⓐ와 ⓒ는 물과 이산화 탄소이고, ⓑ는 단백질이 분해될 때 발생하는 암모니아이다. 물과 이산화 탄소는 호흡계를 통해 배출된다.

👁 **바로 보기** ㄴ. 간에서 요소로 전환되는 것은 ⓑ(암모니아)이다.

3 물질대사 및 ATP와 ADP의 전환

자료 분석 + 에너지 전환과 이용

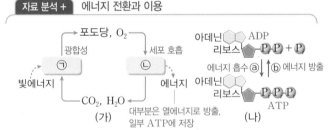

• ⊙은 광합성, ⓛ은 세포 호흡이다.
• 세포 호흡에서 발생되는 에너지는 중 일부는 ⓐ(ADP와 무기 인산이 ATP로 합성되는 과정)에 이용되고 나머지는 열에너지로 방출된다.
• ⓑ에서 ATP가 ADP와 무기 인산으로 분해될 때 에너지가 방출되며, 이때 방출되는 에너지는 근육 운동과 같은 생명 활동에 사용된다.

선택지 분석

ㄱ. ⊙에서 빛에너지가 화학 에너지로 전환된다.
✗. ⓛ에서 방출된 에너지는 모두 ⓐ 과정에 사용된다. → 일부
ㄷ. 근육 운동에 ⓑ 과정에서 방출된 에너지가 사용된다.

ㄱ. 광합성(⊙) 과정을 통해 빛에너지가 포도당의 화학 에너지로 전환된다.

ㄷ. ATP가 ADP와 무기 인산으로 분해될 때 방출되는 에너지는 생명 활동에 사용된다.

👁 **바로 보기** ㄴ. 세포 호흡 시 방출되는 에너지 중 일부만 ⓐ 과정에 사용된다.

4 기관계의 통합적 작용

산소와 이산화 탄소가 드나드는 (가)는 호흡계, 물질의 이동

에 관여하는 (나)는 순환계, 노폐물을 배출하는 (다)는 배설계이다.

ㄷ. 모든 기관계의 조직 세포에서 이화 작용이 일어난다.

👀 바로 보기 ㄱ. 기체 교환은 에너지 소비 없이 일어난다.

ㄴ. 노폐물을 배출하는 배설계는 (다)이다.

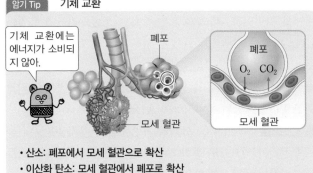

암기 Tip **기체 교환**

기체 교환에는 에너지가 소비되지 않아.

폐포
폐포
O_2 CO_2
모세 혈관
모세 혈관

• 산소: 폐포에서 모세 혈관으로 확산
• 이산화 탄소: 모세 혈관에서 폐포로 확산

5 기관계의 통합적 작용

A는 배설계, B는 소화계이다.

ㄱ. 배설계(A)에 속하는 기관에는 콩팥, 방광 등이 있다.

ㄴ. 소화계(B)에는 부교감 신경이 작용하는 기관인 위, 소장, 이자 등이 있다.

ㄷ. ㉠은 순환계에서 조직 세포로 이동하는 것으로, 영양소와 O_2 등이 있다. 호흡계를 통해 몸속으로 들어온 O_2는 순환계를 통해 조직 세포에 공급되므로 ㉠에는 O_2의 이동이 포함된다.

6 기관계의 통합적 작용

자료 분석 + 노폐물의 생성과 이동

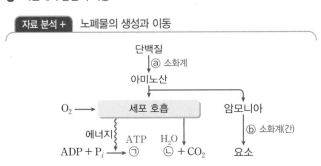

단백질
↓ ⓐ 소화계
아미노산

$O_2 \rightarrow$ 세포 호흡 → 암모니아
에너지 ↓ ATP H_2O ↓ ⓑ 소화계(간)
$ADP + P_i \rightarrow$ ㉠ ㉡ $+ CO_2$ 요소

• ATP는 인산기와 인산기 사이의 결합에 에너지를 저장한다.
• 아미노산이 세포 호흡에 사용될 때 만들어지는 노폐물은 물과 이산화 탄소, 암모니아이다.

선택지 분석

㉠ ⓐ와 ⓑ는 모두 소화계에서 일어난다.
㉡ ㉠은 인산 결합에 에너지를 저장한다.
㉢ ㉡은 배설계를 통해 몸 밖으로 배출된다.

ㄱ. 단백질이 아미노산으로 분해되는 기관은 소장이며, 암모니아가 요소로 전환되는 기관은 간이므로 ⓐ와 ⓑ는 모두 소화계에서 일어난다.

ㄴ. ATP는 인산기와 인산기 사이의 결합에 많은 에너지를 저장한다.

ㄷ. ㉡은 세포 호흡 과정에서 생성되는 물이다. 물은 호흡계와 배설계를 통해 몸 밖으로 배출된다.

7 기관계의 통합적 작용

오줌을 통해 노폐물을 밖으로 내보내는 기관계는 배설계이고, 대뇌, 소뇌, 연수가 속한 기관계는 신경계이다. 따라서 A는 배설계, B는 신경계, C는 소화계이다.

ㄴ. C(소화계)에서는 음식물의 분해와 영양분의 흡수가 일어난다. .

ㄷ. A(배설계)와 C(소화계)는 모두 신경계의 조절을 받는다.

👀 바로 보기 ㄱ. 요소의 합성은 소화계(C)의 간에서 일어난다.

누구나 합격 / 전략 |26~27쪽

01 ④	02 ③
03 C, D, E	04 A: 실험군, B: 대조군
05 (1) 현미의 제공 유무 (2) 각기병의 유무	
06 ③	07 A: 이자, B: 간
08 ㉠ 이산화 탄소, ㉡ 요소	09 ③
10 ⑤	

01 생명 현상의 특성

선인장의 가시는 잎이 건조한 환경에 알맞게 변형된 것이고, 낙타가 콧구멍을 자유롭게 여닫을 수 있는 것은 사막의 모래 폭풍에 대응하기 알맞게 변형된 것이다. 따라서 생명 현상의 특성 중 '적응과 진화'에 해당한다.

④ 사는 환경에 따라 귀의 모양과 몸집의 크기가 다른 것은 '적응과 진화'에 해당한다.

02 과학적 탐구 방법

ㄱ. 효모의 발효는 물질대사이므로 생명의 특성 중 물질대사를 이용한 것이다.

ㄷ. 효모는 산소가 있을 때는 산소를 이용하여 포도당을 이산화 탄소와 물로 분해하는 세포 호흡을 하고, 산소가 없을 때는 포도당을 에탄올과 이산화 탄소로 분해하는 발효를 한다. 따라서 발효관 A에 모인 기체는 이산화 탄소이다.

👀 바로 보기 ㄴ. A에만 기체(이산화 탄소)가 모인 것으로 보아 A에는 양분이 든 용액을, B에는 증류수를 넣었음을 알 수 있다. 따라서 용액 ⓐ는 포도당 용액, 용액 ⓑ는 증류수이다.

03 과학적 탐구 방법

대조 실험을 할 때 조작 변인을 제외한 나머지 모든 변인은 일정하게 통제해야 한다. 산성도에 따른 효소의 작용을 알아보는 실험을 설계하려면, pH를 제외한 모든 조건은 같아야 한다. 따라서 실험군으로 산성 용액(HCl)이 들어 있는 시험관 D와 염기성 용액(NaOH)이 들어 있는 E를, 대조군으로 증류수가 들어 있고 온도가 같은 시험관 C를 선택해야 한다.

04 과학적 탐구 방법

이 실험은 (나)에서 가설을 설정하고, (다)에서 대조 실험을 수행하여 (마)에서 결론을 내렸으므로 연역적 탐구 방법이다. 현미를 준 집단 A가 실험군, 백미를 준 집단 B가 대조군이다.

05 과학적 탐구 방법

현미의 제공 여부가 조작 변인이고, 그에 따른 결과인 각기병의 유무는 종속변인이다.

06 물질대사

(가)는 분해되어 에너지를 방출하므로 단백질, 지방, 탄수화물과 같은 에너지원에 해당된다. 에너지원 (가)가 세포 내에서 분해되어 방출된 에너지 중 일부는 ATP에 화학 에너지 형태로 저장되고 나머지는 열에너지 (다)로 방출된다. 에너지원이 분해되어 생성된 작은 분자 (라)는 동화 과정(마)을 거쳐 (나)와 같은 큰 분자로 합성된다.

③ (다)는 열에너지이다.

바로 보기 ① (가)는 단백질, 지방, 탄수화물 등과 같은 고분자 화합물이다.

② (나)는 (라)의 저분자 화합물이 에너지를 흡수하여 만든 고분자 화합물이다.

④ (라)는 이산화 탄소, 물, 암모니아와 같은 저분자 화합물이다. ATP는 화학 에너지이다.

⑤ (마)는 에너지를 흡수하는 것으로 보아 동화 작용이다. 이산화 탄소와 같은 노폐물은 이화 작용에서 생성된다.

07 소화계의 기관

소화 효소와 호르몬(인슐린, 글루카곤)을 모두 분비하는 소화계의 기관은 '이자'이다. 소화계에서 암모니아가 요소로 전환되는 기관은 '간'이다.

08 에너지 전환과 이용

세포 호흡을 통해 암모니아가 만들어지므로, 세포 호흡에 사용된 물질은 단백질이다. 단백질이 세포 호흡으로 사용되면

물, 이산화 탄소, 그리고 암모니아가 만들어진다. 이중 암모니아는 독성이 강해 간에서 독성이 약한 요소의 형태로 전환되어 배출된다.

09 물질대사와 에너지의 전환

ㄱ. (가)는 광합성, (나)는 세포 호흡 과정이다. 광합성은 엽록체에서 일어나고, 세포 호흡은 주로 미토콘드리아에서 일어난다. 따라서 진핵세포 A에는 엽록체와 미토콘드리아가 모두 있다.

ㄷ. ATP가 ADP와 인산으로 분해될 때 에너지가 방출되므로 ATP에 저장된 에너지양이 ADP보다 많다.

바로 보기 ㄴ. (가)는 에너지를 흡수하여 무기물을 유기물로 합성하고 있으므로 동화 작용이고, (나)는 유기물을 무기물로 분해하며 에너지를 방출하고 있으므로 이화 작용이다.

10 기관계의 통합적 작용

ㄱ. 소화계, 호흡계, 배설계는 순환계를 중심으로 통합적으로 작용한다.

ㄴ. 순환계의 혈액은 온몸을 이동하면서 노폐물과 영양분을 운반한다. 영양분은 각 조직으로, 노폐물은 배설계로 운반한다.

ㄷ. 소화계는 섭취한 음식물을 흡수 가능한 형태로 분해하여 소장에서 흡수하는 역할을 한다.

창의·융합·코딩 전략 | 28~31쪽

| 01 ③ | 02 ① | 03 ④ | 04 ④ | 05 ④ | 06 ㄱ | 07 ③ |
| 08 ① | 09 ㄷ | 10 ⑤ | 11 ⑤ | | | |

01 생명 현상의 특성

ㄱ. 매미가 알에서 성충이 되는 과정은 생물의 특성 중 발생과 생장이다.

알 → 유충 → 탈피 → 성충

ㄷ. 피그미해마가 주변의 산호와 유사한 모습으로 위장하는 것은 포식자의 눈에 잘 띄지 않으려는 적응과 진화의 예이다.

바로 보기 ㄴ. 효모의 발효 과정을 비롯한 모든 물질대사 과정에는 효소가 이용된다.

02 생명 현상의 특성

• 학생 A. 백혈구는 세포로, 세포막을 가지고 유전 물질 (DNA)을 갖는다.

👁 바로 보기 • 학생 B, C. 박테리오파지는 단백질 껍질과 핵산으로 구성되어 있다. 세포 구조가 아니므로 세포막을 갖지 않으며, 세포 분열로 증식하지 않는다. 바이러스는 숙주 세포 내에서 숙주 세포의 효소를 이용해 자신의 단백질과 유전 물질을 만들어 증식한다.

03 바이러스와 생물

바이러스, 백혈구, 로봇 청소기 중에서 로봇 청소기가 따로 분류되었으므로 (가)는 바이러스와 백혈구는 가지고 있지만 로봇 청소기는 가지고 있지 않은 특성이어야 한다. 바이러스와 백혈구는 바이러스가 갖고 있지 않은 생물의 특성으로 구분할 수 있다.

ㄴ, ㄷ. 바이러스와 백혈구는 모두 유전 물질을 가지고 있어 환경 변화에 적응하여 진화할 수 있다.

👁 바로 보기 ㄱ. 바이러스는 스스로 물질대사를 하지 못하므로, '스스로 물질대사를 한다.'는 (가)에 해당하지 않는다.

04 과학적 탐구 방법

자료 분석 + 분서

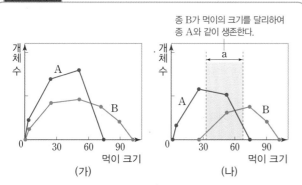

• 두 종을 분리하여 키울 때 먹이의 크기가 A종은 0~70이고, B종은 0~100이다.
• 두 종을 함께 키울 때 A종은 먹이의 크기가 0~70으로 유지되지만, B종은 30~100으로 작은 크기의 먹이를 먹지 않는다.
• 구간 a에서 두 종은 먹이의 크기를 달리하여 함께 살고 있다.

선택지 분석

ⓝ 대조 실험을 수행하였다.
ⓛ 이 실험에서 보이는 생물의 특성은 적응과 진화이다.
✖ 구간 a에서 A종과 B종은 같이 생존하지 못한다.
　　　　　　　　　　　　　　　　　　생존할 수 있다.

ㄱ. 결과를 통해 두 종을 서로 따로 키웠을 때(대조군)와 두 종을 함께 키웠을 때(실험군)로 나누어 대조 실험을 수행하였음을 알 수 있다. 또, 이 실험의 조작 변인은 두 종을 함께 키우는 것이다.

ㄴ. 두 종이 함께 살 때 먹이의 크기를 바꾸어 경쟁을 피하는 것은 생물의 특성 중 적응에 해당한다.

👁 바로 보기 ㄷ. 구간 a에서 두 종은 먹이의 크기를 달리하여 같이 살고 있다.

05 연역적 탐구 방법

자료 분석 + 연역적 탐구 방법

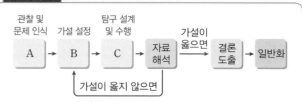

철수가 수행한 탐구 과정에서 (가)는 관찰 및 문제 인식과 가설 설정, (나)는 탐구 설계 및 수행, (다)는 결론 도출 단계이다.

선택지 분석

✖ (가) 단계는 A 과정이다. → A, B
ⓛ B 과정은 가설 설정 단계이다.
ⓒ (나) 단계에서 ⓐ종이 분비한 물질을 제외한 다른 조건은 같게 유지해야 한다.

ㄴ. B 과정은 가설 설정 단계이다.

ㄷ. (나)에서 조작 변인을 제외한 모든 변인(통제 변인)은 같게 유지해 주어야 하는데, 이를 변인 통제라고 한다.

👁 바로 보기 ㄱ. (가) 단계는 문제를 인식하고 가설을 설정하는 단계이다.

06 대사성 질환

자료 분석 + 질병의 분류

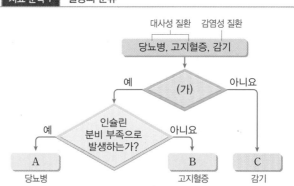

• A와 B는 인슐린의 분비 부족으로 발생하는 질병이 있으므로 대사성 질환인 당뇨병, 고지혈증이 A와 B에 해당하며, 인슐린의 분비 부족으로 발생하는 A는 당뇨병, B는 고지혈증, C는 감기이다.
• 감기는 감염성 질환으로 병원체에 의해 발생한다. 감기의 병원체는 바이러스이다.
• (가)에는 당뇨병, 고지혈증의 특징인 '대사성 질환인가?' 또는 '물질대사에 이상이 생겨 발생하는가?'가 해당한다.

선택지 분석

ⓝ A와 B는 물질대사에 이상이 생겨 발생하는 질병이다.
✖ C는 고지혈증이다. → 감기
✖ '감염성 질환인가?'는 (가)에 해당한다. → 해당하지 않는다.

ㄱ. 대사성 질환은 물질대사에 이상이 생겨 발생하는 질환으로 오랜 기간 과도한 영양 섭취, 운동 부족 등으로 에너지 불균형이 지속된 결과 발생하며 유전, 스트레스 등에 의해서도 발생한다.

👁 바로 보기 ㄴ. C는 감기이다.

ㄷ. 감기는 감염성 질병인데, (가)에 대해 '아니요'이므로 '감염성 질환인가?'는 (가)에 해당하지 않는다.

07 물질대사와 에너지 전환

• 학생 A. 소화계에서 녹말은 엿당을 거쳐 포도당으로 분해되는데, 이는 고분자 물질을 저분자 물질로 분해하는 작용이므로 이화 작용에 해당한다.

• 학생 B. 식물의 엽록체에서는 빛에너지를 흡수하여 이산화 탄소와 물로부터 포도당을 합성하는 광합성이 일어나며, 이 과정에서 빛에너지를 포도당의 화학 에너지로 전환한다. 이때 저장된 포도당의 화학 에너지는 세포 호흡 과정에서 ATP에 저장되었다가 다양한 생명 활동에 이용된다.

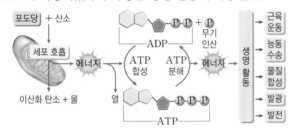

👁 바로 보기 • 학생 C. ATP는 ADP와 무기 인산(P_i)이 결합하여 만들어지며, 이 반응은 에너지를 흡수하여 일어난다. 따라서 1분자당 저장된 화학 에너지는 ATP가 ADP보다 많다.

08 물질대사

자료 분석 + 효모의 발효 실험

발효관	용액
A	증류수 20 mL + 효모액 10 mL
B	5 % 포도당 수용액 20 mL + 효모액 10 mL

• 증류수를 넣은 A가 대조군, 5 % 포도당 수용액을 넣은 B가 실험군이다.
• 두 발효관 중 효모의 물질대사가 일어나는 발효관은 B이다.

선택지 분석

◯ ㉠은 이 실험의 종속변인이다.
✕ 입구를 솜으로 막는 이유는 효모의 유산소 호흡을 보기 위해서이다. → 무산소 호흡(발효)
✕ 실험 결과 맹관부 수면의 높이는 A가 B보다 낮다. → 높다.

ㄱ. 이 실험의 조작 변인은 포도당 수용액의 첨가 여부이고, 종속변인은 실험 결과인 기체의 양이다.

👁 바로 보기 ㄴ. 이 실험은 효모의 발효(무산소 호흡) 과정을 알아보기 위한 것이다.

ㄷ. 포도당을 넣은 B에서만 물질대사가 일어나 맹관부에 기체가 생기면서 맹관부 수면의 높이는 낮아진다.

09 노폐물의 생성과 배설

자료 분석 + 노폐물의 배출 과정 분류

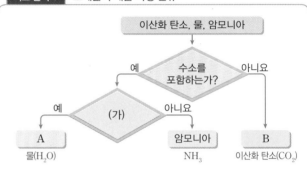

• 수소를 포함하는 노폐물은 물(H_2O), 암모니아(NH_3)이다.
• B가 이산화 탄소이므로 A는 물이다. 물은 호흡계와 배설계를 통해 몸 밖으로 배출된다.
• 암모니아는 소화계인 간에서 요소로 전환된 후 배설계를 통해 배출된다.

선택지 분석

✕ '배설계에서 배출된다.'는 (가)에 해당된다. → 해당되지 않는다.
✕ A는 이산화 탄소로 호흡계를 통해 배출된다. → 물
◯ A와 B는 3대 영양소가 세포 호흡으로 사용될 때 공통으로 발생하는 노폐물이다.

ㄷ. 3대 영양소(탄수화물, 지방, 단백질)가 세포 호흡에 사용되면 이산화 탄소와 물이 공통으로 발생된다.

👁 바로 보기 ㄱ. 물과 암모니아는 모두 배설계에서 배출되므로 '배설계에서 배출된다.'는 (가)에 해당되지 않는다. (가)에는 '호흡계를 통해 배출된다.'와 같이 물에만 해당되는 특징이 해당된다.

ㄴ. A는 물이다. 물은 호흡계와 배설계를 통해 몸 밖으로 배출된다.

10 기관계의 통합적 작용

• 학생 A, B. 순환계는 소화계에서 흡수한 영양소와 호흡계에서 흡수한 산소를 온몸의 조직 세포로 운반하고, 조직 세포에서 세포 호흡 결과 생성된 노폐물을 호흡계와 배설계 등으로 운반한다.

• 학생 C. 물질대사로 만들어진 질소 노폐물인 암모니아는 소화계의 간에서 요소로 전환되어 배설계인 콩팥에서 오줌의 형태로 배출된다.

11 기관계의 기능

ㄱ. 질소 노폐물을 배출하는 기관은 배설계이므로 A는 배설계이다. 항이뇨 호르몬은 뇌하수체 후엽에서 분비되는 호르몬으로, 콩팥에서 수분의 재흡수를 촉진하는 작용을 한다. 따라서 콩팥은 항이뇨 호르몬의 표적 기관이며, 배설계에 속한다.

ㄴ. 암모니아를 요소로 전환해 주는 기관은 간이다. 간은 소화계에 해당하므로 B는 소화계이다. 소화 효소와 호르몬을 모두 분비하는 기관은 이자이고, 이자는 소화계에 속하는 기관이다.

ㄷ. 호흡계에서 일어나는 기체 교환은 확산에 의해 일어나므로 에너지를 사용하지 않는다.

DAY 1 개념 돌파 전략 ① 확인 Q

34~35쪽

> [3강] **1** 말이집 신경　**2** 낮고, 높다　**3** 2 cm/ms
> **4** 흥분의 전도　**5** A대　**6** 수축　**7** 전근　**8** 촉진

1 말이집 신경은 랑비에 결절에서만 흥분이 발생하는 도약 전도가 일어나 민말이집 신경보다 흥분 전도 속도가 빠르다.

2 세포 안은 세포 밖과 비교할 때, 항상 Na^+의 농도는 낮고, K^+의 농도는 높아 역치 이상의 자극으로 통로가 열리면 Na^+이 세포 안으로 이동하여 막전위가 상승한다.

암기 Tip 휴지 상태의 이온 분포

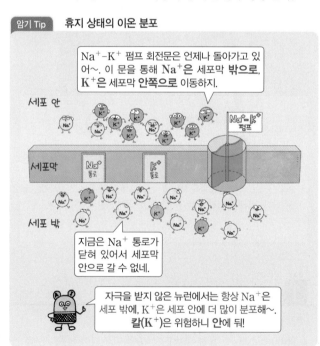

3 같은 막전위가 2 cm 떨어진 지점에서 1 ms 후 나타났으므로 흥분의 전도 속도는 $\dfrac{거리}{시간} = \dfrac{2\,cm}{1\,ms} = 2\,cm/ms$이다.

4 흥분의 전도는 전기적 신호이며, 흥분의 전달은 시냅스에서 화학적 물질에 의한 신호 전달이다. 따라서 흥분의 전도 속도가 더 빠르다.

5 골격근 수축 시, 액틴 필라멘트와 마이오신 필라멘트의 길

이는 변하지 않으며, 겹치는 부분의 길이가 늘어날수록 근육 원섬유 마디의 길이가 줄어들게 된다.

6 근육이 수축할 때 ATP가 사용되며, 이완될 때는 원상태로 돌아오는 것으로 ATP를 사용하지 않는다.

7 전근은 척수에서 반응기로 정보를 전달하는 원심성 뉴런(운동 신경)으로 구성되어 있고, 후근은 척수로 정보를 전달하는 구심성 뉴런(감각 뉴런)으로 구성되어 있다.

8 교감 신경은 놀라거나 도망칠 때 반응을 일어나게 하며 심장 박동 수를 증가시킨다.

구분	동공	기관지	심장 박동	소화관 운동	방광
교감 신경	확대	확장 (이완)	촉진	억제	확장 (이완)
부교감 신경	축소	수축	억제	촉진	수축

암기 Tip **교감 신경과 부교감 신경**

• 부교감 신경은 주로 긴장 상태에서 다시 원래의 상태로 이완시키는 작용을 한다. 소화 작용을 촉진한다.
• 교감 신경은 위급한 상황에 대비할 수 있도록 우리 몸을 긴장시키는 역할을 한다. 주로 긴급하게 에너지를 쓸 수 있게 하는 작용이 많다.

DAY 1 개념 돌파 전략 ① 확인 Q | 36~37쪽

[4강] **1** 인슐린, 글리코겐 **2** 증가 **3** 감소
4 항바이러스제 **5** 대식 세포 **6** 특이적 방어 작용(후천적 면역) **7** 응집원 **8** 항원

1
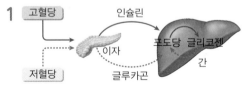

고혈당일 때 이자의 β세포에서 인슐린의 분비가 증가하고, 분비된 인슐린이 간에 작용하면 포도당이 글리코겐으로 합성되는 과정이 촉진되고, 혈액에서 조직 세포로의 포도당 흡수가 촉진되어 혈당량이 감소한다. 혈당량이 정상 범위까지 낮아지면 음성 피드백에 따라 인슐린 분비량이 감소한다. 저혈당일 때 이자의 α세포에서 글루카곤의 분비가 증가하고, 분비된 글루카곤이 간에 작용하면 글리코겐이 포도당으로 전환되는 과정을 촉진하여 포도당을 혈액으로 방출하여 혈당량이 높아진다. 혈당량이 정상 범위까지 높아지면 음성 피드백에 따라 글루카곤의 분비량이 감소한다.

2 고온 자극에 대해 간과 근육 등에서는 물질대사를 억제하여 열 발생량을 감소시키며, 교감 신경 완화를 통해 모세혈관 확장 등으로 열 발산량을 증가시켜 체온을 조절한다.

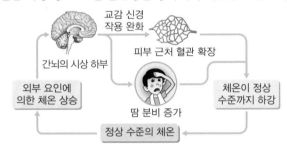

3 갈증으로 체내 수분량이 감소하면, ADH 분비가 증가하여 콩팥에서 물을 재흡수하므로 오줌양이 감소한다.

4 바이러스는 돌연변이 속도가 빨라 백신의 개발이 어렵다. 또한, 숙주 안에서만 생물적 특성을 보이므로 항바이러스제 개발도 어렵다.

5 대식 세포는 병원체를 식균 작용으로 제거한 후 항원 조각을 세포막에 제시한다. 이를 보조 T 림프구가 인식하여 활성화되어 특이적 면역이 시작된다.

6 특정 항원을 인식하여 선별적으로 일어나는 방어 작용은 특이적 방어 작용(후천적 면역)이다.

7 ABO식 혈액형은 적혈구의 표면에 존재하는 응집원의 종류에 따라 A형, B형, AB형, O형으로 구분하며, 혈청에 존재하는 응집소와 응집원의 항원 항체 반응을 이용해 판정한다.

구분	A형	B형	AB형	O형
항 A혈청 (응집소 α 포함)	응집 ○	응집 ×	응집 ○	응집 ×
항 B혈청 (응집소 β 포함)	응집 ×	응집 ○	응집 ○	응집 ×

8 알레르기는 특정 항원에 면역계가 과민하게 반응하는 질병이다. 알레르기 항원이 처음 체내에 들어오면 항체가 만들어져 비만 세포에 결합한다. 이후 같은 항원이 들어오면 비만 세포에 부착된 항체가 활성화되면서 비만 세포를 자극하여 히스타민 등의 화학 물질이 분비되어 두드러기, 가려움, 콧물 등의 증상이 나타난다.

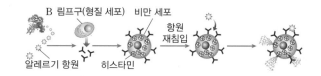

알레르기 항원 → B 림프구(형질 세포) → 히스타민 → 비만 세포 → 항원 재침입 →

1 활동 전위

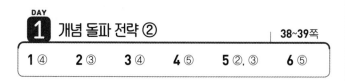

자료 분석 + 시간에 따른 막전위 변화 그래프

재분극: Na^+ 통로가 닫히며, K^+ 통로가 열려 K^+이 세포 밖으로 확산되며 막전위 감소

탈분극: Na^+ 통로가 열리며, Na^+이 세포 안으로 확산하여 막전위 상승

ATP를 이용한 Na^+-K^+ 펌프로 휴지 전위 회복

선택지 분석

✗ 자극을 받기 전에는 세포막을 통한 이온의 이동은 없다.
→ Na^+-K^+ 펌프가 작동하므로 이온의 이동이 있다.

ⓛ 1 ms일 때, 탈분극이 일어나고 있다.

ⓒ 3 ms일 때, K^+의 농도는 세포 안에서가 세포 밖에서보다 높다.

ㄴ, ㄷ. 역치 이상의 자극에 의해 탈분극이 일어나 활동 전위가 발생하며, K^+ 통로가 열려 재분극이 일어나 막전위가 변한다.

바로 보기 ㄱ. 휴지 상태에서는 Na^+-K^+ 펌프에 의해 분극이 유지된다.

2 골격근 수축의 원리

근육 원섬유 마디에서 마이오신 필라멘트와 액틴 필라멘트가 겹친 부위는 A대 - H대로, 수축 전 겹친 부분의 길이는 $1.6 - 1.0 = 0.6\ \mu m$이다. 또한 골격근이 수축할 때, 근육 원섬유 마디가 줄어든 만큼($3.0 - 2.2 = 0.8\ \mu m$) 액틴 필라멘트와 마이오신 필라멘트가 겹친 부위가 증가한다.

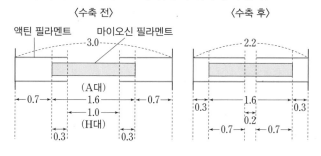

〈수축 전〉　　　　〈수축 후〉

③ 겹친 부위의 길이는 0.6에서 0.8만큼 증가하므로 $1.4\ \mu m$이다.

3 말초 신경계

자율 신경은 말초 신경계에 해당하며, X는 부교감 신경의 신경절 이전 뉴런이며, Y는 신경절 이후 뉴런이다.

바로 보기 ① X는 부교감 신경이므로 말초 신경계에 속한다. 중추 신경계에는 뇌와 척수가 있다.

② 눈과 연결된 부교감 신경의 신경절 이전 뉴런의 신경 세포체는 중간뇌에 있다.

③ X(부교감 신경의 신경절 이전 뉴런)의 말단과 Y(부교감 신경의 신경절 이후 뉴런)의 말단에서는 모두 아세틸콜린이 분비된다.

⑤ 아세틸콜린의 작용으로 동공은 작아진다.

암기 Tip **부교감 신경의 분포**

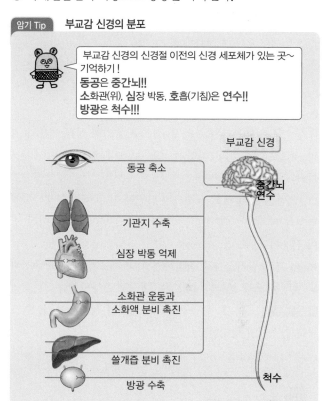

부교감 신경의 신경절 이전의 신경 세포체가 있는 곳~ 기억하기!
동공은 중간뇌!!
소화관(위), 심장 박동, 호흡(기침)은 연수!!
방광은 척수!!!

부교감 신경 / 동공 축소 / 기관지 수축 / 심장 박동 억제 / 소화관 운동과 소화액 분비 촉진 / 쓸개즙 분비 촉진 / 방광 수축 / 중간뇌 / 연수 / 척수

4 항상성 유지 - 체온 조절

체온 조절 중추는 간뇌의 시상 하부이며, 신경계와 내분비계의 조절 작용을 통해 체온을 조절한다.

체온이 정상 범위보다 낮아지면, 티록신, 에피네프린과 같은 호르몬의 분비가 증가하여 간과 근육에서 물질대사가 촉진되고, 몸 떨림과 같은 근육 운동이 일어나 열 발생량이 증가한다. 또, 교감 신경의 작용이 강화되어 입모근과 피부 근처 혈관이 수축하여 피부 근처로 흐르는 혈액량이 감소함으로써 체표면을 통한 열 발산량이 감소한다.

체온이 정상 범위보다 높아졌을 때는 티록신의 분비가 감소하여 열 발생량이 감소하고, 교감 신경의 작용이 완화되어 피부 근처 혈관이 확장되며, 땀 분비가 촉진되어 체표면을 통한

BOOK 1

열 발산량이 증가한다.

①, ② A는 교감 신경에 의한 조절로, 피부에서 열 발산량이 증가한다.

③, ④ B는 저온 자극일 때 호르몬에 의한 조절 작용이다.

👁 **바로 보기** ⑤ A는 고온 자극일 때, B는 저온 자극일 때 일어나는 작용이므로 동시에 일어날 수 없다.

5 질병의 원인

②, ③ 병원체 X는 숙주 세포 밖에서 분열에 의해 개체 수가 증가하므로 세균이다. 세균이 일으키는 대표적 질병에는 결핵, 충치, 콜레라 등이 있으며, 주로 항생제로 치료한다.

👁 **바로 보기** ① X는 세균이다.

④ X는 스스로 물질대사를 할 수 있다.

⑤ 세균과 바이러스 모두 자신의 유전 물질을 가지고 있다.

6 후천적 면역

B 림프구는 활성화된 보조 T 림프구에 의해 형질 세포와 기억 세포로 분화된다. 따라서 ⓐ는 보조 T 림프구이고, ⓑ는 기억 세포이다.

ㄱ. 그림은 형질 세포가 제시된 항원에 따라 항체를 생산하여 항원을 제거하는 체액성 면역 과정의 일부이므로 특이적 방어 작용이다.

ㄷ. 같은 항원이 2차로 침입하면 기억 세포가 빠르게 증식하고 형질 세포로 분화하여 항체를 대량으로 생산한다.

👁 **바로 보기** ㄴ. T 림프구는 가슴샘에서 성숙하며, B 림프구는 골수에서 성숙한다.

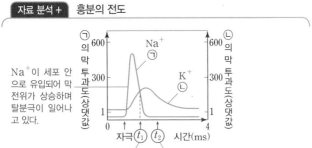

DAY 2 필수 체크 전략 ① |40~43쪽

❶-1 ㄱ, ㄴ ❶-2 ㄴ ❷-1 ㄱ, ㄴ ❸-1 ㄱ, ㄴ, ㄷ
❸-2 ㄴ, ㄷ ❹-1 ㄱ ❹-2 ㄱ, ㄴ, ㄷ

❶-1 흥분의 전도

자료 분석 + 흥분의 전도

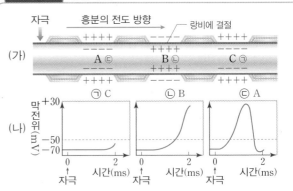

Na^+이 세포 안으로 유입되어 막전위가 상승하며 탈분극이 일어나고 있다.

Na^+의 세포 내 유입이 줄고, K^+이 세포 밖으로 확산되므로 막전위가 하강하며 재분극이 일어난다.

K^+ 통로가 천천히 닫히면서 막전위가 휴지 전위보다 조금 더 아래로 내려가는 과분극이 일어난다.

• 뉴런이 역치 이상의 자극을 받았을 때 먼저 막 투과도가 급격하게 상승하는 ㉠은 Na^+이고, 이후에 서서히 상승하는 ㉡은 K^+이다.
• K^+의 농도는 항상 '세포 안 > 세포 밖'이다.

선택지 분석

㉠ t_1일 때, P에서는 재분극이 일어난다.

㉡ t_2일 때, ㉡의 $\dfrac{\text{세포 안의 농도}}{\text{세포 밖의 농도}} > 1$이다.

✗ t_2일 때, 이온 통로를 통한 ㉡의 이동에는 ATP가 ~~사용된다.~~ 사용되지 않는다.

ㄱ. t_1일 때, Na^+의 세포 내 유입이 줄고 K^+이 세포 밖으로 확산되고 있으므로 재분극이 일어난다.

ㄴ. K^+의 농도는 항상 세포 안이 세포 밖보다 높으므로 K^+의 $\dfrac{\text{세포 안의 농도}}{\text{세포 밖의 농도}}$는 1보다 크다.

👁 **바로 보기** ㄷ. 이온 통로를 통한 이온의 확산은 전기 화학적 농도 기울기에 따라 일어나므로 ATP가 사용되지 않는다.

❶-2 흥분의 전도

자료 분석 + 흥분의 전도

(가) 자극 → 흥분의 전도 방향 / 랑비에 결절
A ㉢   B ㉡   C ㉠

(나)
㉠ C   ㉡ B   ㉢ A
막전위(mV) +30, -50, -70
0 2 시간(ms) 자극

• 뉴런의 한 지점에 자극이 주어지면 말이집 신경에서는 랑비에 결절에서만 활동 전위가 일어난다.
• 활동 전위가 발생할 때의 막전위 변화는 '상승 → 하강'이므로 자극을 준 지점으로부터 가장 가까이 있는 A에서의 막전위 변화는 ㉢이다.
• ㉡에서는 활동 전위가 상승하는 중이므로 B, ㉠에서는 아직 활동 전위가 상승하기 전이므로 C이다.

선택지 분석

✗ ㉠은 A에서 측정한 막전위이다. → C

㉡ 2 ms일 때, B에서 K^+ 농도는 세포 밖보다 안에서 높다. → 유입이 없다.

✗ 2 ms 직후 ㉢에서는 세포막을 통한 Na^+ ~~유입량이 증가한다.~~

ㄴ. 2 ms일 때, B에서의 막전위는 상승하고 있으므로 탈분극 상태이다. 탈분극 상태에서는 Na^+이 세포 안으로 확산되며, 항상 Na^+의 농도는 세포 밖이 높고, K^+의 농도는 세포 안이 높다.

👁 **바로 보기** ㄱ. ㉠은 가장 멀리 떨어진 C에서의 막전위 변화 그래프이다.

ㄷ. 2 ms 직후, 휴지 전위를 회복하며 Na^+-K^+ 펌프를 이용해 Na^+을 세포 밖으로 퍼낸다.

❷-1 흥분의 전도

자료 분석 +　흥분의 전도

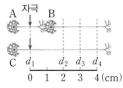

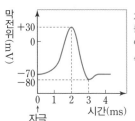

신경	6 ms일 때 측정한 막전위(mV)		
	d_2	d_3	d_4
B	-80	?	$+30$
C	?	-80	?

자극을 받은지 3 ms일 때의 막전위(-80 mV)를 보이므로 자극 도달까지 3 ms가 걸린다. d_3까지의 거리가 3 cm이므로 C의 흥분 전도 속도는 $\dfrac{3\,\mathrm{cm}}{3\,\mathrm{ms}}=1\,\mathrm{cm/ms}$이다.

B에서 6 ms일 때 d_2의 막전위는 -80 mV로 자극이 도달한 후 3 ms가 지난 시점이다. d_2까지 자극이 도달하는 데 걸린 시간은 $6-3=3$(ms)이다. 또한 d_4의 경우 2 ms일 때의 막전위($+30$ mV)를 보이므로 $6-2=4$(ms) 이후 자극이 도달한다. $d_2{\sim}d_4$의 거리는 2 cm이며 흥분이 전도되는 데 1 ms가 필요하므로 B의 흥분 전도 속도는 2 cm/ms이다.

선택지 분석

ㄱ B에서의 흥분 전도 속도는 2 cm/ms이다.
ㄴ ㉠이 5 ms일 때, B의 d_3에서 탈분극이 일어나고 있다.
✗ ㉠이 7 ms일 때, C의 d_2에서의 막전위는 -80 mV이다. → -70 mV

ㄱ. B의 흥분 전도 속도는 2 cm/ms이며, C의 흥분 전도 속도는 1 cm/ms이다.

ㄴ. ㉠이 5 ms일 때는 주어진 표보다 1 ms 이전이므로 각 지점에서의 막전위는 그래프에서 d_2는 2 ms, d_3는 1.5 ms, d_4는 1 ms일 때의 막전위를 나타낸다. 따라서 d_3일 때는 탈분극이 일어난다.

바로 보기　ㄷ. ㉠이 7 ms일 때는 주어진 표보다 1 ms 이후이므로 C에서의 막전위도 각각 1 ms 이후이다. 따라서 d_2의 경우 -70 mV의 막전위를 보인다.

암기 Tip　막전위 변화와 흥분 전도 속도

막전위와 흥분 전도 속도 계산 문제에서는 다음을 기억하고 적용하도록 하자!

• 뉴런에 역치 이상의 자극이 주어지면 분극(-70 mV) → 탈분극 → 재분극(막전위 하강 → 과분극 → 휴지 전위 회복)의 과정을 거친다. ➡ 과분극 지점이 탈분극이나 재분극 중인 지점보다 먼저 흥분이 도달했던 지점이며, 자극을 준 곳에서 가깝다.
• 흥분 전도 속도는 $\dfrac{\text{자극을 준 지점으로부터의 거리}}{\text{흥분이 도달하는 데 걸린 시간}}$으로 계산한다.
• 경과 시간 $t=$(자극이 특정 지점까지 도달하는 데 걸린 시간)+(그 지점의 막전위 변화가 일어나는 데 걸린 시간)으로 계산할 수 있다.
• 뉴런에 자극을 주고 일정 시간(t)이 경과했을 때 특정 지점에서의 막전위는 그래프에서 '경과 시간 $t-$(자극이 특정 지점까지 도달하는 데 걸린 시간)'일 때의 막전위로 구한다.

❸-1 골격근의 수축

액틴 필라멘트가 존재하는 곳은 액틴 필라멘트만 있는 I대와 A대에서 마이오신 필라멘트와 겹치는 부분이다. 마찬가지로 마이오신 필라멘트가 존재하는 곳은 마이오신 필라멘트만 있는 H대와 액틴 필라멘트와 겹치는 부분이다. ㉠은 액틴 필라멘트만 있으므로 I대이며, ㉡은 A대이므로 ㉢은 H대이다.

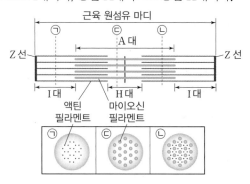

ㄱ. ㉠은 액틴 필라멘트만 있는 I대이다.
ㄴ. ⓐ는 ㉡이다.
ㄷ. 근육이 수축하면 H대(㉢)의 길이는 감소하고, A대(㉡)의 길이는 변함없으므로 $\dfrac{\text{㉡의 길이}}{\text{㉢의 길이}}$의 값은 증가한다.

❸-2 골격근의 수축

자료 분석 +　골격근의 수축

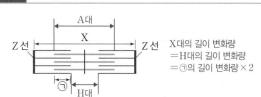

X대의 길이 변화량
=H대의 길이 변화량
=㉠의 길이 변화량×2

시점	X의 길이	㉠	H대의 길이
t_1	3.2 μm	0.2 μm	? 1.2 μm
t_2	? 2.2 μm	0.7 μm	0.2 μm

• ㉠은 액틴 필라멘트와 마이오신 필라멘트가 겹치는 부분 중 하나이다. 근육이 수축할 때 겹치는 부분인 ㉠이 증가한다. t_1에서 t_2로 될 때, ㉠의 길이가 0.5 μm 증가하므로 X의 길이는 1.0 μm 감소해 2.2 μm가 된다.
• H대의 길이 역시 X의 길이가 줄어든 만큼 감소하므로 t_1일 때 H대의 길이는 1.2 μm이다.

선택지 분석

✗ H대의 길이는 t_2일 때보다 t_1일 때가 짧다. → 길다
　　0.2 μm　1.2 μm
ㄴ t_1일 때 A대의 길이는 1.6 μm이다.
ㄷ t_2일 때 X의 길이는 2.2 μm이다.

ㄴ. t_1일 때, A대의 길이는 $2\times$㉠$+$H대의 길이$=2\times0.2+1.2=1.6(\mu$m)이다.

ㄷ. t_2일 때, X의 길이는 ㉠의 길이가 t_1일 때보다 0.5 μm 증가하므로 X의 길이는 1.0 μm 감소해 2.2 μm가 된다.

BOOK 1

바로 보기 ㄱ. t_1일 때보다 t_2일 때 ㉠의 길이가 늘어나므로 t_2가 근육이 수축했을 때이다. 근육이 수축할 때 H대의 길이 또한 감소하므로 H대의 길이는 t_1일 때보다 t_2일 때가 짧다.

④-1 신경계

자료 분석 + 자율 신경

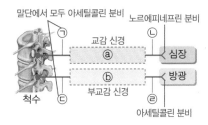

• 교감 신경의 신경절 이전 뉴런의 말단에서는 아세틸콜린이, 신경절 이후 뉴런의 말단에서는 노르에피네프린이 분비되며, 부교감 신경은 신경절 이전과 이후 뉴런의 말단에서 모두 아세틸콜린이 분비된다.
• ㉠과 ㉣의 말단에서 분비되는 신경 전달 물질은 서로 같다고 하였으므로 ㉠은 교감 신경의 신경절 이전 뉴런, ㉣은 부교감 신경의 신경절 이후 뉴런임을 알 수 있다.

선택지 분석

ⓧ ㉠의 말단에서는 아세틸콜린이 분비된다.
✗ ㉣이 흥분하면 방광은 이완한다. → 수축
✗ ㉠과 ㉢은 척수의 후근을 이룬다. → 전근

ㄱ. ㉠은 교감 신경의 신경절 이전 뉴런이므로 말단에서 아세틸콜린이 분비된다.

바로 보기 ㄴ. ㉣은 부교감 신경의 신경절 이후 뉴런이다. 긴장했을 때 소변이 마렵다고 생각하여 교감 신경이 흥분했을 때 방광이 수축한다고 생각하기 쉬운데, 부교감 신경이 흥분했을 때 방광이 수축하여 소변을 밖으로 밀어내는 작용을 하며, 교감 신경이 흥분했을 때 방광이 이완(확장)한다.

ㄷ. 교감 신경과 부교감 신경(자율 신경)은 원심성 뉴런으로 이루어져 있다. 원심성 신경은 척수의 전근에서 나오므로 ㉠, ㉢은 척수의 전근을 이룬다.

암기 Tip 말초 신경계의 기능적 구성

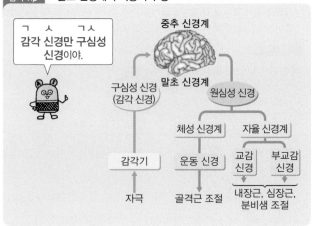

④-2 신경계

자료 분석 + 자율 신경

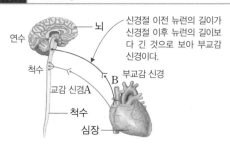

• 심장에 분포하는 교감 신경의 신경절 이전 뉴런의 신경 세포체는 척수에, 부교감 신경의 신경절 이전 뉴런의 신경 세포체는 연수에 있다.
• 심장 박동은 자율 신경에 의해 조절되며, 교감 신경이 흥분하면 심장 박동이 촉진되고, 부교감 신경이 흥분하면 심장 박동이 억제된다.

선택지 분석

ⓞ A와 B는 말초 신경계에 해당한다.
ⓞ B의 신경절 이전 뉴런의 신경 세포체는 연수에 존재한다.
ⓞ (나)는 A를 자극했을 때의 변화를 나타낸 것이다.

A는 교감 신경, B는 부교감 신경으로 자율 신경이다.

ㄱ. 말초 신경계에는 자율 신경계와 체성 신경계가 있다.

ㄴ. 심장에 분포하는 부교감 신경의 신경절 이전 뉴런의 신경 세포체는 연수에 있다.

ㄷ. 그래프 (나)에서 자극 후 심장 세포의 활동 전위 발생 빈도가 증가했으므로 심장 박동이 촉진되었다. 따라서 교감 신경(A)을 자극했음을 알 수 있다.

DAY 2 필수 체크 전략 ② | 44~45쪽

[최다 오답 문제]

1 ④   2 ㄴ   3 ㄴ, ㄷ   4 ⑤   5 ②

1 흥분의 전도

자료 분석 + 흥분의 전도

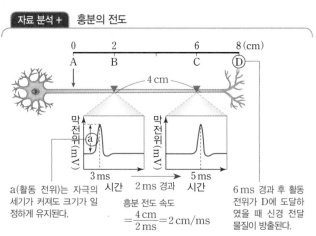

a(활동 전위)는 자극의 세기가 커져도 크기가 일정하게 유지된다.

흥분 전도 속도
$= \dfrac{4\ cm}{2\ ms} = 2\ cm/ms$

6 ms 경과 후 활동 전위가 D에 도달하였을 때 신경 전달 물질이 방출된다.

축삭 돌기가 말이집으로 싸여 있지 않으므로 민말이집 뉴런이며, A 지점에 역치 이상의 자극을 주면 활동 전위가 발생하여 흥분이 세포막을 따라 전도된다.

BOOK 1

선택지 분석

✗ A 지점에 더 큰 자극을 주면 a가 커진다. → a는 일정하다.
ⓛ 이 뉴런의 흥분 전도 속도는 2 cm/ms이다.
ⓒ A 지점에 자극을 준 뒤 6 ms 이후 D에서 신경 전달 물질이 방출된다.

ㄴ. B와 C는 4 cm 떨어져 있으며 2 ms 후 같은 막전위를 보인다. 따라서 신경 전도 속도는 $\dfrac{4\,\text{cm}}{2\,\text{ms}}=2\,\text{cm/ms}$이다.

ㄷ. C 지점으로부터 2 cm 떨어진 신경 말단까지 활동 전위는 6 ms 이후 도착한다. 따라서 신경 전달 물질은 6 ms 이후 방출된다.

👁 바로 보기 ㄱ. 활동 전위는 일정 수준 이상의 자극(역치)이 가해질 때 세포막에 생기는 막전위의 변화로, 자극의 크기에 관계없이 일정한 값을 갖는다.

2 자극의 전달과 신경계

자료 분석 +
자극의 전달과 신경계

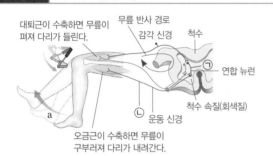

대퇴근이 수축하면 무릎이 펴져 다리가 들린다.
무릎 반사 경로
감각 신경
척수
ⓐ 연합 뉴런
척수 속질(회색질)
ⓑ 운동 신경
오금근이 수축하면 무릎이 구부러져 다리가 내려간다.
a

• 무릎 아랫부분을 고무망치로 치면 자신도 모르게 다리가 들렸다 내려가는 무릎 반사가 나타나는데, 이것은 감각 신경의 흥분이 척수를 거쳐 허벅지 안쪽의 대퇴근에 연결된 운동 신경에 전달되어 대퇴근이 수축하여 다리가 들리고, 감각 신경의 흥분이 척수의 중추 신경을 거쳐 ⓑ에 전달되면 허벅지 뒤쪽의 오금근이 수축하여 다리가 내려가기 때문이다.
• 감각 신경과 운동 신경(체성 신경)은 모두 말초 신경계에 속하며, 척수를 이루는 연합 뉴런은 중추 신경계에 속한다.

선택지 분석

✗ ⓐ은 말초 신경계에 속한다. → 중추 신경계
ⓛ ⓑ의 신경 세포체는 척수의 회색질에 분포한다.
✗ ⓑ이 흥분하면 다리는 a 방향으로 움직인다. → a 반대 방향

ⓐ은 감각 뉴런을 통해 전달된 정보를 통합하여 운동 명령을 전달하는 연합 뉴런이다. ⓑ은 운동 신경으로, 중추 신경계의 명령에 따라 흥분되면 아세틸콜린이 분비되어 근육을 수축시킨다.

ㄴ. ⓑ은 골격근과 연결된 체성 신경(운동 신경)으로, 척수의 속질에서 척수의 연합 뉴런과 시냅스를 이룬다. 척수의 속질은 회색질이므로 ⓑ의 신경 세포체는 척수의 회색질에 분포한다.

👁 바로 보기 ㄱ. ⓐ은 무릎 반사의 중추인 척수이므로 중추 신경계에 속한다.

ㄷ. ⓑ이 흥분하면 근육이 수축하여 다리가 a의 반대 방향으로 이동한다.

3 신경계와 자극의 전달

자료 분석 +
동공 반사

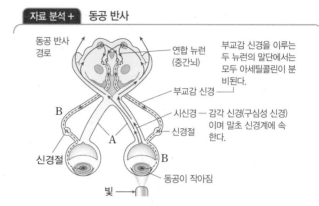

동공 반사 경로
연합 뉴런 (중간뇌)
부교감 신경을 이루는 두 뉴런의 말단에서는 모두 아세틸콜린이 분비된다.
B
부교감 신경
시신경 — 감각 신경(구심성 신경)이며 말초 신경계에 속한다.
A
신경절
신경절
B
빛
동공이 작아짐

• 빛 자극으로 동공이 줄어드는 동공 반사이다.
• A는 감각 신경으로 빛 자극을 수용하여 흥분을 대뇌로 전달된다.
• 동공 반사의 중추는 중간뇌이며, 중간뇌에 연결된 자율 신경(부교감 신경)에 의해 동공의 크기가 축소된다.

선택지 분석

✗ A는 자율 신경계에 속한다. → 말초 신경계
ⓛ B의 신경절 이전 뉴런의 신경 세포체는 중간뇌에 있다.
ⓒ 빛을 비추면 B의 신경절 이후 뉴런의 말단에서 아세틸콜린이 분비된다.

ㄴ, ㄷ. 부교감 신경의 신경절 이전 뉴런의 신경 세포체는 중간뇌에 있으며, 부교감 신경을 이루는 두 뉴런의 말단에서는 모두 아세틸콜린이 분비된다.

👁 바로 보기 ㄱ. A는 시신경으로 감각 신경(구심성 뉴런)이다.

4 흥분의 전도

자료 분석 +
흥분의 전도

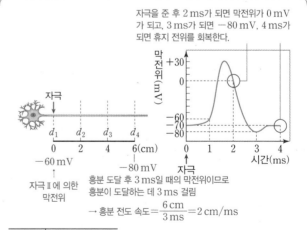

자극을 준 후 2 ms가 되면 막전위가 0 mV가 되고, 3 ms가 되면 −80 mV, 4 ms가 되면 휴지 전위를 회복한다.

막전위(mV)
+30
0
−60
−70
−80
시간(ms)

자극
자극
d_1 d_2 d_3 d_4
0   2   4   6(cm)
−60 mV
−80 mV
자극
자극Ⅱ에 의한 막전위
흥분 도달 후 3 ms일 때의 막전위이므로 흥분이 도달하는 데 3 ms 걸림
→ 흥분 전도 속도 $=\dfrac{6\,\text{cm}}{3\,\text{ms}}=2\,\text{cm/ms}$

지점	막전위(mV)	
d_1	−60	→ 자극Ⅱ에 의한 탈분극
d_2	−70	자극Ⅰ로 활동 전위 발생 후 휴지
d_3	−70	전위 회복 상태, 자극Ⅱ 도달 전
d_4	−80	→ 자극Ⅰ에 의한 과분극

- 자극 I을 주고 6 ms 이후, $d_1 \sim d_4$에서의 막전위는 각각 -60, -70, -70, -80이므로 d_1은 자극 II에 대한 막전위이며, d_4에는 자극 II가 도달하지 않았다.
- d_4에 흥분이 도달하는 데 걸리는 시간은 6 ms에서 3 ms을 뺀 시간이므로 3 ms이다. 따라서 흥분의 전도 속도는 $\dfrac{6\,\text{cm}}{3\,\text{ms}} = 2\,\text{cm/ms}$이다.
- d_2, d_3의 막전위는 휴지 전위로 자극 II의 흥분이 전도되지 않았다.

선택지 분석

❌ @는 4 ms이다. → 5 ms
⊙ A의 흥분 전도 속도는 2 cm/ms이다.
⊙ 자극 I을 주고 경과한 시간이 5 ms일 때 d_4에서 재분극이 일어나고 있다.

ㄴ, ㄷ. A의 흥분 전도 속도는 2 cm/ms이고, d_1에서 d_4까지의 거리는 6 cm이므로 자극이 d_4까지 가는 데 걸리는 시간은 3 ms이다. 따라서 자극 I을 주고 5 ms가 지났을 때는 d_4에 도달한 후 2 ms가 지났을 때이므로 막전위가 0 mV로 재분극이 일어나고 있다.

바로 보기　ㄱ. d_1에 자극 I을 준 후로부터 6 ms가 경과하였을 때 측정한 막전위가 -60 mV인데, 이것은 자극 II를 준 후 1 ms가 경과한 시점이다. 따라서 @는 $6-1=5$ ms이다.

5 골격근의 수축

자료 분석 +　골격근의 수축

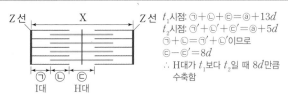

t_1시점: $⊙+ⓛ+ⓒ=@+13d$
t_2시점: $⊙'+ⓛ'+ⓒ'=@+5d$
$⊙+ⓛ=⊙'+ⓛ'$이므로
$ⓒ-ⓒ'=8d$
∴ H대가 t_1보다 t_2일 때 $8d$만큼 수축함

- t_1일 때, $⊙+ⓛ+ⓒ=@+13d$이며, t_2일 때, $⊙+ⓛ+ⓒ=@+5d$이다. $⊙+ⓛ$의 길이가 변하지 않으므로 t_1에서 t_2로 될 때, $ⓒ$의 길이가 $8d$만큼 감소하였다.
- H대인 $ⓒ$이 $8d$ 감소했으므로 X의 길이도 $8d$만큼 감소한다.

선택지 분석

❌ 근육 원섬유는 근육 섬유로 구성되어 있다.
　　근육 섬유　　근육 원섬유
⊙ H대의 길이는 t_1일 때가 t_2일 때보다 길다.
❌ t_2일 때 $⊙$의 길이는 $2d$이다. → $3d$

ㄴ. t_1에서 t_2로 될 때 X의 길이는 $8d$만큼 감소했으며, H대의 길이도 $8d$만큼 감소한다.

바로 보기　ㄱ. 근육 섬유는 다핵으로 이루어진 하나의 세포이며, 세포 안에는 근육 원섬유 다발이 들어 있다.
근육(골격근) → 근육 섬유 다발 → 근육 섬유 → 근육 원섬유 → 액틴 필라멘트, 마이오신 필라멘트
ㄷ. t_1에서 t_2로 될 때 $⊙$은 $4d$만큼 감소하며, $ⓛ$은 $4d$만큼 증가했으므로, @는 $7d$이다. $⊙$의 길이는 $7d$에서 $3d$로 감소한다.

❶-1 ㄱ, ㄷ　　❶-2 ㄴ　　❷-1 ㄴ, ㄷ　　❷-2 ㄱ, ㄴ
❸-1 ㄷ　　❹-1 ㄱ, ㄴ, ㄷ　　❺-1 ③

❶-1 항상성 조절의 원리(음성 피드백)

ㄱ, ㄷ. $⊙$은 갑상샘 자극 호르몬(TSH)이며, $ⓛ$은 갑상샘에서 분비되는 티록신이다. 혈관에 $ⓛ$(티록신)을 주사하면 $ⓛ$의 농도가 높아져 음성 피드백 작용에 의해 뇌하수체 전엽을 억제하여 $⊙$의 분비가 감소한다.

바로 보기　ㄴ. TRH의 표적 기관은 뇌하수체 전엽이고, $⊙$의 표적 기관은 갑상샘으로, 표적 기관이 서로 다르다. 호르몬 분비는 음성 피드백의 원리로 조절되며, 길항 작용은 상반되는 두 요인이 동시에 한 표적 기관에 작용하여 그 효과를 서로 상쇄시켜 없애거나 감소시키는 작용이다.

❶-2 항상성 조절의 원리(길항 작용)

자료 분석 +　혈당량 조절

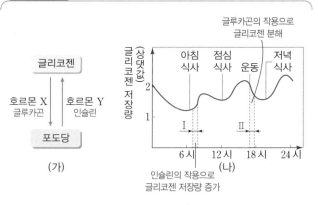

(가)

- (가)에서 글리코젠을 포도당으로 분해하여 혈당량을 높이는 호르몬 X는 글루카곤이고, 반대로 포도당을 글리코젠으로 합성하여 혈당량을 감소시키는 호르몬 Y는 인슐린이다.
- (나)에서 식사 전에는 글리코젠 저장량이 줄어드는 것으로 보아 글루카곤이 분비되어 글리코젠을 포도당으로 분해하고 있음을 알 수 있다.
- 식사 후에는 글리코젠 저장량이 증가하므로 인슐린이 분비되어 식사 후 흡수된 포도당을 글리코젠으로 합성하고 있음을 알 수 있다.
- 운동 시에는 운동에 필요한 에너지를 내기 위해 포도당이 세포 호흡에 이용되므로 글루카곤이 분비되어 글리코젠이 포도당으로 분해된다.

선택지 분석

❌ X는 이자섬의 β세포에서 분비된다. → α세포
⊙ 구간 I에서 호르몬 Y의 분비가 증가한다.
❌ 글리코젠 합성량은 구간 II에서가 구간 I에서보다 많다.
　　　　　　　　　　　구간 I　　　　구간 II

ㄴ. 구간 I에서는 인슐린의 분비로 글리코젠이 저장된다.

바로 보기　ㄱ. X는 글루카곤으로 이자의 α세포에서 분비되며, 인슐린과 길항 작용을 한다.
ㄷ. 구간 I은 글리코젠 저장량이 증가하고 있으므로 글리코

젠이 합성되고 있으며, 구간 Ⅱ는 글리코젠 저장량이 감소하고 있는 것으로 보아 글리코젠이 분해되고 있음을 알 수 있다. 따라서 글리코젠 합성량은 구간 Ⅰ에서가 구간 Ⅱ에서보다 많다.

❷-1 혈당량 조절

자료 분석 + 혈당량 조절

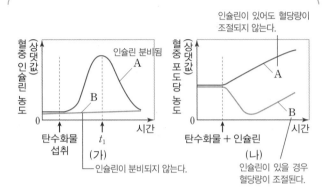

• 당뇨병 환자 A는 인슐린은 정상적으로 분비되지만, 표적 세포의 인슐린 수용체에 이상이 생겨 인슐린에 반응하지 못하므로, 인슐린을 주사하여도 혈당량이 감소되지 않는다.
• 당뇨병 환자 B는 인슐린 분비가 정상적으로 일어나지 않는다.

선택지 분석

✗ A는 이자의 β세포 이상이 원인이다. → 인슐린의 표적 세포 수용체
ⓛ B는 식사 후, 인슐린을 주사하는 것이 혈당량 유지에 도움이 된다.
ⓒ t_1일 때 A의 혈중 포도당 농도는 정상인보다 높다.

ㄴ, ㄷ. B는 인슐린이 분비되지 않으므로, 식사 후 인슐린을 주사하는 것이 혈당량 유지에 도움이 된다. t_1일 때 혈중 포도당 농도는 A와 B 모두 정상인보다 높다.

👁 바로 보기 ㄱ. A는 이자의 β세포에서 인슐린이 정상적으로 분비되므로, 표적 세포의 수용체 이상이 원인이다.

❷-2 삼투압 조절

자료 분석 + 삼투압 조절

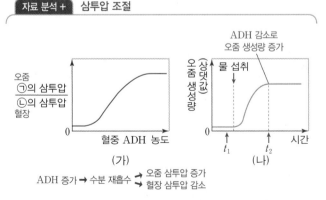

ADH 증가 ➡ 수분 재흡수 ➡ 오줌 삼투압 증가
➡ 혈장 삼투압 감소

혈중 ADH 농도가 높아지면 물의 재흡수가 활발히 일어나므로 오줌의 삼투압은 증가하고 혈장 삼투압은 감소한다. 따라서 ⊙은 오줌, ⓛ은 혈장이다.

선택지 분석

ⓞ ⊙은 오줌이다.
ⓛ 오줌의 삼투압은 t_1에서가 t_2에서보다 크다.
✗ 혈중 ADH의 농도는 t_2에서가 t_1에서보다 높다. → 낮다

ㄱ, ㄴ. 물을 섭취하여 혈장 삼투압이 낮아지면 ADH 분비가 감소하여 오줌 생성량이 증가한다. 오줌양이 많아지므로 오줌의 삼투압은 낮아진다.

👁 바로 보기 ㄷ. ADH는 물의 재흡수를 돕는 호르몬으로 물을 섭취하면 ADH 분비가 감소한다. 따라서 ADH의 농도는 t_1에서가 t_2에서보다 높다.

❸-1 질병의 원인

(가)는 무좀의 병원체인 진균류(곰팡이)이고, (나)는 독감의 병원체인 바이러스, (다)는 결핵의 병원체인 세균이다.
ㄷ. (가)~(다)는 모두 유전 물질과 단백질을 가지고 있다.

👁 바로 보기 ㄱ. (가) 진균류는 항진균제로 치료한다. 항생제는 세균의 증식을 억제하는 물질이다.
ㄴ. (나) 바이러스는 독립적으로 물질대사를 할 수 없어 숙주를 필요로 한다.

❹-1 우리 몸의 방어 작용

자료 분석 + 우리 몸의 방어 작용

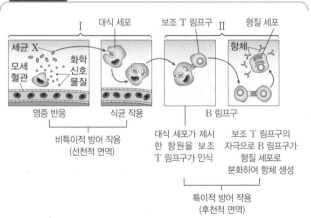

선택지 분석

ⓞ X에 감염된 후 과정 Ⅰ에서 염증 반응이 일어난다.
ⓛ X가 두 번째 침입할 때도 과정 Ⅰ과 Ⅱ의 방어 작용이 모두 나타난다.
ⓒ 대식 세포는 과정 Ⅰ과 Ⅱ의 작용에 모두 관여한다.

ㄱ. 과정 Ⅰ에서 화학 신호 물질에 의해 염증 반응이 일어난다.
ㄴ. 병원체가 두 번째 침입할 때도 과정 Ⅰ과 과정 Ⅱ는 일어나지만, 기억 세포로 인해 항체가 빠르게 생성된다.
ㄷ. 대식 세포는 과정 Ⅰ(비특이적 방어 작용)에서 식균 작용을 하며, 식균 작용으로 분해한 항원 조각을 세포 표면에 제시함으로써 과정 Ⅱ(특이적 방어 작용)를 시작하게 한다.

| 자료 분석 + | 후천적 면역 |

7일째 병원체가 모두 사라졌으므로 ㉠, ㉡, ㉢ 모두 병원체 방어에 성공하였다.

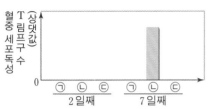

㉡에서 세포독성 T림프구가 검출되었으므로 ㉡에서 세포성 면역이 일어났음을 알 수 있다.

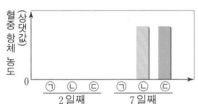

㉡, ㉢에서 항체가 검출된 것으로 보아 ㉡, ㉢에서 체액성 면역이 일어났음을 알 수 있다.

선택지 분석

㉠ X는 ㉠에서 비특이적 면역 반응을 일으킨다.
㉡ ㉡에서는 Y에 대한 세포성 면역 반응이 일어난다.
✗ 7일째 ㉢에서 2차 면역 반응이 일어난다. → 1차 면역 반응

ㄱ. ㉠에서는 세포독성 T림프구나 항체가 발견되지 않았으므로 병원체 X는 비특이적 면역 작용으로 제거되었다.

ㄴ. ㉡에서는 세포성 면역을 담당하는 세포독성 T림프구가 검출되었으므로 병원체 Y에 대한 세포성 면역이 일어났다.

👁 바로 보기 ㄷ. 2차 면역 반응은 같은 병원체가 2차로 침입했을 때 일어나는 면역 반응이다.

DAY 3 필수 체크 전략 ②

50~51쪽

[최다 오답 문제]

1 ⑤　**2** ㄷ　**3** ㄱ, ㄷ　**4** ②　**5** ㄴ, ㄷ　**6** ㄱ, ㄴ, ㄷ

1 항상성 조절

특징\호르몬	㉠	㉡	㉢
A·인슐린	?×	×	○
B 글루카곤	○	?×	○
C 에피네프린	○	○	?○

(○: 없음, ×: 없음)

특성 (㉠~㉢)
- 부신에서 분비된다. ㉡
- 혈당량을 증가시킨다. ㉠
- 순환계를 통해 표적 기관으로 운반된다. ㉢

ㄱ, ㄷ. 부신에서 분비되는 호르몬은 에피네프린 1개이므로 특성 ㉡에 해당하며, C는 에피네프린(아드레날린)이다. 에피네프린은 특징 ㉠, ㉡, ㉢을 모두 갖는다. 또 '순환계를 통해

표적 기관으로 운반된다.'는 세 호르몬에 모두 해당하므로 특징 ㉢에 해당한다. '혈당량을 증가시킨다.'는 글루카곤과 에피네프린의 특징이므로 특징 ㉠에 해당한다. 인슐린은 특징 1개만 가지므로 A가 인슐린이다. 따라서 B는 글루카곤이다.

ㄴ. 글루카곤은 간에서 글리코겐이 포도당으로 분해되는 과정을 촉진한다.

2 항상성 조절

| 자료 분석 + | 체온 조절의 원리 |

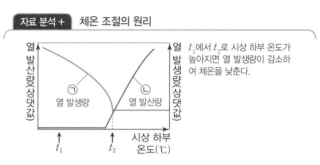

t_1에서 t_2로 시상 하부 온도가 높아지면 열 발생량이 감소하여 체온을 낮춘다.

- 시상 하부 온도가 t_2일 때까지 온도가 증가할수록 ㉠이 감소하므로 ㉠은 열 발생량이다.
- t_2 이상에서는 시상 하부 온도가 증가할수록 열 발산량이 증가하므로 ㉡은 열 발산량이다.

선택지 분석

✗ ㉠은 열 발산량이다. → 열 발생량
✗ 근육에서 물질대사율은 t_1일 때가 t_2일 때보다 낮다. → 높다
㉢ 시상 하부 온도가 t_2 이상일 때, 체온 조절은 열 발생량보다 열 발산량의 변화로 일어난다.

ㄷ. 시상 하부 온도가 t_2 이상일 때 열 발생량은 변화가 거의 없으며, 열 발산량의 증가로 체온 조절이 일어난다. 고온 자극이 오면 교감 신경의 작용이 완화되어 피부 근처 혈관이 확장하고, 그에 따라 피부 근처로 흐르는 혈액량이 증가하여 피부를 통한 열 발산량이 증가한다.

👁 바로 보기 ㄱ. ㉠은 열 발생량이다. 추울 때는 열 발생량은 증가시키고 열 발산량은 감소시켜 체온을 조절한다.

ㄴ. 물질대사는 열을 발생시키므로 물질대사율은 시상 하부 온도가 낮은 t_1일 때가 t_2일 때보다 높다.

3 항상성 조절

| 자료 분석 + | 삼투압의 조절 |

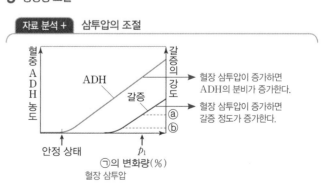

혈장 삼투압이 증가하면 ADH의 분비가 증가한다.

혈장 삼투압이 증가하면 갈증 정도가 증가한다.

- ADH는 콩팥에서 물의 재흡수를 촉진하는 호르몬으로 혈장 삼투압이 높을수록 분비량이 증가한다. 따라서 ㉠이 증가할수록 ADH(항이뇨 호르몬)의 농도가 증가하므로 ㉠은 혈장 삼투압이다.
- 혈장 삼투압이 증가할수록 갈증을 느끼는 강도가 커진다.

선택지 분석

ㄱ. ㉠은 혈장 삼투압이다.
✗. 오줌의 삼투압은 p_1일 때가 안정 상태일 때보다 낮다. → 높다
ㄷ. 단위 시간당 수분 재흡수량은 갈증의 강도가 ⓐ일 때가 ⓑ일 때보다 많다.

ㄱ, ㄷ. ㉠은 혈장 삼투압이다. 혈장 삼투압이 증가할수록 갈증의 강도가 커지며 ADH 분비가 증가하므로 물의 재흡수가 증가한다.

바로 보기   ㄴ. ADH가 증가하면 물의 재흡수가 촉진되어 오줌양이 감소하므로 오줌의 삼투압은 증가한다. 따라서 안정 상태일 때보다 p_1일 때 오줌의 삼투압이 높다.

4 우리 몸의 방어 작용

자료 분석 +   특이적 방어 작용(2차 방어)

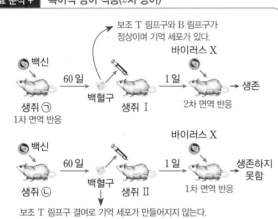

- 백신을 접종한 생쥐 ㉠의 백혈구를 주사한 생쥐 Ⅰ은 바이러스 X에 저항성이 있으므로 ㉠은 정상 생쥐이다.
- 백신을 접종한 생쥐 ㉡의 백혈구를 주사한 생쥐 Ⅱ는 바이러스 X에 저항성이 없으므로 ㉡은 보조 T 림프구 결여 생쥐이다.

선택지 분석

✗. ㉠은 보조 T 림프구가 결여된 생쥐이다. → 정상 생쥐
ㄴ. X에 대한 기억 세포는 ㉠에서가 ㉡보다 많다.
✗. 생쥐 Ⅱ에서는 2차 면역 반응이 일어난다. → 1차 면역 반응

ㄴ. X에 대한 기억 세포는 보조 T 림프구가 결여된 ㉡보다 정상인 ㉠에서가 많다.

바로 보기   ㄱ. ㉠은 정상 생쥐이며, ㉡은 보조 T 림프구가 결여된 생쥐이다.

ㄷ. 생쥐 Ⅱ는 보조 T 림프구가 결여된 생쥐의 백혈구를 받았기 때문에 기억 세포나 형질 세포가 부족하다. 바이러스 X를 주입하면 생쥐 Ⅱ에서는 1차 면역 반응이 일어난다. 2차 면역 반응은 같은 항원이 재침입하였을 때 1차 면역 반응에서 생성된 기억 세포에 의해 일어난다.

5 항원 항체 반응의 특이성

적어도 가족 구성원 3명의 혈액형은 서로 다르고 아버지의 혈액형이 A형이므로, 아버지의 혈장은 응집소 β를 가진 ㉠이다. 어머니는 응집원 B를 가지고 있으

구분	A형 부	B형 모	AB형 (가)	O형 (나)
㉠	−	+	+	−
㉡	+	−	ⓐ+	−
㉢	−	−	−	ⓑ

(+: 응집함, −: 응집 안 함)

므로, 부모의 혈액과 응집 반응을 일으키지 않는 ㉢에는 응집소가 없다. 혈장 ㉡은 아버지와 응집 반응을 보이지만, 어머니와는 응집 반응을 보이지 않으므로 응집소 α가 들어 있고, 가족 구성원 중 한 명은 B형이다. (나)는 응집소 α, β와 모두 반응하지 않으므로 O형이다. 따라서 아버지는 A형, 어머니는 B형, (가)는 AB형, (나)는 O형이다.

ㄴ, ㄷ. 어머니의 혈액형은 B형이며, (나)의 혈장에는 응집소 α, β가 모두 들어 있으므로 응집 반응이 일어난다.

바로 보기   ㄱ. (가)는 응집원 A와 B를 모두 가지므로 응집소 β와 응집 반응을 일으키므로 ⓐ는 +이며, (나)는 응집원이 없으므로 ⓑ는 −이다.

6 우리 몸의 방어 작용

자료 분석 +   우리 몸의 방어 작용

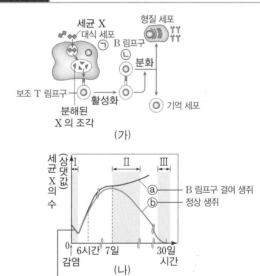

(가)

(나)

대식 세포에 의한 식균 작용으로 세균 X 감소

- 구간 Ⅰ에서는 대식 세포에 의한 식균 작용이 일어나 세균 X의 수가 감소한다.
- 세균의 번식 작용으로 세균 수는 다시 증가하지만 1차 면역 반응이 일어나는 구간 Ⅱ에서 세균의 수는 감소한다. 생쥐 ⓐ는 대식 세포에 의한 식균 작용은 정상적으로 일어나지만, B 림프구의 기능이 결여되어 세균의 수는 증가한다.

선택지 분석

ㄱ. ⓐ는 ㉡이 결핍된 쥐이다.
ㄴ. 구간 Ⅰ에서 X에 대한 식세포 작용은 ⓐ와 ⓑ에서 모두 일어난다.
ㄷ. 구간 Ⅱ와 Ⅲ에서 ⓑ는 X에 대한 기억 세포를 갖는다.

ㄱ, ㄴ, ㄷ. ⓑ는 정상 쥐이며, ⓐ는 B 림프구가 결여된 쥐이다. 구간 I에서는 모두 세균의 수가 감소하므로 정상적인 식세포 작용이 일어난다. ⓑ(정상 쥐)는 구간 II에서 특이적 면역 작용이 일어나서 기억 세포가 만들어지므로 구간 II와 III에서 기억 세포를 갖는다.

누구나 합격 전략 | 52~53쪽

01 ㉠ Na⁺, ㉡ K⁺   02 2 cm/ms 03 ⑤
04 ③   05 ⑤   06 ㄴ   07 ㄷ
08 ㄱ, ㄴ   09 ⑤   10 ⑤

01 흥분의 전도

역치 이상의 자극을 받으면 신경 세포막의 Na^+ 통로가 열려 Na^+의 막 투과도가 높아진다. 따라서 자극 이후 막 투과도가 증가하는 ㉠이 Na^+이고, ㉡이 K^+이다. Na^+의 유입으로 탈분극이 일어나고 막전위가 최고점에 이르면 Na^+ 통로가 닫히고 K^+ 통로가 열린다. K^+ 통로로 K^+이 세포 밖으로 유출되면 재분극이 일어나고 일정한 막전위에서 K^+ 통로가 서서히 닫히며 휴지 전위를 회복한다.

02 흥분 전도 속도

4 ms 경과 후, d_2에서 보인 막전위 -80 mV가 1 ms 후 2 cm 떨어진 d_3에서 나타났으므로 흥분 전도 속도는 $\dfrac{2\,cm}{1\,ms}$ $=2$ cm/ms이다.

03 골격근 수축의 원리

⑤ 근수축 시 액틴 필라멘트(㉡+㉢)와 마이오신 필라멘트(㉠+2㉣)의 길이는 변하지 않는다. 마이오신 필라멘트는 두꺼워 마이오신 필라멘트가 있는 부분(A대)은 어둡게 보이고, 액틴 필라멘트만 있는 부분(I대)은 밝게 보인다. 액틴 필라멘트가 마이오신 필라멘트 사이로 미끄러져 들어가 근육 원섬유 마디가 짧아지면서 근육의 수축이 일어난다.

04 흥분의 전도와 전달

A는 민말이집 신경이며, B는 말이집 신경이다.
ㄷ. 신경 B에 역치 이상의 자극을 주면 시냅스를 통해 신경 A에 흥분이 전달된다.
⊙ 바로 보기 ㄱ. 말이집 신경(B)에서 도약 전도가 일어나 흥분이 빠르게 전도된다.

ㄴ. 한 뉴런에서 흥분의 전도는 양방향으로 일어나는 반면, 흥분의 전달은 축삭 돌기 말단에서 다른 신경의 가지 돌기나 신경 세포체 쪽으로만 일어난다.

05 중추 신경계

대뇌, 연수, 척수는 모두 중추 신경계로, 연합 뉴런이 있으므로 '연합 뉴런이 있다.'는 특징 ㉢에 해당한다. 기침 반사의 중추는 연수만 해당하므로 '기침 반사의 중추이다.'는 특징 ㉡이며, B는 연수이다. 부교감 신경이 나오는 곳은 연수와 척수이므로 '부교감 신경이 나온다.'는 특징 ㉠이다. A는 특징을 하나만 가지므로 대뇌이며, 겉질에 신경 세포체가 있다. C는 척수이며, 운동 신경 다발은 전근을 이루고, 감각 신경 다발은 후근을 이룬다.

06 항상성 조절

자료 분석 + 혈당량 조절

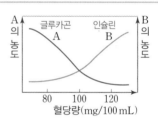

선택지 분석
✗ A는 이자섬의 β세포에서 분비된다. → α세포
ⓛ B는 간에서 글리코젠의 합성을 촉진한다.
✗ A와 B의 양은 음성 피드백 작용으로 조절된다.
  A와 B는 길항 작용으로 혈당량을 조절한다.

ㄴ. 인슐린은 간에서 포도당을 글리코젠으로 합성하여 저장하게 한다.
⊙ 바로 보기 ㄱ, ㄷ. A는 글루카곤으로 이자의 α세포에서 분비되며, 인슐린과 글루카곤은 길항 작용으로 혈당량을 조절한다.

07 질병의 원인

ㄷ. 병원체 X는 바이러스로 감염성 질병을 일으킨다.
⊙ 바로 보기 ㄱ, ㄴ. 바이러스는 독립적으로 물질대사를 할 수 없으며, 비세포 구조로 핵막이 없다. 바이러스에서 유전 물질을 둘러싸고 있는 것은 단백질 껍질이다.

08 우리 몸의 방어 작용

ㄱ, ㄴ. 구간 I에서는 1차 면역 반응이, 구간 II에서는 2차 면역 반응이 일어났으며, 모두 기억 세포가 만들어진다.

👁 바로 보기　ㄷ. X가 2차 침입하면 기억 세포는 형질 세포로 분화하여 항체를 생성한다. 보조 T 림프구는 B 림프구를 활성화하여 형질 세포와 기억 세포로 분화하도록 한다.

09 항상성 조절(삼투압의 조절)

X는 콩팥에서 수분 재흡수를 촉진하는 ADH(항이뇨 호르몬)이다. 체내 수분의 양이 줄어들어 혈장 삼투압이 높아지면 ADH의 분비량이 늘어 콩팥에서 수분의 재흡수를 촉진하여 혈장 삼투압을 낮춘다.

ㄴ, ㄷ. 물을 섭취하면 ADH 분비가 감소하여 수분의 재흡수가 적어지게 되므로 오줌 생성량이 증가하고 오줌의 삼투압은 감소한다. 따라서 ADH의 농도는 구간 Ⅰ에서가 구간 Ⅱ에서보다 높고, 오줌 삼투압은 구간 Ⅱ에서가 구간 Ⅰ에서보다 낮다.

👁 바로 보기　ㄱ. ADH(항이뇨 호르몬)는 콩팥에서 수분 재흡수를 촉진하므로 표적 기관은 콩팥이다.

10 특이적 방어 작용

ㄱ, ㄴ, ㄷ. 형질 세포로 분화하는 ⊙은 B 림프구이고, 감염된 세포를 직접 제거하는 ⊙은 세포독성 T림프구이다. T 림프구는 가슴샘에서, B 림프구는 골수에서 성숙한다. (가)는 체액성 면역, (나)는 세포성 면역으로 모두 특이적 방어 작용에 해당한다.

창의·융합·코딩	전략				54~57쪽
01 ③	02 A	03 ③	04 ③	05 ①	06 ⓛ, ⓒ
07 ㄱ, ㄴ, ㄷ		08 ⑤	09 ④	10 ⑤	

01 흥분의 전도

③ (가) 구간은 과분극이 일어나는 기간으로, Na⁺ 통로는 닫혀 있어 Na⁺ 이동은 거의 없다. K⁺ 통로는 서서히 닫히므로 막전위가 휴지 전위보다 조금 더 아래로 내려가는 과분극이 일어난다. K⁺은 K⁺ 통로를 통해 세포 밖으로 확산되어 나간다.

02 신경계

학생 A. 연수는 중추 신경계로 연합 뉴런이 있다.

👁 바로 보기　학생 B. 중추 신경계는 말초 신경계인 운동 신경으로 흥분을 전달한다. 운동 신경의 흥분은 근육에 전달되어 근육을 수축시킨다.

학생 C. 심장 박동의 촉진은 교감 신경에 의해 일어나며, 교감 신경의 신경절 이전 뉴런의 신경 세포체는 척수에 있다.

03 신경계 질환

알츠하이머는 대뇌의 신경 세포 파괴로 발생하며, 이로 인해 기억력과 인지 능력의 저하를 보인다. 파킨슨병은 중간뇌에서 신경 전달 물질인 도파민의 분비 부족으로 발생하며, 손발이 떨리고 불안정한 자세를 보인다. 근위축성 측삭 경화증은 골격근을 조절하는 운동 신경의 퇴화로 발생하며, 근육이 경직되고 약해지는 증상을 보인다.

ㄱ, ㄴ. ⊙은 대뇌로 겉질은 회색질이다. ⓛ은 파킨슨 병이다.

👁 바로 보기　ㄷ. ⓒ은 운동 신경으로 말초 신경계를 구성한다.

암기 Tip　신경계 질환

신경계 질환은 이 질병의 발병 원인을 통해 중추 신경계 질환인지, 말초 신경계 질환인지를 구분할 수 있으면 돼.

중추 신경계 질환	알츠하이머병	대뇌의 뉴런이 파괴되어 뇌 조직이 오므라들면서 지적 기능이 쇠퇴된다.
	파킨슨병	뇌에서 도파민을 분비하는 뉴런이 파괴되어 도파민이 부족해져 나타난다.
말초 신경계 질환	근위축성 측삭 경화증(루게릭병)	운동 신경이 선택적으로 파괴되면서 나타난다.
	길랭·바레 증후군	면역계가 말초 신경계를 잘못 공격하여 말이집을 손상시킴으로서 발생한다.

04 흥분의 전도

자료 분석 +　골격근의 수축

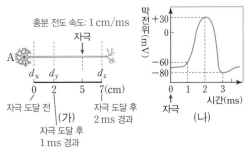

- 뉴런에서 흥분의 전도는 양방향으로 이루어진다.
- 흥분 전도 속도가 1 cm/ms이므로 자극이 전도되는 데 걸리는 시간은 5 cm 떨어져 있는 d_x까지는 5 ms, 3 cm 떨어진 d_y까지 자극이 전도되는 데 걸리는 시간은 3 ms, 2 cm 떨어진 d_z까지는 2 ms이다.

선택지 분석

✗ −100　✗ −40　③ +20　✗ +40　✗ +100

③ 4 ms 경과 후, d_x에는 자극이 도달하지 않았으며, d_y는 자극 도달 후 1 ms 경과, d_z는 2 ms 경과했으므로 각 지점

BOOK 1

의 막전위는 $-70\,mV$, $-60\,mV$, $+30\,mV$이다. 따라서 무선 인터넷 비밀 번호 $x-y+z$는 $-70-(-60)+30$이므로 $+20$이다.

05 신경계

① 뇌줄기에는 간뇌, 중간뇌, 뇌교, 연수가 있다. 연수는 심장 박동, 호흡 운동, 소화 운동, 소화액 분비 등을 조절하는 중추이며, 기침, 재채기, 하품, 침 분비 등에도 관여한다. 뇌줄기에 속하며 침 분비의 중추인 ㉠은 연수이며, ㉡은 중간뇌이다. 뇌줄기에 속하지 않는 ㉢은 척수이다.

06 항상성 조절

저온 자극이 발생하면, 우리 몸은 열 발생량을 증가시키거나, 열 발산량을 줄여 항상성을 조절한다. 혈액이 사지에서 중앙으로 이동하여 열 발산량을 감소시킨다. 근육이 수축하거나 덜덜 떠는 현상으로 ATP가 사용되며 열이 발생한다. 심장 박동 수의 증가로 열 발생량이 증가한다.

07 질병의 원인

ㄱ. 고혈압, 결핵, AIDS 중 감염성 질병은 결핵과 AIDS이며, 비감염성 질병은 고혈압이다. A의 판단 기준은 '감염성 질병인가?'이다.

ㄴ. 결핵은 세균에 의한 질병이며, AIDS는 바이러스에 의한 질병이다. 따라서 B의 판단 기준은 '세포 분열을 하는가?'이다.

ㄷ. AIDS를 일으키는 병원체는 바이러스이다. 바이러스는 단백질을 가지고 있다.

08 항원 항체 반응

자료 분석 + 항원 항체 반응

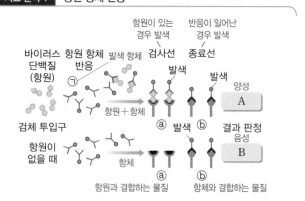

• ㉠은 인공적으로 합성된 발색 항체로 바이러스 단백질인 항원과 결합할 수 있다.
• ⓐ는 항원과 결합하는 물질이며 ⓑ는 항체와 결합하는 물질이다.
• 항원이 있는 경우 ⓐ에서 발색이 일어나며, ⓑ는 이 키트가 잘 작용함을 알려주는 선이다.

선택지 분석
㉠ ㉠은 바이러스 단백질과 특이적으로 반응한다.
㉡ ⓐ는 항원과 결합할 수 있는 물질이다.
㉢ 항원 진단 키트 검사 결과 A는 양성이다.

ㄱ, ㄴ, ㄷ. ㉠은 바이러스 단백질과 특이적으로 반응한다. ⓐ는 항원과 결합하는 물질이며, ⓑ는 항체와 결합하는 물질이다. A는 두 선에서 모두 발색이 일어나므로 양성으로 판정할 수 있다.

09 혈당량 조절

인슐린은 이자의 β세포에서 분비되며 혈당량을 감소시키고, 글루카곤은 이자의 α세포에서 분비되어 혈당량을 증가시킨다. 에피네프린은 부신의 속질에서 분비되며 혈당량을 증가시키고 심장 박동 촉진, 혈압 상승에 관여한다. 혈당량을 증가시키고 이자에서 분비되는 호르몬인 ㉠은 글루카곤이며, ㉡은 에피네프린이다. 혈당량을 감소시키는 호르몬인 ㉢은 인슐린이다.

10 백신의 원리

자료 분석 + 백신의 원리

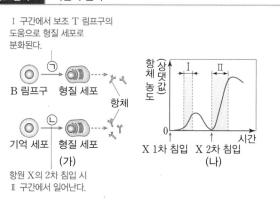

• 1차 방어 작용은 선천적인 비특이적 방어 작용이며, 2차 방어 작용의 경우 특이적 방어 작용으로 후천적 면역에 해당한다.
• 2차 방어 작용의 경우 병원체가 처음 인체에 들어왔을 때, 1차 면역 반응이 일어나며 같은 병원체의 재침입 시 2차 면역 반응이 일어난다.

선택지 분석
학생Ⓐ 과정 ㉠에 보조 T 림프구가 필요해.
학생Ⓑ 구간 I에서 X에 대한 특이적 방어 작용이 일어나.
학생Ⓒ 구간 Ⅱ에서 과정 ㉡이 일어나.

• 학생 A. 과정 ㉠에서 보조 T 림프구에 의해 B 림프구가 형질 세포로 분화한다.
• 학생 B. 구간 I에서 항원 X에 대한 항체가 생성되므로 특이적 방어 작용이 일어난다.
• 학생 C. 과정 ㉡은 항원이 2차 침입한 후, 구간 Ⅱ에 해당하는 기간에 일어난다.

| 01 ② | 02 ⑤ | 03 ① | 04 ㄱ, ㄷ | 05 ⑤ |
| 06 ⑤ | 07 ① | 08 ③ | | |

01 생명 과학의 탐구 방법

자료 분석 + 생명 과학의 탐구 방법

• 유전적으로 같은 생쥐 A, B, C 중 B와 C에서 갑상샘을 제거한 후 혈중 ㉠의 농도를 측정한 결과

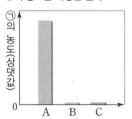

㉠의 농도가 정상 생쥐 A는 높고, 갑상샘을 제거한 B와 C는 낮으므로 ㉠은 티록신임을 알 수 있다. 따라서 ㉡은 TSH이다.

• 갑상샘을 제거한 B, C 중 한 생쥐에만 ㉠(티록신)을 주사하고, ㉡(TSH)의 농도를 측정한 결과

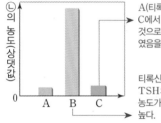

A(티록신의 농도가 높은 정상 생쥐)와 C에서 ㉡(TSH)의 농도가 같이 낮은 것으로 보아 C에 ㉠(티록신)을 주사하였음을 알 수 있다.

티록신의 농도가 높은 A와 C는 TSH의 농도가 낮고, 티록신의 농도가 낮은 B만 TSH의 농도가 높다.

• 티록신의 농도가 높은 A와 C는 TSH(갑상샘 자극 호르몬)의 농도가 낮고, 티록신의 농도가 낮은 B만 TSH의 농도가 높은 것으로 보아 티록신의 농도에 따라 TSH의 농도가 변하는 것을 알 수 있다. ➡ 티록신의 농도가 높으면 TSH의 분비가 억제되고, 티록신의 농도가 낮으면 TSH의 분비가 촉진된다.
• 이와 같이 어떤 원인에 의해 나타난 결과가 원인을 억제하여 분비량을 조절하는 것을 음성 피드백(음성 되먹임)이라고 한다.

선택지 분석

✗ ㉠은 TSH이다. → 티록신
✗ 이 실험에서 조작 변인은 갑상샘의 유무이다. → 티록신의 주사 유무
Ⓒ 실험 결과 알 수 있는 생물의 특성은 항상성이다.

ㄷ. 실험 결과 알 수 있는 것은 갑상샘에서 분비되는 티록신의 농도가 음성 피드백에 의해 일정하게 유지된다는 것이므로, 생물의 특성 중 항상성에 해당된다.
항상성은 생물이 외부 환경에 대처하여 체내 상태를 일정하게 유지하려는 작용으로, 내분비계와 신경계의 작용을 통해 조절된다.

바로 보기 ㄱ. 갑상샘을 제거한 두 생쥐에서 ㉠의 농도가 낮은 것으로 보아 ㉠은 티록신이다.
ㄴ. 갑상샘을 제거하지 않은 생쥐 A는 대조군, 갑상샘을 제거한 생쥐 B와 C는 실험군이며, 티록신의 주사 여부가 이 실험의 조작 변인이다. 조작 변인은 실험의 목적을 위해 변화시키는 변인으로 가설이나 결론 도출을 통해 알 수 있다.

02 기관계의 통합적 작용

자료 분석 + 기관계의 통합적 작용

탄수화물, 지방을 세포 호흡에 사용할 때 발생하는 노폐물은 물과 이산화 탄소이다.

영양소	노폐물
(가) 탄수화물	물, 이산화 탄소
(나) 단백질	물, 이산화 탄소, ⓐ 암모니아
지방	?

단백질의 구성 물질에 질소(N)가 포함되어 있어 단백질을 세포 호흡에 사용하면 물, 이산화 탄소 외에, 암모니아와 같은 질소 노폐물이 생성된다.

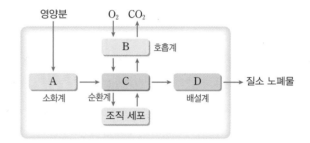

영양분을 흡수하는 기관계(A)는 소화계, 산소를 흡수하고 이산화 탄소를 배출하는 기관계(B)는 호흡계, 질소 노폐물인 요소를 오줌의 형태로 배출하는 기관계(D)는 배설계, 기관계를 순환하며 노폐물과 양분을 운반하는 기관계(C)는 순환계이다.

선택지 분석

㉠ (가)는 탄수화물, (나)는 단백질이다.
㉡ ⓐ는 C를 통해 A로 이동하여 요소로 합성된다.
㉢ B에서 노폐물이 몸 밖으로 배출될 때는 에너지를 소비하지 않는다.

ㄱ, ㄴ. (가)는 탄수화물, (나)는 단백질이며, 암모니아는 소화계의 기관인 간에서 요소로 합성된다.
ㄷ. 호흡계에서 이산화 탄소가 배출될 때는 확산에 의해 모세 혈관에서 폐포로 이동하므로 에너지를 소비하지 않고 몸 밖으로 배출된다.

03 자극의 전달과 신경계

자료 분석 + 활동 전위

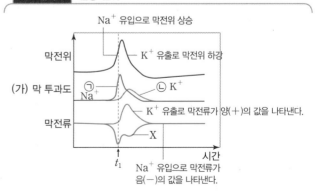

• ㉠과 ㉡은 각각 Na^+과 K^+이다.

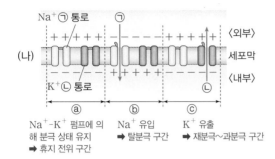

Na⁺ ⊙ 통로 　⊙

〈외부〉
(나) 　세포막
〈내부〉

K⁺ ⓛ 통로

ⓐ ｜ ⓑ ｜ ⓒ

Na⁺-K⁺ 펌프에 의 　Na⁺ 유입 　K⁺ 유출
해 분극 상태 유지 　➡ 탈분극 구간 　➡ 재분극~과분극 구간
➡ 휴지 전위 구간

- 막전류는 세포 밖으로 이온이 나갈 때 양의 값을 가지므로 t_1 시점에서 X는 세포 안으로 유입되는 이온이다. t_1 시점에 세포 안으로 유입되는 것은 Na⁺이므로 X는 ⊙의 막전류 그래프이다.
- X는 Na⁺의 막전류로 세포 안으로 유입해 들어오므로 막전위를 상승시킨다.

선택지 분석

⊙ t_1은 시점 ⓑ일 때이다.
✗ X는 ⓛ의 전류이다. → ⊙
✗ 시점 ⓐ일 때 세포막을 통한 이온의 이동은 없다.
　펌프에 의한 이온의 이동이 있다.

ㄱ. t_1 시점에서 Na⁺이 세포막 안으로 유입되므로 t_1은 시점 ⓑ일 때이다.

🔎 바로 보기 ㄴ. X는 ⊙(Na⁺)의 막 투과도가 증가하는 시점에 음의 값을 나타내므로 ⊙(Na⁺)의 막전류 그래프이다. 이것으로 Na⁺이 세포 안으로 유입되고 있음을 알 수 있다.

ㄷ. 시점 ⓐ는 각 이온의 통로가 닫혀 있으므로 휴지 전위 시점이다. 휴지 전위 시 막전위는 Na⁺-K⁺ 펌프에 의해 유지되므로, Na⁺-K⁺ 펌프에 의한 이온의 이동이 있다.

암기 Tip　흥분의 발생과 이온 통로

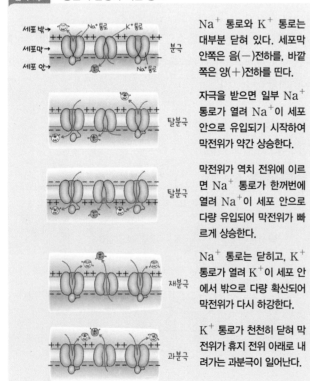

Na⁺ 통로와 K⁺ 통로는 대부분 닫혀 있다. 세포막 안쪽은 음(−)전하를, 바깥쪽은 양(+)전하를 띤다.

자극을 받으면 일부 Na⁺ 통로가 열려 Na⁺이 세포 안으로 유입되기 시작하여 막전위가 약간 상승한다.

막전위가 역치 전위에 이르면 Na⁺ 통로가 한꺼번에 열려 Na⁺이 세포 안으로 다량 유입되어 막전위가 빠르게 상승한다.

Na⁺ 통로는 닫히고, K⁺ 통로가 열려 K⁺이 세포 안에서 밖으로 다량 확산되어 막전위가 다시 하강한다.

K⁺ 통로가 천천히 닫혀 막전위가 휴지 전위 아래로 내려가는 과분극이 일어난다.

04　항상성과 우리 몸의 방어 작용

자료 분석 ➕　mRNA 백신

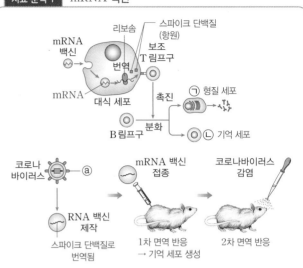

리보솜 　스파이크 단백질 (항원)
mRNA 백신
번역 　보조 T 림프구
mRNA
촉진 　⊙ 형질 세포
대식 세포
B 림프구 　분화 　ⓛ 기억 세포

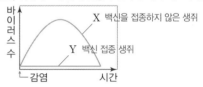

코로나 바이러스 　ⓐ 　mRNA 백신 접종 　코로나바이러스 감염
RNA 백신 제작 　1차 면역 반응 → 기억 세포 생성 　2차 면역 반응
스파이크 단백질로 번역됨

- 스파이크 단백질(항원)을 암호화하는 mRNA를 백신으로 제작하여 쥐에 접종하면, 쥐에서 1차 면역 반응이 일어나 기억 세포가 만들어진다.

바이러스 수 ｜ X 백신을 접종하지 않은 생쥐
Y 백신 접종 생쥐
감염 　시간

- 백신을 접종한 생쥐는 기억 세포를 가지고 있으므로 코로나바이러스를 감염시켜도 생쥐 내에서 바이러스 수가 증가하지 않는다. 백신 접종 생쥐는 Y이다.
- 백신을 접종하지 않은 생쥐는 코로나바이러스에 감염되면 바이러스 수가 증가하지만 1차 면역 반응으로 바이러스가 제거되므로 X이다.

선택지 분석

⊙ ⊙에서 만들어진 항체는 ⓐ에 특이적으로 반응한다.
✗ X는 백신을 접종한 생쥐에서 측정된 바이러스 수이다.
ⓒ 백신을 접종한 생쥐의 ⓛ은 코로나바이러스에 노출될 때 빠르게 형질 세포로 분화한다.

ㄱ, ㄷ. 백신으로 제조된 mRNA는 스파이크 단백질로 번역되므로 ⊙에서 만들어진 항체는 ⓐ에 특이적으로 작용한다. 백신을 접종한 생쥐는 스파이크 단백질의 기억 세포를 가지고 있어 코로나바이러스에 노출될 때 기억 세포가 빠르게 형질 세포로 분화하므로 바이러스 수가 늘지 않는다.

🔎 바로 보기 ㄴ. X는 백신을 접종하지 않은 생쥐, Y는 백신을 접종한 생쥐에서 측정된 바이러스 수이다.

05　연역적 탐구 방법

ㄱ. 실험 결과 '같은 먹이를 먹고 자란 개체를 선호한다.'고 결론을 내렸고, 짝짓기 빈도가 Ⅰ이 높았으므로 Ⅰ은 ⊙ 같은 먹이를 먹고 자란 초파리이다.

ㄴ. (나)에서 A와 B 두 집단으로 나누어 대조 실험을 하였고, 두 집단을 먹이의 종류를 다르게 배양하였으므로 조작 변

인은 먹이의 종류이고, 종속변인은 짝짓기 빈도이다.

ㄷ. (가) 가설 설정 단계가 있고, 대조 실험을 통해 가설을 검증하고 있으므로 연역적 탐구 방법이 이용되었다.

06 기관계의 통합적 작용

자료 분석 + 기관계의 통합적 작용

기관계	특징
A 배설계	오줌을 통해 노폐물을 몸 밖으로 내보낸다.
B 신경계	대뇌, 소뇌, 연수가 속한다.
C 소화계	㉠

선택지 분석

㉠ A에는 항이뇨 호르몬의 표적 기관이 있다.
㉡ B에는 A와 C의 작용을 조절하는 중추가 있다.
㉢ '암모니아가 요소로 전환되는 기관이 포함된다.'는 ㉠에 해당한다.

ㄱ. A는 배설계이고, 항이뇨 호르몬은 콩팥에 작용하여 수분의 재흡수를 촉진한다. 콩팥은 배설 기관이므로 A에는 항이뇨 호르몬의 표적 기관이 있다.

ㄴ. 신경계에는 배설계와 소화계를 조절하는 중추가 있다.

ㄷ. C는 소화계이고, 암모니아가 요소로 전환되는 기관은 간이므로 '암모니아가 요소로 전환되는 기관이 포함된다.'는 ㉠에 해당한다.

07 자극의 전달과 신경계

자료 분석 + 활동 전위

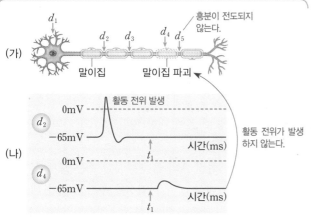

- t_1에 자극을 주면 d_2, d_3에서 활동 전위가 발생한다.
- d_4 지점은 말이집이 파괴되어 활동 전위를 발생시키지 못하므로 d_5에 흥분이 전도되지 못한다.

선택지 분석

㉠ t_1 시점 전, d_3에서는 탈분극이 일어난다.
✗ t_1 시점 이후, d_4에서는 활동 전위가 발생한다.
✗ d_5에서는 세포막을 통한 Na^+의 이동은 없다.

ㄱ. t_1시점 전 d_3에서는 탈분극이 일어나며 활동 전위가 발생한다.

바로 보기 ㄴ. t_1 시점 이후 d_4에서 탈분극이 일어나지만 활동 전위로 이어지지 못하므로 d_5 지점에 흥분이 전도되지 않는다.

ㄷ. d_5는 휴지 전위를 유지하며 Na^+-K^+ 펌프를 이용한 Na^+의 이동이 있다.

08 항상성의 조절

자료 분석 + 삼투압 조절

혈중 ADH 농도(상댓값)

혈액량(%)
t_1 안정 상태
(가)
혈액량이 안정 상태보다 적으므로 ADH가 분비되어 수분을 재흡수한다.

혈중 ADH 농도(상댓값)
혈액량 안정 상태
㉠
p_1 p_2 혈장 삼투압
(나)
같은 혈장 삼투압에서 ㉠은 혈액량 안정 상태보다 ADH 농도가 낮으므로 혈액량이 10 % 증가 상태이다.

- ADH(항이뇨 호르몬)는 콩팥에서 수분 재흡수를 촉진하는 호르몬이다.
- (가)에서 혈액량이 적을수록 혈중 ADH의 농도가 높다. ➡ 콩팥에서 수분 재흡수가 촉진되어 혈액량이 증가한다.
- (나)에서 혈장 삼투압이 높을수록 혈중 ADH의 농도가 높다. ➡ 콩팥에서 수분 재흡수가 촉진되어 혈장 삼투압이 낮아진다.

선택지 분석

㉠ ㉠은 정상보다 혈액량이 10 % 증가한 상태이다.
㉡ (가)에서 오줌의 삼투압은 t_1일 때가 안정 상태일 때보다 높다.
✗ 혈액량 안정 상태일 때, 콩팥에서 단위 시간당 수분 재흡수량은 p_1일 때가 p_2일 때보다 많다. → 적다

ㄱ. 혈액량이 증가할수록 ADH의 분비가 감소하므로 ㉠은 정상보다 혈액량이 10 % 증가한 상태이다.

ㄴ. t_1일 때, ADH가 안정 상태보다 많이 분비되어 수분 재흡수량이 증가하므로 오줌양이 감소하여 오줌의 삼투압은 증가한다.

바로 보기 ㄷ. (나)에서 혈액량 안정 상태에서 혈장 삼투압이 p_1일 때가 p_2일 때보다 혈중 ADH 농도가 낮으므로 콩팥에서 단위 시간당 수분 재흡수량은 더 적다.

1·2등급 확보 전략 1회

64~67쪽

01 ①	02 ③	03 ③	04 ⑤	05 ㄷ
06 ⑤	07 ⑤	08 ④	09 ㄱ, ㄴ	10 ④
11 ⑤	12 ④			

01 생물의 특성

자료 분석 + 생물의 특성

- (가)는 빛과 $^{14}CO_2$를 이용해 동화 작용(광합성)을 하는 생명체의 유무를 알아보는 실험이다.
- (나)는 ^{14}C를 포함한 유기 양분을 이용해 이화 작용을 하는 생명체의 유무를, (다)는 유기물을 분해하는 이화 작용을 하는 생명체의 유무를 알아내고자 하는 실험이다.

선택지 분석

◯ 실험 (가)는 동화 작용을 하는 생명체가 있는지 확인하는 실험이다.

✗ 실험 (나)에서 방사능이 검출되면 ~~동화 작용~~을 하는 생명체가 있음을 알 수 있다. (이화 작용)

✗ 실험 (나)와 (다)를 통해 탄소 유기물을 이용해 물질대사를 하는지를 확인할 수 있다. ➤ (나)

ㄱ. (가)를 통해 동화 작용을 하는 생명체의 유무를 알 수 있다.

바로 보기 ㄴ. (나)를 통해 탄소 유기물을 이용해 이화 작용을 하는지 알 수 있다.

ㄷ. (다)를 통해 유기물을 이용해 물질대사를 하는지를 확인할 수 있다.

02 생물의 특성

자료 분석 + 바이러스와 생물의 특징 비교

특징	(가)	(나)	(다)
박테리오파지	◯	✗	✗
대장균	◯	◯	◯
백혈구	◯	✗	◯

(◯: 특징을 가짐, ✗: 특징을 가지고 있지 않음)

- 특징 (가)는 모두 공통으로 갖는 특성이므로 바이러스의 생물적 특성인 '유전 물질을 갖는다.', '단백질을 갖는다.' 등이 해당한다.
- 특징 (나)는 대장균만 갖는 특성이므로, 백혈구와 구별되는 특징인 '세포 분열을 통해 자손을 만든다.', '세포벽을 갖는다.' 등이 해당한다.
- 특징 (다)는 대장균과 백혈구만 갖는 특성이므로 생물적 특징인 '세포로 구성된다.', 스스로 '물질대사를 한다.' 등이 해당한다.

선택지 분석

◯ 특징 (가)에는 '핵산을 갖는다.'가 있다.

◯ 특징 (나)에는 '세포 분열로 자손을 만든다.'가 있다.

✗ 특징 (다)에는 '세포벽을 갖는다.'가 있다. ➤ (나)

ㄱ. (가)는 박테리오파지(바이러스), 대장균, 백혈구가 모두 갖는 특징으로 '유전 물질을 갖는다.'가 있다.

ㄴ. 대장균은 단세포 생물로, 세포 분열을 통해 증식한다.

바로 보기 ㄷ. 대장균은 세포벽을 갖지만, 백혈구는 동물 세포로 세포벽이 없다.

03 생물의 특성과 대조군과 실험군

자료 분석 + 백신 개발

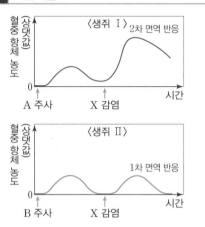

- 백신은 2차 면역 반응을 일으킬 수 있도록 기억 세포를 만들어 주는 역할을 한다.
- 물질 A를 주사한 후, X에 감염되었을 때 2차 면역 반응이 일어났으므로 물질 A를 주사하였을 때 X에 대한 형질 세포와 기억 세포가 만들어졌음을 알 수 있다.
- 물질 B를 주사한 후, X에 감염되었을 때 1차 면역 반응이 일어난 것으로 보아 물질 B를 주사하였을 때 X에 대한 기억 세포가 만들어지지 않았음을 알 수 있다.

선택지 분석

◯ 이 실험에 나타난 생물의 특성은 '자극에 대한 반응'이다.

✗ 물질 A를 주사한 생쥐는 대조군, B를 주사한 생쥐는 실험군이다. ➤ 실험군

◯ 생쥐 Ⅰ에게 물질 A를 주사했을 때 X에 대한 형질 세포와 기억 세포가 만들어졌다.

ㄱ. 외부 자극(항원)에 의해 항체의 형성이라는 반응이 일어났으므로 생물의 특성 중 자극에 대한 반응에 해당한다.

ㄷ. 생쥐 Ⅰ에서 X에 대해 2차 면역 반응이 일어났으므로 물질 A를 주사했을 때 X에 대한 형질 세포와 기억 세포가 만들어졌음을 알 수 있다.

바로 보기 ㄴ. 물질 A와 B를 주사한 쥐는 모두 실험군이며, 물질 A, B 대신 생리 식염수를 주사한 쥐가 대조군이다. 이 실험에서는 대조군 없이 실험이 진행되었다.

04 연역적 탐구 과정

ㄱ, ㄴ, ㄷ. 탐구 결과 일조 시간이 줄면 나뭇잎이 떨어진다는 결론을 내렸으므로 (라)에서 일조 시간이 줄어든 식물에서만 잎이 떨어지고 일조 시간의 변화가 없는 식물의 잎은 떨어지지 않았음을 알 수 있다. 또한 가설 A는 '나뭇잎이 떨어지는 것은 일조 시간의 변화 때문이다.'이고, 일조 시간의 변화 여부가 조작 변인, 낙엽의 수가 종속변인이다.

05 생물의 특성

ㄴ. 천연두 환자의 상처 딱지를 백신으로 활용하여 건강한 병사들에게 천연두에 대한 면역이 생기도록 하였다. 따라서 자극(상처 딱지)에 의한 반응(면역) 현상임을 알 수 있다.

바로 보기 ㄱ, ㄷ. 천연두의 병원체는 바이러스이다. 바이러스는 스스로 물질대사를 할 수 없으며, 천연두의 치료 시 항바이러스제를 이용해 치료한다.

06 생물의 특성

자료 분석 + 심장 박동 수의 변화

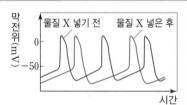

물질 X를 넣은 후 활동 전위 발생 시간이 느려졌다. → 심장 박동 수가 느려졌다. → 자율 신경 A는 부교감 신경이다. → 부교감 신경의 축삭 돌기 말단에서는 아세틸콜린이 분비되므로 물질 X는 아세틸콜린이다.

물질 X를 넣기 전 활동 전위의 빈도는 3회, 넣은 후에는 2회로 심장 박동 수가 느려짐을 알 수 있다.

선택지 분석

✗ 물질 X는 노르에피네프린이다. →▶ 아세틸콜린
Ⓛ 이 실험에서 물질 X의 주입 유무는 조작 변인이다.
Ⓒ 개구리 심장 박동이 변하는 현상은 생물의 특성 중 '자극에 대한 반응'에 해당한다.

ㄴ. A(부교감 신경)를 자극했을 때 신경에서 분비되는 물질이 있었을 때와 없었을 때를 비교하여 A(부교감 신경)를 자극했을 때 심장 박동 수에 미치는 영향을 알아보는 실험이므로 물질 X의 주입 여부가 조작 변인이다.

ㄷ. 물질 X(자극)에 의해 심장 박동이 변하는 것(반응)은 생물의 특성 중 자극에 대한 반응에 해당한다.

바로 보기 ㄱ. 물질 X는 아세틸콜린이다.

07 에너지의 전환과 이용

자료 분석 + 에너지 전환과 이용

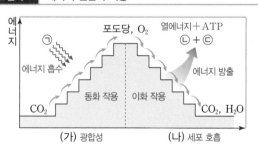

- (가)는 반응물보다 생성물의 에너지가 크므로 동화 작용이고, (나)는 반응물보다 생성물의 에너지가 작으므로 이화 작용이다. 따라서 (가)는 광합성, (나)는 세포 호흡이다.
- 광합성에서 흡수되는 에너지 ㉠의 양은 세포 호흡을 통해 방출되는 에너지 ㉡과 ㉢의 합과 같다.

- 세포 호흡 시 발생하는 에너지 중 약 30~40 %는 ATP로 저장되고 나머지는 열로 방출된다. ㉡의 에너지양이 ㉢의 에너지양보다 크므로 ㉡은 열에너지, ㉢은 ATP이다.

선택지 분석

㉠ (가)와 (나)에서 모두 효소가 이용된다.
Ⓛ (나)는 세포 호흡으로 주로 미토콘드리아에서 일어난다.
Ⓒ ㉢이 분해될 때 방출되는 에너지는 생명 활동에 이용된다.

ㄱ. 광합성과 세포 호흡은 물질대사 과정으로 모두 효소에 의해 이루어진다.

ㄴ. 세포 호흡은 주로 미토콘드리아에서 일어난다.

ㄷ. ㉢인 ATP가 분해될 때 방출되는 에너지는 여러 가지 생명 활동에 사용된다.

08 물질대사

자료 분석 + 물질대사

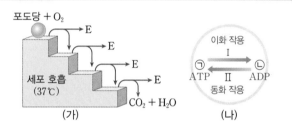

- ㉠이 ㉡보다 에너지양이 많으므로 ㉠은 ATP, ㉡은 ADP이다.
- ㉠은 ATP, ㉡은 ADP, 과정 Ⅰ은 이화 작용, 과정 Ⅱ는 동화 작용이다.

선택지 분석

✗ 세포 호흡으로 발생하는 모든 에너지는 ㉡을 ㉠으로 전환하는 데 쓰인다. →▶ 에너지 중 일부만
Ⓛ 세포 호흡과 Ⅰ 과정은 에너지를 방출하는 이화 작용이다.
Ⓒ ㉠은 ATP이다.

ㄴ, ㄷ. 가지고 있는 에너지가 많은 ㉠은 ATP, ㉡은 ADP이다.

바로 보기 ㄱ. 세포 호흡으로 발생한 에너지 중 일부는 ADP를 ATP로 합성하는 데 쓰이고, 나머지는 열에너지로 방출된다.

09 기관계의 통합적 작용

자료 분석 + 기관계의 통합적 작용

영양소 → (가)
O_2 → (나)
(가), (나) → (다) → ADP+Pi → ⓑ / ⓐ → ㉠
조직 세포

- (가)는 소화계, (나)는 호흡계, (다)는 순환계이다.
- ㉠은 ATP로 세포 호흡에서 발생한 에너지 중 일부를 저장한다.

선택지 분석

ㄱ 이자는 (가)에 속한다.

ㄴ 심한 운동을 하면 (나)에서 (다)로 단위 시간당 이동하는 O_2의 양이 증가한다.

✗ (나)에서 산소가 혈액으로 들어올 때 ⓐ 과정에서 방출되는 에너지가 사용된다.

ㄱ. (가)는 소화계이다. 소화계에 속하는 기관에는 입, 식도, 위, 소장, 대장, 간, 쓸개, 이자 등이 있다.

ㄴ. 심한 운동을 하면 조직 세포에서 세포 호흡이 활발하게 일어나 O_2 소모량과 CO_2 발생량이 증가한다. 따라서 조직 세포에서 순환계로 이동하는 CO_2의 양이 많아져 혈액의 CO_2 농도가 증가하면 호흡 운동과 심장 박동이 촉진된다. 그 결과 호흡계에서 순환계로 단위 시간당 이동하는 O_2의 양이 증가하고, 혈액 순환이 빨라져 순환계에서 조직 세포로 공급되는 O_2의 양도 증가한다.

👁 바로 보기 ㄷ. 폐포에서 혈액으로의 기체 교환은 에너지를 소비하지 않는다.

10 기관계의 통합적 작용

(가)는 소화계, (나)는 호흡계, (다)는 배설계이다.

ㄴ. 호흡계를 구성하는 기관에는 기관, 기관지, 폐 등이 속한다. 따라서 기관지는 (나)에 속한다.

ㄷ. 독성이 강한 암모니아는 소화계에 속하는 간에서 독성이 약한 요소로 전환하는데, 요소는 순환계를 통해 배설계로 운반되어 오줌으로 배설된다.

👁 바로 보기 ㄱ. 소화 효소에 의한 소화 과정은 이화 과정으로 에너지가 방출된다.

11 기관계의 통합적 작용

자료 분석 + 기관계의 통합적 작용

• 세포 호흡을 통해 만들어지는 노폐물 중 ㉠과 ㉢은 Ⅰ, Ⅱ, Ⅲ으로부터 만들어진다.
  물   이산화 탄소

• 세포 호흡을 통해 만들어지는 노폐물 중 ㉠과 ㉡은 콩팥을 통해 밖으로 배출된다.
  물   암모니아(요소)

• 포도당, 지방산, 아미노산으로부터 공통적으로 만들어지는 대사 노폐물은 물과 이산화 탄소이다.
• 아미노산으로부터 만들어지는 대사 노폐물은 물, 이산화 탄소 그리고 암모니아이다.
• 콩팥을 통해 밖으로 배출되는 대사 노폐물은 물과 암모니아(요소)이다. 폐를 통해 밖으로 배출되는 대사 노폐물은 물과 이산화 탄소이다.

선택지 분석

㉠ ㉠은 물이다.
㉡ ㉡은 순환계를 따라 소화계로 이동하여 다른 물질로 전환되어 몸 밖으로 배출된다.
㉢ ㉢은 이산화 탄소로 호흡계에서 에너지 소비 없이 몸 밖으로 배출된다.

ㄱ, ㄴ, ㄷ. ㉠은 물, ㉡은 암모니아(요소), ㉢은 이산화 탄소이다. 물과 이산화 탄소는 호흡계에서 배출되며, 물과 암모니아(요소)는 배설계에서 배출된다. ㉡(암모니아)은 순환계를 따라 소화계인 간으로 이동하여 요소로 전환된 후 다시 순환계를 따라 배설계로 운반된 후 콩팥을 통해 오줌으로 배설된다.

12 기관계의 통합적 작용

(가)는 소화계, (나)는 호흡계, (다)는 배설계이다.

ㄴ. 호흡계에서 이산화 탄소의 이동은 에너지 소비 없이 일어난다.

ㄷ. 항이뇨 호르몬의 표적 기관은 콩팥으로 배설계를 구성한다.

👁 바로 보기 ㄱ. 소화계에서는 이화 작용과 동화 작용이 모두 일어난다. 대표적인 동화 작용으로 소화 효소의 합성이 있다.

1·2등급 확보 전략 2회
| 68~71쪽

| 01 ㄱ, ㄴ | 02 ① | 03 ② | 04 ③ | 05 ② |
| 06 ⑤ | 07 ⑤ | 08 ③ | 09 ① | 10 ② |

01 흥분의 전도

자료 분석 + 흥분의 전도

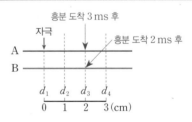

신경	4 ms일 때 측정한 막전위(mV)			
	d_1	d_2	d_3	d_4
A	?	?	−80	? (가) 2 cm/ms
B	−70	?	−80	+30 (나) 1 cm/ms

• 자극을 주고 경과한 시간이 4 ms일 때, d_3에서 같은 막전위를 보이므로 (가)의 막전위를 갖는 신경 A는 2 cm 떨어진 d_3까지 흥분이 도달하는 데 1 ms가 필요하므로 흥분 전도 속도는 2 cm/ms이다.

- (나)의 막전위를 갖는 신경 B는 d_3에 흥분이 도달하는 데 2 ms가 필요하므로 흥분의 전도 속도는 1 cm/ms이다. 또한, 4 ms 후 d_4에서 막전위는 1 ms일 때의 막전위인 30 mV를 보이므로 (나)의 막전위를 갖는 신경은 B이다.

선택지 분석

㉠ A의 흥분 전도 속도는 2 cm/ms이다.
㉡ ㉠이 2 ms일 때, A의 d_2에서 탈분극이 일어난다.
✗ ㉠이 5 ms일 때, d_4에서 $\dfrac{\text{A의 막전위}}{\text{B의 막전위}}$의 값은 1보다 크다.

ㄱ, ㄴ. A는 (가)의 막전위를 보이며, 흥분 전도 속도는 2 cm/ms이다. A에서 1 cm 떨어진 d_2까지 흥분이 전도되는 데 걸리는 시간은 0.5 ms이므로 자극을 주고 경과한 시간이 2 ms일 때 d_2의 막전위는 흥분 도달 후 1.5 ms일 때로 d_2는 탈분극 중이다.

바로 보기 ㄷ. ㉠이 5 ms일 때, 3 cm 떨어진 d_4에서 A의 막전위는 (가)의 3.5 ms일 때 막전위이므로 $-80 \sim -70$ mV값을 갖는다. 같은 방식으로 B의 막전위는 (나)의 2 ms 막전위 -80 mV이다. 따라서
$\dfrac{\text{A의 막전위}}{\text{B의 막전위}} = \dfrac{-80 < < -70}{-80}$이므로 1보다 작다.

02 흥분의 전도

자료 분석 + 흥분의 전도

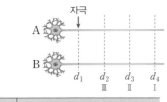

신경	t_1일 때 측정한 막전위(mV)		
	Ⅰ	Ⅱ	Ⅲ
A	+10	−80	−70
B	−70	?	−80

자극이 도달하지 않음 / 과분극 / 휴지 전위 회복

- A 신경에서 t_1 시점의 막전위를 비교하면 Ⅱ 지점이 Ⅰ 지점 앞에 있다.
- A가 B보다 흥분의 전도 속도가 빠르므로 B의 Ⅰ 지점에 흥분이 전도되지 않았으며, A의 Ⅲ 지점은 흥분이 전도된 후 휴지 전위를 회복한 막전위를 보인다.
- d_2는 Ⅲ, d_3은 Ⅱ, d_4는 Ⅰ이다.

선택지 분석

㉠ Ⅲ 지점은 d_2에서 측정한 막전위이다.
✗ t_1일 때, A의 d_3에서 탈분극이 일어나고 있다. → 과분극
✗ B의 지점에서 세포막을 통한 이온의 이동은 없다.
　Na^+-K^+ 펌프를 이용한 이온의 이동이 있다.

ㄱ. A의 흥분 전도 속도가 B보다 빠르므로 A의 Ⅲ 지점은 과분극 후 휴지 전위를 회복하고 있다. 따라서 자극 지점으로부터 가장 가까운 d_2에서 측정한 막전위이다.

바로 보기 ㄴ. d_3는 Ⅱ 지점으로 A의 Ⅱ 지점에서는 과분극이 일어나고 있다.

ㄷ. B의 Ⅰ 지점은 휴지 전위를 보이며, 휴지 전위 상태에서는 Na^+-K^+ 펌프를 통한 이온의 이동이 있다.

03 골격근 수축

자료 분석 + 골격근 수축

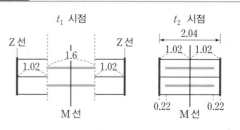

X는 t_1일 때 3.64 μm에서 t_2일 때 2.04 μm로 1.6 μm만큼 수축했다. t_2일 때 X의 길이와 액틴 필라멘트의 길이가 같으므로 액틴 필라멘트와 마이오신 필라멘트가 완전히 겹쳐진 상태로 H대의 길이는 0이다.

선택지 분석

㉠ t_1일 때 I대의 길이는 2.04 μm이다.
㉡ I대의 길이는 t_1일 때가 t_2일 때보다 1.6 μm 더 길다.
✗ t_2일 때 H대의 길이는 1.6 μm이다.

ㄱ, ㄴ. 마이오신 필라멘트의 길이가 1.6 μm이므로 t_2일 때 X에서 1.6 μm를 뺀 0.44 μm가 I대의 길이이다. 수축하기 전 t_1에서 I대의 길이는 t_2보다 1.6 μm 더 증가하므로 2.04 μm이다.

바로 보기 ㄷ. t_2일 때는 액틴 필라멘트와 마이오신 필라멘트가 완전히 겹쳐지므로 H대의 길이는 0이다.

04 골격근의 수축 원리

자료 분석 + 골격근의 수축 원리

시점	ⓐ	ⓑ	ⓒ Ⅱ	X
t_1	㉠	㉡	0.2	4A
t_2	㉢	㉣	0.6	3A

수축

ⓒ (Ⅱ)가 0.4 증가하므로 X는 0.8 감소
➡ A=0.8, 4A=3.2, 3A=2.4

X가 A만큼 수축하면
Ⅰ는 A만큼 감소
Ⅱ는 $\frac{1}{2}$A만큼 증가
Ⅲ은 $\frac{1}{2}$A만큼 감소

- t_1일 때 X의 길이: t_2일 때 X의 길이=4 : 3이므로 t_2일 때, Ⅰ과 Ⅲ의 길이는 줄어들며, Ⅱ의 길이는 증가한다. ⓒ는 Ⅱ이다.
- Ⅱ가 0.4 μm 증가하므로, X의 길이는 0.8 μm 감소하며 X의 길이는 t_1일 때 3.2 μm, t_2일 때는 2.4 μm이다.

선택지 분석

✗ ㉠은 0.4이다. → 1.2 μm
✗ Ⅰ의 길이는 t_1일 때가 t_2일 때보다 짧다. → 길다
㉢ t_1에서 t_2가 될 때 X에서 ATP가 사용된다.

ㄷ. t_1에서 t_2가 될 때 X의 길이는 감소하므로 수축이 일어난다. 이때 ATP가 사용된다.

👁 **바로 보기** ㄱ, ㄴ. Ⅰ의 길이는 $0.8 \, \mu m$ 감소하며, Ⅲ의 길이는 $0.4 \, \mu m$ 감소하므로 ©은 $0.4 \, \mu m$, �ᄀ은 $1.2 \, \mu m$, ©은 $0.8 \, \mu m$이다. 근육이 수축했으므로 Ⅰ의 길이는 t_1일 때가 t_2일 때보다 길다.

05 신경계

자료 분석 + 신경계

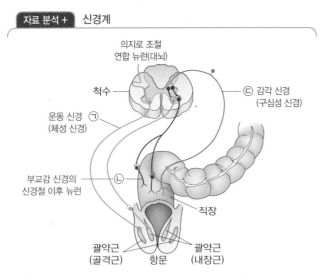

- ᄀ은 골격근과 연합 뉴런을 연결하는 운동 신경이다.
- ©은 직장과 연합 뉴런을 연결하는 신경으로 신경절 이후 뉴런이 짧으므로 부교감 신경이다.
- ©은 직장과 연합 뉴런을 연결하는 감각 신경이다.

선택지 분석

ᄀ ᄀ의 축삭 돌기 말단에서 아세틸콜린이 분비된다.

ㄴ ©이 흥분하면 직장이 수축한다.

✗ ©과 ©은 자율 신경계에 포함된다.

ㄱ, ㄴ. 운동 신경 말단에서는 아세틸콜린이 분비되어 괄약근(골격근)을 수축시킨다. 부교감 신경의 신경절 이후 뉴런 말단에서는 아세틸콜린이 분비되며 이로 인해 직장이 수축한다.

👁 **바로 보기** ㄷ. ©은 자율 신경이며 ©은 감각 신경이다. 자율 신경과 감각 신경은 모두 말초 신경계에 포함된다.

06 항상성 조절

자료 분석 + 삼투압의 조절

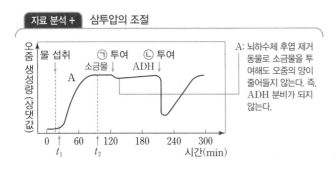

A: 뇌하수체 후엽 제거 동물로 소금물을 투여해도 오줌의 양이 줄어들지 않는다. 즉, ADH 분비가 되지 않는다.

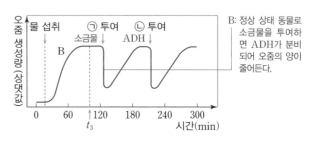

B: 정상 상태 동물로 소금물을 투여하면 ADH가 분비되어 오줌의 양이 줄어든다.

- 정상 동물(B)에게 소금물을 투여하면 ADH 분비 증가로 오줌 생성량이 감소한다. 호르몬 X는 뇌하수체 후엽에서 분비되는 ADH로 수분의 재흡수를 도와 오줌 생성량이 감소한다.
- 뇌하수체 후엽을 제거한 동물(A)에게 소금물을 투여하면 ADH 분비가 정상적으로 일어나지 않아 오줌 생성량에 변화가 없으나, ADH를 투여하면 오줌 생성량이 감소한다.

선택지 분석

ᄀ ᄀ은 소금물이다.

ㄴ A에서 $\dfrac{\text{혈장 삼투압}}{\text{오줌 삼투압}}$은 t_2일 때가 t_1일 때보다 크다.

ㄷ t_3일 때 B의 혈중 호르몬 X의 농도는 소금물을 섭취한 직후보다 낮다.

ㄱ, ㄴ. ᄀ은 소금물, ©은 호르몬 X이다. 뇌하수체 후엽을 제거한 동물 A에서 t_1 시점은 물 섭취 직후로 오줌 생성량이 증가하기 전이므로 t_2 시점에서보다 혈장 삼투압이 낮고 오줌 삼투압이 높다. 따라서 $\dfrac{\text{혈장 삼투압}}{\text{오줌 삼투압}}$은 t_2일 때가 t_1일 때보다 크다.

ㄷ. 오줌의 생성량이 t_3일 때가 소금물(ᄀ)을 섭취한 직후보다 많으므로 정상인 B의 혈중 ADH 농도는 t_3일 때가 소금물을 섭취한 직후보다 더 낮다.

07 항상성 조절

자료 분석 + 혈당량의 조절

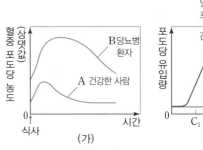

(가)

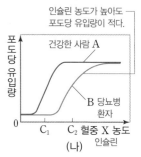

인슐린 농도가 높아도 포도당 유입량이 적다.

(나)

- B는 A보다 혈당량이 높게 유지되고 있으므로 A는 건강한 사람, B는 당뇨병 환자이다.
- 혈중 인슐린 농도가 증가할수록 건강한 사람은 혈액에서 조직 세포로 빠르게 포도당을 유입해 혈중 포도당 농도를 감소시킨다. 따라서 X는 인슐린이다.

선택지 분석

ᄀ X는 인슐린이다.

ㄴ A에서의 혈당량은 C_2일 때가 C_1일 때보다 빠르게 감소한다.

ㄷ 이 당뇨병 환자의 당뇨병은 인슐린의 표적 세포가 인슐린에 반응하지 못해 발생한다.

ㄱ. 혈중 X의 농도가 증가할수록 조직 세포 내로 빠르게 포도당을 유입해 혈당량을 떨어뜨리므로 X는 인슐린이다.

ㄴ. 혈액에서 조직 세포로의 포도당 유입량이 많을수록 혈당량이 빠르게 감소한다. A(건강한 사람)의 경우 C_2일 때가 C_1일 때보다 조직 세포로의 포도당 유입량이 많으므로 혈당량도 C_2일 때가 C_1일 때보다 빠르게 감소한다.

ㄷ. B는 혈중 인슐린 농도가 높아도 건강한 사람보다 조직 내로 포도당을 잘 유입하지 못하므로 인슐린의 표적 세포가 인슐린에 반응하지 못함을 알 수 있다.

08 질병의 원인

병원체인 바이러스, 세균, 진균에서 세포로 되어 있는 것은 세균과 진균이므로 세포로 된 것은 특성 ㉠이다. 핵막을 갖는 것은 진균에만 해당하므로 특성 ㉡이며, 유전 물질을 갖는 것은 3종류의 병원체에 해당하므로 특성 ㉢이다. 병원체 C는 바이러스이며, B는 진균, A는 세균이다.

ㄱ. 세균은 분열을 통해 증식한다.

ㄷ. 바이러스에 의한 질병의 예로 감기, 독감, 홍역, AIDS, 천연두, COVID-19 등이 있다.

[바로 보기] ㄴ. 세균에 의한 질병은 항생제로 치료하며, 바이러스에 의한 질병은 항바이러스제, 진균(곰팡이)에 의한 질병은 항진균제로 치료한다.

09 우리 몸의 방어 작용

[자료 분석 +] 우리 몸의 방어 작용

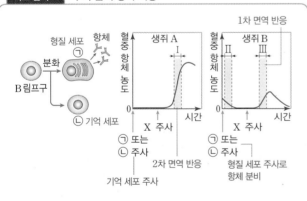

- ㉠은 형질 세포이며, ㉡은 기억 세포이다.
- 생쥐 A에서 X를 주사했을 때 2차 면역 반응이 나타난 것으로 보아 생쥐 A에 주사한 것은 기억 세포(㉡)이다.
- 생쥐 B는 X에 대한 1차 면역 반응이 나타난 것으로 보아 생쥐 B에 주사한 것은 형질 세포(㉠)이다.

[선택지 분석]
㉠ 구간 I에서 ㉡이 ㉠으로 분화한다.
✕ 구간 Ⅱ에서 비특이적 방어 작용이 일어난다.
    방어 작용이 일어나지 않는다.
✕ 구간 Ⅲ에서는 X에 대한 2차 면역 반응이 일어난다.
    1차 면역 반응

ㄱ. 생쥐 A는 기억 세포를 주사받아 구간 I에서 기억 세포 (㉡)가 형질 세포(㉠)로 분화해 항체를 빠르게 생성한다.

[바로 보기] ㄴ. 생쥐 B는 같은 생쥐의 형질 세포를 주사받아 항원으로 인식되지 않으므로 구간 Ⅱ에서는 방어 작용이 일어나지 않는다.

ㄷ. 기억 세포를 주사받지 못했으므로 구간 Ⅲ에서는 X에 대한 1차 면역 반응이 나타났다.

10 우리 몸의 방어 작용

[자료 분석 +] 우리 몸의 방어 작용

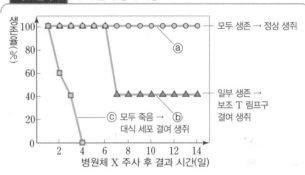

- 병원체 X 주사 후, 생존율이 ⓑ는 40 %, ⓒ는 0 %이므로 각각 보조 T 림프구, 대식 세포 결여 생쥐이다.
- 대식 세포는 식균 작용을 하며 보조 T 림프구 활성에 영향을 주므로 대식 세포에 문제가 있는 경우, 비특이적 방어 작용과 특이적 방어 작용이 잘 일어나지 못한다.

[선택지 분석]
✕ ⓐ는 보조 T 림프구 결핍 생쥐의 생존 곡선이다. → 정상 생쥐
㉡ ⓑ의 생존 곡선을 나타내는 생쥐에서 식균 작용이 일어났다.
✕ ⓒ의 생존 곡선을 나타내는 생쥐에 보조 T 림프구를 이식하면 생존율이 증가한다.

ㄴ. ⓑ는 보조 T 림프구 결여 생쥐로 식균 작용에 의해 병원체를 제거하므로 40 %의 생존율을 보인다.

[바로 보기] ㄱ. 병원체 X 주사 후, ⓐ는 100 % 생존율을 보였으므로 정상 생쥐이다.

ㄷ. ⓒ는 대식 세포 결여 생쥐로 항원에 대한 인식을 할 수 없어 특이적 면역을 일으키지 못하므로 보조 T 림프구를 이식해도 생존하기 어렵다.

Book 2

WEEK

1

Ⅳ 유전

DAY 1 개념 돌파 전략 ① 확인 Q | 8~9쪽

[5강] **1** 염색 분체 **2** 부모로부터 하나씩 물려받았기 때문이다.
3 (가) $n=4$, (나) $2n=8$, (다) $n=4$ **4** 2배 **5** 같다
6 n **7** 감수 1분열 **8** 2^{46}

1 세포 분열 시 응축되는 염색체는 간기에 DNA가 복제되었으므로 2가닥의 염색 분체를 가진다.

2 사람의 염색체에서 상동 염색체가 쌍을 이루고 있는 까닭은 부모로부터 각각 하나씩 물려받았기 때문이다.

3 (가)와 (다)는 상동 염색체가 쌍을 이루고 있지 않으므로 핵상은 n으로 같다. 염색 분체가 2가닥이든, 1가닥이든, 핵상에는 영향을 미치지 않는다. (나)는 상동 염색체가 쌍을 이루고 있으므로 핵상은 $2n$이다.

4 G_1기의 세포는 S기를 거치면서 DNA가 복제되어 G_2기에 이르므로 G_2기의 DNA양은 G_1기의 2배이다.

5 체세포 분열에서 염색 분체가 분리되어 각각의 딸세포로 들어가므로 두 딸세포의 유전자 구성은 모세포와 같다.

6 감수 1분열 과정에서 상동 염색체가 분리되어 서로 다른 딸세포로 들어가므로 딸세포의 핵상은 n이다.

7 감수 1분열에서 염색체 수가 절반으로 감소하고 감수 2분열에서는 핵상의 변화 없이 n으로 같다.

8 생식세포 형성 과정에서 정자 혹은 난자에서 발생하는 염색체 조합의 경우의 수가 2^{23}이므로 정자와 난자의 수정 과정에서 생기는 유전과 조합의 경우의 수는 $2^{23}×2^{23}=2^{46}$이다.

DAY 1 개념 돌파 전략 ① 확인 Q | 10~11쪽

[6강] **1** $\frac{1}{4}$ **2** 부모 모두 $I^A i$ **3** 어머니 **4** 7가지
5 전좌 **6** 2분열 **7** 클라인펠터 **8** 유전자

1 유전자형이 이형 접합성인 부모 사이에서 태어난 자손의 유전자형은 AA, 2Aa, aa가 되므로 열성인 aa가 태어날 확률은 $\frac{1}{4}$이다.

2 대립유전자 i는 I^A에 대해 열성이므로 부모의 ABO식 유전자형은 $I^A i$이다.

3 아들의 X 염색체는 어머니로부터 물려받는다.

4 대문자로 표시되는 대립유전자의 수가 6개에서 0개까지 나올 수 있으므로 표현형의 종류는 7가지이다.

5 상동이 아닌 염색체 사이에서 염색체의 일부가 교환되었으므로 전좌이다.

6 감수 2분열에서 염색체 비분리가 일어나면 염색체 수가 정상인 생식세포(n)가 2개, 염색체 수가 1개 많은 생식세포($n+1$)와 1개 적은($n-1$) 생식세포가 모두 생긴다.

7 성염색체가 XXY인 경우 클라인펠터 증후군을 나타낸다.

8 유전자 염기 서열의 변화에 의해 나타나는 돌연변이를 유전자 이상 돌연변이라고 한다.

DAY 1 개념 돌파 전략 ② | 12~13쪽

1 ④ **2** ④ **3** ④ **4** ② **5** 결실 **6** ④

1 염색체의 구조와 구성

분열하는 세포에서 (가), (나)는 복제되어 형성된 염색 분체로 유전자 구성이 같다. 염색체는 유전 물질인 DNA와 히스톤 단백질로 이루어져 있으며, DNA는 8개의 히스톤 단백질을 감아서 구슬 모양의 뉴클레오솜을 형성한다.

바로 보기 ④ (다)는 뉴클레오솜이다. 뉴클레오타이드는 DNA와 같은 핵산을 구성하는 기본 단위이다.

암기 Tip **뉴클레오타이드와 뉴클레오솜**

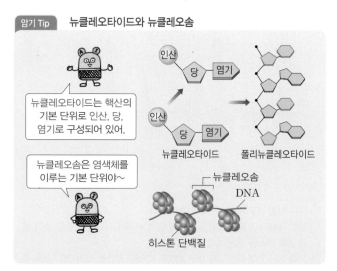

2 세포 주기

㉠은 G_1기, ㉡은 S기, ㉢은 G_2기이다. ㉠, ㉡, ㉢은 모두 간기에 속한다. G_1기에는 세포 구성 물질을 합성하고 세포 소기관을 늘리며, S기에는 DNA를 복제한다. G_2기에는 핵분열에 필요한 물질을 합성하여 분열을 준비한다.

[바로 보기] ④ ㉢ 시기에 방추사를 구성하는 물질을 합성하면서 분열을 준비한다. 방추사가 나타나는 시기는 M기이다.

3 체세포 분열과 감수 분열 비교

[자료 분석 +] 체세포 분열과 감수 분열 비교

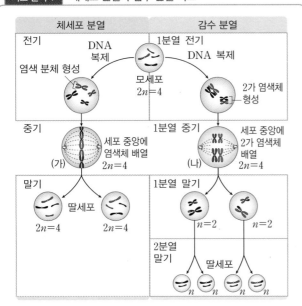

체세포 분열과 감수 1분열 중기는 핵상과 염색체 수는 같지만 감수 1분열 중기에서 2가 염색체를 관찰할 수 있다는 점이 다르다.

[선택지 분석]

✗ (가)의 염색체 수는 (나)의 2배이다. ➡ (나)와 같다.
ㄴ (가)는 체세포 분열 과정이다.
ㄷ (나)에서 2가 염색체가 관찰된다.

(가)는 체세포 분열 중기, (나)는 감수 1분열 중기의 세포이다. 2가 염색체는 감수 분열(나)에서 관찰된다.

[바로 보기] ㄱ. (가)와 (나) 모두 염색체 수는 4개로 같다.

4 가계도 분석

[자료 분석 +] 상염색체 유전

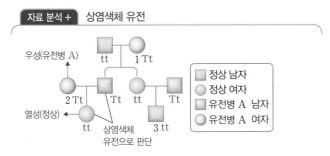

유전병 A 여자와 유전병 A 남자 사이에서 정상 여자가 태어났으므로 유전병 A 유전자는 정상 유전자에 대해 우성이고, 딸이 정상인데 아버지가 유전병이므로 유전병 A 유전자는 상염색체에 있다.

[선택지 분석]

✗ 유전병 A 유전자는 X 염색체에 있다. ➡ 상염색체
ㄴ 1과 2의 유전병 A 유전자형은 같다.
✗ 3의 동생이 태어날 때 이 아이가 유전병 A를 가질 확률은 $\frac{1}{4}$이다. ➡ $\frac{1}{2}$

ㄴ. 유전병 A 대립유전자를 T, 정상 대립유전자를 t라고 하면, 1과 2의 유전자형은 Tt로 서로 같다.

[바로 보기] ㄱ. 딸이 정상인데 아버지가 우성 유전병이므로 유전병 A 유전자는 상염색체에 있다.

ㄷ. 3의 동생이 태어날 때 이 아이가 유전병 A를 가질 확률은 Tt × tt → Tt, Tt, tt, tt 이므로 $\frac{1}{2}$이다.

5 염색체 구조 이상

B와 C는 염색체의 일부가 결실된 결과 적록 색맹이 나타났다.

[암기 Tip] 염색체 구조 이상

결실: 염색체 일부가 결핍되었는데, 이것은 잃어버렸기(실) 때문임.

중복: 유전자 일부가 복제되어 첨가되어 여러 번(중) 반복됨.

역위: 한 염색체 내에서 유전자 위치가 뒤집힘(역)

전좌: 상동이 아닌 염색체 사이에서 염색체의 일부가 교환되어 자리가(좌) 바뀜(전).

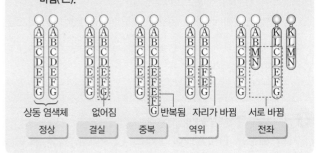

6 핵형 분석

성염색체의 구성이 XXY이므로 성염색체가 비분리되어 나타나는 클라인펠터 증후군이다. 클라인펠터 증후군은 상염색체 수는 정상이며, 성염색체 수가 3개로 정상인보다 염색체 수가 1개 더 많은 염색체 수 이상에 의한 유전병이다.

[바로 보기] ④ 터너 증후군은 X 염색체가 하나인 염색체 수 이상 유전병이다.

DAY 2 필수 체크 전략 ① 14~17쪽

❶-1 ㄷ ❷-1 ㄴ, ㄷ ❸-1 ㄱ ❹-1 ㄴ
❺-1 ㄷ ❻-1 ㄷ ❼-1 ①

❶-1 세포 주기

㉠은 S기, ㉡은 G₂기, ㉢은 M기이다. 복제된 염색 분체는 M기 후기에 분리되어 서로 다른 딸세포로 들어간다.

[바로 보기] ㄱ. 방추사는 M기(㉢)에서 나타난다.

ㄴ. ㉡(S기)에서 DNA가 복제되므로 ㉡시기의 세포 1개당 DNA양은 G₁기 세포의 2배이다.

❷-1 핵형 분석

ㄴ, ㄷ. 핵형 분석 결과 성염색체가 XY인 정상인 남자임을 알 수 있다. 정상인 사람의 염색체 구성은 상염색체 22쌍, 성염색체 1쌍으로 구성된다. ㉠과 ㉡은 1번 염색체를 구성하는 상동 염색체로, 부모로부터 각각 하나씩 물려받은 것이다.

👁 바로 보기 ㄱ. ㉠과 ㉡은 상동 염색체이므로 체세포 분열 과정에서는 분리되지 않는다. 체세포 분열 과정에서는 염색 분체가 분리된다.

❸-1 핵상

(가)와 (나) 세포의 염색체 수는 모두 6개로 같지만 (가)는 상동 염색체가 쌍을 이루고 있으므로 $2n=6$이고, (나)는 상동 염색체 중 하나씩만 있으므로 $n=6$이다. 따라서 (가)가 동물 A의 세포이다.

👁 바로 보기 ㄴ. (가)의 핵상은 $2n$이고, (나)의 핵상은 n이므로 (가)와 (나)의 핵상은 다르다.

ㄷ. B의 체세포의 핵상과 염색체 수는 $2n=12$이고, 체세포 분열 중기에는 염색 분체가 분리되기 전이므로, 세포 1개당 염색 분체 수는 24이다.

❹-1 세포당 DNA양에 따른 세포 수

G_1기의 세포는 DNA양이 1이고, G_2기와 M기의 세포는 DNA양이 2이다. 따라서 구간 Ⅰ에는 G_1기의 세포가, 구간 Ⅱ에는 G_2기와 M기의 세포가 있다. 구간 Ⅰ~Ⅱ를 연결하는 구간은 DNA양이 1~2 사이이므로 DNA가 복제되는 S기의 세포가 있다.

👁 바로 보기 ㄱ. 구간 Ⅰ에는 G_1기의 세포가 있다. DNA의 복제는 S기에서 진행된다.

ㄷ. G_1기에 해당하는 세포 수가 G_2기에 해당하는 세포 수보다 많으므로 G_1기가 G_2기보다 더 길다.

❺-1 체세포 분열

ㄷ. 세포 분열 전과 후 DNA 상대량이 같으므로 체세포 분열 과정이다. 체세포 분열에서는 염색 분체가 분리되므로 두 딸세포의 대립유전자 구성이 같다.

👁 바로 보기 ㄱ. 구간 Ⅰ은 DNA양이 증가하는 시기이므로 S기에 해당한다. 방추사는 분열기(㉡)에서 나타난다.

ㄴ. 체세포 분열 과정에서는 핵상은 변하지 않고 $2n$으로 유지되므로 ㉠ 시기에 존재하는 세포의 염색체 수와 ㉡ 시기에 존재하는 세포의 염색체 수가 같다. 따라서

$$\frac{\text{㉡에 존재하는 세포의 염색체 수}}{\text{㉠에 존재하는 세포의 염색체 수}}=1\text{이다.}$$

암기 Tip 체세포 분열 과정에서의 DNA양 변화

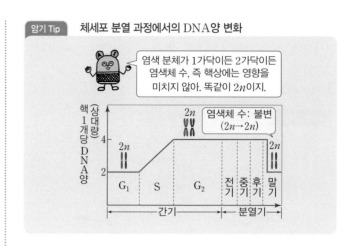

염색 분체가 1가닥이든 2가닥이든 염색체 수, 즉 핵상에는 영향을 미치지 않아. 똑같이 $2n$이지.

염색체 수: 불변 $(2n \rightarrow 2n)$

❻-1 감수 분열

구간 Ⅰ에서는 S기가, 구간 Ⅱ에서는 감수 2분열이 진행된다.

ㄷ. (나)는 2가 염색체가 세포 중앙에 배열된 것으로 보아 감수 1분열 중기의 세포이다. 따라서 핵상은 $2n$이다.

👁 바로 보기 ㄱ. 구간 Ⅰ에서 DNA가 복제되어 DNA양이 2배가 되지만 염색체 수가 2배가 되는 것은 아니다.

ㄴ. (나)는 감수 1분열 과정이므로 구간 Ⅱ에서 관찰되지 않는다.

암기 Tip 감수 분열 과정에서의 DNA양과 핵상 변화

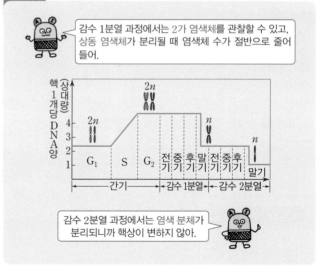

감수 1분열 과정에서는 2가 염색체를 관찰할 수 있고, 상동 염색체가 분리될 때 염색체 수가 절반으로 줄어들어.

감수 2분열 과정에서는 염색 분체가 분리되니까 핵상이 변하지 않아.

❼-1 감수 분열

자료 분석 + 대립유전자와 DNA양 분석

f는 모든 세포에서 나타나는 것으로 보아 F가 없이 ff로만 구성되어 있음을 알 수 있다. → F＝0

세포	대립유전자			F+G	
	E	f	g		
Ⅰ	×	○	×	2	GG
모세포 Ⅱ	○	○	○	1	G
Ⅲ	○	○	×	1	G

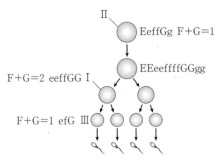

$$\text{II} \quad \text{EeffGg} \quad \text{F+G=1}$$
$$\text{EEeeffffGGgg}$$
$$\text{F+G=2 eeffGG I}$$
$$\text{F+G=1 efG III}$$

세포 I ~ III의 대립유전자 구성이 모두 다른 것으로 보아 I ~ III은 감수 분열 과정의 세포이다. 세포 II는 세포 I과 III이 가지는 대립유전자를 모두 가지고 있으므로 분열하기 전 모세포에 해당한다는 것을 알 수 있다.

선택지 분석

ㄱ 이 사람의 ㉠에 대한 유전자형은 EeffGg이다.
✗ I에서 e의 DNA 상대량은 1이다. → 1이 될 수 없다.
✗ II와 III의 핵상은 같다. → 다르다.

ㄱ. E와 g는 없는 세포도 있고, 있는 세포도 있는 것으로 보아 유전자형이 EeGg이다. 그러나 f는 모든 세포에서 나타나는 것으로 보아 F가 없이 ff로만 구성됨을 알 수 있다. 따라서 ㉠에 대한 유전자형은 EeffGg이다.

바로 보기 ㄴ. I은 감수 2분열 과정의 세포이므로 e의 DNA 상대량이 1이 될 수 없다.

ㄷ. II의 핵상은 $2n$이지만, III의 핵상은 n이므로 서로 다르다.

DAY 2 필수 체크 전략 ② | 18~19쪽

[최다 오답 문제]
1 ③ 2 ㄴ, ㄷ 3 ㄱ 4 ① 5 ㄱ, ㄴ 6 ②

1 핵형

자료 분석 + 핵형 분석

(가), (나), (라)와 (다)는 핵형이 다른 것으로 보아 서로 다른 종이다. (나)와 (라)가 수컷이고, (가)와 (다)는 암컷이다.

선택지 분석

ㄱ ⓐ는 상염색체, ⓑ는 X 염색체이다.
✗ (가)와 (다)의 염색체 수와 핵형은 같다. → 다르다
ㄷ (나)에서 형성된 생식세포가 수정에 참여할 때 수정란의 성별은 수컷이다.

ㄱ. (가)와 (라)를 비교하면 (라)에서 성염색체 중 하나는 Y 염색체이고 ⓑ는 X 염색체이다. 따라서 ⓐ는 상염색체이다.

ㄷ. (나)는 Y 염색체를 가지는 생식세포를 형성하므로 수정에 참여하면 수정란의 성염색체는 XY가 된다.

바로 보기 ㄴ. (가)와 (다)는 염색체 수는 $2n=6$으로 같지만 서로 다른 종이므로 핵형은 다르다.

2 DNA 상대량에 따른 세포 수와 세포 주기

자료 분석 + 핵상 분석

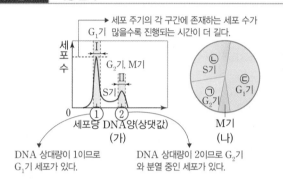

구간 I에 머무르고 있는 세포 수가 더 많은 것으로 보아 ㉢이 G_1기, ㉠이 G_2기임을 알 수 있다.

선택지 분석

✗ 구간 I에는 핵막이 소실된 세포가 있다.
ㄴ ㉡ 시기에 DNA양이 증가한다. → 없다.
ㄷ ㉠ 시기 세포의 DNA양은 ㉡ 시기 세포의 DNA양의 2배이다.

ㄴ. ㉡ 시기는 S기이므로 DNA양이 증가한다.

ㄷ. G_2기의 DNA양은 G_1기 DNA양의 2배이다.

바로 보기 ㄱ. 구간 I은 G_1기의 세포가 있으므로 핵막으로 둘러싸인 세포가 있다.

3 감수 분열과 DNA 상대량의 변화

자료 분석 + 감수 분열과 DNA 상대량의 변화

감수 1분열 중기에는 상동 염색체가 접합한 2가 염색체가 보인다.

DNA가 복제된 염색 분체이므로 유전자 구성이 동일하다.

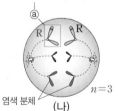

상동 염색체가 없고 염색 분체가 분리되고 있으므로 감수 2분열 과정이다.

선택지 분석

ㄱ (나)는 구간 III에서 관찰된다.
✗ ⓐ에 들어갈 대립유전자는 r이다. → R
✗ (나)의 분열 후 염색체 수가 절반으로 줄어든다. → 변하지 않는다.

BOOK 2

ㄱ. (나)는 핵상이 n인 세포로 염색 분체가 분리되고 있으므로 감수 2분열 과정임을 알 수 있다.

👁 바로 보기　ㄴ. ⓐ는 두 가닥의 염색 분체 중 하나로 염색 분체 간의 유전자 구성은 동일하므로 R가 들어가야 한다.

ㄷ. (나)에서 염색 분체가 분리되므로 염색체 수는 $n \to n$으로 변하지 않는다.

4 감수 분열과 유전자의 분리

자료 분석 +　감수 분열과 유전자의 분리

ⓒ에 유전자 ㉠~㉣ 중 ㉢ 1개만 있으므로 2쌍의 대립유전자 중 1쌍은 상염색체에, 1쌍은 성염색체에 있음을 알 수 있다. 즉, ㉢은 상염색체에 있으며, ⓒ에는 Y 염색체가 있다.

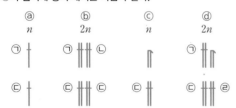

	n	$2n$	n	$2n$
유전자	A의 세포		B의 세포	
	ⓐ	ⓑ	ⓒ	ⓓ
㉠	○	○	×	○
㉡	×	○	×	×
㉢	○	○	○	○
㉣	×	×	×	○

(○: 있음, ×: 없음)

ⓐ에 ㉠과 ㉢이 함께 있으므로 ㉠은 성염색체에 있다.

$2n$인 ⓓ에 ㉠, ㉢, ㉣이 있으므로 ㉢은 상염색체에, ㉠은 성염색체에 있다. 상염색체에 있는 ㉢은 ㉣의 대립유전자이고, 성염색체에 있는 ㉠은 ㉡의 대립유전자이다.

• 유전자가 X 염색체에 존재할 경우, 핵상이 n이면서 Y 염색체를 가지는 생식세포에는 ⓒ처럼 ㉠~㉣ 중 하나의 대립유전자만 들어가게 된다. 따라서 B는 남자이고 ⓒ는 (가)의 Ⅱ, ⓓ는 Ⅰ이다. 따라서 A는 여자이고 ⓐ는 (나)의 Ⅳ, ⓑ는 Ⅲ이다.

• ㉠~㉣의 염색체 상의 배치는 다음과 같다.

ⓐ	ⓑ	ⓒ	ⓓ
n	$2n$	n	$2n$

선택지 분석

㉠ ⓓ는 Ⅰ이다.

✗ ㉣은 X̲ ̲염̲색̲체̲에̲ ̲있̲다̲.　→ 상염색체

✗ ㉠은 ㉢̲의 대립유전자이다.　→ ㉡

ㄱ. ⓒ가 세포 Ⅱ이므로 ⓓ는 세포 Ⅰ이다.

👁 바로 보기　ㄴ. ⓐ에서 ㉠과 ㉢이 같이 있는 것으로 보아 ㉠과 ㉢은 대립유전자가 아니다. ⓒ에서 ㉢은 Y 염색체와 같이 있는 것으로 보아 ㉢은 상염색체에 존재하며, ㉠은 X 염색체에 있음을 알 수 있다. ⓓ에서 유전자 구성은 ㉠Y㉢㉣이므로 ㉣은 ㉢의 대립유전자이며 상염색체에 있다.

ㄷ. ㉠은 ㉡의 대립유전자이다.

5 세포의 핵상과 성별

자료 분석 +　세포의 핵상과 성별

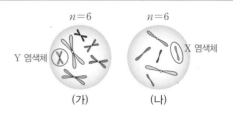

(가)는 감수 2분열 중인 세포이고, (나)는 감수 2분열이 끝난 딸세포이다.

선택지 분석

㉠ 이 동물의 성별은 수컷이다.

㉡ (가)와 (나)의 핵상은 같다.

✗ $\dfrac{\text{감수 1분열 중기 세포 1개당 2가 염색체 수}}{\text{G}_1\text{기의 체세포의 X 염색체 수}}=2$이다.　→ 6

ㄱ. 핵상이 n인 세포에서 X 염색체와 Y 염색체가 들어 있는 것으로 보아 성염색체 구성이 XY인 수컷이다.

ㄴ. DNA양은 (가)가 (나)의 2배이지만, (가), (나) 모두 상동 염색체는 하나씩만 가지므로 핵상은 $n=6$으로 같다.

👁 바로 보기　ㄷ. G_1기 체세포의 X 염색체 수는 1, 감수 1분열 중기 세포 1개당 2가 염색체 수는 6이다.

6 감수 분열과 유전자의 상대량

자료 분석 +　유전자 상대량

그래프를 참조하여 난자 형성 과정에서의 대립유전자 구성을 표시하면 다음과 같다.

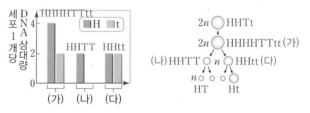

(가)~(다)에서 h, T, t의 유무를 표로 나타내면 다음과 같다.

유전자	세포					(가)	(나)	(다)
	(가)	(나)	(다)		h	×	×	×
T ㉠	○	○	×		T	○	○	×
t ㉡	○	×	○		t	○	×	○
h ㉢	×	?	×					

(○: 있음, ×: 없음)

따라서 ㉠은 T, ㉡은 t, ㉢은 h이다.

선택지 분석

✗ ㉡은 T̲이다.　→ t

㉡ (나)와 (다)의 핵상은 같다.

✗ 이 사람의 ⓐ에 대한 유전자형은 HhT̲t̲이다.　→ HHTt

ㄴ. (가)의 핵상은 $2n$, (나), (다)의 핵상은 n이다.

👁 바로 보기　ㄱ. ㉡은 t이다.

ㄷ. (가)에서 H의 DNA 상대량이 4인 것은 HH로 동형 접합성임을 의미한다. 따라서 ⓐ에 대한 유전자형은 HHTt이다.

❶-1 ㄱ   **❶-2** ㄷ   **❷-1** ㄴ   **❷-2** ㄱ, ㄷ
❸-1 $\frac{15}{64}$ **❹-1** ㄷ   **❺-1** ㄱ, ㄷ   **❺-2** ㄱ

❶-1 상염색체 단일 인자 유전

부모는 정상인데, 딸이 유전병이 나타나는 것으로 보아 유전병은 정상에 대해 열성으로 유전됨을 알 수 있다. 만약 이 유전병 유전자가 X 염색체에 있다면 아버지가 정상인데 딸이 유전병을 나타낼 수 없다. 따라서 유전병 유전자는 상염색체에 존재하며 열성으로 유전함을 알 수 있다.

바로 보기 ㄴ. 상염색체에 존재하는 유전자가 발현되는 비율은 남녀에 따른 차이가 없다.

ㄷ. 유전병 (가)의 유전자가 X 염색체에 있다면 정상인 아버지가 우성의 유전자를 딸에게 전달하므로 딸에게서 유전병이 나타날 수가 없다. 따라서 유전병 (가)의 유전자는 X 염색체에 존재하지 않는다.

암기 Tip 상염색체 유전 판별 방법

• 유전병 유전자가 정상에 대해 열성일 때

유전병 유전자가 X 염색체에 있다면 딸이 유전병일 때 아버지도 반드시 유전병이야. 그런데 아버지가 정상이니까 이 유전병은 상염색체 유전이지.

어머니가 유전병인데 아들이 정상일 때도 유전병 유전자는 X 염색체에 존재하지 않아.

• 유전병 유전자가 정상에 대해 우성일 때

아버지가 유전병인데 딸이 정상이라면 이 유전병 유전자도 X 염색체에 존재하지 않아.

어머니가 정상인데 아들이 유전병일 때도 이 유전병 유전자는 X 염색체에 존재하지 않지.

❶-2 혈액형 유전

ㄷ. 부모의 ABO식 혈액형 유전자형이 $I^A I^B$, ii인 경우 자손의 ABO식 혈액형 유전자형은 $I^A i$, $I^B i$가 되어 자손이 공통된 대립유전자(i)를 가지며 가족 모두 혈액형이 다르다는 조건이 충족된다. 따라서 철수의 동생이 A형인 여자 아이일 확률은 $\frac{1}{2} \times \frac{1}{2} = \frac{1}{4}$이다.

바로 보기 ㄱ. ABO식 혈액형의 대립유전자는 I^A, I^B, i로 3개이지만 개체에서 ABO식 혈액형을 결정하는 유전자는 1쌍이다. 따라서 다인자 유전이 아니고 단일 인자 유전에 속하며 이러한 유전 현상을 복대립 유전이라고 한다.

ㄴ. 부모와 동일한 혈액형의 자녀가 태어날 확률은 0이다.

암기 Tip 복대립 유전과 다인자 유전의 차이

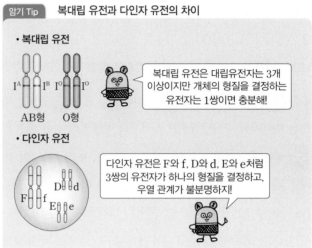

• 복대립 유전

I^A I^B I^O I^O
AB형   O형

복대립 유전은 대립유전자는 3개 이상이지만 개체의 형질을 결정하는 유전자는 1쌍이면 충분해!

• 다인자 유전

F f   D d   E e

다인자 유전은 F와 f, D와 d, E와 e처럼 3쌍의 유전자가 하나의 형질을 결정하고, 우열 관계가 불분명하지!

❷-1 성염색체 유전

자료 분석 + 성염색체 유전

눈 색, 몸 색 유전자 → X 염색체에 존재
• 붉은 눈(A) > 흰 눈(a)   • 회색 몸(B) > 노란색 몸(b)

A a 어떤 암컷   흰 눈 수컷 a a   ⓒ의 흰 눈 수컷은
b B   b b   b를 가지고 있다.

흰 눈 암컷   붉은 눈 암컷 ⓔ

흰 눈 암컷의 B는 a와 연관되어 있고 이는 ㉠으로부터 전달받았다.
a a
B b

붉은 눈 암컷은 B를 가지지 않으므로 bb이다.
A a
b b

눈 색과 몸 색 유전자가 모두 X 염색체에 있어서 연관되어 형질이 나타난다.

선택지 분석

✗ ㉠, ㉡의 몸 색은 같다. → 다르다
ㄴ ⓒ에서 흰 눈 암컷은 a와 B가 같이 있는 X 염색체를 가진다.
✗ ⓔ의 눈 색, 몸 색 유전자는 모두 이형 접합성이다.
눈 색 유전자는 이형 접합성, 몸 색 유전자는 동형 접합성

ㄴ. ⓒ의 유전자형은 $X^{aB}X^{ab}$이다.

바로 보기 ㄱ. ㉠의 몸 색은 회색, ㉡의 몸 색은 노란색이다.

ㄷ. ⓔ의 유전자형은 $X^{Ab}X^{ab}$로 눈 색의 유전자형은 이형 접합성이지만, 몸 색의 유전자형은 동형 접합성이다.

❷-2 성염색체 유전

혈우병 유전자는 X 염색체에 있으며 정상에 대해 열성으로 유전된다.

BOOK 2

바로 보기 ㄴ. 정상 남자와 보인자 여자 사이에서 태어난 아들이 혈우병일 확률은 $\frac{1}{2}$이다.

③-1 다인자 유전과 단일 인자 유전

㉠은 3쌍의 대립유전자 A와 a, B와 b, D와 d에 의해 결정되므로 다인자 유전에 해당하고, ㉡은 대립유전자 E와 e 한 쌍의 대립유전자에 의해 결정되므로 단일 인자 유전이다. A, B, D, E는 서로 다른 염색체에 존재하므로 독립 유전이다. 유전자형이 AaBbDd인 암수를 교배하여 자손(F_1)이 태어날 때, 대문자의 수에 따라 나올 확률은 6개($\frac{1}{64}$), 5개($\frac{6}{64}$), 4개($\frac{15}{64}$), 3개($\frac{20}{64}$), 2개($\frac{15}{64}$), 1개($\frac{6}{64}$), 0개($\frac{1}{64}$)이다. 부모는 대문자의 수가 3개이므로 부모와 표현형이 같을 확률은 $\frac{20}{64}$이다. 유전자형이 Ee인 암수를 교배하여 자손(F_1)이 태어날 때 이 자손의 표현형이 부모와 같을 확률은 EE, Ee, Ee, ee 중 EE와 Ee이므로 $\frac{3}{4}$이다. 그러므로 AaBbDdEe인 암수를 교배하여 자손(F_1)이 태어날 때, 이 자손의 표현형이 부모와 같을 확률은 $\frac{20}{64} \times \frac{3}{4} = \frac{15}{64}$이다.

④-1 염색체 구조 이상

자료 분석 + 전좌

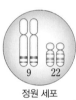

상동이 아닌 염색체 사이에서 염색체 일부가 교환되어 자리가 바뀌었다. → 전좌

정원 세포   백혈구

선택지 분석

✗ 이 환자의 질환은 자손에게 **유전된다.** → 유전되지 않는다.

✗ **상동** 염색체 사이에서 전좌가 일어났다. → 상동 염색체가 아닌 염색체

ⓔ 이 환자의 염색체 수는 정상인과 동일하다.

상동 관계가 아닌 염색체 사이에서 염색체 일부가 교환되는 것을 전좌라고 한다.

ㄷ. 염색체 구조 이상으로 염색체 내 유전자에 변화가 생긴 것으로, 염색체 수는 46개로 정상이다.

바로 보기 ㄱ. 전좌가 일어난 세포는 백혈구이고, 정원 세포는 정상이므로 자손에게 유전 질환이 전달되지 않는다. 체세포의 돌연변이는 자손에게 유전되지 않는다.

ㄴ. 9번과 22번 염색체 간에 염색체 일부가 교환되었다.

⑤-1 염색체 수 이상 돌연변이

자료 분석 + 상염색체 비분리

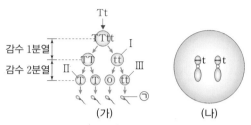

(가)   (나)

감수 1분열에서 비분리가 일어날 경우 상동 염색체의 대립유전자가 하나의 생식세포로 들어간다(Tt). 감수 2분열에서 비분리가 일어날 경우 염색 분체 상의 동일한 유전자가 하나의 생식세포로 들어간다(tt).

선택지 분석

ⓐ I 과 Ⅱ의 성염색체 수는 같다.

✗ (가)에서 염색체 비분리는 감수 1분열에서 일어났다. → 감수 2분열

ⓔ ㉠과 정상 난자가 수정되어 아이가 태어날 때, 이 아이는 다운 증후군의 염색체 이상을 보인다.

ㄱ. 비분리가 일어난 염색체는 21번 염색체로 상염색체이므로 성염색체는 정상적으로 분리되었음을 알 수 있다. 세포 I 과 Ⅱ는 핵상이 모두 n으로 동일하므로 성염색체 수는 각각 1로 같다.

ㄷ. 수정된 아이는 21번 염색체를 3개 가지므로 다운 증후군의 염색체 이상을 보인다.

바로 보기 ㄴ. 유전자형이 Tt인데 (나)에서 t를 2개 갖는 생식세포 Ⅲ이 만들어졌으므로 염색 분체의 비분리가 일어났음을 알 수 있다. 즉, 감수 2분열에서 염색체 비분리가 일어났다.

⑤-2 염색체 수 이상 돌연변이

ㄱ. 염색체 비분리에 의해 형성된 딸세포에 $n+1$, $n-1$, n인 세포가 모두 있으므로 감수 2분열에서 비분리가 일어났다. 또한 ㉠과 ㉡에 모두 X 염색체가 있으므로 상염색체가 비분리되었다. 정자 ㉢은 성염색체로 Y 염색체를 가지고 있다.

바로 보기 ㄴ. ㉠($n+1=23+$X)의 상염색체 수는 23이다.

ㄷ. ㉢($n=22+$Y)과 정상 난자($n=22+$X)가 수정되어 태어나는 아이는 정상 남자($2n=44+$XY)이다.

DAY 3 필수 체크 전략 ② | 24~25쪽

[최다 오답 문제]

1 ① **2** ① **3** ② **4** ⑤

1 상염색체 유전

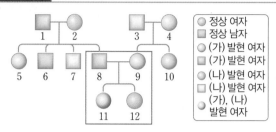

범례:
- ◯ 정상 여자
- ☐ 정상 남자
- ◯ (가) 발현 여자
- ☐ (가) 발현 여자
- ◯ (나) 발현 여자
- ☐ (나) 발현 여자
- ◯ (가), (나) 발현 여자

• 8과 9는 모두 (가)를 나타내는데, 12는 정상인 것으로 보아 (가)는 정상에 대해 우성이며, 아버지(8)와 딸(12)의 형질이 다르므로 상염색체 유전임을 알 수 있다.

• (나)에 대해 정상을 나타내는 8과 9 사이에서 (나)가 발현된 11이 나타난 것으로 보아 (나)는 정상에 대해 열성이며, 아버지(8)와 딸(11)의 표현형이 다른 것으로 보아 상염색체 유전임을 알 수 있다.

선택지 분석

◯ (가)는 상염색체 유전 형질이다.

✗ (나)는 정상에 대해 우성으로 유전한다. → 열성

✗ 8과 9 사이에서 부모와 같은 표현형을 가진 아이가 태어날 확률은 $\frac{3}{16}$이다. → $\frac{9}{16}$

우성 유전하는 유전자가 성염색체에 있다면 아버지가 유전병을 나타내면 딸도 반드시 유전병을 나타낸다. 열성 유전하는 유전자가 성염색체에 있다면 아버지가 정상이면 딸도 반드시 정상이다. 예외적인 상황이 발생한다면 유전병 유전자는 상염색체에 있다는 것을 알 수 있다.

ㄱ. (가)가 우성 반성 유전할 경우 유전병을 나타내는 아버지에게서 정상인 딸이 태어날 수 없으므로 상염색체 유전이다.

🔍 바로 보기 ㄴ. 정상인 부모 사이에서 유전병인 딸이 태어났으므로 (나)는 정상에 대해 열성이다.

ㄷ. 부모의 유전병 유전자형이 이형 접합성인 상태에서 (가)가 발현될 확률은 $\frac{3}{4}$, (나)가 발현되지 않을 확률은 $\frac{3}{4}$이므로, $\frac{3}{4} \times \frac{3}{4} = \frac{9}{16}$이다.

2 복대립 유전

• (가)는 상염색체에 있는 1쌍의 대립유전자에 의해 결정된다. 대립유전자에는 A, B, C가 있으며, 각 대립유전자 사이의 우열 관계는 분명하다. → 복대립 유전임을 알 수 있다.

• 유전자형이 BC인 아버지와 AB인 어머니 사이에서 ㉠이 태어날 때, ㉠의 (가)에 대한 표현형이 아버지와 같을 확률은 $\frac{3}{4}$이다.
→ 자손의 유전자형은 AB, BB, AC, BC로 B가 A, C에 대해 우성임을 알 수 있다.

• 유전자형이 AB인 아버지와 AC인 어머니 사이에서 ㉡이 태어날 때, ㉡에서 나타날 수 있는 (가)에 대한 표현형은 최대 3가지이다. → 자손의 유전자형은 AA, AC, AB, BC로 C가 A에 대해 우성임을 알 수 있다.

선택지 분석

◯ (가)는 단일 인자 유전 형질이다.

✗ A는 B, C에 대해 완전 우성이다.

✗ ㉡의 (가)에 대한 표현형이 부모와 다른 형질이 나올 확률은 $\frac{1}{2}$이다. → $\frac{1}{4}$

유전 형질 (가)는 복대립 유전을 하며, A, B, C 사이의 우열 관계는 B > C > A이다.

ㄱ. 복대립 유전이므로 단일 일자 유전에 해당한다.

🔍 바로 보기 ㄴ. AB, BB, BC의 표현형이 동일하므로 B는 A, C에 대해 완전 우성이다.

ㄷ. ㉡의 유전자형은 AA, AC, AB, BC로 이 중에 부모와 표현형이 다른 경우는 AA이다. 따라서 확률은 $\frac{1}{4}$이다.

3 성염색체 유전

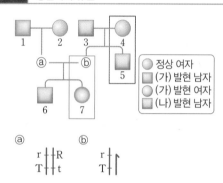

범례:
- ◯ 정상 여자
- ☐ (가) 발현 남자
- ◯ (가) 발현 여자
- ☐ (나) 발현 남자

① 7의 (가)를 나타내는 유전자 하나는 ⓑ로부터 받았고, ⓑ는 4로부터 (가) 형질 유전자를 받았는데 4는 정상인 것으로 보아 (가)는 열성인 r에 의해 유전됨을 알 수 있다.

② 4와 5의 표현형이 다른 것으로 보아 4는 (나)에 대하여 이형 접합성이므로 (나)는 열성인 t에 의해 유전됨을 알 수 있다.

③ 2와 7의 (가)는 동형 접합성(문제에서 제시됨)이면서 서로 다른 표현형을 띠므로 2와 7이 가지는 (가)는 서로 다른 종류임을 알 수 있다. 만약 ⓐ가 아들이라면 7은 2의 유전자를 하나 가지므로 7이 동형 접합성일 수 없다. 따라서 ⓐ는 여자이다.

선택지 분석

✗ (가)는 우성, (나)는 열성으로 유전된다. → 열성

◯ ⓐ의 (가)와 (나) 형질에 대한 유전자형은 모두 이형 접합성이다.

◯ 6과 7 사이에서 아이가 태어날 때 (가)와 (나) 모두 정상일 확률은 $\frac{1}{2}$이다.

ㄴ. 7의 r 대립유전자 중 하나는 ⓐ로부터 전달받았으므로 ⓐ는 2의 R와 r를 모두 가지고 있어야 한다. 또, 6과 7의 (나) 형질이 다른 것으로 보아 (나) 형질도 이형 접합성이다.

🔍 바로 보기 ㄱ. (가)는 열성 형질이다.

ㄷ. ⓐ의 (가)와 (나)에 대한 유전자형은 $X^{Rr}X^{Tt}$이고, ⓑ의 (가)와 (나)에 대한 유전자형은 $X^{Tr}Y$이므로 ⓐ와 ⓑ 사이에서 (가), (나) 모두 정상인 아이가 태어날 확률은 $\frac{1}{4}$이다.

4 유전자 이상 돌연변이

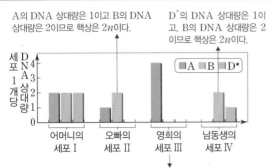

A의 DNA 상대량은 1이고 B의 DNA 상대량은 2이므로 핵상은 $2n$이다.

D^*의 DNA 상대량은 1이고, B의 DNA 상대량은 2이므로 핵상은 $2n$이다.

A의 DNA 상대량이 4이므로 핵상은 $2n$이다.

- 오빠의 세포 Ⅱ에서 A의 DNA 상대량은 1이고 B의 DNA 상대량은 2이므로 Ⅱ에는 A와 B가 있는 7번 염색체와 A^*와 B가 있는 7번 염색체가 각각 1개씩 있음을 알 수 있다. 따라서 Ⅱ의 핵상은 $2n$이다. 또 Ⅱ에서 D^*의 DNA 상대량이 0이므로 D는 X 염색체에 있음을 알 수 있다. 오빠의 (가)~(다)에 대한 유전자형은 AB/A^*BX^DY이다.

- 영희의 세포 Ⅲ에서 A의 DNA 상대량이 4이고 B의 DNA 상대량은 0이므로 Ⅲ에는 AB^*가 있는 7번 염색체가 2개 있고, 각 염색체는 2개의 염색 분체로 이루어져 있으므로 핵상은 $2n$이다. 또 Ⅲ에서 D^*의 DNA 상대량이 0이므로 2개의 X 염색체에는 모두 D가 있음을 알 수 있다. 따라서 영희의 (가)~(다)에 대한 유전자형은 $AB^*/AB^*X^DX^D$이다.

- 남동생의 세포 Ⅳ에서 A의 DNA 상대량이 0이고 B의 DNA 상대량은 2이므로 Ⅳ에는 A^*와 B가 있는 7번 염색체가 2개 있고, 핵상이 $2n$이다. 또 D^*의 DNA 상대량이 1이므로 X 염색체에는 D^*가 있음을 알 수 있다. 따라서 남동생의 (가)~(다)에 대한 유전자형은 $A^*B/A^*BX^{D^*}Y$이다.

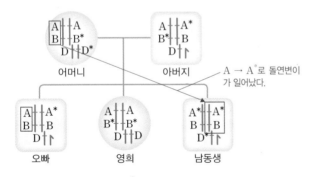

$A \to A^*$로 돌연변이가 일어났다.

- 영희는 아버지에게서 A와 B^*를 함께 물려받았고, 어머니에게서 A와 B^*를 함께 물려받았다.

- 남동생은 아버지에게서 A^*와 B를 함께 물려받았고, 어머니에게서 A^*와 B를 함께 물려받았다. 즉 남동생은 어머니의 A가 A^*로 돌연변이가 일어난 후 이 유전자를 B와 함께 물려받았음을 알 수 있다.

- 오빠는 아버지에게서 A^*와 B를 함께 물려받았고, 어머니에게서 돌연변이가 일어나지 않은 A와 B를 함께 물려받았다.

✗ Ⅰ은 G_1기 세포이다. → 감수 2분열 중인 세포
ㄴ. ㉠은 A이다.
ㄷ. 아버지에서 A^*, B, D를 모두 갖는 정자가 형성될 수 있다.

세포 Ⅱ~Ⅳ의 핵상은 $2n$, 세포 Ⅰ의 핵상은 n이다.

ㄴ. 어머니에게서 유전자 돌연변이가 일어난 후 이 대립유전자를 B와 함께 남동생에게 물려주었으므로 ㉠은 A, ㉡은 A^*

이다.

ㄷ. 아버지는 A와 B^*가 한 염색체에 같이 있고, A^*와 B가 한 염색체에 있으며 X 염색체에는 D가 있으므로 아버지에서 A^*, B, D를 모두 갖는 정자가 형성될 수 있다.

👁 바로 보기 ㄱ. 영희는 어머니와 아버지로부터 A와 B^*가 있는 7번 염색체를 각각 한 개씩 물려받았다. 따라서 어머니의 G_1기 세포에는 A와 B^*가 있어야 한다. 어머니의 세포 Ⅰ에서 A와 B의 DNA 상대량이 같다는 것을 통해 어머니의 세포에는 A와 B^*가 있는 7번 염색체뿐만 아니라 A와 B가 있는 7번 염색체도 있다는 것을 알 수 있다. 따라서 어머니의 G_1기 세포에서 A의 DNA 상대량은 2이고 B의 DNA 상대량은 1이 되어야 하는데, 어머니의 세포 Ⅰ에서 A의 DNA 상대량과 B의 DNA 상대량이 모두 2이므로 Ⅰ은 G_1기 세포가 아니다. Ⅰ은 A와 B가 있는 7번 염색체가 1개 있고, 염색체가 2개의 염색 분체로 이루어져 있으며 핵상이 n인 감수 2분열 중인 세포이다.

누구나 합격 전략 | 26~27쪽

01 ③	02 ①	03 ④	04 ②
05 (1) A (2) B		06 (1) A′ (2) 상염색체	
07 ③	08 ⑤	09 ③	10 ②

01 염색체의 구조

ㄱ. ㉠과 ㉡은 S기에 DNA가 복제되어 형성된 염색 분체이므로 유전자 구성은 같다.

ㄴ. ⓐ는 DNA로 유전 물질이다.

👁 바로 보기 ㄷ. ⓑ는 히스톤 단백질이다.

02 감수 분열

ㄴ. ⓐ와 ⓑ의 핵상이 같으므로 (나)는 염색 분체가 분리되는 감수 2분열 과정이다. 따라서 ⓑ와 ⓒ의 유전자 구성은 같다.

👁 바로 보기 ㄱ. (나)가 감수 2분열 과정이므로 ⓐ는 구간 Ⅲ에서 관찰된다.

ㄷ. 구간 Ⅰ은 G_1기로 구간 Ⅰ의 세포는 핵상이 $2n$이고, ⓐ의 핵상은 n이므로 구간 Ⅰ의 세포와 ⓐ의 염색체 수는 같지 않다.

03 핵상

자료 분석 + 핵상 분석

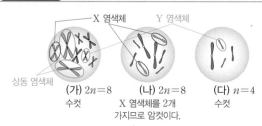

- (가)는 상동 염색체 중 크기와 모양이 다른 염색체가 있으므로 성염색체가 XY인 수컷이다.
- (가)와 (나)는 상동 염색체가 있으므로 핵상은 $2n$, (다)는 상동 염색체가 쌍을 이루지 않으므로 핵상은 n이다.

선택지 분석

✗ (가)의 염색체 수는 (나)의 2배이다. → 같다.
ⓛ (나)는 암컷이다.
ⓒ (다)는 (가)의 생식세포이다.

(가)와 (나)의 핵상과 염색체 수는 $2n=8$이고, (다)의 핵상과 염색체 수는 $n=4$이다.

ㄴ. (나)는 X 염색체를 2개 가지므로 암컷이다.

ㄷ. (다)는 Y 염색체를 가지므로 (가)의 감수 분열 결과 형성된 생식세포이다.

👁 바로 보기 ㄱ. (가)와 (나)는 모두 상동 염색체를 가지므로 핵상은 $2n$으로 같다. 단, DNA양은 (가)가 (나)의 2배이다.

04 감수 분열

ㄷ. 염색 분체가 분리되고 있으므로 딸세포의 핵상은 변하지 않는다.

👁 바로 보기 ㄱ. 제시된 세포는 핵상이 n으로 감수 2분열 후기에 해당하는 세포이다. 체세포 분열 후기의 세포는 핵상이 $2n$이다.

ㄴ. 상동 염색체가 쌍을 이루고 있지 않으므로 핵상은 n이다.

05 DNA양의 변화

구간 A는 체세포 분열, 구간 B는 감수 1분열, 구간 C는 수정이 진행된다.

06 상염색체 유전

(1) 정상인 5와 6 사이에서 유전병인 8이 태어난 것으로 보아 정상 형질이 우성임을 알 수 있다. 즉, A′가 (가) 발현에 관여한다.

(2) 유전병이 열성 반성 유전할 경우, 유전병인 2에게서 정상인 5가 태어날 수 없고, 정상인 5에게서 유전병인 8이 태어날 수 없다. 따라서 (가)는 상염색체에 존재함을 알 수 있다.

07 DNA 상대량 분석

자료 분석 + 유전자의 DNA 상대량 분석

철수의 DNA 상대량이 누나와 어머니의 절반인 것으로 보아 A, A′, B, B′는 X 염색체에 있음을 알 수 있다. ↑

구성원	DNA 상대량			
	A	A′	B	B′
어머니	0	2	2	0
누나	1	1	1	1
철수	0	1	1	0
여동생	?	?	?	?

철수의 X 염색체는 어머니로부터 온 것이고, 누나의 X 염색체 중 하나는 어머니, 하나는 아버지로부터 온 것이다. 어머니의 유전자형은 A′B/A′B, 철수의 유전자형은 A′B, 누나의 유전자형은 AB′/A′B이므로 아버지의 유전자형은 AB′이다.

그림은 철수 가족의 유전자형을 나타낸 것이다.

어머니의 유전자형이 동형 접합성이므로 여동생과 누나의 유전자형은 같다.

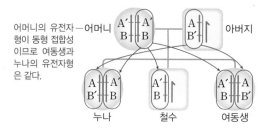

누나 철수 여동생

선택지 분석

⊙ 어머니의 B 유전자는 X 염색체에 있다.
✗ 아버지와 철수의 유전자형은 같다. → 다르다.
ⓒ 여동생의 유전자형은 이형 접합성이다.

철수의 DNA 상대량이 누나와 어머니의 절반인 것으로 보아 A, A′, B, B′는 X 염색체에 있다는 것을 알 수 있다.

ㄱ. 유전자가 X 염색체에 있으면 남자가 가지는 유전자의 DNA 상대량은 여자의 절반이다.

ㄷ. 어머니의 유전자형이 동형 집합성이므로 여동생은 누나와 유전자형이 같다. 따라서 여동생의 유전자형은 이형 접합성이다.

👁 바로 보기 ㄴ. 아버지의 X 염색체는 딸에게만 전달되고, 아들의 X 염색체는 어머니로부터만 전달받기 때문에 어머니와 아버지의 X 염색체의 유전자형이 다르면 아버지와 아들의 유전자형은 다르다.

08 다인자 유전

AaBbDd인 부모의 생식세포가 결합하는 64가지의 경우의 수 중에서 20가지가 대문자 3개를 가지므로 부모와 눈 색이 같다. 따라서 $\frac{20}{64}=\frac{5}{16}$이다.

09 염색체 비분리

ㄱ. 감수 1분열에서 염색체 비분리가 일어나면 생식세포 중 2개는 $n+1$, 2개는 $n-1$이 되고, 감수 2분열에서 염색체

비분리가 일어나면 생식세포 중 2개는 n, 1개는 $n+1$, 1개는 $n-1$이 된다. 따라서 ㉠과 ㉡의 핵상은 n이다.

ㄴ. ㉢의 염색체 수는 $n+1$이고, 이 동물의 핵상이 $2n=6$이므로 염색 분체 수는 8이다.

👁 바로 보기   ㄷ. (가)는 감수 2분열에서, (나)는 감수 1분열에서 염색체 비분리가 일어났다.

10 염색체 수 이상

ㄷ. 정상(보인자)인 어머니와 정상인 아버지 사이에서 태어난 A는 클라인펠터 증후군이며 적록 색맹을 나타낸다. A의 유전자형은 X′X′Y이다. 어머니로부터 2개의 X′를 물려받았으므로 어머니의 감수 2분열 과정에서 X 염색체의 염색 분체가 비분리되었음을 알 수 있다.

👁 바로 보기   ㄱ. 성염색체가 XXY인 경우 클라인펠터 증후군을 나타낸다. 터너 증후군의 성염색체는 XO이다.

ㄴ. A는 어머니로부터 염색 분체가 비분리된 X 염색체를 물려받았으므로 X 염색체 2개의 유전자 구성은 같다.

창의·융합·코딩 전략 | 28~31쪽

| 01 ③ | 02 ② | 03 ③ | 04 ⑤ |
| 05 ⑤ | 06 ③ | 07 ③ | 08 ④ |

01 세포 주기

자료 분석 + 세포 주기 실험

M기가 마무리되지 않아 DNA양이 2에 머물러 있다. → ㉠ 집단 B

DNA 복제가 마무리되지 않아 DNA양이 1과 2 사이에 있다. → ㉡ 집단 C

㉢ 집단 A

(세 개의 그래프: 세포 수 vs 세포당 DNA양(상댓값))
- ㉠ 집단 B: G_2기, M기
- ㉡ 집단 C: S기
- ㉢ 집단 A: G_1기, S기, G_2, M기, 구간 Ⅰ

• 방추사는 세포 분열 과정에서 염색체를 분리하여 양극으로 이동시키는 역할을 한다. 따라서 방추사 구성 물질의 합성을 억제하면 세포 분열이 진행되지 않고 G_2기 또는 M기에 머무르게 된다. → ㉠(집단 B)
• DNA가 복제되는 중간 과정을 억제하면 세포가 S기에 머무르게 된다. → ㉡(집단 C)

선택지 분석

㉠ ㉠은 집단 B이다.
✗ ㉡은 집단 C이며, C의 세포는 모두 M기이다. → S기
㉢ 구간 Ⅰ의 세포에는 핵막이 있다.

ㄱ. ㉠은 집단 B이다.

ㄷ. 구간 Ⅰ에는 핵막이 있는 S기의 세포가 있다.

👁 바로 보기   ㄴ. ㉡에는 DNA 합성이 저해되어 S기 과정에서 세포 주기가 멈춘 세포들이 있다.

02 체세포 분열 관찰

(가)의 ㉠에는 G_1기 세포가, ㉡에는 S기 세포가, ㉢에는 G_2기~M기의 세포가 있다.

• 학생 C. 체세포 분열이므로 딸세포의 유전자 구성은 같다.

👁 바로 보기   • 학생 A. ㉠에 있는 G_1기 세포는 핵상이 $2n$이므로 상동 염색체가 존재하지만, 염색체가 응축되지 않았으므로 상동 염색체를 관찰할 수는 없다.

• 학생 B. (나)는 체세포 분열 후기의 모습이다. (나) 시기의 DNA양은 4이고, G_1기 DNA양은 2이므로

$$\frac{(나) \text{ 시기의 DNA양}}{G_1 \text{기의 DNA양}} = \frac{4}{2} = 2 \text{이다.}$$

03 감수 분열

자료 분석 + 감수 분열 관찰

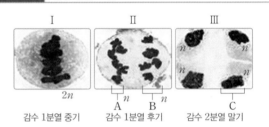

Ⅰ	Ⅱ	Ⅲ
$2n$	A n B n	C (n, n, n, n)
감수 1분열 중기	감수 1분열 후기	감수 2분열 말기

• 백합의 수술에서는 감수 분열이 일어나 꽃가루가 만들어지기 때문에 감수 분열을 관찰할 수 있다.
• 감수 1분열에서는 상동 염색체가 분리되며 2개의 딸세포는 유전자 구성이 다르다.
• 감수 2분열에서는 염색 분체가 분리되어 염색체 수는 변하지 않는다.

선택지 분석

㉠ 감수 분열을 관찰하기 위해서는 활짝 핀 꽃에서보다 어린 꽃봉오리에서 ㉠을 얻는 것이 적절하다.
㉡ A와 B는 유전자 구성이 다르다.
✗ C의 염색체 수는 B의 절반이다. → B와 같다.

ㄱ. 활짝 핀 꽃은 이미 감수 분열이 완료되어 감수 분열 과정을 관찰할 수 없다. 따라서 아직 피지 않은 꽃봉오리나 어린 이삭을 이용해야 감수 분열 과정을 관찰할 수 있다.

👁 바로 보기   ㄴ. Ⅰ은 감수 1분열 중기의 세포, Ⅱ는 감수 1분열 후기의 세포, Ⅲ은 감수 2분열이 끝난 딸세포이다. 감수 1분열 후기에는 상동 염색체가 분리되므로 A와 B의 유전자 구성은 다르다.

ㄷ. 염색체 수의 감소는 감수 1분열에서 상동 염색체가 분리될 때 일어나므로 A, B, C의 염색체 수는 같다.

04 감수 분열과 대립유전자

자료 분석 + 감수 분열

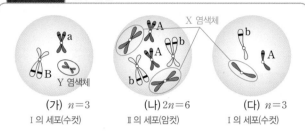

(가) $n=3$ (나) $2n=6$ (다) $n=3$
Ⅰ의 세포(수컷)   Ⅱ의 세포(암컷)   Ⅰ의 세포(수컷)

(가)와 (다)는 Ⅰ(수컷)의 세포이고 (나)는 Ⅱ(암컷)의 세포이다. (가)와 (다)의 핵상과 염색체 수는 $n=3$이며, (나)는 $2n=6$이다.

선택지 분석

· 학생 Ⓐ (나)는 X 염색체를 2개 가지므로 암컷이야. 즉, Ⅱ가 암컷이지.
· 학생 Ⓑ 음, (가)에 Y 염색체가 있으니 Ⅰ이 수컷이겠네.
· 학생 Ⓒ Ⅱ의 체세포 분열 중기의 세포 1개당 염색 분체 수는 12야.

· 학생 A. a가 있는 (가)는 Ⅰ의 세포이고, a가 없고 핵상이 $2n$인 (나)는 Ⅱ의 세포이다. 따라서 (다)는 Ⅰ의 세포이다.
· 학생 B. Ⅰ은 XY를 가지므로 수컷이다.
· 학생 C. Ⅱ의 염색체 수는 6이므로 Ⅱ의 체세포 분열 중기의 세포 1개당 염색 분체 수는 12이다.

05 가계도 분석

자료 분석 + 가계도 분석

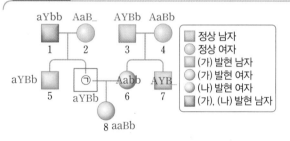

■	정상 남자
●	정상 여자
▨	(가) 발현 남자
◑	(가) 발현 여자
◐	(나) 발현 여자
▩	(가), (나) 발현 남자

· 3, 4, 6을 통해 (나)는 상염색체 열성 유전임을 알 수 있다.
· 2, 5를 통해 2는 (가)에 대해 이형 접합성이고, (가)가 열성 반성 유전함을 알 수 있다.

선택지 분석

ⓛ (나)의 유전자는 상염색체에 있다.
ⓒ ㉠에게서 (가)가 발현되었다.
ⓒ 8의 동생이 태어날 때, 이 아이에게서 (가)와 (나)가 모두 발현될 확률은 $\frac{1}{4}$이다.

정상의 형질을 나타내는 3, 4 사이에서 6이 (나) 형질을 나타내는 것으로 보아 (나)는 열성이며 유전자가 상염색체에 있다.
ㄱ. 열성이며 반성 유전이라면 정상인 3에게서 (나)가 발현된 6이 태어날 수 없다.
ㄴ. ㉠은 2에게서 (가) 형질을 발현시키는 유전자를 받아서 8에게 전달하였다.

ㄷ. (가)가 발현될 확률은 $\frac{1}{2}$, (나)가 발현될 확률은 $\frac{1}{2}$이다. 따라서 $\frac{1}{2} \times \frac{1}{2} = \frac{1}{4}$이다.

06 염색체 비분리 현상

· 학생 A. 유전자형이 ㉡은 Aabb이고, ㉣은 AABb인데 ㉡은 모두 정상, ㉣은 (나)가 발현되었으므로 (가)는 a에 의해, (나)는 B에 의해 발현됨을 알 수 있다.
· 학생 B. ㉣, ㉤은 b의 상대량이 같은데, ㉣에서는 (나)가 발현되었으나 ㉤에서는 (나)가 발현되지 않았다. 이는 B와 b가 X 염색체에 있음을 의미한다.

바로 보기   학생 C. ㉠과 ㉤은 b의 상대량이 1인데 ㉠에서는 (나)가 발현되었다. 이는 ⓐ가 수정된 자녀 3(감수 1분열에서 염색체 비분리가 일어나 형성된 정자(X^BY)와 정상 난자(X^b)가 수정)이 ㉠임을 의미한다. ㉠의 유전자형은 X^BX^bY로 클라인펠터 증후군임을 알 수 있다.

구성원 ㉠~㉤의 (가)와 (나)에 대한 유전자형은 표와 같다.

구성원	성별	(가)의 유전자형	(나)의 유전자형
㉠	남	AA	X^BX^bY
㉡	여	Aa	X^bX^b
㉢	남	Aa	X^BY
㉣	여	AA	X^BX^b
㉤	남	aa	X^bY

㉠은 AA를 가지므로 aa를 가지는 ㉤은 아버지가 될 수 없다. 따라서 아버지는 ㉢이다. ㉤은 자손으로 aa를 가지므로 AA를 가지는 ㉣은 어머니가 될 수 없다. 따라서 어머니는 ㉡이다.

07 상염색체 유전

자료 분석 + 상염색체 유전

· P, Q의 표현형이 같으므로 Q도 P와 마찬가지로 ㉠, ㉡의 유전자형은 AaBb이다. ㉢의 유전자형은 DF 혹은 FF이다.
· ㉢의 유전자형이 DF일 경우

(1)
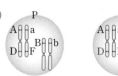

ⓐ의 ㉠~㉢의 표현형 중 한 가지만 부모와 같을 확률은 $\frac{1}{4}$이다.

(2)

ⓐ의 ㉠~㉢의 표현형 중 한 가지만 부모와 같을 확률은 $\frac{3}{8}$이다.

• ⓒ의 유전자형이 FF일 경우

ⓐ의 ㉠~ⓒ의 표현형 중 한 가지만 부모와 같을 확률은 $\frac{1}{4}$이다.

선택지 분석

학생 Ⓐ 표 (가), (나)에 의하면 A와 a, B와 b는 우열 관계가 뚜렷하지 않은 것 같아..

학생 Ⓑ ⓒ은 다인자 유전인 것 같아. 표현형이 4가지가 되려면 E, F는 공동 우성이야. → 단일 인자 유전으로 복대립 유전을 해.

학생 Ⓒ ⓐ에서 나타난 확률을 따져보니까 Q에서 A와 F는 같은 염색체 상에 존재해.

• 학생 A. AA, Aa, aa와 BB, Bb, bb의 표현형이 모두 다른 것으로 보아 A는 a에 대해, B는 b에 대해 각각 불완전 우성임을 알 수 있다. 완전 우성인 경우 유전자형이 AA인 사람과 Aa인 사람의 표현형이 일치한다.

• 학생 C. ⓐ의 ㉠~ⓒ의 표현형 중 한 가지만 부모와 같을 확률이 $\frac{3}{8}$으로 나오려면 A와 F, a와 D는 같은 염색체에 있어야 한다.

⊙ 바로 보기 • 학생 B. ⓒ은 단일 인자 유전으로 복대립 유전을 한다.

---

08 염색체 비분리와 사람의 유전

자료 분석 + DNA 상대량 분석

→ (가): A(가) > A*(정상), 상염색체
(나): B(나) > B*(정상), X 염색체

구성원	형질		대립유전자			
	(가)	(나)	A	A*	B	B*
아버지	−	+	×	○	○	×
어머니	+	−	○	? ○	? ×	○
형	+	−	? ○	○	×	○
누나	−	+	×	○	○	? ○
㉠	+	+	○	? ○	? ○	○

(+: 발현됨, −: 발현 안 됨, ○: 있음, ×: 없음)

• 아버지는 A*만 가지는데 (가)가 발현되지 않았으므로 (가)는 A에 의해 발현됨을 알 수 있다.

• 형은 A*를 가지고 있는데 (가)가 발현되는 것으로 보아 A도 가지고 있으며, A와 A*가 상염색체에 있음을 알 수 있다. → A는 A*에 대해 우성이다.

• 아버지는 B만 가지는데 (나)가 발현되었으므로 (나)는 B에 의해 발현됨을 알 수 있다. → B, B*은 X 염색체에 있다.

• ㉠은 클라인펠터 증후군인데 B*를 가지고 있는데 (나)가 발현되었으므로 B가 있는 X 염색체도 함께 가지고 있다. → B는 B*에 대해 우성이다.

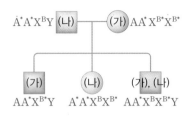

$A^*A^*X^BY$ (나) — (가) $AA^*X^{B^*}X^{B^*}$

(가) $AA^*X^{B^*}Y$ | (나) $A^*A^*X^BX^{B^*}$ | (가), (나) $AA^*X^BX^{B^*}Y$

선택지 분석

㉠ (가)의 유전자는 X 염색체에 있다. → 상염색체

㉡ ⓐ는 감수 1분열에서 성염색체 비분리가 일어나 형성된 정자이다.

㉢ ㉠의 동생이 태어날 때 이 아이에게서 (가)와 (나)가 모두 발현될 확률은 $\frac{1}{4}$이다.

ㄴ. ㉠의 (나)의 유전자형은 $X^BX^{B^*}Y$이며, 아버지의 (나)의 유전자형은 X^BY, 어머니의 (나)의 유전자형은 $X^{B^*}X^{B^*}$이므로, ㉠은 아버지로부터 B가 있는 X 염색체와 Y 염색체를 함께 물려받았다. 따라서 ⓐ는 감수 1분열에서 성염색체 비분리가 일어나 형성된 정자이다.

ㄷ. (가)와 (나)는 서로 다른 염색체에 존재하므로 독립적으로 유전된다. 아버지의 (가) 유전자형은 A^*A^*, 어머니의 (가) 유전자형은 AA^*이므로 이들 사이에서 태어난 자손의 유전자형의 분리비는 $AA^* : A^*A^* = 1 : 1$이다. 따라서 ㉠의 동생에게서 (가)가 발현(AA^*)될 확률은 $\frac{1}{2}$이다.

아버지의 (나)의 유전자형은 X^BY, 어머니의 (나)의 유전자형은 $X^{B^*}X^{B^*}$이므로 이들 사이에서 태어난 자손의 유전자형의 분리비는 $X^BX^{B^*} : X^{B^*}Y = 1 : 1$이다. 따라서 ㉠의 동생에게서 (나)가 발현($X^BX^{B^*}$)될 확률은 $\frac{1}{2}$이다. 따라서 (가)와 (나)가 모두 발현될 확률은 $\frac{1}{2} \times \frac{1}{2} = \frac{1}{4}$이다.

⊙ 바로 보기 ㄱ. (가)는 상염색체에 있다.

DAY 1 개념 돌파 전략 ① 확인 Q | 34~35쪽

[7강] **1** 비생물적 요인   **2** 환경 저항   **3** Ⅱ형   **4** 있, 없
5 많은   **6** 밀도   **7** 포식과 피식   **8** 지의류, 초본류

1 빛, 온도, 물, 공기, 토양 등 생물을 둘러싸고 있는 환경은 생태계의 구성 요소 중 비생물적 요인에 해당한다.

2 먹이 부족, 서식지 부족 등 개체군의 생장을 방해하는 요인을 환경 저항이라고 한다.

3 Ⅱ형 생존 곡선 유형에서는 연령별 사망률이 일정하다.

4 순위제는 개체들 사이에서 힘의 세기에 따라 서열(순위)을 정해 먹이나 배우자를 차지한다. 리더제는 한 개체가 리더가 되어 개체군의 이동 방향을 결정하거나 천적으로부터 도망치도록 하는 등 개체군의 행동을 지휘하는 것으로 개체 사이에 순위가 없다.

5 군집의 수평 분포는 위도에 따른 기온과 강수량의 차이로 나타난다. 고위도로 갈수록 기온이 낮아진다. 열대 우림과 열대 사막은 고온 저위도 지역에 분포하며, 열대 우림은 열대 사막보다 강수량이 많은 곳에 분포한다.

6 식물 군집 조사에서 밀도는 면적에 대한 개체 수의 비이다.

7 두 종의 개체 수가 주기적으로 변동하는 것으로 보아 포식과 피식의 관계이다. 종 A가 피식자, 종 B가 포식자이다.

8 식물이 없는 땅에 처음으로 들어오는 식물을 개척자라고 한다. 1차 천이의 개척자는 지의류이고, 2차 천이는 주로 초본(풀)이 개척자로 들어온다.

DAY 1 개념 돌파 전략 ① 확인 Q | 36~37쪽

[8강] **1** 태양의 빛에너지   **2** 크다   **3** 생산자, 먹이 사슬
4 질산화 세균   **5** 물질   **6** 증가한다.   **7** 유전적 다양성
8 감소

1 생태계를 유지하는 에너지의 근원은 태양의 빛에너지이다.

2 식물 군집에서 총생산량은 호흡량과 순생산량의 합이다. 따라서 총생산량이 호흡량보다 크다.

3 탄소는 생산자의 광합성을 통해 유기물로 합성되고, 생산자에서 소비자로 먹이 사슬을 따라 이동하며, 사체나 배설물의 형태로 분해자에게로 이동한다. 생산자, 소비자, 분해자의 유기물 중 일부는 호흡을 통해 이산화 탄소로 분해되어 대기로 돌아간다.

4 질소 순환 과정에서 질산화 세균은 암모늄 이온(NH_4^+)을 질산 이온(NO_3^-)으로 전환시킨다.

5 생태계에서 물질은 순환한다.

6 1차 소비자가 감소하면 1차 소비자의 먹이인 생산자는 증가한다.

7 유전적 다양성은 한 형질을 결정하는 대립유전자의 다양한 정도이다.

8 서식지 단편화는 생물 다양성 감소의 원인이다.

DAY 1 개념 돌파 전략 ② | 38~39쪽

1 ⑤   **2** ①   **3** ③   **4** ⑤   **5** ①   **6** ②

1 생태계 구성 요소

ㄱ. 무궁화는 스스로 영양분을 합성할 수 있는 식물이다. 식물은 생산자에 속한다.

ㄴ. 지렁이는 생물적 요인 중 소비자에 속하고, 토양은 비생물적 요인에 속한다. 따라서 지렁이에 의해 토양의 통기성이 증가하는 것은 생물적 요인이 비생물적 요인에 영향을 미치는 ⓒ에 해당한다.

ㄷ. 빛의 파장은 비생물적 요인에 속하고, 해조류는 생물적 요인 중 생산자에 속한다. 따라서 빛의 파장에 따라 해조류의 분포가 달라지는 것은 비생물적 요인이 생물적 요인에 영향을 미치는 ㉠에 해당한다.

2 개체군의 생존 곡선

ㄱ. 사람은 어렸을 때 부모의 보호를 받으므로 초기 사망률이 낮아 대부분 성체로 생장하며, 후기 사망률이 높다. 따라서 사람은 Ⅰ형 생존 곡선에 속한다.

바로 보기 ㄴ. Ⅱ형은 출생 이후 생존 개체 수가 일정한 비율로 줄어든다. 즉, 각 연령대의 사망률이 비교적 일정하다.

ㄷ. Ⅲ형의 생존 곡선을 볼 때 상대 연령이 50일 때 생존 개체 수가 감소하고 있으므로 사망률이 0이 아니다. Ⅲ형은 많은 수의 자손을 낳지만 초기 사망률이 높아 성체로 생장하는 개체 수가 적다.

3 군집 내 개체군 사이의 상호 작용

군집에서는 여러 개체군이 생활하기 때문에 군집을 구성하는 개체군 사이에 다양한 상호 작용이 일어난다.

③ 피라미는 은어가 없을 때는 하천 중앙에 서식하며 녹조류를 먹고 살지만, 은어가 이주해 오면 가장자리로 이동하여 서식한다. 이와 같이 생태적 지위가 비슷한 두 개체군이 경쟁을 피하기 위해 먹이, 생활 공간을 달리하는 것을 분서라고 한다.

4 탄소 순환

탄소는 생산자의 광합성을 통해 포도당과 같은 유기물로 합성된 후 먹이 사슬을 따라 생산자에서 소비자로 이동하고, 사체나 배설물의 형태로 분해자로 이동한다. 생산자, 소비자, 분해자의 유기물 중 일부는 호흡을 통해 이산화 탄소로 분해되어 대기로 돌아간다. 일부는 오랜 기간을 거쳐 화석 연료가 되고, 이것은 연소될 때 이산화 탄소로 분해되어 대기로 돌아간다.

> 👁 **바로 보기** ⑤ 탄소는 소비자에서 생산자로 이동하지 않는다.

5 생태계 평형

> **자료 분석 +** 생태계 평형

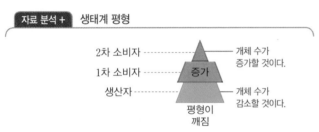

1차 소비자의 개체 수가 증가하면 2차 소비자의 개체 수는 증가하고, 생산자의 개체 수는 감소한다.

> **선택지 분석**
> ㄱ 외래종의 도입은 ㉠에 해당한다.
> ✗ 안정된 생태계일 때보다 생산자의 수가 증가할 것이다. →감소
> ✗ 안정된 생태계일 때보다 2차 소비자의 수가 <u>감소</u>할 것이다. →증가

ㄱ. 외래종의 도입은 먹이 사슬에 변동을 일으켜 생태계의 평형을 깨뜨리는 원인이 된다. 따라서 사건 ㉠에 해당한다.

> 👁 **바로 보기** ㄴ. 1차 소비자의 수가 증가하면 생산자의 수는 감소한다.

ㄷ. 1차 소비자의 수가 증가하면 2차 소비자의 먹이가 증가하므로 2차 소비자의 개체 수는 증가한다.

6 생물 다양성

ㄴ. 생태계 다양성은 어떤 지역에서 초원, 삼림, 습지 등 다양한 생태계가 존재함을 의미한다.

> 👁 **바로 보기** ㄱ. 유전적 다양성은 동물, 식물, 미생물 등 모든 생물종에서 나타난다.

ㄷ. 종 다양성이 높을수록 안정된 생태계이고, 안정된 생태계일수록 환경 변화에 의해 멸종될 가능성이 낮다.

DAY 2 필수 체크 전략 ① | 40~43쪽

| ❶-1 ㄴ, ㄷ | ❷-1 ㄷ | ❸-1 ㄴ | ❹-1 ㄱ, ㄴ |
| ❺-1 ㄴ | ❻-1 ㄱ, ㄴ | ❼-1 ㄱ, ㄴ | ❽-1 ㄴ |

❶-1 생태계 구성 요소 사이의 상호 관계

ㄴ. 위도에 따라 온도와 강수량 등의 서식 환경이 달라지고, 이에 따른 식물 군집 분포는 비생물적 환경 요인이 생물 군집에 영향을 미치는 ㉢에 해당한다.

ㄷ. 곰팡이는 분해자로 생물 군집에 속한다.

> 👁 **바로 보기** ㄱ. 생태적 지위가 중복되는 여러 종의 새가 서식지를 나누어 사는 것은 생물 군집 내 개체군 사이의 상호 작용으로 ㉡에 해당한다.

> **암기 Tip** 생태계 구성 요소

개체 < 개체군 < 군집 < 생태계(생물+환경)

여러 개체군(종)이 모여 군집을 이룬다는 것을 끝말 잇기로 기억하자~.

❷-1 생태계 구성 요소 사이의 상호 관계

ㄷ. 녹조류, 갈조류, 홍조류는 생물적 요인에 속하고, 빛의 파장은 비생물적 환경 요인이므로 자료는 비생물적 환경 요인이 생물적 요인에 영향을 미치는 작용에 해당한다.

> 👁 **바로 보기** ㄱ. 갈조류는 생물적 요인 중 생산자에 해당한다.

ㄴ. 녹조류, 갈조류, 홍조류는 생태적 지위가 다르므로 분서에 해당하지 않는다.

❸-1 개체군의 생장 곡선

ㄴ. 구간 Ⅰ에서 개체 수는 증가하고, 구간 Ⅱ에서 개체 수는 일정하다.

> 👁 **바로 보기** ㄱ. 개체군의 밀도는 서식지 면적에 대한 개체 수의 비율이다. 구간 Ⅰ과 구간 Ⅱ에서 서식 면적은 같고, 개체 수는 구간 Ⅰ에서가 구간 Ⅱ에서보다 작으므로 개체군의 밀도는 구간 Ⅰ에서가 구간 Ⅱ에서보다 작다.

ㄷ. 개체군의 생장이 시작되면서 환경 저항은 계속 작용하고, 환경 저항의 크기도 계속 증가한다.

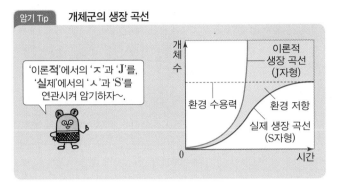

암기 Tip **개체군의 생장 곡선**

'이론적'에서의 'ㅈ'과 'J'를, '실제'에서의 'ㅅ'과 'S'를 연관시켜 암기하자~.

❹-1 개체군의 생장 곡선

ㄱ. 환경 저항은 서식 공간 감소, 경쟁 증가, 노폐물 증가 등에 의해 증가하므로 배양 이후 계속 증가한다. 환경 저항은 t_1일 때보다 t_2일 때가 크다.

ㄴ. $t_1 \sim t_2$ 구간에서 개체 수가 증가하므로 출생률은 사망률보다 크다.

👁️ 바로 보기   ㄷ. t_3일 때 개체 수가 일정하므로 각 개체 간 서식 공간과 먹이를 두고 경쟁을 하고 있다.

❺-1 개체군 내의 상호 작용

ㄴ. (나)의 꿀벌 개체군은 각 역할에 따라 생활하는 사회생활을 한다.

👁️ 바로 보기   ㄱ. 일부 포유류가 다른 개체의 침입을 막고 자신의 영역을 확보하기 위해 배설물을 뿌리는 것은 자신의 세력권을 형성하는 것으로, 텃세의 예이다.

ㄷ. 힘의 서열에 의해 순위를 정하는 것은 순위제이다. 순위제의 예로는 닭, 큰뿔양 등이 있다. 닭은 싸움을 통해 순위를 결정하고 순위에 따라 모이를 먹으며, 큰뿔양은 뿔의 크기와 뿔 치기로 순위를 정한다.

❻-1 군집 내 개체군 사이의 상호 작용

ㄱ. 기생, 포식과 피식은 군집 내 개체군 사이의 상호 작용이다.

ㄴ. 순위제, 사회생활은 개체군 내 개체 사이의 상호 작용이다.

👁️ 바로 보기   ㄷ. ㉠ 순위제는 개체군 내 개체 사이의 상호 작용으로, 개체군 내의 구성원 간 경쟁을 피하고 질서를 유지하기 위한 것이다. 경쟁·배타 원리는 군집 내 개체군 간의 종간 경쟁에서 나타나는 것으로, 종간 경쟁에서 진 개체군이 도태되어 사라지는 것을 의미한다.

❼-1 군집의 천이

ㄱ. 천이는 '관목림 → 양수림 → 혼합림 → 음수림' 단계로

진행되므로 A는 양수림, B는 음수림이다.

ㄴ. B(음수림)에서 우점종은 음수이고, A(양수림)에서 우점종은 양수이다.

👁️ 바로 보기   ㄷ. B(음수림)에서 극상을 이룬다.

❽-1 군집의 조사

ㄴ. 밀도 $= \dfrac{\text{개체 수}}{\text{서식지 면적}}$ 이다. (가)와 (나)의 서식지 면적이 같으므로 밀도는 개체 수에 비례한다. 따라서 B의 밀도는 개체 수가 작은 (가)에서가 개체 수가 큰 (나)에서보다 작다.

👁️ 바로 보기   ㄱ. (가)에서 A와 C는 서로 다른 종이므로 한 개체군을 이루지 않는다.

ㄷ. 상대 밀도 $= \dfrac{\text{특정 종의 밀도}}{\text{조사한 모든 종의 밀도의 합}} \times 100$ 이다.

(가)와 (나)는 서식지 면적이 같고, 전체 개체 수도 100으로 같으므로 상대 밀도는 각 종의 개체 수에 비례한다. D의 개체 수는 (가)에서가 10, (나)에서가 40이므로 D의 상대 밀도는 (가)에서가 (나)에서의 $\dfrac{1}{4}$배이다.

🅳🅰🅨 2 필수 체크 전략 ② | 44~45쪽

[최다 오답 문제]

1 ③   **2** ⑤   **3** ④   **4** ⑤   **5** ④   **6** ②

1 생태계

자료 분석 + 생태계 평형

Ⅰ이 개화한 것으로 보아 ⓑ는 빛 없음이다.
빛 있음
0   24(시)

개체	처리 기간(시간)				개화 여부
	빛 있음	빛 없음	ⓐ	ⓑ	
Ⅰ	12	0	0	12	개화함
Ⅱ	12	4	1	7	개화 안 함
Ⅲ	14	4	1	5	개화 안 함
Ⅳ	7	1	4	12	개화함
Ⅴ	5	1	9	⑨	㉠ 개화함

• 식물의 개화는 '연속적인 빛 없음 시간'의 영향을 받는다.
• 이 식물이 개화하는 데 필요한 최소한의 '연속적인 빛 없음' 기간은 8시간이므로 '연속적인 빛 없음 시간'이 8시간 이상인 조건에서는 식물이 개화한다.

선택지 분석

◯ ⓐ는 '빛 있음'이다.
✗ ㉠은 '개화 안 함'이다. ▶ 개화함
◯ 일조 시간은 비생물적 환경 요인이다.

BOOK 2

정답과 해설 **51**

ㄱ. 이 식물이 개화하는 데 필요한 최소한의 '연속적인 빛 없음' 기간이 8시간이므로 I을 통해 ⓑ는 '빛 없음'임을 알 수 있고, ⓐ는 '빛 있음'이다.

ㄷ. 일조 시간은 하루 중 빛이 비추는 시간으로 비생물적 환경 요인에 속한다.

바로 보기 ㄴ. V에서 ⓑ(빛 없음)가 8시간 이상인 9시간이므로 ㉠은 '개화함'이다.

2 군집 내 개체군 사이의 상호 작용

자료 분석 + 생태계, 군집 내 개체군 사이의 상호 작용

작용: 비생물적 요인이 생물적 요인에 미치는 영향

개체군(종) 내의 상호 작용

(가)

반작용: 생물적 요인이 비생물적 요인에 미치는 영향

군집 내 개체군(종) 간의 상호 작용

(나) 분서에 해당한다.

• 한 나무에서 3종의 새가 서식지가 겹치지 않게 생활하는 것은 경쟁을 피하기 위한 분서의 예이다.

선택지 분석

㉠ 일조 시간이 식물의 개화에 영향을 주는 것은 ㉠에 해당한다.
㉡ 소비자는 생물적 요인에 해당한다.
㉢ (나)는 ㉢의 예에 해당한다.

ㄱ. 일조 시간이라는 비생물적 환경 요인이 식물의 개화라는 생물적 요인에 영향을 미치는 것은 ㉠에 해당한다.

ㄴ. 생물적 요인에는 생산자, 소비자, 분해자가 있다.

ㄷ. (나)는 한 나무에서 3종의 새가 서식지가 겹치지 않게 생활하는 것으로, 경쟁을 피하기 위한 것은 분서의 예이다. 분서는 군집 내 개체군 사이의 상호 작용의 예이므로 ㉢의 예에 해당한다.

암기 Tip 분서

'분서'는 생활 공간 등 생태적 지위가 비슷한 두 개체군이 경쟁을 피하기 위해 생활 공간을 분리해서 사는 거야.

은어가 이주해 오면 피라미는 하천의 가장자리로 이동해 수서 곤충을 먹고, 은어가 중앙에서 녹조류를 먹어.

3 군집의 상호 작용

자료 분석 + 군집의 상호 작용

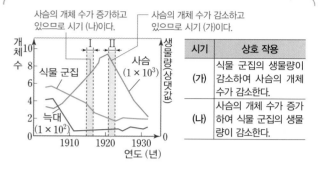

사슴의 개체 수가 증가하고 있으므로 시기 (나)이다.

사슴의 개체 수가 감소하고 있으므로 시기 (가)이다.

시기	상호 작용
(가)	식물 군집의 생물량이 감소하여 사슴의 개체 수가 감소한다.
(나)	사슴의 개체 수가 증가하여 식물 군집의 생물량이 감소한다.

사슴은 포식자인 늑대의 개체 수가 감소함에 따라 개체 수가 증가하지만, 사슴의 개체 수가 증가함에 따라 피식자인 식물 군집의 생물량이 감소하게 되고, 그에 따라 사슴은 먹이 부족에 의해 개체 수가 감소하였다.

선택지 분석

㉠ (가)는 II이다.
㉡ I 시기 동안 사슴 개체군에 환경 저항이 작용하였다.
✘ 사슴의 개체 수는 포식자에 의해서만 조절된다.
　포식자뿐만 아니라 식물 군집에 의해서도 조절된다.

ㄱ. 식물 군집의 생물량이 감소하여 이를 먹이로 하는 사슴의 개체 수가 감소하는 (가) 시기는 II 시기에 해당한다.

ㄴ. 환경 저항은 개체군의 생장을 억제하는 요인으로 먹이 부족, 서식 공간 부족, 질병 등이 해당하며, 실제 생태계에서 항상 나타난다. 사슴의 개체 수가 증가하여 식물 군집의 생물량이 감소하는 I 시기 동안에도 사슴에도 개체군은 환경 저항을 받는다.

바로 보기 ㄷ. 사슴의 개체 수는 포식자인 늑대뿐만 아니라 식물 군집에 의해서도 조절된다.

4 천이

자료 분석 + 식물 군집의 천이

관목림일 때는 지표면에 도달하는 빛이 강하여 양수의 묘목이 음수의 묘목보다 더 잘 살아남고 빨리 자란다. 그 결과 천이 과정에서 양수림(B)이 먼저 형성되고, 빛의 세기가 약해짐에 따라 음수의 묘목이 잘 살아남아 혼합림을 거쳐 음수림(C)이 형성된다.

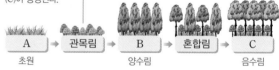

A → 관목림 → B → 혼합림 → C
초원 　　　 양수림 　　　 음수림

• 산불이 난 후의 천이는 2차 천이이다. 2차 천이는 초원(A) → 관목림 → 양수림(B) → 혼합림 → 음수림(C)의 단계로 진행된다.
• 군집의 천이 과정은 음수림(C) 단계에서 극상을 이룬다.

선택지 분석

㉠ A는 초원이다.
✘ B와 C에서 우점종은 같다. → 다르다.
㉢ K는 C에서 극상을 이룬다.

ㄱ. A는 초원, B는 양수림, C는 음수림이다.

ㄷ. K는 C(음수림)에서 극상을 이룬다.

바로 보기 ㄴ. B(양수림)에서 우점종은 양수이고, C(음수림)에서 우점종은 음수이다.

5 물질의 생산과 소비

자료 분석 + 물질의 생산과 소비

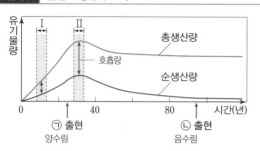

ㄱ. 출현 양수림 (40) ㄴ. 출현 음수림 (80) 시간(년)

• 군집의 천이 단계에서 양수림은 음수림보다 먼저 출현한다.

• 총생산량＝순생산량＋호흡량

선택지 분석

ㄱ ㈀은 양수림이다.

ㄴ 구간 Ⅱ에서 A의 고사량은 순생산량에 포함된다.

✗ A의 호흡량은 구간 Ⅰ에서가 구간 Ⅱ에서보다 크다. → 작다.

ㄱ. 천이 과정에서 양수림이 음수림보다 먼저 등장하므로 ㈀은 양수림, ㈁은 음수림이다.

ㄴ. 순생산량에는 고사량, 피식량, 낙엽량 등이 포함되어 있으므로 구간 Ⅱ에서 고사량은 순생산량에 포함된다.

바로 보기 ㄷ. 호흡량은 총생산량에서 순생산량을 뺀 유기물의 양이므로 A의 호흡량은 구간 Ⅰ에서가 구간 Ⅱ에서보다 작다.

6 우점종 구하기

자료 분석 + 우점종 구하기

종	상대 밀도(%)	상대 빈도(%)	상대 피도(%)
A	30	㈀ 45	20 ─ 중요치 95
B	? 40	25	25 ─ 중요치 90
C	30	30	55 ? ─ 중요치 115

• 각 종의 상대 밀도(%), 상대 빈도(%), 상대 피도(%)의 합은 100 %이다.

• 우점종은 상대 밀도(%)＋상대 빈도(%)＋상대 피도(%)의 값인 중요치가 가장 큰 종이다.

선택지 분석

✗ B의 개체 수는 40이다. → 80

ㄴ ㈀은 45이다.

✗ 우점종은 A이다. → C

ㄴ. 상대 빈도의 합은 100 %이므로 ㈀은 $100-(25+30)=45$이다.

바로 보기 ㄱ. 상대 밀도의 합은 100 %이므로 B의 상대 밀도는 40 %이고, A~C의 총 개체 수는 200이므로 B의 개체 수는 $200 \times \frac{40}{100} = 80$이다.

ㄷ. 우점종은 상대 밀도(%)＋상대 빈도(%)＋상대 피도(%)의 값인 중요치가 가장 큰 종이다. A의 중요치는 95, B의 중요치는 90, C의 중요치는 115이므로 우점종은 C이다.

DAY 3 필수 체크 전략 ①
46~49쪽

❶-1 ㄷ	❷-1 ㄴ	❸-1 ㄱ, ㄴ, ㄷ	❹-1 ㄱ
❺-1 ㄱ	❻-1 ㄱ	❼-1 ㄱ, ㄷ	❽-1 ㄱ, ㄴ, ㄷ

❶-1 생태 피라미드

ㄷ. 상위 영양 단계로 갈수록 에너지양은 1000 → 100 → 15 → 3으로 감소한다. 생산자의 에너지양은 1차 소비자의 에너지양의 10배이다.

바로 보기 ㄱ. 1차 소비자는 스스로 양분을 합성할 수 없고, 생산자로부터 유기물 형태로 양분을 공급받는다.

ㄴ. 에너지 효율(%)＝$\frac{\text{현 영양 단계의 에너지 총량}}{\text{전 영양 단계의 에너지 총량}} \times 100$이다. 2차 소비자의 에너지 효율은 $\frac{15}{100} \times 100 = 15$ %이다.

❷-1 에너지 효율

에너지 효율(%)＝$\frac{\text{현 영양 단계의 에너지 총량}}{\text{전 영양 단계의 에너지 총량}} \times 100$이다.

ㄴ. ㈁＝$\frac{2}{㈀(50)} \times 100 = 4$ %이다.

바로 보기 ㄱ. 1차 소비자의 에너지 효율이 5 %이므로 $\frac{㈀}{1000} \times 100 = 5$ %에서 ㈀은 50이다.

ㄷ. 소나무는 스스로 양분을 합성할 수 있는 생산자이다.

❸-1 탄소 순환

ㄱ. A는 대기 중 CO_2를 직접 흡수할 수 있는 생산자, B는 소비자이다. A(생산자)에서는 광합성과 호흡이 모두 일어난다.

ㄴ. 연소는 석탄, 석유와 같은 화석 연료로부터 대기 중으로 CO_2가 이동하는 과정이므로 (가)에 해당한다.

ㄷ. 탄소는 A(생산자)에서 B(소비자)로 유기물 형태로 이동한다.

❹-1 질소 순환

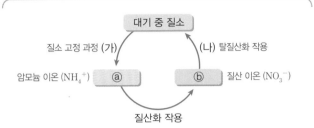

- 아미노산, 핵산, 엽록소의 주요 구성 성분인 질소는 대기 중에 약 78 % 를 차지할 정도로 풍부하지만, 질소 기체(N_2)는 매우 안정하여 대부분의 생물이 이용할 수 없다.
- 질소 기체(N_2)가 암모늄 이온(NH_4^+)이나 질산 이온(NO_3^-)으로 전환되면 생물이 흡수할 수 있다.

선택지 분석

ㄱ ⓑ는 질산 이온이다. → 식물에 흡수 가능
✗ (가)는 탈질산화 작용이다. → 질소 고정 과정
✗ 뿌리혹박테리아는 (나)에 관여한다. → (가)

ㄱ. 질산화 작용에 의해 암모늄 이온(NH_4^+)이 질산 이온(NO_3^-)으로 전환되므로 (가)는 질소 고정 과정, (나)는 탈질산화 과정, ⓐ는 암모늄 이온(NH_4^+), ⓑ는 질산 이온(NO_3^-)이다.

바로 보기 ㄴ, ㄷ. (가)는 대기 중의 질소를 암모늄 이온으로 전환시키는 질소 고정 과정이며, 뿌리혹박테리아는 질소 고정 과정인 (가)에 관여한다.

암기 Tip 질소 순환 과정

질소 고정 작용에 관여하는 **질소 고정 세균**은 뿌리혹박테리아야. 질소를 뿌리에 고정시킨다. 이렇게 기억하자~
질산화 작용에는 **질산화** 세균(아질산균, 질산균)이, **탈질산화** 작용에는 **탈질산화** 세균이 관여하는 건 기억하기 쉽지?

- 질소 고정 작용: 번개와 같은 공중 방전, 뿌리혹박테리아와 같은 질소 고정 세균이 관여한다. 질소(N_2) → 암모늄 이온(NH_4^+), 질산 이온(NO_3^-)
- 질산화 작용: 질산화 세균이 관여한다. 암모늄 이온(NH_4^+) → 아질산 이온(NO_2^-), 질산 이온(NO_3^-)
- 탈질산화 작용: 탈질산화 세균이 관여한다. 질산 이온(NO_3^-) → 질소(N_2)

❺-1 물질의 생산과 소비

ㄱ. 호흡량은 총생산량 − 순생산량이므로 A는 호흡량이다.

바로 보기 ㄴ. 1차 소비자는 생산자로부터 유기물의 형태로 에너지를 얻는다.

ㄷ. 생산자의 총생산량 중 일부(피식량)가 1차 소비자로 이동

한다.

암기 Tip 물질의 생산과 소비

총생산량, 호흡량, 순생산량의 앞 글자만 따서 암기해~ '총=호+순'

총생산량=호흡량+순생산량
순생산량=총생산량−호흡량

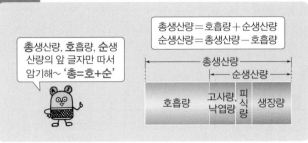

		총생산량		
			순생산량	
호흡량	고사량, 낙엽량	피식량	생장량	

❻-1 물질의 생산과 소비

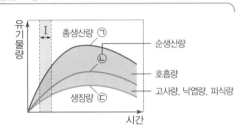

선택지 분석

ㄱ 구간 I에서 호흡량은 시간에 따라 증가한다. → ⓒ
✗ ⓛ은 광합성을 통해 생성된 유기물의 총량이다. → ⓣ
✗ ⓒ에는 고사량이 포함된다. → 포함되지 않는다.

총생산량=호흡량+순생산량(고사량, 낙엽량, 피식량, 생장량)이므로 ⓣ은 총생산량, ⓛ은 순생산량, ⓒ은 생장량이다.

ㄱ. 호흡량은 총생산량(ⓣ)−순생산량(ⓛ)이므로 구간 I에서 시간에 따라 호흡량이 증가한다.

바로 보기 ㄴ. ⓛ(순생산량)은 총생산량에서 호흡량을 제외한 유기물량이고, 광합성을 통해 생성된 유기물의 총량은 총생산량이다.

ㄷ. ⓒ(생장량)은 순생산량에서 피식량, 고사량, 낙엽량을 제외한 유기물의 양이므로 고사량은 ⓒ에 포함되지 않는다.

❼-1 생물 다양성

ㄱ. 유전적 다양성은 같은 종이라도 개체군 내의 개체들이 유전자의 변이로 인해 다양한 형질을 나타내는 것으로, 유전적 다양성이 높을수록 급격한 환경 변화나 전염병이 발생했을 때 살아남을 수 있는 개체가 존재할 확률이 높으므로 멸종될 확률이 낮다.

ㄷ. 생태계 다양성은 생물적 요인과 비생물적 요인 사이의 관계에 대한 다양성을 포함한다.

바로 보기 ㄴ. 종 다양성은 동물, 식물, 미생물 등 모든 생물에서 나타난다.

❽-1 생물 다양성

ㄱ. 도로 위의 생태 통로는 야생 동물의 로드킬을 예방할 수 있다.

ㄴ. 산을 통과하는 도로를 건설할 때 터널을 설계하는 것도 야생 동물의 이동 통로를 제공한다는 점에서 같은 효과를 얻을 수 있다.

ㄷ. 생태 통로는 서식지 단편화로 인한 생물 다양성 감소를 줄일 수 있는 방안 중 하나이다.

DAY 3 필수 체크 전략 ②

50~51쪽

[최다 오답 문제]
1 ①   2 ⑤   3 ④   4 ⑤   5 ①   6 ⑤

1 물질의 생산과 소비

자료 분석 +   물질의 생산과 소비

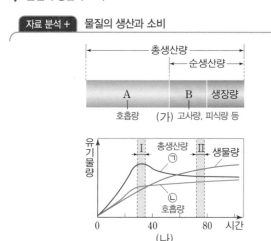

• 총생산량＝호흡량(A)＋순생산량
• 순생산량에는 고사량·피식량·낙엽량(B) 등이 포함되어 있다.

선택지 분석

㉠ ㉠은 총생산량이다.
✗ 초식 동물의 호흡량은 A에 포함된다. → 포함되지 않는다.
✗ $\dfrac{\text{순생산량}}{\text{생물량}}$ 은 구간 Ⅱ에서가 구간 Ⅰ에서보다 크다. → 작다.

ㄱ. 총생산량은 호흡량보다 크므로 ㉠은 총생산량, ㉡은 호흡량이다.

👁 바로 보기   ㄴ. 호흡량은 총생산량에서 순생산량을 제외한 유기물의 양이므로 A는 식물 군집의 호흡량이다. B의 일부는 피식량이므로 초식 동물의 호흡량은 B에 포함된다.

ㄷ. 순생산량은 총생산량에서 호흡량을 제외한 유기물의 양이다. 순생산량은 구간 Ⅰ에서가 구간 Ⅱ에서보다 크고, 생물량은 구간 Ⅰ에서가 구간 Ⅱ에서보다 작다. 따라서 $\dfrac{\text{순생산량}}{\text{생물량}}$ 은 구간 Ⅱ에서가 구간 Ⅰ에서보다 작다.

2 물질과 에너지의 이동

자료 분석 +   물질과 에너지의 이동

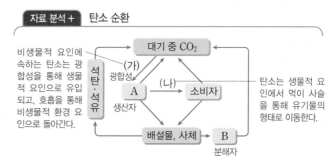

선택지 분석

✗ 경로 A는 물질의 이동 경로이다. → 에너지
㉡ $\dfrac{\text{(가)에서 이동하는 에너지양}}{\text{(나)에서 이동하는 에너지양}} > 1$ 이다.
㉢ 대기 중 탄소는 경로 B를 따라 이동한다.

ㄴ. 생산자의 에너지 일부가 1차 소비자로 이동하고, 1차 소비자의 에너지 일부가 2차 소비자로 이동하므로
$\dfrac{\text{(가)에서 이동하는 에너지양}}{\text{(나)에서 이동하는 에너지양}} > 1$ 이다.

ㄷ. 대기 중 탄소는 물질 순환 경로인 B를 따라 이동한다.

👁 바로 보기   ㄱ. 생태계에서 물질은 순환하고, 에너지는 일방적으로 흐른다. 경로 A는 생태계에서 일방적으로 흐르므로 에너지의 이동 경로이다.

3 탄소 순환

자료 분석 +   탄소 순환

비생물적 요인에 속하는 탄소는 광합성을 통해 생물적 요인으로 유입되고, 호흡을 통해 비생물적 환경 요인으로 돌아간다.

대기 중 CO₂ — (가) 광합성 — 석탄·석유 — A 생산자 — (나) — 소비자 — 배설물, 사체 — B 분해자

탄소는 생물적 요인에서 먹이 사슬을 통해 유기물의 형태로 이동한다.

선택지 분석

㉠ (가)에서 동화 작용이 일어난다.
✗ (나)에서 탄소는 무기물의 형태로 이동한다. → 유기물
㉢ A와 B는 모두 유기물을 무기물로 분해한다.

ㄱ. 대기와 수중의 이산화탄소(CO_2)가 A로 이동하는 과정 (가)는 광합성이다. A(생산자)의 광합성에 의해 대기 중 이산화 탄소가 유기물로 고정된다. 광합성은 동화 작용이다.

ㄷ. A는 생산자, B는 분해자이다. 생산자와 분해자는 모두 유기물을 무기물로 분해한다.

👁 바로 보기   ㄴ. (나)는 먹이 사슬이다. 탄소는 유기물의 형태로 생산자에서 소비자로 먹이 사슬을 통해 이동한다.

4 질소 순환

자료 분석 + 질소 순환

	과정	물질 전환
질소 고정 과정	(가)	대기 중 질소(N_2) $\longrightarrow$ 암모늄 이온(NH_4^+)
질산화 작용	(나)	암모늄 이온(NH_4^+) $\longrightarrow$ 질산 이온(NO_3^-)
질소 동화 작용	(다)	질산 이온(NO_3^-) $\longrightarrow$ 아미노산

- 대기 중 질소(N_2) 기체는 식물이 직접 이용할 수 없다.
- 식물은 질산 이온(NO_3^-)을 흡수하여 아미노산, 핵산 등의 재료로 이용한다.

선택지 분석
- ㄱ 질소 고정 세균에 의해 (가)가 일어난다.
- ✗ (나)는 탈질산화 작용이다. → 질산화 작용
- ㄷ 식물체 내에서 (다)가 일어난다.

ㄱ. 뿌리혹박테리아와 같은 질소 고정 세균은 대기 중 질소(N_2)가 암모늄 이온(NH_4^+)으로 전환되는 질소 고정 과정을 촉진한다.

ㄷ. (다)는 질산 이온(NO_3^-)이 아미노산으로 합성되는 반응으로, 식물은 질산 이온(NO_3^-)을 흡수하여 아미노산으로 합성한다.

👁 바로 보기 ㄴ. (나)는 암모늄 이온(NH_4^+)이 질산 이온(NO_3^-)으로 전환되는 질산화 작용이다. 탈질산화 작용은 질산 이온(NO_3^-)이 질소 기체(N_2)로 전환되는 과정이다.

5 종 다양성

자료 분석 + 종 다양성

종 수는 일정한데 전체 개체 수는 증가하고 있으므로 개체 수가 증가하는 종이 있음을 알 수 있다.

전체 개체 수 감소 → 출생률 < 사망률

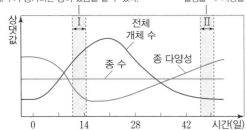

- 개체군의 출생률보다 사망률이 높으면 개체군의 개체 수가 감소한다.
- 면적은 일정하므로 개체 수가 증가하면 밀도가 증가한다.

선택지 분석
- ㄱ 구간 Ⅰ에서 개체 수가 증가하는 종이 있다.
- ✗ 구간 Ⅱ에서 식물 플랑크톤의 출생률은 사망률보다 높다. → 낮다.
- ✗ 구간 Ⅰ과 Ⅱ에서 모두 P의 밀도가 증가한다.
  - Ⅰ에서 P의 밀도는 증가하고, Ⅱ에서 P의 밀도는 감소한다.

ㄱ. 구간 Ⅰ에서 종 수는 일정하지만 전체 개체 수는 증가하므로 개체 수가 증가하는 종이 있다.

👁 바로 보기 ㄴ. 구간 Ⅱ에서 전체 개체 수가 감소하므로 출생률은 사망률보다 낮다.

ㄷ. 밀도$=\dfrac{\text{개체 수}}{\text{서식지 면적}}$이다. 구간 Ⅰ에서는 전체 개체 수가 증가하므로 P의 밀도가 증가하고, 구간 Ⅱ에서는 전체 개체 수가 감소하므로 P의 밀도가 감소한다.

6 물질의 생산과 소비, 질소 순환

자료 분석 + 물질의 생산과 소비, 질소 순환

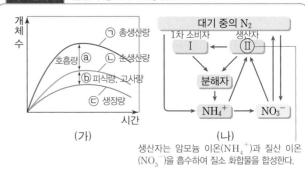

생산자는 암모늄 이온(NH_4^+)과 질산 이온(NO_3^-)을 흡수하여 질소 화합물을 합성한다.

- 호흡량＝총생산량－순생산량
- 순생산량에는 피식량, 고사량, 낙엽량, 생장량 등이 포함된다.

선택지 분석
- ㄱ 식물 군집의 호흡량은 ⓐ이다.
- ✗ ⓑ는 Ⅱ에서 Ⅰ로 이동하는 유기물량과 같다. → 같지 않다.
- ㄷ Ⅱ는 빛에너지를 흡수하여 유기물을 합성할 수 있다.

ㄱ. 총생산량은 호흡량과 순생산량을 더한 유기물의 양이고, 순생산량에는 생장량, 피식량, 고사량 등이 포함된다. ㉠은 총생산량, ㉡은 순생산량, ㉢은 생장량이다. 호흡량은 총생산량에서 순생산량을 제외한 유기물의 양이므로 ㉠(총생산량)－㉡ (순생산량)인 ⓐ이다.

ㄷ. Ⅰ(1차 소비자)은 빛에너지를 흡수하여 유기물을 합성할 수 없고, Ⅱ(생산자)는 광합성을 통해 빛에너지를 흡수하여 유기물을 합성할 수 있다.

👁 바로 보기 ㄴ. Ⅱ는 암모늄 이온(NH_4^+)과 질산 이온(NO_3^-)를 흡수하는 생산자이고, Ⅰ은 1차 소비자이다. ⓑ는 ㉡(순생산량)－㉢(생장량)이고, ⓑ에는 피식량, 고사량, 낙엽량 등이 포함되므로 ⓑ의 일부가 Ⅱ(생산자)에서 Ⅰ(1차 소비자)로 이동한다.

누구나 합격 전략 | 52~53쪽

01 ①	02 ③	03 ㄱ, ㄷ	04 ㄱ, ㄴ, ㄷ
05 B	06 ⑴ 10 % ⑵ 20 %		07 ㄴ, ㄷ
08 ④	09 ⑤	10 ⑤	

01 생태계

ㄱ. A~C는 서로 다른 개체군으로 군집을 구성한다.

👁 바로 보기 ㄴ. 숲은 생물 군집에 속하고, 습도는 비생물적 환경 요인이므로 숲에 나무가 우거져 숲의 습도가 높아지는 것은 ⓒ에 해당한다.

ㄷ. 일조 시간은 비생물적 환경 요인에 속하고, 국화꽃은 생물 군집에 속하므로 일조 시간이 짧아지는 가을에 국화꽃이 개화하는 것은 ⓒ에 해당한다.

02 개체군

ㄱ. 밀도 $=\dfrac{\text{특정 종의 개체 수}}{\text{서식지 면적}}$ 이다. 밀도는 서식지 면적이 같다면 개체 수에 비례하고, 돌말의 개체 수는 겨울에 가장 낮으므로 밀도도 겨울에 가장 낮다.

ㄷ. 봄에 돌말의 개체 수가 증가한 원인으로는 겨울에 영양염류의 증가, 수온의 증가, 빛의 세기 증가 등이 있다.

👁 바로 보기 ㄴ. 수온은 여름보다 가을에 낮다.

03 개체군 내의 상호 작용

개체군 내의 경쟁을 피하고 질서를 유지하기 위해 다양한 상호 작용이 일어난다. 개체군 내의 상호 작용에는 가족생활, 사회생활, 텃세, 순위제, 리더제 등이 있다.

ㄱ. 코끼리 개체군에서 나타나는 상호 작용은 가족생활이다.

ㄷ. 큰뿔양 수컷 개체군에서 나타나는 상호 작용은 순위제로 개체군 내의 상호 작용에 해당한다.

👁 바로 보기 ㄴ. 기러기 개체군에서 나타나는 상호 작용은 리더제이다. 리더제에서 리더를 제외한 나머지 개체군에는 순위가 없다.

04 군집 내 개체군 사이의 상호 작용

기생 관계의 두 종에서 한 종은 이익을, 다른 한 종은 피해를 입는다. 상리 공생 관계의 두 종은 모두 이익을 얻고, 편리 공생 관계의 두 종에서 한 종은 이익을, 나머지 한 종은 영향을 받지 않는다. A는 편리 공생, B는 기생, C는 상리 공생, ⓒ은 이익, ⓒ은 손해이다.

ㄱ. ⓒ은 이익, ⓒ은 손해이다.

ㄴ. B는 기생이다.

ㄷ. 콩과식물은 뿌리혹박테리아에게 서식 공간을 제공하고, 뿌리혹박테리아는 콩과식물에게 질산 이온(NO_3^-)을 공급하므로 두 종의 관계는 C(상리 공생)이다.

05 군집

A의 상대 피도 $=100-(40+40)=20(\%)$,

B의 상대 빈도 $=100-(20+40)=40(\%)$,

C의 상대 밀도 $=100-(50+30)=20(\%)$이다.

종	상대 밀도(%)	상대 빈도(%)	상대 피도(%)	중요치
A	50	20	?(20)	90
B	30	?(40)	40	110
C	?(20)	40	40	100

우점종은 중요치(상대 밀도(%)＋상대 빈도(%)＋상대 피도(%))가 가장 큰 종이다. 따라서 중요치가 110으로 가장 큰 B가 우점종이다.

06 에너지 효율

에너지 효율은 전 영양 단계의 에너지양에 대한 현재 영양 단계의 에너지양의 비율이다.

1차 소비자의 에너지 효율은 $\dfrac{100}{1000}\times100=10\%$이고,

2차 소비자의 에너지 효율은 $\dfrac{20}{100}\times100=20\%$이다.

07 물질의 생산과 소비

ㄴ. 1차 소비자에게 전달된 유기물의 양은 피식량이다. 생산자의 총생산량 중 피식량은 15 %이다.

ㄷ. 생산자의 총생산량은 광합성을 통해 생산한 유기물의 총량이다.

👁 바로 보기 ㄱ. 총생산량은 호흡량과 순생산량을 합한 유기물의 양이다. 그림에서 호흡량은 총생산량의 40 %이므로 순생산량은 총생산량의 60 %이다.

08 탄소 순환

ㄱ. 석유는 화석 연료이다. (가) 과정은 석탄·석유와 같은 화석 연료가 대기 중의 CO_2로 전환되는 과정으로, 이 과정이 과도하게 일어나면 대기 중 CO_2의 농도가 높아지고 온실 효과가 유발되어 지구 온난화가 일어날 수 있다.

ㄴ. 식물의 엽록체에서는 광합성을 통해 대기 중의 CO_2가 유기물로 저장되는 과정 (나)가 일어난다.

👁 바로 보기 ㄷ. 식물의 서식지 감소는 대기 중의 CO_2가 식물로 이동하는 과정 (나)를 감소시킨다.

09 질소 순환

ㄱ. 과정 (가)는 대기 중의 질소(N_2)가 암모늄 이온(NH_4^+)으로 전환되는 과정인 질소 고정 과정이고, 뿌리혹박테리아가 관여한다.

ㄴ. 과정 (나)는 암모늄 이온(NH_4^+)이 질산 이온(NO_3^-)으로 전환되는 과정인 질산화 작용이고, 질산화 세균이 관여한다.

ㄷ. 과정 (다)는 질산 이온(NO_3^-)이 대기 중의 질소(N_2)로 전환되는 과정인 탈질산화 작용이고, 탈질산화 세균이 관여한다.

10 생물 다양성

ㄱ. 종 다양성은 특정 지역에서 종의 다양한 정도를 의미한다. ㉠(다양한 종으로 구성된 미생물 집단)은 종 다양성의 예에 해당한다.

ㄴ. 유전적 다양성은 한 개체군을 구성하는 개체들 사이의 대립유전자가 다양한 정도를 의미한다. (나)에서 같은 부모에게서 태어난 자녀의 피부색이 서로 다른 것은 유전적 다양성의 예에 해당한다.

ㄷ. 유전적 다양성, 종 다양성, 생태계 다양성이 높을수록 생태계는 안정적이다. ㉠(다양한 종으로 구성된 미생물 집단)이 많을수록 종 다양성이 높아지므로 생태계는 안정적이다.

창의·융합·코딩	전략		54~57쪽
01 ④	02 ㄱ	03 ④	04 ⑤
05 ②	06 ⑤	07 ④	08 ③
09 ④	10 ⑤	11 ㄱ, ㄴ, ㄷ	12 ③

01 생태계의 구성 요소

· 학생 A: 무궁화는 생태계를 구성하는 생물적 요인이다.

· 학생 C: 지렁이는 생물적 요인에 속하고, 토양의 통기성은 비생물적 요인에 속하므로 지렁이에 의해 토양의 통기성이 증가하는 것은 생물적 요인이 비생물적 요인에 영향을 미치는 예이다.

👁 바로 보기 · 학생 B: 생산자, 소비자, 분해자는 생물적 요인을 영양 섭취 방법에 따라 분류한 것이다.

02 생태계

자료 분석 + 생태계의 구성

· 생태계는 생물적 요인과 비생물적 요인으로 구성된다.
· 비생물적 요인에는 빛, 온도, CO_2 농도 등의 무기 환경 요인이 해당한다.
· 생물적 요인과 비생물적 요인은 서로 영향을 주고 받는다.

선택지 분석

㉠ 학생 A: 온도, CO_2 농도 등이 해당됩니다.
✗ 학생 B: 생물적 요인의 영향을 받지 않습니다. → 받는다.
✗ 학생 C: 시간에 따라 변하지 않고 일정합니다. → 변한다.

ㄱ. 비생물적 요인에는 온도, CO_2 농도, 빛의 세기, 습도, 토양 등이 있다.

👁 바로 보기 ㄴ. 생물적 요인과 비생물적 요인은 서로 영향을 주고받는다.

ㄷ. 비생물적 요인은 시간에 따라 변한다.

03 개체군

ㄱ. 개체군 내의 상호 작용에는 텃세, 순위제, 리더제, 가족생활, 사회생활이 있다. ㉠은 리더제이다.

ㄴ. 개체군 내에 서열이 존재하는 ㉡은 순위제이다. 리더제를 따르는 개체군은 리더를 제외한 나머지 개체군에서 서열이 없다.

👁 바로 보기 ㄷ. 개체군은 한 종의 생물들로 구성되며, 군집은 여러 종의 생물들로 구성된다.

암기 Tip 개체군의 상호 작용

04 개체군과 군집 내의 상호 작용

ㄴ. 상리 공생 관계의 두 종은 모두 이익을 얻고, 포식과 피식 관계의 두 종 중 한 종은 이익을 얻고, 다른 종은 손해를 입으

므로 '두 종 모두 이익을 얻는다.'는 ㉡에 해당한다.

ㄷ. 텃세를 따르는 개체는 세력권을 형성하지만 순위제를 따르는 개체는 세력권을 형성하지 않으므로 '세력권을 형성한다.'는 ㉢에 해당한다.

👁 **바로 보기** ㄱ. ㉠은 텃세, 포식과 피식, 상리 공생, 순위제 중 상리 공생, 포식과 피식에만 해당하는 특징이고, 텃세와 순위제는 개체군 내의 상호 작용이므로 '개체군 내의 상호 작용인가?'는 ㉠에 해당하지 않는다.

05 개체군과 군집

경쟁 관계의 두 종은 모두 손해를 입으므로 A는 경쟁, B는 포식과 피식이다.

ㄴ. 눈신토끼와 스라소니의 상호 작용은 B(포식과 피식)에 해당한다.

👁 **바로 보기** ㄱ. B는 포식과 피식이다.

ㄷ. 경쟁, 포식과 피식은 모두 군집 내 개체군 사이의 상호 작용이다. 따라서 '개체군 내의 상호 작용이다.'는 A(경쟁)와 B(포식과 피식)의 공통 특성이 될 수 없다.

06 개체군과 군집

선택지 분석 + 개체군과 군집

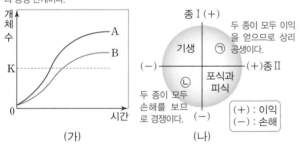

혼합 배양하면 단독 배양했을 때의 최대 개체 수 K보다 증가하였으므로 A와 B는 상리 공생 관계이다.

종 Ⅰ (+)
두 종이 모두 이익을 얻으므로 상리 공생이다.
기생 ㉠
(−)―――――(+)종Ⅱ
㉡ 포식과 피식
두 종이 모두 손해를 보므로 경쟁이다. (−)
(+) : 이익
(−) : 손해

(가)　　　　(나)

선택지 분석

✗. (가)에서 A와 B는 모두 환경 저항을 받지 않는다. ▶ 받는다.
ㄴ. (가)에서 A와 B 사이의 상호 작용은 ㉠이다.
ㄷ. 생태적 지위가 같은 두 종 사이에서 ㉡이 일어난다.

ㄴ. 그래프 (가)에서 A와 B를 혼합 배양했을 때 최대 개체 수가 각각 단독 배양했을 때 최대 개체 수보다 증가했으므로 두 종 사이의 상호 작용은 상리 공생(㉠) 관계임을 알 수 있다.

ㄷ. 생태적 지위가 같은 두 종 사이에서는 ㉡(경쟁)이 일어난다.

👁 **바로 보기** ㄱ. (가)에서 A와 B는 모두 실제 생장 곡선(S자형)을 나타내므로 두 종은 모두 환경 저항을 받는다. 환경 저항을 받지 않는다면 이론적 생장 곡선(J자형)을 나타낸다.

07 개체군의 생장 곡선

ㄴ. 환경 저항은 개체 수 증가로 인한 경쟁의 증가, 노폐물의 증가, 먹이 부족 등이 있고, 배양 시간이 증가할수록 환경 저항은 증가한다. 배양 후 2시간일 때 환경 저항은 6시간일 때 환경 저항보다 작다.

ㄷ. 포도당 농도가 낮은 A에서보다 포도당 농도가 높은 B에서가 효모의 최대 개체 수가 크다.

👁 **바로 보기** ㄱ. A와 B에서 모두 효모 개체군의 개체 수는 증가하다가 일정해졌다. A와 B에서 모두 실제 생장 곡선을 나타냈다.

08 탄소의 순환

자료 분석 + 탄소의 순환

(㉠)의 순환
탄소

생물체를 구성하는 유기물의 골격을 구성한다. 대기에서 주로 (㉡)의 형태로, 물속에서 주로 탄산 수소 이온(HCO_3^-)의 이산화 탄소 형태로 존재한다.

• 생산자는 대기의 이산화 탄소(CO_2)를 광합성을 통해 포도당과 같은 유기물로 전환한다.
• 유기물 속의 탄소는 먹이 사슬을 따라 소비자로 이동한다. 생산자와 소비자는 유기물의 일부를 호흡에 이용하며, 이때 탄소는 이산화 탄소(CO_2) 형태로 대기나 물속으로 돌아간다.

선택지 분석

㉠ ㉠은 탄소(C)이다.
㉡ ㉡은 이산화 탄소(CO_2)이다.
✗. ㉠은 생태계에서 일방적으로 흐른다. ▶ 순환한다.

ㄱ. ㉠은 유기물의 골격을 구성하는 탄소(C)이다.

ㄴ. 탄소는 대기에서 주로 이산화 탄소(CO_2)의 형태로 존재하므로 ㉡은 이산화 탄소(CO_2)이다.

👁 **바로 보기** ㄷ. 생태계에서 ㉠(탄소)은 순환하고, 에너지는 순환하지 않고 일방적으로 흐른다.

09 에너지 흐름과 물질 순환

• 학생 B. 질소 순환 과정 중 질소 고정 과정, 질산화 작용, 탈질산화 작용 모두 세균이 관여한다.
• 학생 C. 석탄, 석유와 같은 화석 연료의 사용은 대기 중 이산화 탄소 농도 증가의 원인이 된다.

👁 **바로 보기** • 학생 A. 생태계에서 에너지는 순환하지 않고 일방적으로 흐른다.

10 물질 순환

자료 분석 + 물질 순환

- ㉠ 생태계에서 질소는 순환하지 않습니다. (생물적 요인과 비생물적 요인으로 구성된다.)
- ㉡ 질산화 과정에서 암모늄 이온(NH_4^+)은 질산 이온(NO_3^-)으로 전환합니다. (질산화 세균에 의해 일어난다.)
- 식물은 광합성을 통해 이산화 탄소를 흡수합니다. (빛에너지를 이용하여 이산화 탄소와 물로 포도당을 합성하는 과정)

학생 A   학생 B   학생 C

선택지 분석

ㄱ ㉠은 비생물적 요인을 포함한다.
ㄴ 질산화 세균에 의해 ㉡이 일어난다.
ㄷ 제시한 내용이 옳은 학생은 B와 C이다.

ㄱ. 생태계는 생물적 요인과 비생물적 요인으로 구성된다.

ㄴ. 질산화 과정에서 질산화 세균은 암모늄 이온(NH_4^+)을 질산 이온(NO_3^-)으로 전환하는 것을 촉진한다.

ㄷ. 생태계에서 질소와 탄소 같은 물질은 순환하며, 식물은 광합성을 통해 이산화 탄소를 흡수하고, 호흡을 통해 이산화 탄소를 방출한다.

11 생태계 평형

ㄱ. 생태계 평형이 잘 유지되기 위해서는 먹이 사슬(그물)이 복잡해야 한다.

ㄴ. 생물종의 수가 많을수록 한 종이 멸종되었을 때 다른 종이 먹이 역할을 대신할 수 있기 때문에 생태계가 안정적으로 유지된다.

ㄷ. 물질 순환이 안정적일수록 생물적 요인 사이에서 유기물의 이동이 안정적으로 일어나 생태계 평형이 잘 유지된다.

12 생물 다양성

• 학생 A. 생물 다양성 감소의 원인으로는 서식지 감소, 외래종 도입, 포획과 남획, 인간에 의한 무분별한 개발 등이 있다.

• 학생 B. 국립공원 지정, 국제 협약 체결 등은 생물 다양성 보전 방법에 해당한다.

바로 보기 • 학생 C. 무분별한 외래종 도입은 생물 다양성 감소의 원인이다.

신유형·신경향 전략

| 60~63쪽

| 01 ② | 02 ① | 03 ③ | 04 ③ | 05 ⑤ |
| 06 ③ | 07 ㄴ, ㄷ | 08 ㄱ | 09 ④ | |

01 DNA 상대량과 핵상

자료 분석 + DNA 상대량과 핵상

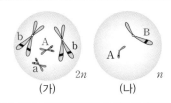

세포	DNA 상대량을 더한 값			
	a b ㉠+㉡	a A ㉠+㉢	b A ㉡+㉢	A B ㉢+㉣
(가)	6	ⓐ 4	6	? 2
(나)	0 ?	1	1 ⓑ	2
	a+b	a+A	b+A	A+B

(가)에서 DNA 상대량이 ㉠+㉡과 ㉡+㉢이 모두 6이므로 ㉡이 4이고, ㉠과 ㉢이 각각 2이며, ㉣은 0이다. 따라서 Ⅰ의 ㉮의 유전자형은 Aabb이다. (가)의 표에서 ㉡=b이고, ㉠, ㉢이 A 혹은 a가 되므로 ㉣이 B이다. 따라서 (나)에서 ㉮의 유전자형은 AB가 된다.

선택지 분석

✗ Ⅰ의 유전자형은 AaBb이다. → Aabb
○ ⓐ+ⓑ=5이다.
✗ (나)에 b가 있다. → 없다.

ㄴ. (가)에서 ㉠이 2, ㉢이 2이므로 ⓐ(㉠+㉢)는 4이다. (나)에서 ㉢(A)이 1, ㉣(B)이 1이므로 ㉠(a)이 0, ㉡(b)이 0이다. (나)에서 ⓑ(㉡+㉢)는 1이므로 ⓐ+ⓑ=4+1=5이다.

바로 보기 ㄱ. AaBb일 경우 (가)에서 두 유전자의 DNA 상대량을 더한 값이 6이 될 수 없으므로 Ⅰ세포의 유전자형은 Aabb이다.

ㄷ. (나)에서 ㉮의 유전자형은 AB이므로 (나)에는 b가 없다.

02 염색체 구조 이상과 수 이상

자료 분석 + 염색체 구조 이상과 수 이상

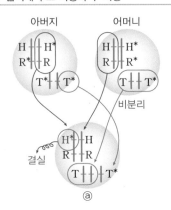

어머니로부터 HR을, 아버지로부터 H*R을 받았으나 @에서 H*이 존재하지 않으므로 아버지에게서 결실이 일어났고, 아버지에게서 T*을, 어머니로부터 TT*을 받았으므로 어머니의 감수 1분열에서 비분리가 일어난 것이다.

선택지 분석

ㄱ. 아버지의 생식세포의 염색체 일부에서 결실이 나타났다.
✗. 난자 형성 시 염색 분체가 비분리되었다. → 상동 염색체
✗. @는 클라인펠터 증후군을 나타낸다. → 정상이다.

ㄱ. 아버지의 대립유전자 H*가 결실되었다.

👁 바로 보기 ㄴ. TT*을 어머니로부터 받았으므로 감수 1분열에서 상동 염색체가 비분리되었다.

ㄷ. TT*T로 상염색체가 3개이므로 세포 1개당 상염색체 수는 45이고, 성염색체 수는 정상이다.

03 군집

자료 분석 + 식물 군집에서 우점종 구하기

지역	종	상대 밀도 (%)	상대 빈도 (%)	상대 피도 (%)	총 개체 수
Ⅰ	A	30	? 45	19	중요치:
	B	? 41	24	22	100 A 94, B 87,
	C	29	31	? 59	C 119
Ⅱ	A	5	? 45	13	중요치:
	B	? 25	13	25	120 A 63, B 63,
	C	70	42	? 62	C 174

• 우점종은 중요치(=상대 밀도(%)+상대 빈도(%)+상대 피도(%))가 가장 높은 종이다.
• 밀도=$\frac{개체 수}{서식지 면적}$이다.
• A~C에서 상대 밀도의 합은 100 %, 상대 빈도의 합은 100 %, 상대 피도의 합은 100 %이다. 그러므로 Ⅰ에서 A의 상대 빈도는 45 %이고, B의 상대 밀도는 41 %이며, C의 상대 피도는 59 %이다.
• Ⅰ에서 중요치가 가장 높은 종은 C이다.

선택지 분석

ㄱ. Ⅰ의 식물 군집에서 우점종은 C이다.
✗. 개체군 밀도는 Ⅰ의 A가 Ⅱ의 B보다 크다. → Ⅰ의 A와 Ⅱ의 B가 같다.
ㄷ. 종 다양성은 Ⅰ에서가 Ⅱ에서보다 높다.

ㄱ. Ⅰ의 식물 군집에서 우점종은 중요치가 가장 큰 C이다.
ㄷ. 종 다양성은 종의 수가 많을수록, 군집을 구성하는 각 종의 밀도가 고를수록 높다. Ⅰ과 Ⅱ에서 종의 수는 3으로 같고, Ⅰ에서가 Ⅱ에서보다 각 종의 밀도가 고르므로 종 다양성은 Ⅰ에서가 Ⅱ에서보다 높다.

👁 바로 보기 ㄴ. Ⅰ의 총 개체 수는 100이고 Ⅰ의 A의 상대 밀도가 30 %이므로, A의 개체 수는 30이다. Ⅱ의 총 개체 수는 120이고 Ⅱ의 B의 상대 밀도는 25 %이므로 개체 수는 30이다. 개체군의 밀도는 서식지의 면적이 같으면 개체 수에 비례한다. 따라서 Ⅰ의 A와 Ⅱ의 B의 개체군 밀도는 같다.

04 에너지 흐름

자료 분석 + 에너지 흐름

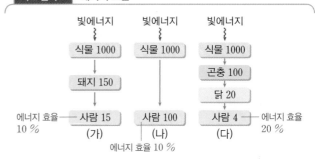

• 에너지 효율(%)=$\frac{현 영양 단계의 에너지 총량}{전 영양 단계의 에너지 총량} \times 100$
• 사람에게 전달되는 에너지가 많을수록 더 많은 사람이 에너지를 공급받을 수 있다.

선택지 분석

ㄱ. (가)에서 돼지의 에너지 효율은 15 %이다.
✗. 사람의 에너지 효율은 (나)에서가 (다)에서의 2배이다. → $\frac{1}{2}$배이다.
ㄷ. (가)~(다) 중 사람에게 가장 많은 에너지를 공급할 수 있는 먹이 사슬은 (나)이다.

ㄱ. (가)에서 돼지의 에너지 효율은 $\frac{150}{1000} \times 100 = 15$ %이다.

ㄷ. (가)~(다)에서 사람에게 공급된 에너지는 각각 15, 100, 4이므로 사람에게 가장 많은 에너지를 공급할 수 있는 먹이 사슬은 (나)이다.

👁 바로 보기 ㄴ. (나)에서 사람의 에너지 효율은 $\frac{100}{1000} \times 100 = 10$ %, (다)에서는 $\frac{4}{20} \times 100 = 20$ %이므로 (나)에서가 (다)에서의 $\frac{1}{2}$배이다.

05 감수 분열

자료 분석 + 감수 분열

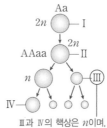

세포	상염색체 수	A와 a의 DNA 상대량을 더한 값
㉠	2n ⑧	세포 I ? 2
㉡	n 4	세포 III 2
㉢	@ 4	세포 IV ⓑ 1
㉣	? 8	세포 II ④

III과 IV의 핵상은 n이며, A+a DNA 상대량은 III이 2, IV는 1이다.

상염색체 수가 8인 경우가 2n이며, A+a DNA 상대량을 더한 값이 4인 경우가 II이다. 따라서 ㉠은 I이다.

A+a의 DNA 상대량이 4인 @은 감수 1분열 중기의 세포로 핵상이 2n이다.

선택지 분석

ㄱ. ㉠, ㉣의 핵상은 동일하다.
ㄴ. @+ⓑ=5이다.
ㄷ. IV의 염색체 수는 5개이다.

ㄱ. ㉠은 상염색체 수가 8인 것으로 보아 핵상이 $2n$이다. ㉣은 DNA 상댓값이 4인 것으로 보아 Ⅱ에 해당하므로 핵상이 $2n$이다.

ㄴ. ㉢은 세포 Ⅳ이다. 따라서 ⓐ=4, ⓑ=1이므로 ⓐ+ⓑ=5이다.

ㄷ. 상염색체 수가 8이므로 체세포의 핵상과 염색체 수는 $2n=10$이다. 따라서 생식세포인 Ⅳ는 핵상이 n이며 염색체 수는 5개이다.

06 상염색체 유전, 성염색체 유전

[자료 분석 +] 상염색체 유전, 성염색체 유전

[가계도 1, 2, 5에서]

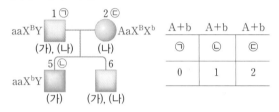

- (나)가 발현된 1과 2로부터 정상인 5가 태어났으므로 B는 (나) 발현 대립유전자 b는 정상 대립유전자이다. (나)의 유전자가 상염색체에 있다면 1, 2, 5의 (나)의 유전자형은 1이 Bb, 2가 Bb, 5가 bb가 되어 ㉠에서 A와 b의 DNA 상대량을 더한 값으로 0을 갖는다는 조건과 모순이 된다. 따라서 (나)의 유전자는 X 염색체에 있다.
- ㉠은 A와 b를 더한 값이 0이고, 구성원 1, 2, 5 중 이 조건을 만족하는 구성원은 1이므로 ㉠은 1이고, ㉠(1)은 대립유전자로 a만 갖는다. ㉠(1)은 a만 갖고 (가)가 발현되었으므로 (가)는 열성 형질이다.
- 2에게서 (가)가 발현되지 않았으므로 2는 A를 가지며, 2가 A 하나 가질 때 A와 b의 DNA 상대량 합이 2가 되므로 ㉢은 2, ㉡은 5이다.
- 5와 6의 X 염색체는 2로부터 물려받은 것인데 둘 다 2에 없는 (가) 형질이 나타난 것으로 보아 (가) 유전자는 상염색체에 존재한다.

[가계도 3, 4, 8에서]

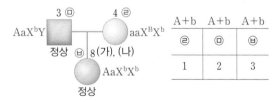

3과 8은 (나)에 대해 정상인데, A+b의 값이 다르므로 3은 AaX^bY, 4는 aaX^BX^b, 8은 AaX^bX^b로 B와 b는 X 염색체에 있으며 우성 유전한다.

[선택지 분석]

㉠ (가)의 유전자는 상염색체에 있다.

✗ 8은 ㉤이다. → ㉥

㉢ 6과 7 사이에서 아이가 태어날 때, 이 아이의 (가)와 (나)의 표현형이 모두 ㉡과 같을 확률은 $\frac{1}{8}$이다.

ㄱ. (가)는 상염색체, (나)는 성염색체에 있다.

ㄷ. ㉡(5)의 표현형은 (가) 발현(aa), (나) 미발현(X^BY)이다. 6은 aaX^BY, 7은 AaX^bX^b로 이들 사이에서 (가)가 발현될

확률은 $\frac{1}{2}$이고 (나)가 발현되지 않을 확률은 $\frac{1}{4}$이므로 구하는 확률은 $\frac{1}{2} \times \frac{1}{4} = \frac{1}{8}$이다.

[바로 보기] ㄴ. 8은 ㉥이다.

07 생존 곡선

[자료 분석 +] 생존 곡선

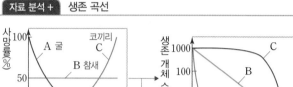
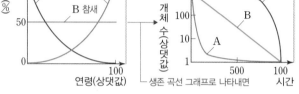

└ 생존 곡선 그래프로 나타내면

- 코끼리는 상대 연령 초기 사망률이 낮고, 상대 연령 후기 사망률이 높다.
- 굴은 상대 연령 초기 사망률이 높고, 상대 연령 후기 사망률이 낮다.
- 참새는 상대 연령에 따른 사망률이 일정하다.

[선택지 분석]

✗ A는 코끼리이다. → 굴

㉡ B는 Ⅱ형 생존 곡선을 따르는 생물의 예이다.

㉢ 한 부모에서 태어난 자손 개체의 수는 A에서가 C에서보다 많다.

ㄴ. B는 상대 연령에 따른 사망률이 일정하므로 Ⅱ형 생존 곡선을 따르는 생물의 예이다.

ㄷ. 한 부모에서 태어난 자손의 개체 수는 Ⅲ형 생존 곡선을 따르는 A(굴)에서가 Ⅰ형 생존 곡선을 따르는 C(코끼리)에서보다 많다.

[바로 보기] ㄱ. 굴은 상대 연령 초기 사망률이 높고, 상대 연령 후기 사망률이 낮으므로 A이고, 참새는 상대 연령에 따른 사망률이 일정하므로 B이다. 나머지 C는 코끼리이다.

08 군집 내 개체군 사이의 상호 작용

[선택지 분석]

㉠ A와 B의 생태적 지위는 중복된다.

✗ (나)에서 A는 B와 한 군집을 이룬다. → 이루지 않는다.

✗ (나)에서 A와 B 사이에 경쟁·배타가 일어났다. → 분서

ㄱ. A와 B를 각각 독립적으로 키웠을 때 조간대 상부와 하부에서 모두 잘 자랐으므로 A와 B의 생태적 지위는 같다.

[바로 보기] ㄴ. 군집은 같은 지역에 모여 생활하는 모든 개체군의 집합이므로 (나)에서 A는 B와 한 군집을 이루지 않는다.

ㄷ. (나)에서 A와 B는 먹이 등 환경에 대한 요구가 같아 경쟁을 피하기 위해 서식지를 달리한 것이다(분서).

09 생태계 평형

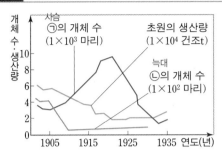

자료 분석 + **생태계 평형**

• 먹이 사슬은 초원 → 사슴 → 늑대이다.
• 늑대 사냥으로 늑대의 개체 수 감소 → 사슴의 개체 수 증가 → 초원의 생산량 감소가 나타난다.

선택지 분석

✗ ㉠은 늑대이다. → 사슴이다.
㉡ ㉠으로부터 ㉡으로 유기물이 이동한다.
㉢ 1925년도에 사슴의 개체 수 감소 원인으로는 초원의 생산량 감소가 있다. → 초원 감소, 경쟁 증가, 노폐물 증가 등

ㄴ. 먹이 사슬을 통해 ㉠(사슴)으로부터 ㉡(늑대)으로 유기물이 이동한다.

ㄷ. 1925년도에 사슴의 먹이 공급원인 초원의 생산량이 감소하여 사슴의 개체 수가 감소하였다.

👁 바로 보기   ㄱ. 늑대 사냥 후 늑대의 개체 수가 감소하고, 늑대의 개체 수 감소로 인해 사슴의 개체 수가 증가하므로 ㉠은 사슴, ㉡은 늑대이다.

1·2등급 확보 전략 1회

64~67쪽

01 ②	02 ㄴ, ㄷ	03 ㄴ, ㄷ	04 ⑤	05 ③
06 ②	07 ①	08 ③	09 ⑤	

01 감수 분열

자료 분석 + **세포 분열과 DNA 상댓값의 변화**

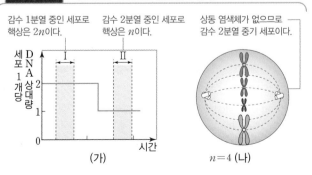

감수 1분열 중인 세포로 핵상은 $2n$이다.
감수 2분열 중인 세포로 핵상은 n이다.
상동 염색체가 없으므로 감수 2분열 중기 세포이다.

(가) $n=4$ (나)

선택지 분석

✗ 구간 Ⅰ의 세포에서 $\dfrac{염색\ 분체의\ 수}{2가\ 염색체\ 수} = 2$이다. → 4
✗ (나)는 Ⅰ에서 관찰된다. → Ⅱ
㉢ (나)의 분열 결과 만들어진 두 딸세포의 유전자 구성은 같다.

(나)의 핵상과 염색체 수는 $n=4$이므로 이 동물의 체세포의 핵상과 염색체 수는 $2n=8$이다.

ㄷ. 감수 2분열 과정에서는 염색 분체가 분리되므로 두 딸세포의 유전자 구성은 같다.

👁 바로 보기   ㄱ. $2n=8$인 세포의 감수 1분열 과정에서 염색 분체의 수는 16개, 2가 염색체 수는 4이다. 따라서 $\dfrac{염색\ 분체의\ 수}{2가\ 염색체\ 수} = \dfrac{16}{4} = 4$이다.

ㄴ. (나)는 감수 2 분열 중기 세포이므로 구간 Ⅱ에서 관찰된다.

02 핵상

자료 분석 + **세포의 핵상 분석**

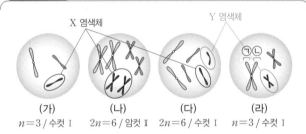

X 염색체   Y 염색체

(가)   (나)   (다)   (라)
$n=3$/수컷 Ⅰ $2n=6$/암컷 Ⅱ $2n=6$/수컷 Ⅰ $n=3$/수컷 Ⅰ

선택지 분석

✗ Ⅱ는 수컷이다. → 암컷
㉡ (나), (다)의 상염색체 수는 같다.
㉢ ㉠, ㉡은 세포 주기 중 S기에 형성되었다.

(가), (다), (라)는 Ⅰ의 세포이고, (나)는 Ⅱ의 세포이다.

ㄴ. $2n=6$이므로 상염색체는 각각 4개이다.

ㄷ. 염색 분체는 S기에 DNA가 복제되어 형성된다.

👁 바로 보기   ㄱ. (나)는 암컷(Ⅱ)의 세포이다.

03 감수 분열

자료 분석 + **감수 분열과 DNA 상대량**

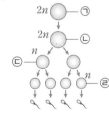

$2n$ ─ ㉠
$2n$ ─ ㉡
n ─ ㉢
        n ─ ㉣

세포	DNA 상대량		
	H	t	
ⓐ	? 2	? 1	HHTt ㉠
ⓑ	2	0	HHTT ㉡
ⓒ	1	1	Ht ㉣
ⓓ	4	2	HHHHTTtt ㉢

선택지 분석

✗ ㉠의 유전자형은 HhTt이다. → HHTt
㉡ ㉢은 ⓓ이다.
㉢ ⓐ의 DNA 상대량 H+t 값은 3이다.

㉠의 유전자형은 HHTt이다.

ㄴ. ㉠의 유전자형이 HHTt이므로 ㉢의 유전자형은 HHTT가 된다.

ㄷ. HHTt에서 H+t의 값은 3이다.

👁 바로 보기 ㄱ. ⓐ에서 H의 값이 4이므로 G_1기 세포는 HH로 동형 접합성이다.

04 감수 분열

자료 분석+ 유전자형 분석

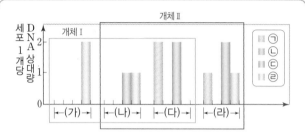

염색체에 유전자를 표시하면 다음과 같다.

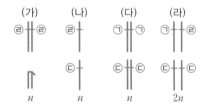

선택지 분석

✗ Ⅰ의 성염색체는 <u>XX</u>이다. → XY

ㄴ ㉢은 X 염색체에 있다.

ㄷ (가), (나), (다)의 핵상은 같다.

(라)의 핵상은 $2n$, (가)~(다)의 핵상은 n이다. (가)에는 X 염색체가 없다.

ㄴ. (나)의 핵상은 n인데, ㉢과 ㉣이 같은 세포에 들어 있는 것으로 보아 ㉢과 ㉣은 대립유전자가 아니다. (가)에서 ㉣과 Y 염색체가 있는 것으로 보아 ㉢은 X 염색체에 존재함을 알 수 있다.

ㄷ. (가), (나), (다)의 핵상은 모두 n으로 같다.

👁 바로 보기 ㄱ. (가)의 핵상은 n인데, 유전자가 1종류밖에 없다. 이는 유전자가 X 염색체에 있으며 (가)에는 Y 염색체가 존재하기 때문이다. 따라서 Ⅰ의 성염색체는 XY이다.

05 다인자 유전

자료 분석+ 다인자 유전

• 유전자형에서 대문자로 표시된 대립유전자의 수(ⓐ)가 3인 남자(Ⅰ)와 4인 여자(Ⅱ) 사이에서 6인 아이(Ⅲ)가 태어나려면 대문자끼리 연관되어 있는 염색체를 가져야 한다.

• 난자가 형성될 때 a, b, D를 모두 가질 확률이 $\frac{1}{2}$이 되려면 Ⅱ에서 a, b가 연관되고 DD로 동형 접합성이라야 한다.

• Ⅰ, Ⅱ의 유전자를 염색체에 그리면 다음과 같다.

선택지 분석

㉠ Ⅰ에서 A와 B는 9번 염색체에 있다.

✗ Ⅲ의 동생이 태어날 때 나타날 수 있는 표현형은 최대 <u>8가지</u>이다. → 6가지

㉢ Ⅰ과 Ⅱ 사이에서 표현형이 Ⅱ와 같은 아이가 태어날 확률은 $\frac{1}{4}$이다.

Ⅰ의 유전자형은 AaBbDd, Ⅱ의 유전자형은 AaBbDD이다.

ㄱ. A−B, a−b는 9번 염색체에 D, d는 7번 염색체에 있다.

ㄷ. 8가지 경우의 수 중 2가지에서 ⓐ가 4인 아이가 나타난다.

👁 바로 보기 ㄴ. 표현형은 대문자로 표시된 대립유전자의 수가 1~6으로 6가지이다.

06 상염색체, 성염색체 유전

자료 분석+ DNA 상대량 및 가계도 분석

• 2, 3의 표현형과 DNA 상대량을 비교하면 ㉠은 B, ㉡은 A, ㉢은 d이다.

구성원		(가), (나) 정상	ⓐ	(가)	
		1	2		3
DNA 상대량	㉠	0	1	0	1	→B
	㉡	0	1	1	0	→A
	㉢	1	1	0	2	→d

• 표에서 2와 3을 비교 — 2의 A, B, d의 DNA 상대량이 모두 1이므로 2의 (가)의 유전자형은 Aa이다. 2는 (가)의 표현형이 정상이므로 A는 정상 대립유전자, a는 (가) 발현 대립유전자이다. (가)가 발현된 3의 (가)의 유전자형은 aa이므로 3에서 A의 DNA 상대량은 0이다. 따라서 ㉡은 A이다.

• 표에서 1과 2를 비교 — 2는 B, d의 DNA 상대량이 모두 1이므로 (나)와 (다)의 유전자형은 모두 이형 접합성이고, 2의 (나)의 표현형이 정상이므로 B는 정상 대립유전자, b는 (나) 발현 대립유전자이다. 1은 (나)가 발현된 남자이므로 X 염색체에 b를 가지고 있다. 1은 B가 없으므로 표에서 DNA 상대량이 0인 ㉠이 B이고, 나머지 ㉢은 d이다.

• 2의 유전자형은 AaBb, 3의 유전자형은 aaBb이므로 (가)는 a에 의해, (나)는 b에 의해 표현된다. (가)가 열성 반성 유전이라면 3이 (가)를 나타내는데, 6이 정상일 수 없다. 따라서 (가)는 상염색체에 존재하고 (나)와 (다)는 성염색체에 있다.

• 표에서 3의 ㉢(d)의 DNA 상대량이 2이므로 3의 (다) 유전자형은 $X^d X^d$이다. 따라서 6은 X^d를 가질 수밖에 없고, 3과 6의 (다) 표현형이 같으므로 7에서 (다)가 나타난다. 7의 (다) 유전자형은 $X^d X^d$이므로 D는 (다) 발현 대립유전자이고, d는 정상 대립유전자이다.

• 분석을 근거로 가계도에 유전자형을 표현하면 다음과 같다.

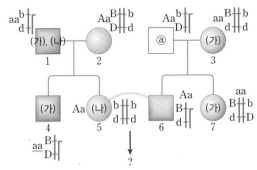

선택지 분석

✗ (가)~(다) 중 유전자가 상염색체에 있는 것은 (나)이다. ┌→ (가)

◯ (다)는 D에 의해 발현된다.

✗ 5, 6 사이에서 아이가 태어날 때 이 아이에게서 (가), (나), (다)가 모두 나타날 확률은 $\frac{1}{4}$이다. ┌→ 0

ㄴ. (다)는 X 염색체에 있는 유전자형이 dd인 3과 dY인 6의 표현형은 같아야 하므로 3, 6, 7에서 (다)를 나타내는 것은 7이다.

👁 바로 보기 ㄱ. 2의 유전자형은 AaBbDd이며, 2는 (가)와 (나)를 나타내지 않으므로 (가)와 (나)를 나타내는 유전자는 각각 a, b이다. 3의 유전자형은 aaBbdd인데, 아들이 (가)를 나타내지 않으므로 (가)는 상염색체에 있다.

ㄷ. 5와 6 사이에서 아이가 태어날 때, 이 아이에게서 (가)가 발현될 확률(aa)은 $\frac{1}{4}$이고, (나)와 (다)가 모두 나타날 확률은 0이다. 따라서 5와 6 사이에서 아이가 태어날 때, 이 아이에게서 (가)~(다) 모두 나타날 확률은 $\frac{1}{4} \times 0 = 0$이다.

07 염색체 비분리

자료 분석 + 감수 분열과 염색체 비분리

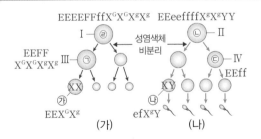

• (가)와 (나)의 감수 1분열에서 성염색체 비분리가 일어났으므로 상동 염색체가 나누어지지 않았다.

세포	DNA 상대량				성염색체에 있다.		
	E	e	F	f	G	g	
㉠	?2	0	2	0	2	2	Ⅲ
㉡ 2n	2	2	0	4	0	?2	Ⅱ
㉢	2	0	?0	2	?0	0	Ⅳ
㉣ 2n	4	0	2	2	?2	2	Ⅰ

┗ 감수 1분열 ┗ 감수 2분열 중기 세포
중기 세포

• I~Ⅳ는 중기의 세포이므로 DNA가 복제된 상태이며, I과 Ⅱ는 감수 1분열 중기의 세포로 핵상이 2n, Ⅲ과 Ⅳ는 감수 2분열 중기의 세포로 핵상이 n이다. 핵상이 2n인 세포는 대립유전자 쌍을 모두 가지며, 핵상이 n인 세포는 대립유전자 쌍 중 하나씩만 가진다. 따라서 대립유전자 상대량 합이 4가 있는 ㉡과 ㉣이 각각 I과 Ⅱ 중 하나이고, ㉠과 ㉢은 Ⅲ과 Ⅳ 중 하나이다.

• ㉡, ㉢에서 G, g가 존재하지 않으므로 G, g는 X 염색체에 있고, ㉡, ㉢은 (나)에 속하는 Ⅱ, Ⅳ이다.

• Ⅲ은 I에 없는 유전자를 가질 수 없고, Ⅳ는 Ⅱ에 없는 유전자를 가질 수 없다. 따라서 ㉡에서 ㉢이, ㉣에서 ㉠이 형성될 수 있으므로 ㉢이 Ⅳ, ㉠이 Ⅲ이다.

선택지 분석

◯ I은 ㉣, Ⅳ는 ㉢이다.

✗ Ⅲ과 Ⅳ의 핵상은 같다. ┌→ 다르다.

✗ ㉮, ㉯의 X 염색체 수는 같다. ┌→ 다르다.

Ⅲ의 핵상은 n+1, Ⅳ의 핵상은 n-1이다. ㉮의 성염색체 구성은 XX, ㉯의 성염색체 구성은 XY이다.

ㄱ. I은 2n으로 성염색체 구성은 XX이므로 ㉣이고, Ⅳ는 ㉢으로부터 형성된 ㉢이다.

👁 바로 보기 ㄴ. Ⅲ은 XX를 모두 가지므로 핵상이 n+1이다. Ⅳ는 성염색체가 없으므로 핵상은 n-1이다.

ㄷ. Ⅲ(㉠)에는 G가 있는 X 염색체와 g가 있는 X 염색체가 있고, Ⅲ(㉠)에서 ㉮가 될 때 감수 2분열이 일어나 염색 분체가 분리되므로 염색체 수에는 변화가 없다. 따라서 ㉮의 성염색체는 XX이므로 X 염색체 수는 2이다. ㉢(Ⅳ)에는 ㉡(Ⅱ)에 있는 g가 없으므로 성염색체가 없으며, ㉢이 아닌 다른 감수 2분열 중기 세포에 g가 있는 X 염색체와 Y 염색체가 함께 있다. 따라서 ㉢(Ⅳ)이 아닌 다른 감수 2분열 중기 세포로부터 만들어진 세포 ㉯에는 X 염색체와 Y 염색체가 각각 1개씩 있으므로 ㉯의 X 염색체 수는 1이다.

08 사람의 유전

자료 분석 + 상염색체, 성염색체 유전

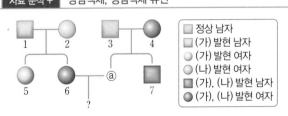

구성원	1	3	6	ⓐ
㉠과 ㉡의 DNA 상대량을 더한 값	1	0	3	1

• 3은 정상 형질을 나타내는데, ㉠과 ㉡의 DNA 상대량이 0이므로 ㉠과 ㉡은 유전병 발현 대립유전자이다.

• 1은 (가)를 나타내는데, ㉠+㉡의 상대량이 1인 것으로 보아 ㉠은 있으나 ㉡은 없을 것임을 예상할 수 있다.

• 6은 (가)와 (나)를 모두 나타내는데, ㉠+㉡의 값이 3인 것으로 보아 ㉠㉠㉡, 혹은 ㉠㉡㉡이라야 하는데, 아버지가 ㉡을 가지지 않으므로 ㉠㉠㉡

- 일 수 없으므로 ㉠㉡이다. 즉 ㉡은 하나만 있어도 발현되었으므로 ㉡은 T이며 어머니 2로부터 ㉠㉡을 받았음을 알 수 있다.
- 2는 ㉠㉡을 모두 가지지만 (가)가 발현되지 않았으므로 (가)는 열성으로 h에 의해 발현됨을 알 수 있다.
- 1은 열성인 ㉠을 하나 가지는데 (가)가 발현된 것으로 보아 H, h는 X 염색체에 있다.
- 5는 (가)만 발현되었으므로 유전자형은 hhtt라야 하는데, 만약 h, t가 연관되어 있다면 2로부터 ht를 받을 수가 없다. 따라서 T, t는 상염색체에 있음을 알 수 있다.
- ⓐ는 4로부터 h를 하나 받았으며 ㉠+㉡의 DNA 상대량이 1이므로 유전자형은 X^hYtt이다.
- 가족 구성원의 유전자형은 다음과 같다.

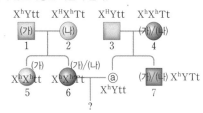

선택지 분석

㉠ ㉠은 h, ㉡은 T이다.

㉡ ㉠은 X 염색체에, ㉡은 상염색체에 있다.

✗ 6과 ⓐ 사이에서 아이가 태어날 때, 이 아이에게서 (가)와 (나)가 모두 발현될 확률은 $\frac{1}{4}$이다. ▸ $\frac{1}{2}$

정상의 형질을 나타내는 3의 DNA 상대량이 0인 것으로 보아 ㉠, ㉡은 둘 다 유전병을 발현하는 대립유전자이다.

ㄱ. ㉠은 열성, ㉡은 우성으로 유전된다.

ㄴ. ㉠은 X 염색체에 존재하며, ㉠, ㉡은 서로 다른 염색체에 있다.

🔎 바로 보기   ㄷ. 6(X^hX^hTt)과 ⓐ(X^hYtt) 사이에서 태어날 아이에게서 (가)와 (나)가 모두 발현될 확률은 $1 \times \frac{1}{2} = \frac{1}{2}$이다.

09 염색체 비분리

자료 분석 +   염색체 비분리

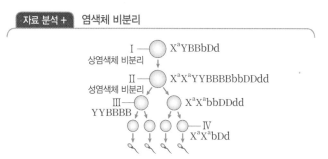

세포	DNA 상대량						
	A	a	B	b	D	d	
㉠	0	?	4	0	0	0	→ Ⅲ
㉡	0	2	0	1	?	1	→ Ⅳ
㉢	? 0	1	2	1	? 1	1	→ Ⅰ
㉣	0	? 2	4	? 2	2	2	→ Ⅱ

- ㉢, ㉣의 핵상은 $2n$이고 ㉠, ㉡의 핵상은 n이다.

- 2n인 ㉢에서 BBb 유전자형이 나타난 것으로 보아 B가 중복되었음을 알 수 있다.

선택지 분석

㉠ Ⅰ의 염색체 수는 정상인과 같다.

㉡ ㉠은 Ⅲ이다.

㉢ Ⅳ의 핵상은 $n+2$이다.

A와 a는 성염색체에 존재하며 B가 중복되었다.

ㄱ. 중복은 염색체 구조 이상이므로 염색체 수는 정상인과 같다.

ㄴ. ㉣은 B의 유전자형이 4이므로 Ⅳ가 될 수 없다. 따라서 핵상이 n인 ㉠이 Ⅲ이다.

ㄷ. Ⅳ에는 D와 d가 있는 상염색체, a가 있는 성염색체를 가지므로 핵상이 $n+2$가 된다.

1·2등급 확보 전략 2회

01 ②	02 ③	03 ④	04 ②	05 ④
06 ③	07 ①	08 ①	09 ①	10 ①
11 ③	12 ③	13 ③	14 ②	15 ③

01 생태계

자료 분석 +   생태계

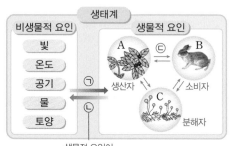

생물적 요인이
비생물적 요인에 미치는 영향

- 생태계는 비생물적 요인과 생물적 요인으로 구성된다.
- 생물적 요인에는 영양 단계에 따라 생산자, 소비자, 분해자가 있다.

선택지 분석

✗ 지렁이에 의해 토양의 통기성이 증가하는 것은 ㉠에 해당한다. ▸ ㉡

㉡ 토끼의 개체 수 증가하자 토끼풀의 개체 수가 감소하는 것은 ㉢에 해당한다.

✗ 호랑이는 C에 해당한다. ▸ B

ㄴ. 토끼와 토끼풀은 모두 생물적 요인에 속하므로 토끼의 개체 수가 증가하자 토끼풀의 개체 수가 감소하는 것은 ㉢에 해당한다.

🔎 바로 보기   ㄱ. 지렁이는 생물적 요인에 속하고, 토양은 비생물적 요인에 속하므로 지렁이에 의해 토양의 통기성이 증가하는 것은 ㉡에 해당한다.

ㄷ. A는 식물이 있으므로 생산자, B는 토끼가 있으므로 소비자, C는 곰팡이가 있으므로 분해자이다. 호랑이는 B(소비자)에 해당한다.

02 개체군의 생장

자료 분석 + 개체군의 생장 곡선

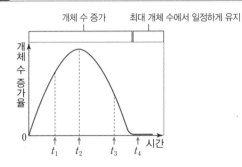

• 개체 수 증가율이 0보다 높으면 개체군의 개체 수는 증가한다.
• 환경 저항은 배양 시작 후 시간의 흐름에 따라 증가한다.

선택지 분석

✗ t_2일 때 환경 저항은 없다. → 있다.
✗ 이 개체군은 J자형 생장 곡선을 나타낸다. → S자형
Ⓒ $t_1 \sim t_4$ 중 개체군의 크기가 가장 큰 시점은 t_4이다.
        최대 개체 수를 계속 유지

ㄷ. 개체 수 증가율이 0 이상이면 개체 수는 증가하므로 $t_1 \sim t_4$ 중 개체군의 크기가 가장 큰 시점은 t_4이다.

바로 보기 ㄱ. 환경 저항에는 개체 수의 증가로 인한 경쟁 증가, 노폐물 증가, 먹이 부족, 서식 공간 부족 등이 있고, 배양 시작 후 점차 증가한다. 이 개체군은 실제 생장 곡선을 따르므로 t_2일 때 환경 저항이 있다.
ㄴ. 이 개체군은 개체 수 증가율이 계속 증가하지 않고 0이 되므로 실제 생장 곡선인 S자형 생장 곡선을 나타낸다.

03 생물과 환경의 상호 작용

자료 분석 + 일조 시간과 생물

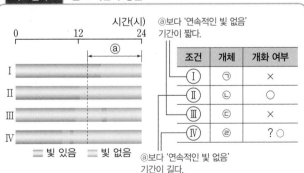

• 일조 시간이 식물의 개화에 미치는 영향은 비생물적 요인이 생물적 요인에 미치는 영향의 예이다.
• 이 식물은 ⓐ(종 A가 개화하는 데 필요한 최소한의 '연속적인 빛 없음' 기간) 보다 빛 없음 기간이 길면 개화한다.

선택지 분석

✗ A는 ⓐ보다 '연속적인 빛 없음' 기간이 짧을 때 개화한다. → 길 때
Ⓛ Ⅳ에서 ⓔ은 개화한다.
Ⓒ 비생물적 요인이 생물적 요인에 영향을 미치는 예에 해당한다.
     일조 시간   식물

ㄴ. Ⅳ에서 A의 개체 ⓔ은 ⓐ보다 긴 빛 없음 조건에 있으므로 개화한다.
ㄷ. 일조 시간은 비생물적 요인에 속하고, 식물은 생물적 요인에 속하므로 자료는 비생물적 요인이 생물적 요인에 영향을 미치는 예에 해당한다.

바로 보기 ㄱ. Ⅰ에서 A의 ⓐ은 ⓐ보다 짧은 '연속적인 빛 없음' 조건에 있고 개화하지 않았다. Ⅱ에서 A의 ⓛ은 ⓐ보다 긴 '빛 없음' 조건에 있고 개화하였다. 따라서 A는 '연속적인 빛 없음' 기간이 ⓐ보다 길 때 개화한다.

04 군집 내 개체군 사이의 상호 작용

자료 분석 + 군집 내 개체군 사이의 상호 작용

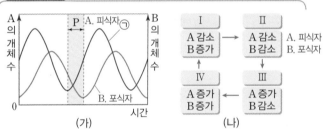

• 군집 내 개체군 사이의 상호 작용에는 종간 경쟁, 공생, 기생, 포식과 피식 등이 있다.
• 포식과 피식 관계에 있는 두 종에서 포식자의 수가 증가하면 피식자의 수가 감소한다.

선택지 분석

✗ (가)의 구간 P에서 Ⅰ이 일어난다. → Ⅲ
✗ ⓐ은 B의 개체 수 변화를 나타낸 것이다. → A
Ⓒ 두 개체군 사이에 나타나는 상호 작용은 포식과 피식이다.

ㄷ. (가)에서 A와 B의 개체 수가 주기적으로 변하므로 A와 B의 상호 작용은 포식과 피식임을 알 수 있다.

바로 보기 ㄱ. (가)의 구간 P에서 포식자(B)의 개체 수는 감소, 피식자(A)의 개체 수는 증가하므로 Ⅰ이 일어나지 않고, Ⅲ이 일어난다.
ㄴ. (나)에서 Ⅱ(A 감소, B 감소) 이후 Ⅲ(A 증가, B 감소)이 일어날 때 A 증가가 먼저 일어났으므로 A는 피식자, B는 포식자임을 알 수 있다. (가)에서 ⓐ이 감소한 후 다른 개체군의 개체 수가 감소했으므로 ⓐ은 피식자인 A이다.

BOOK 2

05 군집의 천이

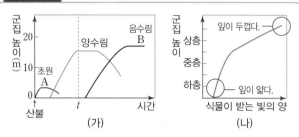

(가)   (나)

- 1차 천이의 개척자는 지의류, 2차 천이의 개척자는 초원(초본류)이다.
- 빛의 세기가 강한 곳의 잎은 울타리 조직이 발달하여 잎이 두껍다.

선택지 분석

ㄱ (가)에서 일어난 천이는 2차 천이이다.
ㄴ B는 음수림이다. 산불 후 개척자 식물이 초원(초본류)이다.
✗ t에서 잎 평균 두께는 상층보다 하층이 두껍다. → 얇다.

ㄱ. (가)는 산불 이후에 일어난 천이이므로 (가)에서 일어난 천이는 2차 천이이다.

ㄴ. 천이 단계는 초원 → 양수림 → 혼합림 → 음수림의 단계를 거치므로 A는 초원, B는 음수림이다.

바로 보기 ㄷ. t일 때 상층의 잎은 하층의 잎보다 빛을 더 많이 받는다. 빛을 많이 받으면 잎이 두꺼워져 광합성 효율이 증가하고, 빛이 약하면 빛을 더 많이 흡수하기 위해 잎이 얇고 넓어진다. 따라서 t에서 잎 평균 두께는 상층보다 하층이 얇다.

06 군집 내 개체군 사이의 상호 작용

A와 B 모두 최대 개체 수 증가 → 상리 공생

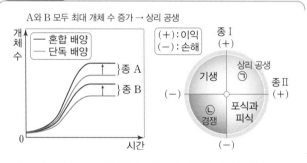

- A와 B는 단독 배양할 때보다 혼합 배양할 때 최대 개체 수가 증가했다. → A와 B 사이의 상호 작용은 상리 공생이다.
- 상리 공생 관계의 두 종은 모두 이익을 얻고, 경쟁 관계의 두 종은 모두 손해를 본다.

선택지 분석

ㄱ (가)에서 A와 B는 모두 실제 생장 곡선을 나타낸다.
ㄴ (가)에서 A와 B의 상호 작용은 ㉠이다.
✗ 생태적 지위가 같을수록 ㉡이 일어날 가능성이 낮아진다. → 높아진다.

ㄱ. (가)에서 A와 B는 모두 S자형 생장 곡선을 나타내므로 실제 생장 곡선을 나타낸다.

ㄴ. (가)에서 A와 B는 모두 혼합 배양할 때가 단독 배양할 때보다 최대 개체 수가 증가했으므로 A와 B의 상호 작용은 두 종 모두 이익을 얻는 ㉠(상리 공생)이다.

바로 보기 ㄷ. 생태적 지위가 같을수록 ㉡(경쟁)이 일어날 가능성이 높아 경쟁이 심해지고 두 종 모두 손해를 본다.

07 군집 내 개체군 사이의 상호 작용

구분	A	B
(가) 경쟁	㉠ 손해	손해
(나) 편리 공생	㉡ 이익	?손해도 이익도 없음.
(다) 상리 공생	㉡ 이익	㉡ 이익

- 군집 내 개체군 사이의 상호 작용에는 경쟁, 편리 공생, 상리 공생, 분서, 포식과 피식이 있다.
- 경쟁 관계의 두 종에서 한 종이 경쟁에 의해 사라지는 경쟁·배타가 나타날 수 있다.

선택지 분석

ㄱ ㉠은 손해이다.
✗ (나)에서 경쟁·배타의 원리가 나타날 수 있다. → (가)
✗ 흰동가리와 말미잘의 상호 작용은 (나)에 해당한다. → (다)

ㄱ. 경쟁 관계의 두 종은 모두 손해를 입고, 상리 공생 관계의 두 종은 모두 이익을 얻는다. 편리 공생 관계의 두 종 중 한 종은 이익을 얻고, 나머지 한 종은 이익도 손해도 받지 않는다. 따라서 ㉠은 손해, ㉡은 이익이다.

바로 보기 ㄴ. (가)는 경쟁, (나)는 편리 공생, (다)는 상리 공생이고, 경쟁 관계의 두 종 중 한 종이 사라지는 경쟁·배타 원리는 (가)(경쟁)에서 나타날 수 있다.

ㄷ. 흰동가리와 말미잘의 상호 작용은 (다)(상리 공생)에 해당한다.

08 먹이 사슬

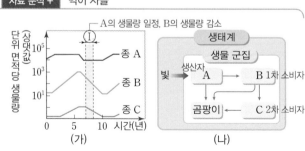

(가)   (나)

- I 시기 동안 A의 생물량은 일정하고, B와 C의 생물량은 모두 감소한다.
- 빛에너지를 흡수하는 A는 생산자, A로부터 유기물을 얻는 B는 1차 소비자, B로부터 유기물을 얻는 C는 2차 소비자이다.

선택지 분석

ㄱ. Ⅰ 시기 동안 $\dfrac{\text{A의 생물량}}{\text{B의 생물량}}$ 은 증가했다.

✗ A는 B의 포식자이다. → 피식자

✗ C는 1차 소비자이다. → 2차

ㄱ. Ⅰ 시기 동안 A의 생물량은 일정하고, B의 생물량은 감소하므로 $\dfrac{\text{A의 생물량}}{\text{B의 생물량}}$ 은 증가했다.

👁 바로 보기 ㄴ. A는 생산자, B는 1차 소비자, C는 2차 소비자이므로 A는 B의 피식자이다.

ㄷ. B는 1차 소비자, C는 2차 소비자이다.

09 식물 군집의 조사

자료 분석 + 식물 군집의 조사

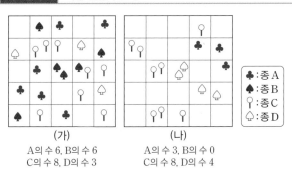

(가)
A의 수 6, B의 수 6
C의 수 8, D의 수 3

(나)
A의 수 3, B의 수 0
C의 수 8, D의 수 4

♣ : 종 A
♠ : 종 B
♀ : 종 C
♙ : 종 D

- 밀도 = $\dfrac{\text{특정 종의 개체 수}}{\text{전체 방형구의 면적(m}^2)}$

- 상대 밀도(%) = $\dfrac{\text{특정 종의 밀도}}{\text{조사한 모든 종의 밀도의 합}} \times 100$

선택지 분석

A의 밀도는 (가)에서가 (나)에서의 2배이다.

✗ (가)에서 B와 C는 같은 개체군을 형성한다. → 서로 다른

✗ D의 상대 밀도는 (가)에서가 (나)에서보다 크다. → 작다.

(가)와 (나)에서 종에 따른 개체 수를 정리하면 표와 같다.

종	A	B	C	D	합계
(가)	6	6	8	3	23
(나)	3	0	8	4	15

ㄱ. 면적이 같을 때 밀도는 개체 수에 비례한다. A의 개체 수는 (가)에서 6, (나)에서 3이므로 A의 밀도는 (가)에서가 (나)에서의 2배이다.

👁 바로 보기 ㄴ. (가)에서 B와 C는 서로 다른 종이므로 같은 개체군을 형성하지 않는다.

ㄷ. 면적이 같을 때 상대 밀도는 전체 개체 수에 대한 특정 종의 개체 수 비율이다. D의 상대 밀도는 (가)에서 $\dfrac{3}{23}$, (나)에서 $\dfrac{4}{15}$ 이므로 (가)에서가 (나)에서보다 작다.

10 에너지 흐름, 물질의 생산과 소비

자료 분석 + 에너지 흐름, 물질의 생산과 소비

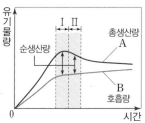

구분	에너지양 (상댓값)
빛	100000
생산자	1000
1차 소비자	100
2차 소비자	20

에너지 효율 10 %

에너지 효율 20 %

- 에너지 효율(%) = $\dfrac{\text{현 영양 단계의 에너지 총량}}{\text{전 영양 단계의 에너지 총량}} \times 100$

- 총생산량 = 호흡량 + 순생산량

선택지 분석

2차 소비자의 에너지 효율은 1차 소비자의 에너지 효율의 2배이다.

✗ 1차 소비자의 생장량은 B에 포함된다. → 포함되지 않는다.

✗ 이 식물 군집에서 순생산량은 구간 Ⅱ에서가 구간 Ⅰ에서보다 크다. → 작다.

2차 소비자의 에너지 효율은 $\dfrac{20}{100} \times 100 = 20\,\%$, 1차 소비자의 에너지 효율은 $\dfrac{100}{1000} \times 100 = 10\,\%$ 이므로 2차 소비자의 에너지 효율은 1차 소비자의 에너지 효율의 2배이다.

👁 바로 보기 ㄴ. 총생산량은 항상 호흡량보다 크므로 A는 총생산량, B는 호흡량이다. 따라서 B(호흡량)에 1차 소비자의 생장량은 포함되지 않는다.

ㄷ. 순생산량은 총생산량에서 호흡량을 제외한 유기물의 양이므로 A(총생산량)에서 B(호흡량)를 제외한 값이다. A(총생산량)에서 B(호흡량)를 제외한 값은 구간 Ⅱ에서가 구간 Ⅰ에서보다 작다.

11 물질의 생산과 소비

자료 분석 + 물질의 생산과 소비

- 생물적 요인
Ⅰ 순생산량 최대 온도: 약 20 ℃
Ⅱ 순생산량 최대 온도: 약 30 ℃

순생산량(상댓값)

온도(℃)·비생물적 요인

- 식물의 순생산량은 생물적 요인에 해당하고, 온도는 비생물적 요인에 해당한다.
- 계절에 따라 순생산량 최대 온도가 다르다.

선택지 분석

순생산량은 총생산량에서 호흡량을 제외한 양이다.

✗ A의 순생산량이 최대가 되는 온도는 Ⅰ일 때가 Ⅱ일 때보다 높다. → 낮다.

계절에 따라 A의 순생산량이 최대가 되는 온도가 달라지는 것은 비생물적 요인이 생물에 영향을 미치는 예에 해당한다.

ㄱ. 순생산량은 총생산량에서 호흡량을 제외한 유기물의 양이다.

ㄷ. 계절은 비생물적 요인이고, 순생산량의 변화는 생물적 요인이므로 계절에 따라 A의 순생산량이 최대가 되는 온도가 달라지는 것은 비생물적 요인이 생물에 영향을 미치는 예에 해당한다.

👁 바로 보기 ㄴ. A의 순생산량이 최대가 되는 온도는 Ⅰ일 때 약 20 ℃, Ⅱ일 때 약 30 ℃이다. 따라서 A의 순생산량이 최대가 되는 온도는 Ⅰ일 때가 Ⅱ일 때보다 낮다.

12 물질 순환

자료 분석 + 물질 순환

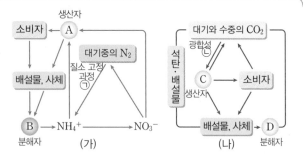

· 식물은 대기 중 질소(N_2)를 직접 이용할 수 없다.
· 생산자인 식물은 광합성을 통해 대기 중 CO_2를 이용할 수 있다.

선택지 분석

ㄱ 과정 ㉠은 질소 고정 세균에 의해 촉진된다.
ㄴ A와 C는 모두 생산자이다.
✗ 과정 ㉡은 ~~낮보다 밤에~~ 활발하다. → 밤보다 낮에

ㄱ. 질소(N_2) 기체가 암모늄 이온(NH_4^+)으로 전환되는 과정 ㉠은 질소 고정 세균에 의해 촉진되는 질소 고정 과정이다.

ㄴ. A는 암모늄 이온(NH_4^+)과 질산 이온(NO_3^-)을 흡수하는 생산자, B와 D는 배설물과 사체로부터 양분을 얻는 분해자이다. C는 대기와 수중의 CO_2를 광합성을 통해 유기물로 합성하는 생산자이다.

👁 바로 보기 ㄷ. 과정 ㉡은 대기와 수중의 CO_2가 C(생산자)로 이동하는 과정으로 광합성에 의해 일어난다. 광합성은 빛이 있는 낮에 일어난다.

13 질소 순환 과정

자료 분석 + 질소 순환 과정

과정		물질 전환
질소 고정	(가)	N_2 ㉠ → ㉡ NH_4^+
질산화 작용	(나)	NH_4^+ ㉡ → ㉢ NO_3^-
질소 동화 작용	(다)	㉡ 또는 ㉢ → 아미노산
		NH_4^+ NO_3^-

· 질산화 작용을 통해 토양 속의 암모늄 이온(NH_4^+)은 질산화 세균(아질산균, 질산균)에 의해 질산 이온(NO_3^-)으로 전환된다.
· 식물은 질소 동화 작용을 통해 암모늄 이온(NH_4^+), 질산 이온(NO_3^-)을 흡수하여 질소 화합물을 합성한다.

선택지 분석

ㄱ ㉠은 대기 중 질소(N_2)이다.
✗ (나)는 ~~탈질산화 작용~~이다. → 질산화 작용
ㄷ 콩과식물에서 (다)가 일어난다.

ㄱ. (다)에서 ㉡ 또는 ㉢이 아미노산으로 전환되므로 ㉡과 ㉢은 각각 질산 이온(NO_3^-)과 암모늄 이온(NH_4^+) 중 하나이고, ㉠은 질소(N_2)이다.

ㄷ. 콩과식물은 암모늄 이온(NH_4^+)(㉡) 또는 질산 이온(NO_3^-)(㉢)을 흡수하여 아미노산을 합성할 수 있다.

👁 바로 보기 ㄴ. (나)에서 ㉡은 ㉢으로 전환되므로 질산화 작용이며, ㉡은 암모늄 이온(NH_4^+)이고 ㉢은 질산 이온(NO_3^-)이다. 탈질산화 작용은 질산 이온(NO_3^-)(㉢)이 대기 중 질소(N_2)(㉠)로 전환되는 과정이다.

14 먹이 사슬

자료 분석 + 먹이 사슬

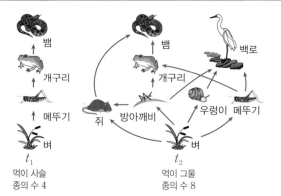

· 종 다양성은 종의 풍부도와 종의 균등도를 모두 고려한다.
· 먹이 그물이 복잡할수록 안정된 생태계이다.

선택지 분석

✗ 종 다양성은 t_1일 때가 t_2일 때보다 ~~높다.~~ → 낮다.
ㄴ t_1과 t_2일 때 개구리는 모두 2차 소비자이다.
✗ t_2일 때 메뚜기가 멸종될 경우 백로가 ~~사라진다.~~ → 사라지지 않는다.

ㄴ. t_1과 t_2일 때 모두 개구리는 2차 소비자이다.

👁 바로 보기 ㄱ. 종다양성은 종의 종류 수와 종의 균등한 정도를 모두 고려한다. 종의 균등한 정도를 고려하지 않을 때 종의 수는 t_1일 때가 t_2일 때보다 적으므로 종 다양성은 t_1일 때가 t_2일 때보다 낮다.

ㄷ. t_2일 때 1차 소비자인 메뚜기가 사라져도 2차 소비자인 백로의 먹이인 우렁이, 방아깨비는 남아 있으므로 백로는 생존할 수 있다.

15 생물 다양성

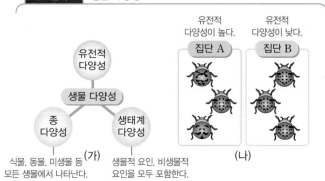

유전적 다양성의 예로는 무당벌레의 다양한 등껍질 무늬, 달팽이의 다양한 등껍질 무늬, 얼룩말의 무늬 등이 있다.

선택지 분석

ㄱ 유전적 다양성은 A에서가 B에서보다 크다.
ㄴ 종 다양성은 식물에서만 나타난다. → 모든 생물에서
ㄷ 생태계 다양성에는 비생물적 요인이 포함된다.

ㄱ. 유전적 다양성은 한 개체군을 구성하는 개체들 사이의 대립유전자가 다양한 정도를 의미한다. A에서는 무당벌레의 반점 무늬가 다양하지만, B에서는 무당벌레의 반점 무늬가 1종류이므로 유전적 다양성은 A에서가 B에서보다 크다.

ㄷ. 생태계 다양성에는 생물적 요인과 비생물적 요인이 모두 포함된다.

바로 보기 ㄴ. 종 다양성은 식물, 동물, 미생물을 포함한 모든 생물에게서 나타난다.

BOOK 2

memo

수능전략

과·학·탐·구·영·역

생명과학 I

수능에 꼭 나오는
필수 유형 ZIP 1

차례 ❶권

수능에 꼭 나오는
필수 유형 ZIP

01 생물의 특성

수능 전략Key 생물의 특성을 정확하게 이해하고, 여러 가지 생명 현상에서 나타나는 생물의 특성을 찾을 수 있어야 한다.

표는 생물의 특성의 예를 나타낸 것이다. (가)와 (나)는 발생과 생장, 항상성을 순서 없이 나타낸 것이다.

생물의 특성	예
(가)	혈중 포도당 농도가 증가하면 ⓐ인슐린의 분비가 촉진된다. 혈당량을 일정하게 유지 → 항상성
(나)	개구리알은 올챙이를 거쳐 개구리가 된다. → 발생과 생장
적응과 진화	고산 지대에 사는 사람은 낮은 지대에 사는 사람보다 적혈구 수가 많다. → 산소 농도 차이에 따른 적응

이 자료에 대한 설명으로 옳은 것만을 |보기|에서 있는 대로 고른 것은?

┌ 보기 ┐
ㄱ. ⓐ에 효소가 이용된다.
ㄴ. (나)는 발생과 생장이다.
ㄷ. '더운 지역에 사는 사막여우는 열 방출에 효과적인 큰 귀를 갖는다.'는 적응과 진화의 예에 해당한다.

① ㄱ   ② ㄴ   ③ ㄱ, ㄷ   ④ ㄴ, ㄷ   ⑤ ㄱ, ㄴ, ㄷ

개념 꼭!

* 생물의 특성: 세포로 구성, 물질대사, 자극에 대한 반응과 항상성 유지, ❶ [　　　] 과 생장, 생식과 유전, 적응과 진화

* 물질대사는 생물체 내에서 일어나는 모든 화학 반응으로, 생물은 물질대사를 통해 에너지를 얻고, 이 에너지로 생명 활동을 한다. 모든 물질대사 과정에는 ❷ [　　　] 가 이용되며, 물질대사는 다른 생명 현상들의 기본 전제가 된다.

* 항상성 유지: 생물은 외부 환경이 변하여도 체내 상태가 일정하게 유지되는데 이를 항상성이라고 하며, 내분비계와 신경계의 작용을 통해 조절된다.

* 발생과 생장: 하나의 수정란이 세포 분열(난할)을 통해 하나의 완전한 개체가 되는 과정을 발생, 어린 개체가 체세포 분열을 통해 세포 수를 늘려 성체가 되는 과정을 생장이라고 한다.

답 ❶ 발생 ❷ 효소

* 적응과 진화: 환경에 적합하게 몸의 구조와 기능, 형태, 습성 등이 변화하는 현상을
❸[   ]이라 하며, 적응 과정이 누적되어 유전적 구성이 변화하여 새로운 종이
나타나는 과정을 진화라 한다.

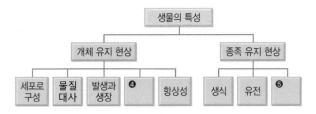

자료 해석

* (가) 혈중 포도당 농도가 증가하면 시상 하부에서 이를 감지하여 이자의 β세포에
서 @인슐린의 분비가 촉진된다. 인슐린은 혈액 내 포도당의 흡수를 촉진하며, 간
에서 포도당이 ❻[   ]으로 합성되는 반응을 촉진하여 혈당량이 감소한다.
  → 생물의 특성 중 항상성 유지
* (나) 개구리 알은 올챙이를 거쳐 개구리가 된다. → 생물의 특성 중 발생과 생장의
예로서, ❼[   ]에 의해 일어나는 생명 현상이다.
* 고산 지대는 산소가 희박하여 산소를 운반하는 적혈구 수를 늘림으로써 혈액 내
산소 포화도를 높인다. → 생물의 특성 중 적응과 진화의 예로서, 특정 환경에 적절
한 형질의 변이가 선택되어 해당 유전자를 가진 집단으로 진화한다.
                    🔲 ❸ 적응 ❹ 자극에 대한 반응 ❺ 적응과 진화 ❻ 글리코젠 ❼ 세포 분열

Point 해설

㉠ 인슐린이 분비되기 위해서는 이자의 β세포에서 인슐린이 합성되어야 하는데, 이
과정은 물질대사이므로 @에 효소가 이용된다.
㉡ 개구리알이 세포 분열을 거쳐 많은 세포를 형성하고 복잡하게 분화하여 올챙이가
되고 개구리가 되는 과정이 발생이며, 개구리가 성체로 자라는 과정이 생장이다.
㉢ 더운 지역이라는 환경에 적합하게 사막여우의 귀가 커진 것은 적응이며, 이로 인
해 다른 지역의 여우와 다른 생물종이 된 것은 진화이다.   🔲 ⑤

전략 비법 노트

● **물질대사는 효소에 의한 물질의 합성과 분해** → 다른 생명 현상의 전제 조건

02 생명 과학의 탐구 방법

연역적 탐구 방법에서 탐구 과정을 이해하여 조작 변인과 종속변인을 찾아내고 가설에 맞는 실험 결과를 추론할 수 있어야 한다.

다음은 어떤 과학자가 수행한 탐구이다.

┌ 탐구 과정 ┐

(가) 초파리는 짝짓기 상대로 서로 다른 종류의 먹이를 먹고 자란 개체보다 같은 먹이를 먹고 자란 개체를 선호할 것이라고 생각했다. └→ 가설

(나) 초파리를 두 집단 A와 B로 나눈 후 A는 먹이 ⓐ를, B는 먹이 ⓑ를 주고 배양했다. ⓐ와 ⓑ는 서로 다른 종류의 먹이이다.

(다) 여러 세대를 배양한 후, ㉠같은 먹이를 먹고 자란 초파리 사이에서의 짝짓기 빈도와 ㉡서로 다른 종류의 먹이를 먹고 자란 초파리 사이에서의 짝짓기 빈도를 관찰했다.

(라) (다)의 결과, Ⅰ이 Ⅱ보다 높게 나타났다. Ⅰ과 Ⅱ는 ㉠과 ㉡을 순서 없이 나타낸 것이다.

(마) 초파리는 짝짓기 상대로 서로 다른 종류의 먹이를 먹고 자란 개체보다 같은 먹이를 먹고 자란 개체를 선호한다는 결론을 내렸다.

이에 대한 설명으로 옳은 것만을 |보기|에서 있는 대로 고른 것은?

┌ 보기 ┐

ㄱ. 연역적 탐구 방법이 이용되었다.

ㄴ. 종속변인은 짝짓기 빈도이다.

ㄷ. Ⅰ은 ㉠이다.

① ㄱ   ② ㄴ   ③ ㄱ, ㄴ   ④ ㄴ, ㄷ   ⑤ ㄱ, ㄴ, ㄷ

* 연역적 탐구 방법: 자연 현상을 관찰하면서 인식한 문제를 해결하기 위해 가설을 세우고 가설의 옳고 그름을 검증하는 탐구 방법

* 독립변인과 조작 변인: 실험 결과에 영향을 줄 수 있는 요인은 모두 독립변인이며, 설정한 가설에 따라 실험에서 의도적으로 변화시키는 요인을 **❶** 이라고 한다.

* 종속변인: 조작 변인의 영향을 받아 변하는 변인으로, **❷** 에 해당하는 것

자료 해석

* (가)는 의문에 대한 잠정적인 결론을 내리는 **❸** 설정 단계이다.
* (나)에서 초파리를 두 집단 A와 B로 나누어 실험하였으므로 대조 실험을 하였다.
* (나)와 (다)에서 먹이의 종류를 달리 한 후, 같은 먹이를 먹고 자란 초파리 사이에서의 짝짓기 빈도와 서로 다른 종류의 먹이를 먹고 자란 초파리 사이에서의 짝짓기 빈도를 관찰하고 있으므로 먹이 종류의 동일성 여부는 **❹** , 그에 따른 실험 결과인 짝짓기의 빈도는 **❺** 이다.
* (마)의 결론은 (가)에서 설정한 가설과 같으므로 (라)에서 얻은 실험 결과는 가설에 맞게 나타나야 한다. '개체를 선호한다'는 것은 '짝짓기 빈도가 높다'로 볼 수 있으므로 실험 결과는 ㉠ 같은 먹이를 먹고 자란 초파리 사이에서의 짝짓기 빈도(Ⅰ)가 ㉡ 서로 다른 종류의 먹이를 먹고 자란 초파리 사이에서의 짝짓기 빈도(Ⅱ)보다 더 높게 나타나야 한다.

답 ❶ 조작 변인 ❷ 실험 결과 ❸ 가설 ❹ 조작 변인 ❺ 종속변인

Point 해설

㉠ 가설을 설정하고, 대조 실험을 거쳐 결론을 내리고 있으므로 **연역적 탐구 방법**이다.

㉡ 이 실험에서는 먹이 종류의 동일성 여부에 따른 짝짓기 빈도를 측정하고 있으므로 종속변인은 짝짓기 빈도이다.

㉢ 초파리는 짝짓기 상대로 서로 다른 종류의 먹이를 먹고 자란 개체(㉡)보다 같은 먹이를 먹고 자란 개체(㉠)를 선호한다는 결론을 내렸고, Ⅰ이 Ⅱ보다 짝짓기 빈도가 높게 나타났다고 했으므로 Ⅰ은 ㉠이다. **답** ⑤

전략 비법 노트

* 가설을 세우고 가설이 옳고 그름을 주로 실험에 의해 검증하는 탐구 방법
  → **연역적 탐구 방법**
* 가설에 따라 의도적으로 변화시키는 요인은 **조작 변인**
* 조작 변인의 영향을 받아 변하는 실험 결과는 **종속변인**

03 세포 호흡과 에너지

물질대사에는 효소가 이용된다는 것과 세포 호흡 과정의 반응물과 생성물이 무엇인지 알고 있어야 한다.

그림 (가)는 사람에서 녹말(다당류)이 포도당으로 되는 과정을, (나)는 미토콘드리아에서 일어나는 세포 호흡을 나타낸 것이다.

(가)   (나)

이에 대한 설명으로 옳은 것만을 |보기|에서 있는 대로 고른 것은?

┌─ 보기 ┌
ㄱ. (가)에서 효소가 이용된다.
ㄴ. (나)에서 생성된 노폐물에는 CO_2가 있다.
ㄷ. (가)와 (나)에서 모두 열에너지가 발생한다.

① ㄱ   ② ㄴ   ③ ㄱ, ㄷ   ④ ㄴ, ㄷ   ⑤ ㄱ, ㄴ, ㄷ

* 물질대사: 생물체 내에서 일어나는 모든 화학 반응으로, 반드시 ❶ [   ] 출입이 있고 ❷ [   ] 가 관여한다.

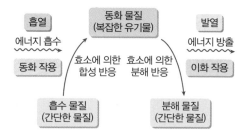

* 동화 작용: 저분자 물질을 고분자 물질로 합성하는 반응으로, 에너지가 ❸ [   ] 되어 생성물에 저장된다. 예 광합성, 단백질 합성 등

* 이화 작용: 고분자 물질을 저분자 물질로 분해하는 반응으로, 반응물 속의 에너지가 ❹ [   ] 된다. 예 세포 호흡, 소화 등   답 ❶ 에너지 ❷ 효소 ❸ 흡수 ❹ 방출

* 세포 호흡: 조직 세포에서 포도당과 같은 영양소를 분해하여 생명 활동에 필요한 에너지인 ATP를 얻는 과정이며, 영양소에 포함된 대부분의 에너지는 ❺ [ ]로 방출되고, 노폐물로 CO_2와 H_2O가 생성된다.

자료 해석

* (가)에서 녹말이 포도당으로 되는 과정은 소화계에서 일어나는 소화 작용으로, 아밀레이스, 말테이스와 같은 소화 효소에 의해 일어난다. 다당류인 녹말이 단당류인 포도당으로 분해되는 과정이므로 물질대사 중 ❻ [ ]에 해당하고, 열에너지가 방출된다.

녹말 →(아밀레이스)→ 엿당 →(말테이스)→ 포도당

* (나)에서 세포 호흡의 반응물(호흡 기질)이 포도당일 때, 반응물은 포도당과 산소이고, 생성물은 이산화 탄소(CO_2), 물, ATP이다. 이산화 탄소와 여분의 물을 대사 노폐물이라고 하며, 이산화 탄소는 날숨으로, 물은 날숨과 오줌으로 배출된다.

포도당＋산소 ⟶ 이산화 탄소＋물＋ATP＋열에너지

* (나)에서 포도당이 가진 에너지의 일부는 생명체의 에너지 저장 물질인 ❼ [ ]에 저장되고, 나머지는 열에너지로 방출된다.

답 ❺ 열에너지 ❻ 이화 작용 ❼ ATP

Point 해설

ㄱ (가)는 물질대사 중 이화 작용으로 소화 효소가 이용된다.

ㄴ 포도당이 세포 호흡에 의해 분해될 때 CO_2, 물, ATP가 생성된다.

ㄷ (가)와 (나)는 모두 고분자 물질을 저분자 물질로 분해하는 과정이므로 이화 작용이며, 이화 작용이 일어날 때에는 열에너지가 발생한다.

답 ⑤

전략 비법 노트

- 물질대사는 '생체 내 모든 화학 반응'으로, 효소가 이용됨.
- 이화 작용은 에너지 방출, 동화 작용은 에너지 흡수
- 포도당이 세포 호흡에 이용될 때 발생하는 노폐물 → CO_2, H_2O
- 세포 호흡 과정에서 포도당이 가진 에너지의 일부는 ATP에 저장되고, 나머지는 열에너지로 방출

수능 전략Key 소화계, 배설계, 호흡계, 순환계, 신경계 등 각 기관계 고유의 기능에 대해 알고 있어야 하며, 여러 기관계의 통합적인 작용을 이해하고 있어야 한다.

> 표는 사람 몸을 구성하는 기관계의 특징을 나타낸 것이다. A~C는 신경계, 배설계, 순환계를 순서 없이 나타낸 것이다.
>
> | 기관계 | 특징 |
> |---|---|
> | A | 오줌을 통해 노폐물을 몸 밖으로 내보낸다. |
> | B | 대뇌, 소뇌, 연수가 속한다. |
> | C | ㉠ |
>
> 이 자료에 대한 설명으로 옳은 것만을 |보기|에서 있는 대로 고른 것은?
>
> ┌─ 보기 ─
> ㄱ. 방광은 A에 속한 기관이다.
> ㄴ. C에는 B의 조절을 받는 기관이 있다.
> ㄷ. '소화계를 통해 흡수된 영양소를 조직 세포로 운반한다.'
>   는 ㉠에 해당한다.
>
> ① ㄱ   ② ㄴ   ③ ㄱ, ㄷ   ④ ㄴ, ㄷ   ⑤ ㄱ, ㄴ, ㄷ

개념 꼭!

* 기관계는 동물에서 연관된 기능을 수행하는 여러 ❶ [   ]들의 모임이며, 사람의 기관계에는 소화계, 배설계, 호흡계, 순환계, 신경계, 내분비계 등이 있다.

* 조직 세포에서 ❷ [   ] 결과 생성된 노폐물은 혈액에 의해 운반되어 날숨과 오줌을 통해 몸 밖으로 배출된다.   답 ❶ 기관 ❷ 세포 호흡

자료 해석

* 오줌을 통해 노폐물을 몸 밖으로 내보내는 기관계는 배설계이므로 A는 배설계이다. 배설계에 속한 기관에는 콩팥, 방광, 오줌관, 요도 등이 있다. 콩팥은 오줌을 생성하고 방광은 오줌을 저장했다가 요도를 통해 배출한다.

기관계	기관의 예
배설계	콩팥, 방광, 오줌관, 요도 등
신경계	대뇌, 소뇌, 연수, 간뇌, 중간뇌, 척수
순환계	심장, 혈관

* 대뇌, 소뇌, 연수는 신경계에 속한 기관이므로 B는 신경계이다. 신경계는 몸 밖과 안의 정보를 받아들여 통합하고 처리하는 **❸** [   ] 신경계와 정보를 중추 신경계에 전달하고 중추 신경계의 명령을 반응 기관으로 전달하는 **❹** [   ] 신경계로 구분된다.

중추 신경계	기능의 예
대뇌	감각, 운동, 고등 정신 작용
소뇌	자세, 균형 유지
간뇌	체온, 혈당량, 삼투압 등 항상성 유지
중간뇌	동공 반사, 안구 운동
연수	심장 박동, 호흡 운동, 소화 작용
척수	무릎 반사, 회피 반사

* A는 배설계, B는 신경계이므로 C는 순환계이다. **❺** [   ]는 소화계를 통해 흡수된 영양소와, 호흡계를 통해 흡수된 산소를 각 조직 세포로 운반하고, 조직 세포에서 발생한 이산화 탄소와 요소 등의 노폐물을 각각 호흡계와 배설계로 운반한다.

답 ❸ 중추 ❹ 말초 ❺ 순환계

Point 해설

ⓘ A는 배설계이며, 배설계에 속한 기관에는 콩팥, 방광 등이 있다.

ⓒ C는 순환계, B는 신경계이다. 심장(순환계) 박동은 연수(신경계)에 의해 조절된다.

ⓒ C는 순환계이므로 '소화계를 통해 흡수된 영양소를 조직 세포로 운반한다.'는 ⓘ에 해당한다.

답 ⑤

전략 비법 노트

- 배설계: 콩팥, 방광, 오줌관, 요도 등
- 소화계, 호흡계, 순환계, 배설계 → **신경계의 조절을 받는다.**(중추 신경계 중 연수는 심장 박동, 호흡 운동, 소화 작용의 중추로, 생명 유지의 중추이다.)
- **순환계:** 세포 호흡에 필요한 **영양소와 산소를 조직 세포로 운반**

수능 전략 Key 대사성 질환의 종류와 각 대사성 질환의 구체적인 원인과 증상에 대해 알고 있어야 한다.

표는 사람의 질환 (가)와 (나)의 특징을 나타낸 것이다. (가)와 (나)는 당뇨병과 고지혈증(고지질 혈증)을 순서 없이 나타낸 것이다.

질환	특징
(가)	혈액에 콜레스테롤과 중성 지방 등이 정상 범위 이상으로 많이 들어 있다.
(나)	인슐린의 분비 부족이나 작용 이상으로 ㉠이 조절되지 못하고 오줌에서 포도당이 검출된다.

이 자료에 대한 설명으로 옳은 것만을 |보기|에서 있는 대로 고른 것은?

보기
ㄱ. (가)는 고지혈증이다.
ㄴ. ㉠은 혈장 삼투압이다.
ㄷ. (가)와 (나)는 모두 대사성 질환이다.

① ㄱ   ② ㄴ   ③ ㄱ, ㄷ   ④ ㄴ, ㄷ   ⑤ ㄱ, ㄴ, ㄷ

개념 꼭! * 대사성 질환: 물질대사 장애에 의해 발생하는 질환
예 당뇨병, 고혈압, 고지혈증(고지질 혈증)

당뇨병	혈당 조절에 필요한 **❶** 의 분비가 부족하거나 인슐린이 제대로 작용하지 못해 발생한다. 혈당량이 정상보다 높아 오줌 속에 포도당이 섞여 나오고 여러 가지 합병증을 일으킨다.
고혈압	**❷** 이 정상보다 높은 만성 질환으로, 심혈관계 질환 및 뇌혈관계 질환의 원인이 된다.
고지혈증	혈액 속에 **❸** 이나 중성 지방이 많은 상태로 지질 성분이 혈관 내벽에 쌓이면 동맥벽의 탄력이 떨어지고 혈관의 지름이 좁아지는 동맥 경화 등 심혈관계 질환의 원인이 된다.

* 대사 증후군: 체내 물질대사 장애로 인해 높은 혈압, 비만, 이상 지질 혈증 등의 증상이 한 사람에게서 동시에 나타나는 것을 말한다.

* 대사 증후군의 예방: 음식물 섭취로부터 얻는 에너지양과 활동으로 소비하는 에너지양 사이에 균형이 잘 이루어져야 한다.   답 ❶ 인슐린 ❷ 혈압 ❸ 콜레스테롤

자료 해석

* (가): 혈액 속에 콜레스테롤, 중성 지방 등이 과다하게 들어 있는 질환을 고지혈증이라고 한다. 혈액 속 콜레스테롤이 혈관벽에 쌓이면 혈액의 흐름을 방해하여 혈액 순환이 잘 이루어지지 않으며, 심하면 혈액의 흐름이 멈추기도 한다.

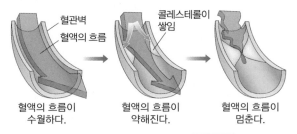

혈액의 흐름이 수월하다.   혈액의 흐름이 약해진다.   혈액의 흐름이 멈춘다.

* (나): 인슐린 분비 부족이나 작용 이상으로 오줌에 **❹** 이 섞여 나오는 병은 당뇨병이다. 인슐린은 간에서 포도당을 글리코젠으로 합성하는 반응을 촉진하는데, 인슐린의 분비가 잘 이루어지지 않으면 ㉠ 혈당량 조절이 잘 되지 않아 콩팥에서 포도당이 모두 **❺** 되지 못하고 오줌에 섞여 배출된다.

📝 ❹ 포도당 ❺ 재흡수

Point 해설

㉠ 콜레스테롤과 중성 지방은 지질에 포함되는 물질이며, 고지혈증은 혈액에 지질의 농도가 높게 나타나는 증상이다.

ㄴ. (나)는 당뇨병이므로 ㉠은 혈당량이다.

㉢ 고지혈증과 당뇨병은 각각 지질과 포도당 대사에 이상이 생겨 나타나는 대표적인 대사성 질환이다.

📝 ③

전략 비법 노트

● **대사성 질환**: 물질대사 장애에 의해 나타나는 질병 → 💡 당뇨병, 고혈압, 고지혈증

● **당뇨병**: 인슐린 분비나 작용 이상에 의해 혈당량 조절이 잘 되지 않아 **오줌에 포도당**이 섞여 나오는 질병

이온의 막 투과성과 활동 전위의 생성

수능 전략 Key 뉴런 세포막에서 Na^+과 K^+에 의한 막전위 형성 원리와 자극이 가해졌을 때 이온의 막 투과성 변화로 인한 활동 전위 생성 과정에 대해 알고 있어야 한다.

그림은 어떤 뉴런에 역치 이상의 자극을 주었을 때, 이 뉴런 세포막의 한 지점 P에서 측정한 이온 ㉠과 ㉡의 막 투과도를 시간에 따라 나타낸 것이다. ㉠과 ㉡은 각각 Na^+과 K^+ 중 하나이다.

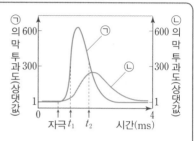

이에 대한 설명으로 옳은 것만을 |보기|에서 있는 대로 고른 것은?

┌─ 보기 ─────────────────────────────────
ㄱ. t_1일 때, ㉡의 농도는 세포 밖에서가 세포 안에서보다 높다.
ㄴ. t_2일 때, P에서 재분극이 일어나고 있다.
ㄷ. 뉴런 세포막의 이온 통로를 통한 ㉠의 이동을 차단하고 역치 이상의 자극을 주었을 때, 활동 전위가 생성되지 않는다.
───

① ㄱ   ② ㄴ   ③ ㄱ, ㄷ   ④ ㄴ, ㄷ   ⑤ ㄱ, ㄴ, ㄷ

개념 꼭!

* 뉴런이 역치 이상의 자극을 받으면 자극받은 부위의 **❶⬚** 통로가 열리면서 Na^+에 대한 투과성이 커진다. 이에 따라 Na^+이 세포막 안쪽으로 급격하게 이동하며, 분극 상태에서 벗어나 세포 내부의 막전위가 상승하는 **❷⬚**이 일어난다.

* 탈분극이 역치 이상으로 진행되면 세포막의 Na^+ 통로가 더 많이 열려 세포 밖의 Na^+이 세포막 안쪽으로 대량 유입된다. 이에 막 안쪽의 전위는 $+30 \sim +40\,mV$로 역전되며 휴지 전위와의 차이가 약 $100\,mV$ 정도 되는 **❸⬚**가 발생한다.

* 탈분극으로 인해 발생한 활동 전위에 의해 신경 세포막의 전위가 최고점에 이르면 Na^+ 통로는 빠른 속도로 닫혀 Na^+에 대한 투과성이 줄어들고, **❹⬚** 통로가 열려 K^+의 투과성이 높아지게 된다. 이 때문에 막전위가 다시 낮아지게 되는데, 이를 **❺⬚**이라고 한다. 이후 Na^+-K^+ 펌프에 의해 이온이 재배치되어 자극 이전의 휴지 전위 상태인 분극 상태로 돌아간다.

답 ❶ Na^+ ❷ 탈분극 ❸ 활동 전위 ❹ K^+ ❺ 재분극

자료 해석

* 뉴런 세포막의 이온의 불균형 분포에 따라 Na^+의 농도는 뉴런 안쪽보다 바깥쪽에서 더 ❻ ⬜ 아 역치 이상의 자극에 의해 Na^+ 통로가 열리면 Na^+은 세포막 ❼ ⬜ 쪽으로 이동한다. ➡ 막전위가 상승하면서 활동 전위가 형성된다.

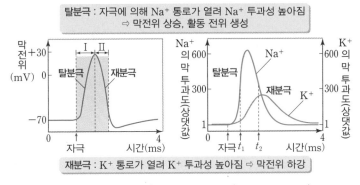

* 막전위가 최고점에 이르면 Na^+ 통로는 닫히고 K^+ 통로가 열려 K^+은 세포막 ❽ ⬜ 쪽으로 이동한다.

탭 ❻ 높 ❼ 안 ❽ 바깥

Point 해설

ㄱ. 재분극이 일어나는 시기에 투과도가 높아지는 ⓒ은 K^+이며, K^+의 농도는 항상 세포 안에서가 밖에서보다 높다.

ⓛ t_2 시기에 Na^+의 투과도가 낮아지고 K^+의 투과도가 높아지는데, 이로 인해 막전위가 낮아지는 재분극이 일어난다.

ⓒ 역치 이상의 자극을 주었을 때 투과도가 높아지는 ㉠은 Na^+이며, Na^+의 이동이 차단되면 역치 이상의 자극을 주어도 막전위가 상승하지 않으므로 활동 전위가 생성되지 않는다.

탭 ④

전략 비법 노트

- Na^+의 농도는 항상 **세포 바깥쪽**이 안쪽보다 **높고**, K^+의 농도는 항상 **세포 안쪽**이 바깥쪽보다 **높다.**
- **탈분극**: Na^+이 세포막 안쪽으로 유입되면서 막전위가 상승하는 과정
- **재분극**: K^+이 세포막 바깥쪽으로 유출되면서 막전위가 하강하는 과정

07 흥분의 전도

수능 전략Key 자극을 1회 주고 경과된 시간에서 흥분이 그 지점에 도달하는 데 걸리는 시간을 빼면 남은 시간 동안 막전위 변화가 일어남을 알고 있어야 한다.

다음은 민말이집 신경 A의 흥분 전도에 대한 자료이다.

그림은 A의 지점 d_1으로부터 네 지점 d_2~d_5까지의 거리를, 표는 d_1과 d_5 중 한 지점에 역치 이상의 자극을 1회 주고 경과된 시간이 4 ms, 5 ms, 6 ms일 때 I과 II에서의 막전위를 나타낸 것이다. I과 II는 각각 d_2와 d_4 중 하나이다.

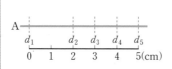

시간	막전위(mV)	
	I	II
4 ms	?	+30
5 ms	−60	ⓐ
6 ms	+30	−70

A에서 활동 전위가 발생하였을 때, 각 지점에서의 막전위 변화는 오른쪽 그림과 같다.

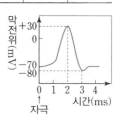

이에 대한 설명으로 옳은 것만을 |보기|에서 있는 대로 고른 것은? (단, A에서 흥분의 전도는 1회 일어났고, 휴지 전위는 −70 mV이다.)

┌ 보기 ┐
ㄱ. A의 흥분 전도 속도는 1 cm/ms이다.
ㄴ. ⓐ는 −70이다.
ㄷ. 4 ms일 때 d_3에서 탈분극이 일어나고 있다.

① ㄱ   ② ㄴ   ③ ㄱ, ㄷ   ④ ㄴ, ㄷ   ⑤ ㄱ, ㄴ, ㄷ

개념 꼭! * 뉴런의 특정 부위에 탈분극이 일어나 활동 전위가 발생하면 일정 시간 뒤 인접한 부위에서도 탈분극이 일어나 ❶ [   ]가 발생한다.   답 ❶ 활동 전위

* 분극 상태인 뉴런의 특정 부위에 역치 이상의 자극이 도달하면 탈분극을 거쳐 재분극되고, **❷** [　　　] 과정에서 막전위가 $-80\,\text{mV}$까지 내려갔다가 $-70\,\text{mV}$로 회복된다.

자료 해석

* I 보다 II에서 먼저 $+30\,\text{mV}$의 막전위가 나타났으므로 II가 자극을 준 지점과 더 가깝다.

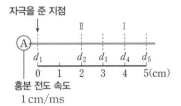

시간	막전위(mV)	
	I d_4	II d_2
4 ms	? -70	$+30$
5 ms	-60	ⓐ -80
6 ms	$+30$	-70

자극을 준 지점

(A)

d_1　d_2 d_3 d_4　d_5

0　1　2　3　4　5(cm)

흥분 전도 속도
1 cm/ms

* I 에서 6 ms일 때 막전위가 $+30\,\text{mV}$이므로 5 ms일 때 막전위 $-60\,\text{mV}$는 **❸** [　　　] 상태임을 의미한다. ➡ I 에서 4 ms일 때 막전위는 $-70\,\text{mV}$이다.

* II가 I 보다 자극을 준 지점과 가깝고, 6 ms일 때 I 에서 막전위가 $+30\,\text{mV}$이므로, II에서 막전위 $-70\,\text{mV}$는 활동 전위가 발생한 후에 측정된 막전위임을 알 수 있다. ➡ II에서 5 ms일 때 막전위는 $-80\,\text{mV}$, 4 ms일 때 막전위는 **❹** [　　　]이다.

* d_5가 자극을 준 지점이라면 I 은 d_2, II는 d_4가 된다. 4 ms일 때 II(d_4)의 막전위가 $+30\,\text{mV}$이고, 막전위 $+30\,\text{mV}$는 자극이 전달된 후, **❺** [　　　]가 지났을 때의 막전위이다. 따라서 표의 조건(4 ms에 $+30\,\text{mV}$ 도달)에 맞지 않으므로 자극을 준 지점은 d_1이다. 답 ❷ 재분극 ❸ 탈분극 ❹ $+30\,\text{mV}$ ❺ 2 ms

Point 해설

ㄱ. 자극을 준 지점인 d_1에서 2 cm 떨어진 d_2 지점에서의 막전위가 $+30\,\text{mV}$인데, 제시된 막전위 그래프에서 자극이 도달한지 2 ms가 경과하였을 때 막전위가 $+30\,\text{mV}$이므로 흥분 전도 속도는 1 cm/ms이다.

ㄴ. 자극을 준 후 4 ms가 지났을 d_2의 막전위가 $+30\,\text{mV}$라면, 1 ms 더 지난 시점인 5 ms일 때(ⓐ) d_2의 막전위는 $-80\,\text{mV}$이다.

ㄷ. 4 ms일 때 d_3는 흥분 도달 후 1 ms가 흘렀을 때이므로 탈분극이 일어나고 있다.

답 ③

전략 비법 노트

● 자극이 도달하기 전과 탈분극과 재분극이 모두 끝난 후 뉴런의 막전위: $-70\,\text{mV}$
● 뉴런의 막전위가 $-80\,\text{mV}$이라면 탈분극을 지나 과분극 과정 중이다.

수능 전략 Key 두 뉴런의 인접 부위인 시냅스에서의 흥분 전달이 일어나는 원리를 이해하고, 흥분 전달의 방향성을 알고 있어야 한다.

그림 (가)는 시냅스로 연결된 두 뉴런 A와 B를, (나)는 A와 B 사이의 시냅스에서 일어나는 흥분 전달 과정을 나타낸 것이다. X와 Y는 A의 가지 돌기와 B의 축삭 돌기 말단을 순서 없이 나타낸 것이다.

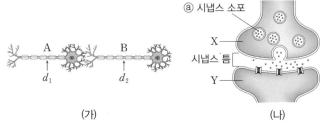

ⓐ 시냅스 소포

X

시냅스 틈

Y

(가)　　　　　　　　(나)

이에 대한 설명으로 옳은 것만을 |보기|에서 있는 대로 고른 것은?

> 보기
> ㄱ. ⓐ에 들어 있는 신경 전달 물질은 Y에 있는 수용체와 결합할 수 있다.
> ㄴ. X는 A의 가지 돌기이다.
> ㄷ. d_2에 역치 이상의 자극을 주면 d_1에서 활동 전위가 발생한다.

① ㄱ　　② ㄴ　　③ ㄱ, ㄷ　　④ ㄴ, ㄷ　　⑤ ㄱ, ㄴ, ㄷ

개념 꼭!

* 자극을 받아 활동 전위가 발생한 뉴런에서 흥분이 다음 뉴런의 가지 돌기나 신경 세포체로 전달되는 현상을 흥분의 전달이라고 한다.

* 뉴런의 ❶　　　　　말단과 다른 뉴런의 가지 돌기나 신경 세포체가 약 20 nm의 틈을 두고 접한 부위를 시냅스라고 한다.

* 시냅스 이전 뉴런의 흥분이 축삭 돌기 말단까지 전도되면 축삭 돌기 말단에 존재하는 ❷　　　　　가 세포막과 융합되면서 시냅스 소포에 있던 신경 전달 물질이 시냅스 틈으로 분비된다. 이 신경 전달 물질이 확산되어 시냅스 이후 뉴런의 신경 전달 물질 수용체에 결합하면 시냅스 이후 뉴런의 이온 통로가 열리면서 탈분극이 일어난다.

답 ❶ 축삭 돌기 ❷ 시냅스 소포

자료 해석

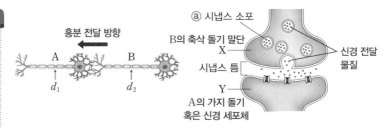

* 시냅스 이전 뉴런의 축삭 돌기 말단에는 **❸** 이 들어 있는 시냅스 소포가 있다.

* 시냅스 이전 뉴런의 축삭 돌기 말단에 흥분이 도달하면, 시냅스 소포 안에 들어 있던 신경 전달 물질이 분비되어 시냅스 이후 뉴런의 가지 돌기 혹은 신경 세포체 막 표면에 있는 **❹** 와 결합한다.

* 시냅스 이후 뉴런의 수용체에 신경 전달 물질이 결합하면 Na^+ 통로가 열려 Na^+ 이 막 안쪽으로 유입되면서 뉴런의 **❺** 이 일어난다.

* 신경 전달 물질은 시냅스 이전 뉴런의 축삭 돌기 말단에서 분비하고, 신경 전달 물질의 수용체는 시냅스 이후 뉴런의 가지 돌기 혹은 신경 세포체에 있으므로 시냅스에서 흥분의 전달은 한 방향으로만 일어난다.

답 ❸ 신경 전달 물질 ❹ 수용체 ❺ 탈분극

Point 해설

ㄱ. 시냅스 이전 뉴런인 X에 흥분이 도달하면 시냅스 소포에 들어 있는 신경 전달 물질은 시냅스 이후 뉴런인 Y에 있는 수용체와 결합한다.

ㄴ. 시냅스 소포는 시냅스 이전 뉴런의 축삭 돌기 말단에 있다. 따라서 B가 시냅스 이전 뉴런인 X에 해당한다.

ㄷ. (가)의 시냅스에서 흥분의 전달은 B에서 A로만 일어난다. 따라서 d_2에 역치 이상의 자극을 주면 d_1에서 활동 전위가 발생한다.

답 ③

전략 비법 노트

● 신경 전달 물질이 포함된 **시냅스 소포는 축삭 돌기 말단**에 있고, 수용체는 가지 돌기 혹은 신경 세포체에 있다.

● 시냅스에서 **흥분의 전달은 시냅스 이전 뉴런의 축삭 돌기 말단**에서 시냅스 이후 뉴런의 가지돌기 혹은 신경 세포체 쪽으로만 일어난다.

무조건 반사의 전달 경로

수능 전략Key
감각 뉴런과 운동 뉴런의 구조와 기능을 알고, 무릎 반사의 중추와 반응이 일어나기까지의 경로를 이해하고 있어야 한다.

그림은 무릎 반사가 일어날 때 흥분 전달 경로를 나타낸 것이다. A와 B는 감각 뉴런과 운동 뉴런을 순서 없이 나타낸 것이다. 이에 대한 설명으로 옳은 것만을 |보기|에서 있는 대로 고른 것은?

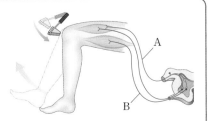

┌ 보기 ┐

ㄱ. A는 감각 뉴런이다.

ㄴ. B는 후근을 통해 나온다.

ㄷ. 이 반사의 중추는 뇌줄기를 구성한다.

① ㄱ   ② ㄴ   ③ ㄱ, ㄷ   ④ ㄴ, ㄷ   ⑤ ㄱ, ㄴ, ㄷ

개념 꼭!
* 자극에서 반응이 일어나기까지의 경로는 자극 → 감각 기관 → ❶[   ] → 중추 신경(뇌, 척수) → ❷[   ] → 반응 기관 → 반응이다.

* 의식적인 반응은 대뇌의 판단과 명령에 따라 일어나는 행동이고, ❸[   ]는 반응의 중추가 대뇌가 아니라 중간뇌, 연수, 척수 등이며, 주로 자극에 대해 무의식적이고 순간적인 반응을 일으키며, 의식적인 반응에 비해 반응 속도가 빠르다.

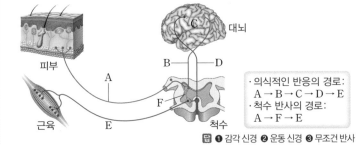

· 의식적인 반응의 경로:
A → B → C → D → E
· 척수 반사의 경로:
A → F → E

답 ❶ 감각 신경 ❷ 운동 신경 ❸ 무조건 반사

자료 해석

* 감각 기관으로부터 받아들인 자극 정보를 중추 신경계로 전달하는 기능을 하는 감각 뉴런은 신경 세포체가 가지 돌기와 분리된 구조로 ❹[_____] 중간에 있는 구조이다.

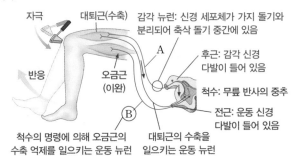

자극
대퇴근(수축)
감각 뉴런: 신경 세포체가 가지 돌기와 분리되어 축삭 돌기 중간에 있음
A
반응
오금근 (이완)
후근: 감각 신경 다발이 들어 있음
척수: 무릎 반사의 중추
B
전근: 운동 신경 다발이 들어 있음
척수의 명령에 의해 오금근의 수축 억제를 일으키는 운동 뉴런
대퇴근의 수축을 일으키는 운동 뉴런

* 무릎 반사의 중추는 ❺[_____]이며, 척수와 연결된 배쪽 신경 다발인 ❻[_____]에는 운동 신경이, 척수와 연결된 등쪽 신경 다발인 ❼[_____]에는 감각 신경이 있다.

* 무릎 반사에서 다리를 들어올리는 반응이 나오기 위해서는 대퇴근의 수축과 오금근의 수축 억제를 일으키는 운동 뉴런(B)이 작용한다.

* 중추 신경계를 구성하는 뇌는 대뇌, 소뇌, 간뇌, 중간뇌, 연수로 구분되며 뇌줄기는 중간뇌―뇌교―연수로 이어지는 부위를 말한다.

답 ❹ 축삭 돌기 ❺ 척수 ❻ 전근 ❼ 후근

Point 해설

ㄱ. A는 감각 뉴런이고, 무릎 반사가 일어날 때 고무망치로 두드린 자극은 대퇴근으로 전달되어 후근의 감각 뉴런을 통해 척수로 전달된다.

ㄴ. B는 운동 뉴런이고, 무릎 반사에서 척수로부터 오금근의 수축을 억제하는 신호를 전달하며, 운동 뉴런은 척수의 전근을 통해 나온다.

ㄷ. 무릎 반사의 중추는 척수이며, 뇌 중 중간뇌와 연수가 뇌줄기에 포함된다. **답** ①

전략 비법 노트

● 무조건 반사 중 **무릎 반사, 회피 반사** 등의 중추 ➡ **척수**

● 운동 뉴런은 척수의 **전근**, 감각 뉴런은 **후근**을 통해 연결

● **뇌줄기**: 중간뇌, 뇌교, 연수

수능 전략Key 말초 신경의 종류와 명칭을 알고, 체성 신경계와 자율 신경계의 차이점을 구체적으로 이 해하고 있어야 한다.

그림은 중추 신경계로부터 말초 신경을 통해 소장과 골격근에 연결된 경로 를, 표는 뉴런 ⓐ~ⓒ의 특징을 나타낸 것이다. ⓐ~ⓒ는 ㉠~㉢을 순서 없 이 나타낸 것이다.

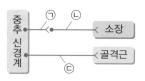

구분	특징
ⓐ	?
ⓑ	체성 신경계에 속한다.
ⓒ	축삭 돌기 말단에서 노르에피네프린이 분비된다.

이 자료에 대한 설명으로 옳은 것만을 |보기|에서 있는 대로 고른 것은?

┌ 보기 ┐
ㄱ. ⓐ는 ㉢이다. ──→ ㉠은 교감 신경의 신경절 이전 뉴런,
　　　　　　　　　　 ㉡은 교감 신경의 신경절 이후 뉴런
ㄴ. ㉠과 ㉡은 자율 신경계에 속한다.
ㄷ. ⓑ는 원심성 신경(운동 신경)이다.

① ㄱ　② ㄴ　③ ㄱ, ㄷ　④ ㄴ, ㄷ　⑤ ㄱ, ㄴ, ㄷ

개념 꼭!
* 말초 신경계는 뇌 신경과 척수 신경, 구심성 신경(감각 신경)과 원심성 신경(운동 신경), 체성 신경과 자율 신경 등으로 구분할 수 있다.

* 감각 기관에서 수용한 자극을 중추 신경계로 전달하는 신경을 ❶ [　　　　] 신경(감 각 신경)이라고 한다.

* 중추 신경계의 명령을 반응 기관으로 전달하는 신경을 원심성 신경이라고 하며, 원 심성 신경에는 체성 신경(운동 신경)과 자율 신경이 있다.

* 체성 신경은 주로 ❷ [　　　　]의 지배를 받으며, 골격근에 아세틸콜린을 분비하여 명령을 전달한다. 중추 신경계와 반응 기관 사이에서 하나의 신경이 명령을 전달하 며 신경절이 없다.

* 자율 신경은 대뇌의 직접적인 지배를 받지 않으며 중간뇌, 연수, 척수의 명령을 심 장근, 내장근, 분비샘에 전달한다. 교감 신경과 부교감 신경은 심장근, 내장근, 분비

📋 ❶ 구심성 ❷ 대뇌

샘 등의 반응 기관에 연결되며, 대부분 중추 신경계와 반응 기관 사이에 하나의
❸   이 존재한다. 교감 신경은 척수와 연결되어 있으며, 신경절 이전 뉴런 말
단에서는 아세틸콜린이, 신경절 이후 뉴런 말단에서는 노르에피네프린이 분비된다.

자료 해석

소장에 연결되어 있고 신경절이 있는
원심성 신경: 자율 신경

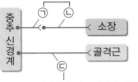

구분		특징
㉠	ⓐ	?
㉢	ⓑ	체성 신경계에 속한다.
㉡	ⓒ	축삭 돌기 말단에서 노르에피네프린이 분비된다.

골격근에 연결되어 있고 신경절이 없는
원심성 신경: 체성 신경

교감 신경 신경절 이후
뉴런 말단에서 분비

* ㉠과 ㉡은 원심성 신경이며 신경절이 있고 내장 기관(소장)에 연결되어 있으므로
❹   이다.

* ㉢은 원심성 신경(운동 신경)이며 신경절이 없고 골격근에 연결되어 있으므로
❺   이다.

* ㉠은 신경절 이전 뉴런이고, ㉡은 신경절 이후 뉴런이며, 축삭 돌기 말단에서 노르
에피네프린이 분비되는 신경은 **❻**   의 신경절 이후 뉴런이다.

답 ❸ 신경절 **❹** 자율 신경 **❺** 체성 신경 **❻** 교감 신경

Point 해설

ㄱ. 골격근에 연결되어 있고 신경절이 없는 원심성 신경인 ㉢이 ⓑ이고, 축삭 돌기
　말단에서 노르에피네프린이 분비되는 것은 교감 신경의 신경절 이후 뉴런이므로
　㉡이 ⓒ이다. 따라서, ㉠이 ⓐ이다.

ㄴ. ㉠과 ㉡은 골격근이 아닌 내장 기관(소장)에 연결되어 있으며, 신경절이 있는 원
　심성 신경이며, 이러한 특징을 갖는 신경은 자율 신경이다.

ㄷ. ⓑ는 ㉢이며, 중추 신경계의 명령을 운동 기관에 전달하는 운동 신경에 해당한다.

답 ④

전략 비법 노트

● 원심성 신경 중 **골격근에 연결되어 있고 신경절이 없는 것** → 체성 신경(운동 신경)
● 원심성 신경 중 **내장 기관에 연결되어 있고 신경절이 있는 것** → 자율 신경

교감 신경과 부교감 신경

수능 전략Key 교감 신경과 부교감 신경의 뉴런 말단에서 분비되는 신경 전달 물질의 종류와 각 기관에서의 조절 작용에 대해 알고 있어야 한다.

그림 (가)는 심장 박동을 조절하는 자율 신경 A와 B 중 A를 자극했을 때 심장 세포에서 활동 전위가 발생하는 빈도의 변화를, (나)는 물질 ⑤의 주사량에 따른 심장 박동 수를 나타낸 것이다. ⑤은 심장 세포에서의 활동 전위 발생 빈도를 변화시키는 물질이며, A와 B는 교감 신경과 부교감 신경을 순서 없이 나타낸 것이다.

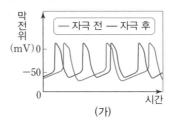
(가)

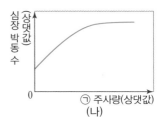
(나)

이에 대한 설명으로 옳은 것만을 |보기|에서 있는 대로 고른 것은? (3점)

┌ 보기 ┐
ㄱ. A의 신경절 이전 뉴런의 신경 세포체는 척수의 속질에 있다.
ㄴ. ⑤은 B의 신경절 이후 뉴런의 축삭 돌기 말단에서 분비되는 신경 전달 물질과 같다.　　아세틸콜린
ㄷ. A와 B는 심장 박동 조절에 길항적으로 작용한다.

① ㄱ　② ㄴ　③ ㄱ, ㄷ　④ ㄴ, ㄷ　⑤ ㄱ, ㄴ, ㄷ

개념 꼭!

* 교감 신경은 **❶**｜　　｜와 연결되어 있으며, 신경절 이전 뉴런 말단에서는 아세틸콜린이, 신경절 이후 뉴런 말단에서는 **❷**｜　　｜이 분비된다.

* 교감 신경은 일반적으로 신경절 이전 뉴런이 신경절 이후 뉴런보다 **❸**｜　　｜.

* 부교감 신경은 중간뇌, 연수, 척수와 연결되어 있으며, 신경절 이전 뉴런과 신경절 이후 뉴런 말단에서 모두 **❹**｜　　｜이 분비된다.

* 부교감 신경은 신경절 이전 뉴런이 신경절 이후 뉴런보다 길다.

📋 답 ❶ 척수 ❷ 노르에피네프린 ❸ 짧다 ❹ 아세틸콜린

6월 모평

해석

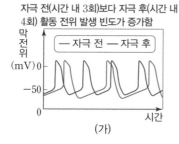

자극 전(시간 내 3회)보다 자극 후(시간 내 4회) 활동 전위 발생 빈도가 증가함

(가)

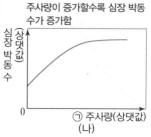

주사량이 증가할수록 심장 박동 수가 증가함

(나)

* 교감 신경은 심장 박동을 촉진하고, 부교감 신경은 심장 박동을 억제한다.

* 교감 신경의 신경절 이후 뉴런 말단에서 분비되는 노르에피네프린은 심장 박동을 ❺ 하며, 부교감 신경의 신경절 이후 뉴런 말단에서 분비되는 아세틸콜린은 심장 박동을 억제한다.

* 교감 신경의 신경절 이전 뉴런의 신경 세포체는 ❻ 의 속질에 있다.

* 두 가지 요인이 같은 기관에 대해 서로 반대로 작용하여 서로의 효과를 줄이는 것을 ❼ 이라고 하며, 교감 신경과 부교감 신경은 심장에서 길항적으로 작용한다.

답 ❺ 촉진 ❻ 척수 ❼ 길항 작용

Point 해설

ㄱ A는 교감 신경이다. 교감 신경의 신경절 이전 뉴런의 신경 세포체는 척수의 속질에 있다.

ㄴ. (나)에서 ㉠의 주사량이 증가할수록 심장 박동 수가 증가하는 것으로 보아 ㉠은 심장 박동을 촉진하는 교감 신경의 신경절 이후 뉴런 말단에서 분비되는 노르에피네프린과 같은 작용을 하는 물질이며, 부교감 신경인 B의 신경절 이후 뉴런 축삭 돌기 말단에서 분비되는 아세틸콜린은 심장 박동을 억제하는 작용을 한다.

ㄷ 교감 신경은 심장 박동을 촉진하고, 부교감 신경은 심장 박동을 억제하는 것은 길항 작용이다.

답 ③

전략 비법 노트

● **교감 신경**: 소화 억제, 심장 박동 촉진, 호흡 속도 증가, 동공 확대, 방광 이완 작용을 하고 **부교감 신경과 길항적으로 작용**한다.

● **교감 신경의 신경절 이전 뉴런의 신경 세포체는 척수의 속질에 위치**

유형 ZIP **25**

12 근육의 수축

골격근의 구조를 이해하고, 근육 수축의 원리와 구체적인 과정을 알고 있어야 한다.

그림은 골격근 수축 과정의 두 시점 (가)와 (나)일 때 관찰된 근육 원섬유를, 표는 (가)와 (나)일 때 ㉠의 길이와 ㉡의 길이를 나타낸 것이다. ⓐ와 ⓑ는 근육 원섬유에서 각각 어둡게 보이는 부분(암대)과 밝게 보이는 부분(명대)이고, ㉠과 ㉡은 ⓐ와 ⓑ를 순서 없이 나타낸 것이다.

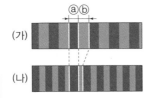

시점	㉠의 길이	㉡의 길이
(가)	1.6 μm	1.8 μm
(나)	1.6 μm	0.6 μm

이에 대한 설명으로 옳은 것만을 |보기|에서 있는 대로 고른 것은?

┌ 보기 ┐
ㄱ. (가)일 때 ㉠에 액틴 필라멘트와 마이오신 필라멘트가 있다.
ㄴ. (나)일 때 ⓑ에 Z선이 있다.
ㄷ. (가)에서 (나)로 될 때 ATP가 분해되는 반응이 일어난다.
$$ATP \rightarrow ADP + P_i + 에너지$$

① ㄱ ② ㄴ ③ ㄱ, ㄷ ④ ㄴ, ㄷ ⑤ ㄱ, ㄴ, ㄷ

* 골격근은 여러 개의 근육 섬유 다발로 구성되어 있고, 근육 섬유 다발은 여러 개의 근육 섬유로 구성되어 있다. 근육 섬유는 근육을 구성하는 근육 세포로, 여러 개의 ❶[ ]이 존재하는 다핵 세포이다.

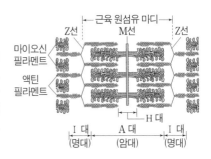

* 근육 섬유에는 미세한 근육 원섬유 다발이 들어 있으며, 이 근육 원섬유는 가는 액틴 필라멘트와 굵은 ❷[ ] 필라멘트 등으로 구성되어 있다.

* 근육 원섬유를 관찰하면 밝은 부분인 명대(I대)와 어두운 부분인 암대(A대)가 반복되어 나타나며, 명대의 중앙에 ❸[ ]이 관찰된다. 🔑 ❶핵 ❷마이오신 ❸Z선

자료 해석

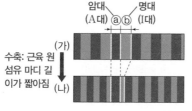

수축: 근육 원
섬유 마디 길
이가 짧아짐

근육 수축 시 A대의 길이는 변화 없고
I대의 길이는 짧아진다.

시점	⊙의 길이	ⓛ의 길이
(가)	1.6 μm	1.8 μm
(나)	1.6 μm	0.6 μm

근육 수축 시 길이   근육 수축 시 길이
변화 없음: A대   짧아짐: I대

* A대는 마이오신 필라멘트만 있는 **❹** 와 이 부분의 양 옆으로 굵은 마이오
신 필라멘트와 가는 액틴 필라멘트가 겹친 부분으로 구성되어 있다.

* I대는 A대의 마이오신 필라멘트와 액틴 필라멘트가 겹쳐진 부분 옆으로
❺ 만 존재하는 부위이다.

* 활주설에 의하면 액틴 필라멘트가 마이오신 필라멘트 사이로 미끄러져 들어가 근
육 원섬유 마디의 길이가 짧아지면서 근육의 길이가 짧아지는 근수축이 일어난다.

* 근육 원섬유가 수축하는 과정에 필요한 에너지는 **❻** 로부터 공급받는다.
ATP가 **❼** 될 때 방출되는 에너지는 액틴 필라멘트가 마이오신 필라멘트
사이로 미끄러져 들어가는 데 사용된다. **❹** H대 **❺** 액틴 필라멘트 **❻** ATP **❼** 분해

Point 해설

ⓒ ⊙은 암대(A대)로, 마이오신 필라멘트와 액틴 필라멘트가 겹쳐진 부위와 마이오
신 필라멘트만 있는 H대로 구성되어 있다. A대의 길이는 마이오신 필라멘트의
길이에 해당하며, 근육 수축 시 길이가 변하지 않는다.

ⓛ ⓐ는 A대, ⓑ는 I대이며, I대의 중앙에 Z선이 있다.

ⓒ (가)에서 (나)로 되는 과정은 근육이 수축하는 과정이며, 근육 수축 시 ATP가 분
해될 때 방출되는 에너지에 의해 액틴 필라멘트가 마이오신 필라멘트 사이로 이
동하면서 근육 원섬유 마디 길이가 짧아진다. **답** ⑤

전략 비법 노트

● A대(암대): **마이오신 필라멘트만 있는** 부위와 마이오신, 액틴 필라멘트가 **겹쳐진 부위**
가 있음

● I대(명대): **액틴 필라멘트만 있음**

● 근육 수축 시: ATP가 분해될 때 방출하는 **에너지 이용**

필수 유형

13 근육 원섬유 마디의 길이 변화

수능 전략Key

근육 수축이 일어날 때 근육 원섬유 각 부위의 길이 변화를 이해하고, 각 부위의 길이 변화의 관계를 알고 있어야 한다.

다음은 골격근의 수축 과정에 대한 자료이다.

- 그림은 근육 원섬유 마디 X의 구조를 나타낸 것이다. X는 좌우 대칭이다.

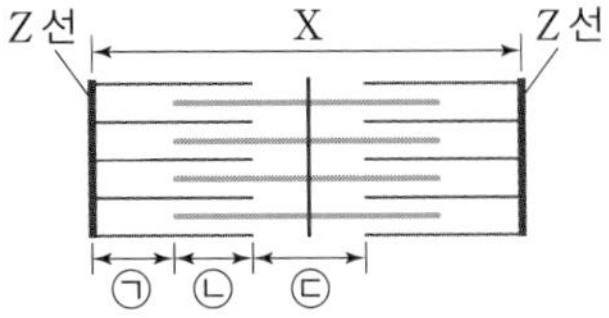

- 구간 ㉠은 액틴 필라멘트만 있는 부분이고, ㉡은 액틴 필라멘트와 마이오신 필라멘트가 겹치는 부분이며, ㉢은 마이오신 필라멘트만 있는 부분이다.
- 골격근 수축 과정의 시점 t_1일 때 ㉠~㉢의 길이는 순서 없이 ⓐ, $3d$, $10d$이고, 시점 t_2일 때 ㉠~㉢의 길이는 순서 없이 ⓐ, $2d$, $3d$이다. d는 0보다 크다.

이에 대한 설명으로 옳은 것만을 |보기|에서 있는 대로 고른 것은?

보기

ㄱ. 근육 원섬유는 근육 섬유로 구성되어 있다.

ㄴ. t_1에서 t_2로 될 때 X는 수축되었다.

ㄷ. t_2일 때 ㉠의 길이는 $3d$이다.

① ㄱ ② ㄴ ③ ㄱ, ㄷ ④ ㄴ, ㄷ ⑤ ㄱ, ㄴ, ㄷ

개념 꼭!

* 근육 섬유를 구성하는 근육 원섬유의 Z선과 Z선 사이 부분을 ❶ ______ 라고 한다.
* 근수축이 일어나는 과정에서 H대의 길이, 액틴 필라멘트와 마이오신 필라멘트가 겹쳐진 부분의 길이, I대의 길이가 변한다.
* 근수축이 일어날 때 근육 원섬유 마디의 길이는 ❷ ______. 이는 근육 원섬유를 구성하는 액틴 필라멘트와 마이오신 필라멘트의 길이가 짧아지는 것이 아니라, 액틴 필라멘트가 마이오신 필라멘트 사이로 미끄러져 들어가 겹쳐진 부위가 ❶ ______ 하기 때문이다.

답 ❶ 근육 원섬유 마디 ❷ 짧아진다 ❸ 증가

자료 해석

* 근육 수축 시 근육 원섬유 마디의 길이, H대의 길이, I대의 길이는 감소하고, A대의 길이는 변화 없으며, A대 중 액틴 필라멘트와 마이오신 필라멘트가 겹친 부분의 길이는 ❹ ☐☐☐☐의 길이가 감소한 만큼 증가한다.

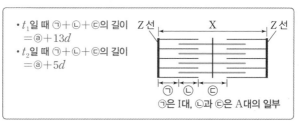

- t_1일 때 ㉠+㉡+㉢의 길이
  = ⓐ+13d
- t_2일 때 ㉠+㉡+㉢의 길이
  = ⓐ+5d

㉠은 I대, ㉡과 ㉢은 A대의 일부

* ㉠, ㉡, ㉢의 길이의 합이 t_1일 때가 t_2일 때보다 긴 것으로 보아 t_1에서 t_2로 될 때 X는 ❺ ☐☐☐☐되었다.

* ㉠과 ㉡의 길이의 합은 액틴 필라멘트의 길이에 해당하는 값이므로 t_1일 때와 t_2일 때가 같다.

* t_1일 때 ㉠, ㉡, ㉢ 길이의 합에서 t_2일 때 ㉠, ㉡, ㉢ 길이의 합을 뺀 값은 ❻ ☐☐☐☐의 길이의 변화량과 같다.

* t_1에서 t_2로 될 때 ㉠ 길이가 감소한 만큼 ❼ ☐☐☐☐의 길이가 증가한다.

답 ❹ H대 ❺ 수축 ❻ ㉢ ❼ ㉡

Point 해설

ㄱ. 골격근은 근육 섬유 다발로 구성되어 있고, 근육 섬유 다발은 근육 섬유로 구성되어 있으며, 근육 섬유는 근육 원섬유로 구성되어 있다.

ㄴ. 근육이 수축할 때 근육 원섬유 마디의 길이는 짧아진다. t_1보다 t_2에서 ㉠+㉡+㉢ 길이의 합이 더 짧으므로 t_1에서 t_2로 될 때 근육이 수축하였다.

ㄷ. t_1보다 t_2에서 ㉠+㉡+㉢ 길이의 합은 8d만큼 짧아졌으며, ㉠+㉡ 길이의 합이 일정하므로 ㉢이 8d만큼 감소한 것이며, ㉠의 길이는 4d만큼 짧아지고, ㉡의 길이는 4d만큼 길어진다. 따라서, t_1일 때 ㉠의 길이, t_2일 때 ㉡의 길이인 ⓐ는 7d이고, t_2일 때 ㉠의 길이는 3d이다.

답 ④

전략 비법 노트

● 근육이 수축할 때 근육 원섬유 마디의 길이, H대, I대의 길이는 짧아진다.
● 근육이 수축할 때 액틴 필라멘트와 마이오신 필라멘트의 길이는 변화하지 않는다.
● A대의 길이는 마이오신 필라멘트의 길이와 같으므로 근육 수축 시 변화하지 않는다.

14 호르몬 분비 조절

호르몬 분비 조절 원리인 음성 피드백의 원리를 티록신 분비 과정을 중심으로 구체적으로 이해하고 있어야 한다.

다음은 어떤 과학자가 수행한 탐구이다.

㉠과 ㉡은 각각 티록신과 TSH 중 하나이다.

| 실험 과정 및 결과 |

(가) 유전적으로 동일한 생쥐 A, B, C를 준비한다.

(나) B와 C의 갑상샘을 각각 제거한 후, A~C에서 혈중 ㉠의 농도를 측정한다.

(다) (나)의 B와 C 중 한 생쥐에만 ㉠을 주사한 후, A~C에서 혈중 ㉡의 농도를 측정한다.

(라) (나)와 (다)에서 측정한 결과는 그림과 같다.

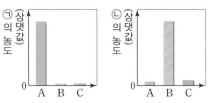

이에 대한 설명으로 옳은 것만을 | 보기 | 에서 있는 대로 고른 것은?

┌ 보기 ┐

ㄱ. ㉠은 TSH이다.

ㄴ. (다)에서 ㉠을 주사한 생쥐는 C이다. 음성 피드백 조절

ㄷ. 티록신의 분비가 감소하면 TRH의 분비가 증가한다.

① ㄱ   ② ㄴ   ③ ㄱ, ㄷ   ④ ㄴ, ㄷ   ⑤ ㄱ, ㄴ, ㄷ

개념 꼭!

* 항상성 유지에 관여하는 호르몬의 분비 조절 방식은 **❶** [   ]이며, 이는 어느 과정의 산물이 그 과정을 억제하는 조절이다.

* 티록신은 갑상샘에서 분비되는 갑상샘 호르몬으로, **❷** [   ]을 촉진하는 작용을 한다.

답 ❶ 음성 피드백 **❷** 세포 호흡

자료 해석

* 혈중 티록신의 농도가 높아지면 티록신에 의해 시상하부의 TRH 분비와 뇌하수체 전엽의 TSH 분비가 각각 ❸ □□ 되어 혈중 티록신의 농도가 감소한다.

티록신 ㉠(상의 댓값) 농도

뇌하수체에서 TSH가 분비되도록 함

↓

갑상샘 자극 호르몬

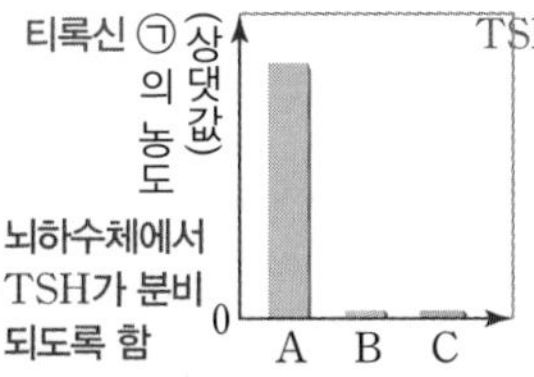

A B C
B와 C의 갑상샘 제거
→ B와 C는 티록신 분비 못함

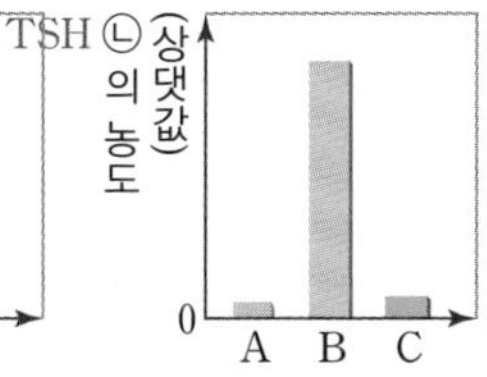

TSH ㉡(상의 댓값) 농도

A B C
티록신 분비가 정상인 A와 티록신을 주사한 생쥐는 음성 피드백에 의해 TSH 분비가 억제됨 → 티록신을 주사한 생쥐는 C

* 혈중 티록신의 농도가 낮아지면 시상 하부의 TRH 분비와 뇌하수체 전엽의 TSH 분비가 각각 촉진되어 혈중 티록신의 농도가 ❹ □□ 한다.

* 갑상샘은 티록신의 내분비샘이므로 갑상샘을 제거하면 갑상샘에서 ❺ □□ 이 분비되지 않는다.

* 음성 피드백 조절이 정상적으로 일어날 때에는 일정량 분비되고 있는 티록신에 의해 TRH와 TSH의 분비가 억제되어 TRH와 TSH 분비량이 낮게 유지된다.

답 ❸ 억제 ❹ 증가 ❺ 티록신

Point 해설

ㄱ. 갑상샘을 제거한 쥐에서는 티록신의 농도가 낮으며, 낮은 티록신 농도로 인해 TRH와 TSH의 농도는 높게 유지된다. 따라서 ㉠은 티록신이고, ㉡은 TSH이다.

ㄴ. ㉠은 티록신이므로 티록신을 주사하면 음성 피드백 작용에 의해 TSH의 농도가 감소하므로 ㉠을 주사한 생쥐는 C이다.

ㄷ. 티록신의 분비가 정상적일 때에는 음성 피드백 조절에 의해 TRH와 TSH의 분비가 억제되지만, 티록신의 분비가 감소하면 TRH와 TSH의 분비를 억제하지 못해 TRH와 TSH의 분비량이 증가한다.

답 ④

전략 비법 노트

● **티록신의 분비 경로:** 시상 하부에서 TRH 분비 → 뇌하수체 전엽에서 TSH 분비 → 갑상샘에서 티록신 분비

● **항상성을 유지하는 데 관여하는 호르몬:** 음성 피드백으로 분비량 조절 → 분비량이 일정하게 유지됨

수능 전략Key 인슐린과 글루카곤 각각의 혈당량 조절 과정과 길항 작용에 의한 혈당량 조절의 원리를 구체적으로 이해하고 있어야 한다.

그림 (가)는 정상인이 탄수화물을 섭취한 후 시간에 따른 혈중 호르몬 ㉠과 ㉡의 농도를, (나)는 간에서 ㉡에 의해 촉진되는 물질 A에서 B로의 전환을 나타낸 것이다. ㉠과 ㉡은 인슐린과 글루카곤을 순서 없이 나타낸 것이고, A와 B는 포도당과 글리코젠을 순서 없이 나타낸 것이다.

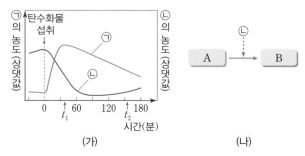

(가)　　　　　　　(나)

이에 대한 설명으로 옳은 것만을 |보기|에서 있는 대로 고른 것은?

┌ 보기 ┌
　ㄱ. A는 포도당이다.
　ㄴ. 혈중 포도당 농도는 t_1일 때가 t_2일 때보다 높다.
　ㄷ. ㉠과 ㉡은 혈당량 조절에 길항적으로 작용한다.

① ㄱ　　② ㄴ　　③ ㄱ, ㄷ　　④ ㄴ, ㄷ　　⑤ ㄱ, ㄴ, ㄷ

개념 꼭!

* 부교감 신경의 흥분 또는 고혈당 상태일 때 이자의 β세포에서 분비되는 호르몬은 [❶　　　]이다.

* 교감 신경의 흥분 또는 저혈당 상태일 때 이자의 α세포에서 분비가 촉진되는 호르몬은 [❷　　　]이다.

* 고혈당일 때 인슐린은 간에서 포도당을 글리코젠으로 전환하는 작용과 조직 세포에서 포도당 흡수를 촉진하여 혈당량을 [❸　　　].

* 저혈당일 때 글루카곤은 간에서 글리코젠을 포도당으로 전환하는 작용을 촉진하여 혈당량을 [❹　　　]. **답** ❶ 인슐린 ❷ 글루카곤 ❸ 낮춘다 ❹ 높인다

자료 해석

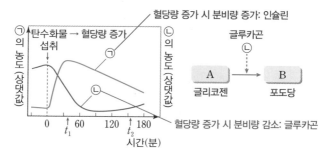

* 탄수화물 섭취로 혈당량이 증가하면 이자에서 ⑤⃞ (㉠) 분비량이 증가한다.

* 글루카곤(㉡)은 간에 저장되었던 글리코젠이 ⑥⃞ 으로 분해되어 혈액으로 방출되는 과정을 촉진하여 혈당량을 높인다.

* 혈당량은 인슐린과 글루카곤의 ⑦⃞ 에 의해 일정하게 유지된다.

답 ⑤ 인슐린 ⑥ 포도당 ⑦ 길항 작용

Point 해설

ㄱ. 탄수화물 섭취 후 혈당량을 낮추기 위해 인슐린 분비가 증가하므로 ㉠은 인슐린, ㉡은 글루카곤이다. 글루카곤(㉡)은 간에서 글리코젠을 포도당으로 분해하므로 A는 글리코젠, B는 포도당이다.

ㄴ. 혈중 포도당 농도는 인슐린(㉠)의 농도가 높은 t_1일 때가 인슐린의 농도가 낮은 t_2일 때보다 높다.

ㄷ. 인슐린과 글루카곤은 혈중 포도당 농도 조절에 길항적으로 작용한다. **답** ④

전략 비법 노트

● **고혈당** → 간뇌의 시상 하부에서 감지, **부교감 신경을 통해 이자의 β세포 자극** → **인슐린 분비량 증가** → 세포의 포도당 흡수 촉진, 간에서 **포도당을 글리코젠으로 저장하는** 과정 촉진

● **저혈당** → 간뇌의 시상 하부에서 감지, **교감 신경을 통해 이자의 α세포 자극** → **글루카곤 분비량 증가** → 간에서 **글리코젠을 포도당으로 분해하는** 과정 촉진

16 삼투압 조절

수능 전략 Key 항이뇨 호르몬에 의한 혈장 삼투압 조절 원리를 이해하고, 혈장 삼투압의 변화에 따른 호르몬 분비량 변화와 혈장 삼투압, 오줌 삼투압의 변화를 알고 있어야 한다.

그림 (가)와 (나)는 정상인에서 ⊙의 변화량에 따른 혈중 항이뇨 호르몬 (ADH) 농도와 갈증을 느끼는 정도를 각각 나타낸 것이다. ⊙은 혈장 삼투압과 전체 혈액량 중 하나이다.

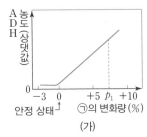

(가)

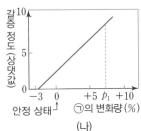

(나)

이에 대한 설명으로 옳은 것만을 |보기|에서 있는 대로 고른 것은? (단, 제시된 자료 이외에 체내 수분량에 영향을 미치는 요인은 없다.)

> **보기**
> ㄱ. ⊙은 전체 혈액량이다.
> ㄴ. 생성되는 오줌의 삼투압은 p_1일 때가 안정 상태일 때보다 높다.
> ㄷ. 갈증을 느끼는 정도는 혈장 삼투압이 높을수록 크다.

① ㄱ ② ㄴ ③ ㄱ, ㄷ ④ ㄴ, ㄷ ⑤ ㄱ, ㄴ, ㄷ

개념 콕!

* 혈장 삼투압 조절: 조절 중추는 ❶ [   ]의 시상 하부로, 혈장 삼투압을 감지하여 항이뇨 호르몬 분비량을 조절하여 정상 혈장 삼투압을 유지한다.

삼투압이 높을 때 → 간뇌(시상 하부) → 뇌하수체 후엽 → 항이뇨 호르몬 분비 촉진 → 콩팥 → 물의 재흡수량 증가 → 삼투압 감소

삼투압이 낮을 때 → 항이뇨 호르몬 분비 억제 → 콩팥 → 물의 재흡수량 감소 → 삼투압 증가

* 항이뇨 호르몬(ADH)은 ❷ [   ]에서 분비되며, 콩팥에서 물의 재흡수를 촉진하여 혈장 삼투압을 감소시킨다.

답 ❶ 간뇌 ❷ 뇌하수체 후엽

자료 해석

혈장 삼투압 증가 → ADH 분비량 증가 → 수분 재흡수 촉진 → 혈장 삼투압 감소, 오줌 삼투압 증가

혈장 삼투압 증가 → 갈증 정도 증가

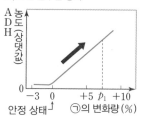

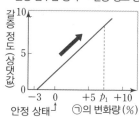

* ADH는 콩팥에서 ❸[ ]를 촉진하여 혈장의 물의 비율을 증가시켜 혈장 삼투압을 낮추는 호르몬이다.

* ADH의 분비량은 짠 음식을 먹었을 때나 땀을 많이 흘렸을 때와 같이 혈장 삼투압이 일정 수준보다 ❹[ ], 전체 혈액량이 일정 수준보다 낮을수록, 혈압이 일정 수준보다 낮을수록 증가한다.

* ADH의 분비량이 증가하면 혈장 삼투압은 낮아지고, 혈액량은 많아지며, 오줌 삼투압은 ❺[ ], 오줌양은 감소한다.

* (가)에서 ㉠이 증가할수록 ADH가 증가하므로 ㉠은 혈장 삼투압이다.

* (나)에서 혈장 삼투압이 증가할수록 갈증 정도가 증가한다는 것을 알 수 있다.

　　　　　　　　　　　　　　　　답 ❸ 수분 재흡수 ❹ 높을수록 ❺ 높아지고

Point 해설

ㄱ. (가)에서 ㉠이 증가할수록 ADH 분비량이 증가하므로 ㉠은 혈장 삼투압이다.

ㄴ. ADH 분비량이 많을수록 오줌의 삼투압은 증가한다. p_1일 때가 안정 상태일 때보다 ADH의 농도가 높으므로 오줌의 삼투압은 p_1일 때가 안정 상태일 때보다 높다.

ㄷ. (나)에서 ㉠이 혈장 삼투압이므로 갈증을 느끼는 정도는 혈장 삼투압이 높을수록 크다.　　　　　　　　　　　　　　답 ④

전략 비법 노트

● 혈장 삼투압이 높을 때(짠 음식을 먹었을 때, 땀을 많이 흘렸을 때): **ADH 분비 증가** ➜ 수분 재흡수 촉진 ➜ 오줌양 감소, 체내 수분량 증가 ➜ 혈장 삼투압 낮아짐

● 혈장 삼투압이 낮을 때(물을 많이 마셨을 때): **ADH 분비 감소** ➜ 수분 재흡수 감소 ➜ 오줌양 증가, 체내 수분량 감소 ➜ 혈장 삼투압 높아짐

17 체온 조절

체온이 높아졌을 때 체온을 낮추는 조절과 체온이 낮아졌을 때 체온을 높이는 조절 과정을 열 발생량과 열 발산량 조절로 구분하여 구체적으로 알고 있어야 한다.

그림은 사람의 시상 하부에 설정된 온도가 변화함에 따른 체온 변화를 나타낸 것이다. 시상 하부에 설정된 온도는 열 발산량(열 방출량)과 열 발생량(열 생산량)을 변화시켜 체온을 조절하는 데 기준이 되는 온도이다.
이에 대한 설명으로 옳은 것만을 |보기| 에서 있는 대로 고른 것은?

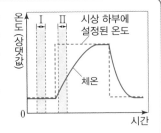

┌ 보기 ┌
ㄱ. 시상 하부에 설정된 온도가 체온보다 높아지면 체온이 내려간다.
ㄴ. $\dfrac{\text{열발생량}}{\text{열발산량}}$ 은 구간 Ⅱ에서가 구간 Ⅰ에서보다 크다.
ㄷ. 피부 근처 혈관을 흐르는 단위 시간당 혈액량이 증가하면 열 발생량이 증가한다.

① ㄱ   ② ㄴ   ③ ㄱ, ㄷ   ④ ㄴ, ㄷ   ⑤ ㄱ, ㄴ, ㄷ

* 체온 변화 감지와 조절의 중추는 간뇌의 [❶   ]이며, 자율 신경과 호르몬의 작용으로 열 발생량과 열 발산량을 조절함으로써 체온을 일정하게 유지시킨다.
* 체온이 정상 범위보다 낮아졌을 때: 시상 하부가 저체온을 감지하여 골격근이 빠르게 수축·이완되어 몸이 떨리고, 열 발생량이 [❷   ]. 또한, 피부 근처 혈관이 [❸   ]됨으로써 피부 근처를 흐르는 혈액의 양이 감소하여 열 발산량이 감소한다.
* 체온이 정상 범위보다 높아졌을 때: 시상 하부가 고체온을 감지하여 피부 근처 혈관이 확장되면서 피부 근처를 흐르는 혈액의 양이 증가하고, [❹   ]가 촉진됨으로써 열 발산량이 증가한다. 🔲 ❶ 시상 하부 ❷ 증가한다 ❸ 수축 ❹ 땀 분비

자료 해석

시상 하부에 설정된 온도
= 체온

시상 하부에 설정된 온도 > 체온
: 체온 상승(열 발생량 증가, 열 발산량 감소)

시상 하부에
설정된 온도

시상 하부에 설정된 온도 < 체온
: 체온 하강(열 발생량 감소, 열 발산량 증가)

온도
(상댓값)

Ⅰ Ⅱ

체온

0

시간

* 구간 Ⅰ은 시상 하부에 설정된 온도와 체온이 같은 시기이다.

* 구간 Ⅱ는 시상 하부에 설정된 온도가 체온보다 높은 시기(추울 때)로, 체온이 상승
하게 된다. 이때 열 발생량은 [❺　　　]하고 열 발산량이 [❻　　　]하는 반응이
일어난다.

* 구간 Ⅱ 이후 시상 하부에 설정된 온도와 체온이 같아졌다가 시상 하부에 설정된
온도가 체온보다 낮아지면(더울 때) 체온이 [❼　　　]. 이때 열 발생량은 감소하
고 열 발산량이 증가하는 반응이 일어난다.　　　　　　　📖 ❺ 증가 ❻ 감소 ❼ 내려간다

Point 해설

ㄱ. 시상 하부에 설정된 온도가 체온보다 높아지면 체온이 올라간다.

ⓛ 시상 하부에 설정된 온도는 구간 Ⅱ에서가 구간 Ⅰ에서보다 높아 체온은 구간 Ⅱ
에서가 구간 Ⅰ에서보다 높다. 열 발생량은 구간 Ⅱ에서가 구간 Ⅰ에서보다 많고,
열 발산량은 구간 Ⅱ에서가 구간 Ⅰ에서보다 적으므로 $\dfrac{열\ 발생량}{열\ 발산량}$은 구간 Ⅱ에
서가 구간 Ⅰ에서보다 크다.

ㄷ. 피부 근처 혈관이 확장되어 피부 근처 혈관을 흐르는 단위 시간당 혈액량이 증가
하면 체표면을 통한 열 발산량이 증가한다.　　　　　　　　　　　　📖 ②

전략 비법 노트

● **더울 때:** 간뇌의 시상 하부에서 고체온 감지 ➡ **열 발생량 감소, 열 발산량 증가**(땀에
의한 수분 증발, 피부 근처 혈관의 혈액량 증가)

● **추울 때:** 간뇌의 시상 하부에서 저체온 감지 ➡ **열 발생량 증가**(근육 운동으로 몸 떨림,
물질대사율 증가), **열 발산량 감소**(피부 근처 혈관의 혈액량 감소)

수능 전략Key 질병을 일으키는 병원체의 종류와 각 병원체가 갖는 생명 현상의 특징을 이해하고, 각 병원체에 의해 발생하는 질병과 연결하여 알고 있어야 한다.

표 (가)는 병원체의 3가지 특징을, (나)는 (가)의 특징 중 사람의 질병 A~C의 병원체가 갖는 특징의 개수를 나타낸 것이다. A~C는 독감, 무좀, 말라리아를 순서 없이 나타낸 것이다.

특징
• 독립적으로 물질대사를 한다.
• ⓐ 단백질을 갖는다.
• 곰팡이에 속한다.

질병	병원체가 갖는 특징의 개수
A	3
B	?
C	2

(가)   (나)

이에 대한 설명으로 옳은 것만을 |보기|에서 있는 대로 고른 것은?

┌─ 보기 ─────────────────────────┐
ㄱ. A는 독감이다.
ㄴ. B는 모기를 매개로 전염된다.
ㄷ. A~C의 병원체는 모두 특징 ⓐ을 갖는다.
└────────────────────────────────┘

① ㄱ   ② ㄷ   ③ ㄱ, ㄴ   ④ ㄴ, ㄷ   ⑤ ㄱ, ㄴ, ㄷ

개념 꼭!

* 병원체란 인체에 질병을 일으키는 감염 인자로, 병원체에 의해 나타나는 질병을 **❶**   질병이라고 한다.

* 세균에 의한 질병은 **❷**   를 이용하여 치료하며, 세균에 의한 질병에는 결핵, 폐렴 등이 있다.

* 바이러스는 세포 구조가 아니며, 유전 물질과 **❸**   껍질로 되어 있다. 바이러스에 의한 질병은 항바이러스제를 이용하여 치료하며, 바이러스에 의한 질병에는 독감, 홍역, AIDS, 코로나19 등이 있다.

* 원생동물은 대부분 열대 지역에서 매개 곤충을 통하여 인체 내로 들어와 질병을 일으킨다. 원생동물에 의한 질병인 말라리아는 병원체인 말라리아 원충이 **❹**   를 매개로 하여 사람의 적혈구에 들어와 발병한다.

답 ❶ 감염성 ❷ 항생제 ❸ 단백질 ❹ 모기

* 곰팡이와 같은 균류는 핵을 가지며, 균류가 몸에 직접 증식하거나 균류가 생산하는 독성 물질을 섭취하여 증상이 나타난다. 무좀은 곰팡이에 속한 무좀균에 의한 질병이다.

자료 해석

특징	질병	병원체가 갖는 특징의 개수
• 독립적으로 물질대사를 한다. → 균류, 원생동물	A(무좀) 병원체: 곰팡이	3
• ⊙ 단백질을 갖는다. → 바이러스, 균류, 원생동물	B(독감) 병원체: 바이러스	? (1)
• 곰팡이에 속한다. → 균류	C(말라리아) 병원체: 원생동물	2
(가)	(나)	

* 독감을 일으키는 병원체는 ❺ [　] 이고, 무좀을 일으키는 병원체는 곰팡이, 말라리아를 일으키는 병원체는 ❻ [　] 이다.

* (가)의 특징 3가지를 모두 갖는 병원체는 무좀의 병원체인 곰팡이이므로 A는 무좀이고, (가)의 특징 중 2가지를 갖는 병원체는 말라리아의 병원체인 원생동물이므로 C는 말라리아이다. 따라서 B는 독감이다.　　답 ❺ 바이러스 ❻ 원생동물

Point 해설

ㄱ. A는 병원체가 곰팡이인 무좀이다.

ㄴ. B는 독감이며, 모기를 매개로 전염되는 질병은 말라리아(C)이다.

ⓒ 세포는 물질대사를 하기 위한 효소를 합성하며, 효소의 주성분은 단백질이다. 따라서 세포 구조의 모든 생물체는 단백질을 갖는다. 생물과 무생물의 중간형인 바이러스는 스스로 효소를 합성할 수는 없으나, 단백질 껍질 안에 유전 물질을 보호하고 있는 구조를 하고 있으므로 단백질을 갖는다.　　답 ②

전략 비법 노트

• **바이러스**: 독감의 병원체, 세포 구조가 아니며, **유전 물질과 단백질 껍질**을 갖는다.
• **곰팡이**: 무좀의 병원체, **균류**에 속하며, 핵이 있는 세포로 되어 있다.
• **원생동물**: 말라리아의 병원체, **핵이 있는 세포**로 되어 있고, 말라리아는 **모기를 매개**로 전염된다.

19 체액성 면역과 세포성 면역

수능 전략Key 사람의 방어 작용의 종류와 특이적 방어 작용의 특성을 이해하고, 체액성 면역과 세포성 면역의 구체적인 과정과 관여하는 세포를 알고 있어야 한다.

그림 (가)와 (나)는 사람의 면역 반응을 나타낸 것이다. (가)와 (나)는 각각 세포성 면역과 체액성 면역 중 하나이며, ㉠~㉢은 기억 세포, 세포독성 T 림프구, B 림프구를 순서 없이 나타낸 것이다.

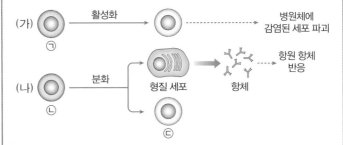

이에 대한 설명으로 옳은 것만을 |보기|에서 있는 대로 고른 것은?

┌─ 보기 ┌
ㄱ. (가)는 세포성 면역이다.
ㄴ. ㉠~㉢은 모두 골수에서 생성되었다.
ㄷ. (가)와 (나)는 모두 특이적 방어 작용이다.

① ㄱ   ② ㄷ   ③ ㄱ, ㄴ   ④ ㄴ, ㄷ   ⑤ ㄱ, ㄴ, ㄷ

개념 꼭!

* 비특이적 방어 작용은 병원체의 종류나 감염 경험의 유무와 관계없이 감염 발생 시 신속하게 반응이 일어난다.

* 특이적 방어 작용은 특정 항원을 인식하여 제거하는 방어 작용이며, ❶ ☐ 림프구와 B 림프구에 의해 이루어진다.

* 특이적 방어 작용에는 세포성 면역과 체액성 면역이 있으며, 체액성 면역은 항원과 결합하는 단백질인 ❷ ☐ 에 의해 일어난다.

답 ❶ T ❷ 항체

자료 해석

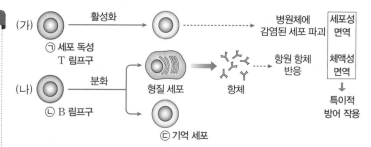

* 림프구는 백혈구의 일종으로 골수에서 만들어지며 일부는 골수에서 B 림프구로 성숙하고, 다른 일부는 ❸ _____ 으로 이동하여 T 림프구로 성숙한다.

* 세포성 면역은 활성화된 ❹ _____ 가 병원체에 감염된 세포를 제거하는 면역 반응이다.

* 체액성 면역은 ❺ _____ 가 생산하는 항체가 항원과 결합함으로써 더 효율적으로 항원을 제거할 수 있는 면역 반응이다.

* 세포성 면역에서 보조 T 림프구가 항원을 인식하여 활성화된 후 세포독성 T림프구가 활성화되어 인식한 항원에 대해 반응이 일어나므로 특이적 방어 작용이다.

* 체액성 면역에서 보조 T 림프구가 항원을 인식하여 활성화된 후 B 림프구가 분화하여 항체가 형성되면서 반응이 일어나므로 ❻ _____ 방어 작용이다.

답 ❸ 가슴샘 ❹ 세포독성 T림프구 ❺ 형질 세포 ❻ 특이적

Point 해설

ⓐ (가)에서 세포독성 T림프구가 병원체에 감염된 세포를 직접 파괴하는 것을 세포성 면역이라고 한다.

ⓑ ㉠은 세포독성 T림프구이고, ㉡은 B 림프구이며, ㉢은 B 림프구에서 분화된 기억 세포이다. T 림프구와 B 림프구는 모두 골수에서 생성된다.

ⓒ (나)는 특정 항원에만 결합하는 항체가 형질 세포에서 생성되어 항원 항체 반응이 일어남으로써 일어나는 면역 반응으로 체액성 면역이라고 한다. 세포성 면역과 체액성 면역은 모두 보조 T 림프구에 의해 항원 인식이 일어난 후 인식한 항원에 대해 면역 반응이 일어나는 특이적 방어 작용이다. 답 ⑤

전략 비법 노트

● **특이적 방어 작용(특정 항원 인식): 세포성 면역, 체액성 면역**

● B 림프구와 T 림프구 → **골수에서 생성**

1차 면역 반응과 2차 면역 반응

특이적 방어 작용의 특징 중 항원을 기억하여 1차 면역 반응과 2차 면역 반응이 다르게 나타나는 원리에 대해 체액성 면역을 중심으로 알고 있어야 한다.

다음은 항원 X에 대한 생쥐의 방어 작용 실험이다.

┌ 실험 과정 및 결과 ┐

(가) 유전적으로 동일하고 X에 노출된 적이 없는 생쥐 A~D 를 준비한다.

(나) 생쥐 A와 B에 X를 각각 2 회에 걸쳐 주사한 후, A와 B에서 특이적 방어 작용이 일어났는지 확인한다.

생쥐	특이적 방어 작용
A	○
B	ⓐ

(○: 없음, ×: 없음)

(다) 일정 시간이 지난 후, (나)의 A에서 ㉠을 분리하여 C에, (나)의 B에서 ㉡을 분리하여 D에 주사한다. ㉠과 ㉡은 혈장과 기억 세포를 순서 없이 나타낸 것이다.

(라) 일정 시간이 지난 후, C와 D에 X를 각각 주사한다. C와 [2차 면역 반응에 관여] D에서 X에 대한 혈중 항체 농도 변화는 그림과 같다.

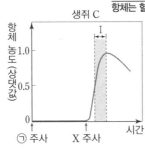

생쥐 C
[항체는 혈장에 있음]

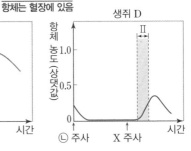

생쥐 D

이에 대한 설명으로 옳은 것만을 |보기|에서 있는 대로 고르시오.

┌ 보기 ┐

ㄱ. ⓐ은 ×이다.

ㄴ. 구간 Ⅰ에서 ㉠에서 분화된 형질 세포로부터 X에 대한 항체가 생성되었다.

ㄷ. 구간 Ⅱ에서 X에 대한 1차 면역 반응이 일어났다.

개념 꼭!

* 1차 면역 반응: 항원의 1차 침입 시 보조 T 림프구의 도움을 받은 B 림프구는 기억 세포와 형질 세포로 분화되며, ❶ [   ]는 항체를 생산한다.

* 2차 면역 반응: 동일 항원의 재침입 시 그 항원에 대한 ❷ [   ]에 의해 면역 반응이 빨라지고, 항체 농도도 높아진다.

자료 해석

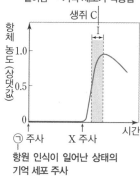
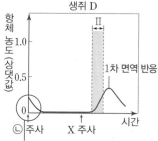

높은 농도의 항체 생성: 2차 면역 반응이 일어남 → 기억 세포가 작용함

생쥐 C

항원 인식이 일어난 상태의 기억 세포 주사

생쥐 D

주사할 때 항체가 존재하고 있으므로 항체가 포함된 혈장 주사

* A에서 ㉠을 분리하여 C에 주사한 후 X를 주사했을 때, 구간 Ⅰ에서 항체의 농도가 높게 나타나는 것으로 보아 기억 세포에 의한 2차 면역 반응이 일어났음을 알 수 있다. 따라서 ㉠은 기억 세포이고, ㉡은 혈장이다.

* 혈장에는 ❸ [   ]가 있으며, 기억 세포는 혈구이므로 혈장에 존재하지 않는다.

🔑 ❶ 형질 세포 ❷ 기억 세포 ❸ 항체

Point 해설

ㄱ. (다)에서 B에서 분리한 ㉡을 D에 주사하였을 때 항체 농도 그래프에서 ㉡에 항체가 존재하는 것으로 보아, B에서 항체를 형성하는 특이적 방어 작용이 일어났다.

ㄴ. 구간 Ⅰ에서 2차 면역 반응이 일어났으므로, ㉠(기억 세포)에서 분화된 형질 세포로부터 X에 대한 항체가 생성되었음을 알 수 있다.

ㄷ. 구간 Ⅰ에서는 기억 세포에 의한 2차 면역 반응이, 구간 Ⅱ에서는 X에 대한 1차 면역 반응이 일어났다.

🔑 ㄴ, ㄷ

전략 비법 노트

● 항원 주사 후 혈장 속에는 항원에 대한 **항체**가 들어 있다.

● **2차 면역 반응**은 항원 침입으로 형성된 **기억 세포**가 동일 항원 침입 시 형질 세포로 빠르게 분화되어 **높은 농도의 항체**가 형성되는 반응이다.

수능 전략Key 체액성 면역의 항원 인식이라는 특성과 항원 기억이라는 특성을 이용한 백신 개발의 원리에 대해 실험 과정을 중심으로 이해할 수 있어야 한다.

다음은 병원체 P에 대한 백신을 개발하기 위한 실험이다.

실험 과정 및 결과

(가) P로부터 두 종류의 백신 후보 물질 ㉠과 ㉡을 얻는다.

(나) P, ㉠, ㉡에 노출된 적이 없고, 유전적으로 동일한 생쥐 Ⅰ~Ⅴ를 준비한다.

(다) 표와 같이 주사액을 Ⅰ ~Ⅳ에게 주사하고 일 정 시간이 지난 후, 생 쥐의 생존 여부를 확인 한다.

생쥐	주사액 조성	생존 여부
Ⅰ	㉠	산다
Ⅱ, Ⅲ	㉡	산다
Ⅳ	P	죽는다

항원을 포함한 P에 독성이 있음

(라) (다)의 Ⅲ에서 ㉡에 대한 B 림프구가 분화한 기억 세포를 분리하여 Ⅴ에게 주사한다.

(마) (다)의 Ⅰ과 Ⅱ, (라)의 Ⅴ에게 각 각 P를 주사하고 일정 시간이 지 난 후, 생쥐의 생존 여부를 확인한 다. Ⅱ에는 P에 대해 기억 세포가 있음

생쥐	생존 여부
Ⅰ	죽는다
Ⅱ	산다
Ⅴ	산다

이에 대한 설명으로 옳은 것만을 |보기|에서 있는 대로 고른 것은? (단, 제 시된 조건 이외에는 고려하지 않는다.)

보기

ㄱ. P에 대한 백신으로 ㉠보다 ㉡이 적합하다.

ㄴ. (다)의 Ⅱ에서 특이적 방어 작용이 일어났다.

ㄷ. (마)의 Ⅴ에서 ㉡에 대한 2차 면역 반응이 일어났다.

① ㄱ ② ㄷ ③ ㄱ, ㄴ ④ ㄴ, ㄷ ⑤ ㄱ, ㄴ, ㄷ

개념 꼭! *백신: 면역 반응이 일어나 기억 세포가 생성되도록 하기 위해 질병을 일으키지 않 을 정도로 독성을 약화시키거나 비활성 상태로 만든 항원

자료 해석

* 백신을 주사하면 주입한 항원에 대한 **❶** 가 형성되어 동일한 항원이 다시 침입하였을 때 2차 면역 반응이 일어나 질병을 예방할 수 있다.

* (다)에서 백신 후보 물질 ㉠과 ㉡을 주사하였을 때 생쥐가 생존하였고, P를 주사하였을 때 죽었으므로 ㉠과 ㉡은 생쥐에게 독성이 없는 물질이고, P는 생쥐에게 독성이 있는 **❷** 이 포함되어 있음을 알 수 있다.

* (마)에서 Ⅰ은 ㉠을 주사한 후 병원체 P를 주사하였는데, 죽은 것으로 보아 ㉠이 P에 포함된 항원에 대한 면역 작용을 하지 못한다는 것을 알 수 있다.

* (마)에서 Ⅱ는 ㉡을 주사한 후 병원체 P를 주사하였는데, 생존하였으므로 ㉡이 P에 포함된 항원에 대한 **❸** 작용을 하는 물질임을 알 수 있다.

생쥐	생존 여부
Ⅰ ㉠ 주사 후 P 주사	죽는다
Ⅱ ㉡ 주사 후 P 주사	산다
Ⅴ Ⅲ에서 ㉡에 대한 B 림프구가 분화한 기억 세포 주사 후 P 주사	산다

* (마)에서 Ⅴ는 Ⅲ에서 ㉡에 대한 B 림프구가 분화한 기억 세포를 분리하여 주사한 후 P를 주사하였는데 생존한 것으로 보아 ㉡에 대한 B 림프구가 분화한 **❹** 에 의해 P에 포함된 항원에 대한 면역 작용이 일어났음을 알 수 있다.

답 ❶ 기억 세포 **❷** 항원 **❸** 면역 **❹** 기억 세포

Point 해설

㉠ ㉠을 주사한 후 P를 주사했을 때는 죽었지만, ㉡을 주사한 후 P를 주사했을 때 생존하였으므로 P에 대한 백신으로는 ㉠보다 ㉡이 적합하다.

㉡ (다)의 Ⅱ에서 ㉡에 대한 1차 면역 반응이 일어났으므로 특이적 방어 작용이 일어났다.

㉢ (다)에서 Ⅳ는 P를 주사 맞은 후 죽었고, Ⅴ는 (라)에서 ㉡에 대한 기억 세포를 주사 맞은 후 (마)에서 P를 주사 맞고 살아남았다. (마)에서 Ⅴ는 기억 세포로부터 형질 세포로의 분화가 일어나 P에 대한 항체가 빠르게 많이 생성되는 2차 면역 반응이 일어나 살아남았음을 알 수 있다.

답 ⑤

전략 비법 노트

● 특이적 방어 작용은 특정 항원을 인식하여 제거하는 면역 작용이다.
● 백신은 1차 면역 반응을 일으켜 기억 세포를 형성시키기 위한 것이다.

ABO식 혈액형의 판정

ABO식 혈액형 판정의 원리를 이해하고 각 혈액형의 응집원과 응집소의 종류와 원리에 대해 실험 과정을 중심으로 이해할 수 있어야 한다.

표 (가)는 사람 I~Ⅲ의 혈액에서 <u>응집원 B</u>와 <u>응집소 β</u>의 유무를, (나)는
　　　　　　　　　　B형과 AB형에게 있음　　A형과 O형에게 있음
I~Ⅲ의 혈액을 혈청 ㉠~㉢과 각각 섞었을 때의 ABO식 혈액형에 대한
응집 반응 결과를 나타낸 것이다. I~Ⅲ의 ABO식 혈액형은 모두 다르며,
㉠~㉢은 I의 혈청, Ⅱ의 혈청, 항 B 혈청을 순서 없이 나타낸 것이다.

구분	응집원 B	응집소 β
I	○	?
Ⅱ	?	×
Ⅲ	?	○

(○: 있음, ×: 없음)

(가)

구분	㉠	㉡	㉢
I의 혈액	−	?	?
Ⅱ의 혈액	?	+	+
Ⅲ의 혈액	?	+	−

(+: 응집됨, −: 응집 안 됨)

(나)

이에 대한 설명으로 옳은 것만을 |보기|에서 있는 대로 고른 것은?

보기

ㄱ. ㉡은 I의 혈청이다.

ㄴ. I은 AB형이다.

ㄷ. Ⅱ의 혈액에는 응집소 α가 있다.

① ㄱ   ② ㄷ   ③ ㄱ, ㄴ   ④ ㄴ, ㄷ   ⑤ ㄱ, ㄴ, ㄷ

* ABO식 혈액형에서 응집원(항원)은 [❶   ] 막 표면에, 응집소(항체)는
[❷   ]에 있다. 응집원은 A와 B 두 종류이고, 응집소는 α와 β 두 종류이다.

* ABO식 혈액형은 응집원의 종류에 따라 A형, B형, AB형, [❸   ]으로 구분
한다.

혈액형	A형	B형	AB형	O형
응집원	응집원 A 적혈구	응집원 B	응집원 B 응집원 A	없음
응집소	응집소 β	응집소 α	없음	응집소 α 응집소 β

답 ❶ 적혈구 ❷ 혈장 ❸ O형

자료 해석

구분	응집원 B B형 혹은 AB형에게 있음	응집소 β A형 혹은 O형에게 있음
I	○ (B형 혹은 AB형)	?
II	?	× (B형 혹은 AB형)
III	?	○ (A형 혹은 O형)

(○: 있음, ×: 없음)

(가)

구분	㉠ II의 혈청	㉡ I의 혈청	㉢ 항B 혈청
I의 혈액	−	? (−)	?
II의 혈액	?	+ (㉡은 II의 혈청이 아님)	+ (㉢은 II의 혈청이 아님)
III의 혈액 (A형)	?	+ (III은 O형 아님)	−

(+: 응집됨, −: 응집 안 됨)

(나)

* (가)에서 응집원 B가 있는 I은 B형 혹은 **❹**[＿＿＿]이고, 응집소 β가 없는 II는 **❺**[＿＿＿] 혹은 AB형이다.
* (가)에서 응집소 β가 있는 III은 A형 혹은 **❻**[＿＿＿]이다.
* (나)에서 II의 혈액이 ㉡과 ㉢에 응집 반응을 나타냈으므로, ㉡과 ㉢은 II의 혈청이 아니다. 따라서, ㉠이 II의 혈청이다.
* III은 응집소가 들어 있는 ㉡과 반응하여 응집 반응이 나타났으므로 O형이 아니다. 따라서, III은 A형이다.

🔲 ❹ AB형 ❺ B형 ❻ O형

Point 해설

㉠ ㉡은 II와 III의 혈액과 응집 반응이 일어났으므로 I의 혈청이다.
ㄴ. I이 AB형이면(응집소 없음) II는 B형이므로 ㉡과 응집 반응이 일어날 수 없다. 따라서 I은 B형, II는 AB형이다.
ㄷ. II는 AB형이므로 응집소 α와 β를 둘 다 갖지 않는다.

🔲 ①

전략 비법 노트

* 응집원 A는 A형과 AB형에게 있고 응집원 B는 B형과 AB형에게 있다.
* 응집소 α는 B형과 O형에게 있고 응집소 β는 A형과 O형에게 있다.
* 혈청 속에는 응집소만 들어 있고, 혈액에는 응집원과 응집소가 모두 있다.

memo